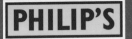

STREE[T ATLAS]

Anglesey, Conwy Gwynedd

ATLAS STRYDOEDD Conwy, Gwynedd, Sir Ynys Môn

www.philips-maps.co.uk

First published in 2004 by

Philip's, a division of
Octopus Publishing Group Ltd
www.octopusbooks.co.uk
2-4 Heron Quays, London E14 4JP
An Hachette Livre UK Company
www.hachettelivre.co.uk

First edition 2004
Third impression 2008
ACGAB

ISBN 978-0-540-09481-3 (pocket)

Printed and bound in China by Toppan

Contents

Inside front cover **Administrative and Postcode boundaries**

II **Key to map pages**

IV **Route planning**

VIII **Key to map symbols**

2 **Street maps** at 1⅓ inches to 1 mile

112 **Street maps** at 2⅔ inches to 1 mile

164 **Index** of towns and villages

167 **Index** of streets, hospitals, industrial estates, railway stations, schools, shopping centres, universities and places of interest

Digital Data

The exceptionally high-quality mapping found in this atlas is available as digital data in TIFF format, which is easily convertible to other bitmapped (raster) image formats.

The index is also available in digital form as a standard database table. It contains all the details found in the printed index together with the National Grid reference for the map square in which each entry is named.

For further information and to discuss your requirements, please contact victoria.dawbarn@philips-maps.co.uk

On-line route planner

For detailed driving directions and estimated driving times visit our free route planner at www.philips-maps.co.uk

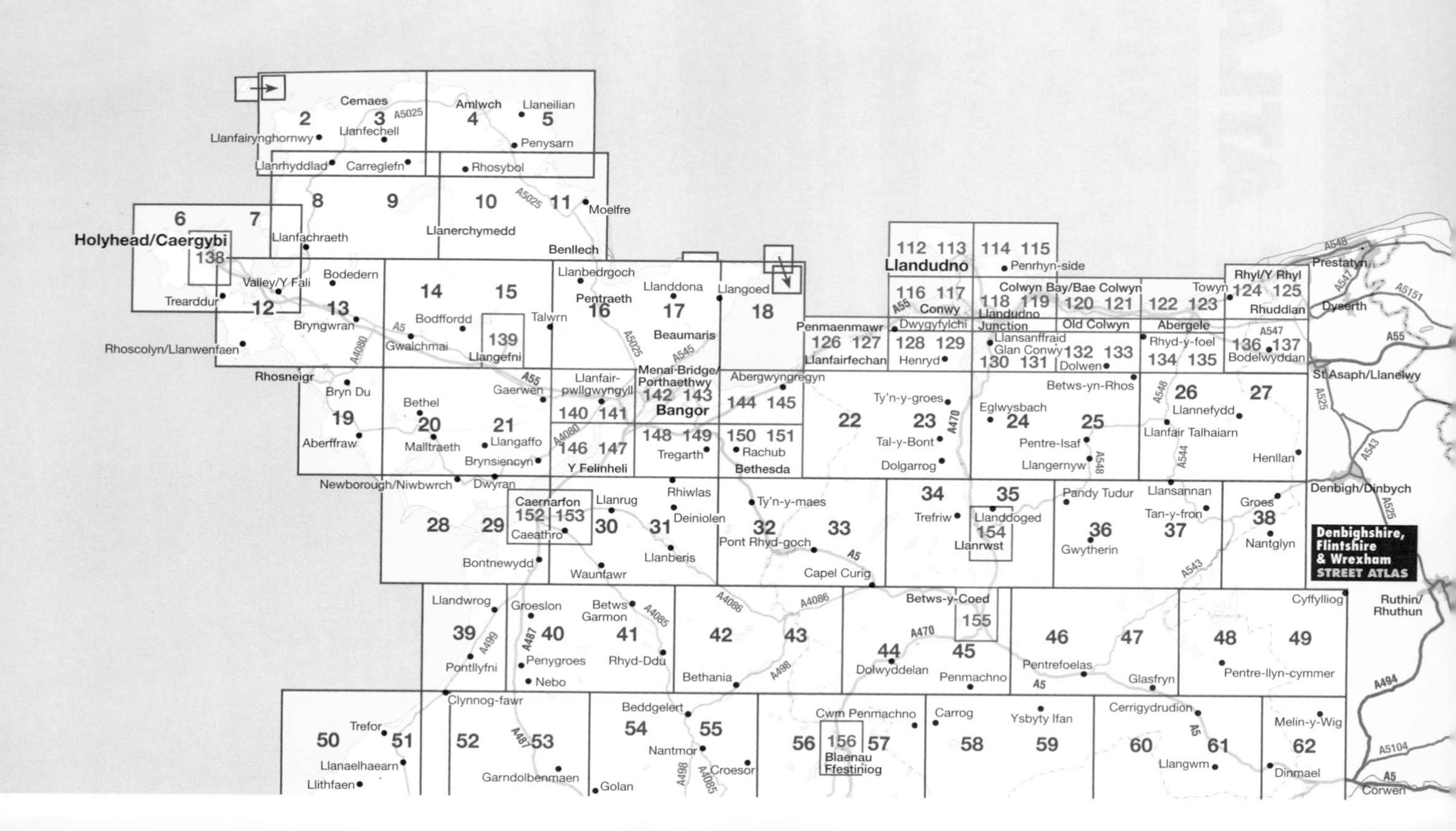

Holyhead/Caergybi
Cemaes
Amlwch
Llaneilian
Llanfairynghornwy
Llanfechell
Penysarn
Llanrhyddlad
Carreglefn
Rhosybol
Moelfre
Llanfachraeth
Llanerchymedd
Benllech
Valley/Y Fali
Trearddur
Bodedern
Bryngwran
Rhoscolyn/Llanwenfaen
Bodffordd
Gwalchmai
Llangefni
Talwrn
Llanbedrgoch
Pentraeth
Llanddona
Beaumaris
Llangoed
Rhosneigr
Bryn Du
Aberffraw
Bethel
Malltraeth
Gaerwen
Llangaffo
Brynsiencyn
Llanfair-pwllgwyngyll
Menai Bridge/Porthaethwy
Bangor
Y Felinheli
Tregarth
Rachub
Bethesda
Abergwyngregyn
Newborough/Niwbwrch
Dwyran
Caernarfon
Caeathro
Llanrug
Rhiwlas
Deiniolen
Llanberis
Bontnewydd
Waunfawr
Ty'n-y-maes
Pont Rhyd-goch
Capel Curig
Llandudno
Penrhyn-side
Conwy
Colwyn Bay/Bae Colwyn
Llandudno Junction
Old Colwyn
Penmaenmawr
Dwygyfylchi
Llanfairfechan
Henryd
Llansanffraid Glan Conwy
Dolwen
Towyn
Rhyl/Y Rhyl
Rhuddlan
Abergele
Rhyd-y-foel
Bodelwyddan
Prestatyn
Dyserth
St Asaph/Llanelwy
Ty'n-y-groes
Tal-y-Bont
Dolgarrog
Eglwysbach
Betws-yn-Rhos
Pentre-Isaf
Llangernyw
Llannefydd
Llanfair Talhaiarn
Henllan
Denbigh/Dinbych
Trefriw
Llanddoged
Llanrwst
Pandy Tudur
Gwytherin
Llansannan
Tan-y-fron
Groes
Nantglyn
Denbighshire, Flintshire & Wrexham STREET ATLAS
Ruthin/Rhuthun
Llandwrog
Pontllyfni
Groeslon
Penygroes
Nebo
Betws Garmon
Rhyd-Ddu
Bethania
Betws-y-Coed
Dolwyddelan
Penmachno
Pentrefoelas
Glasfryn
Pentre-llyn-cymmer
Cyffylliog
Trefor
Llanaelhaearn
Llithfaen
Clynnog-fawr
Garndolbenmaen
Beddgelert
Nantmor
Croesor
Golan
Cwm Penmachno
Blaenau Ffestiniog
Carrog
Ysbyty Ifan
Cerrigydrudion
Llangwm
Melin-y-Wig
Dinmael
Corwen
A5
A55
A470
A4080
A5025
A545
A4086
A4085
A487
A499
A498
A548
A547
A5151
A525
A543
A544
A494
A5104
2 3 4 5 6 7 8 9 10 11 12 13 14 15 16 17 18 19 20 21 22 23 24 25 26 27 28 29 30 31 32 33 34 35 36 37 38 39 40 41 42 43 44 45 46 47 48 49 50 51 52 53 54 55 56 57 58 59 60 61 62
112 113 114 115 116 117 118 119 120 121 122 123 124 125 126 127 128 129 130 131 132 133 134 135 136 137 138 139 140 141 142 143 144 145 146 147 148 149 150 151 152 153 154 155 156

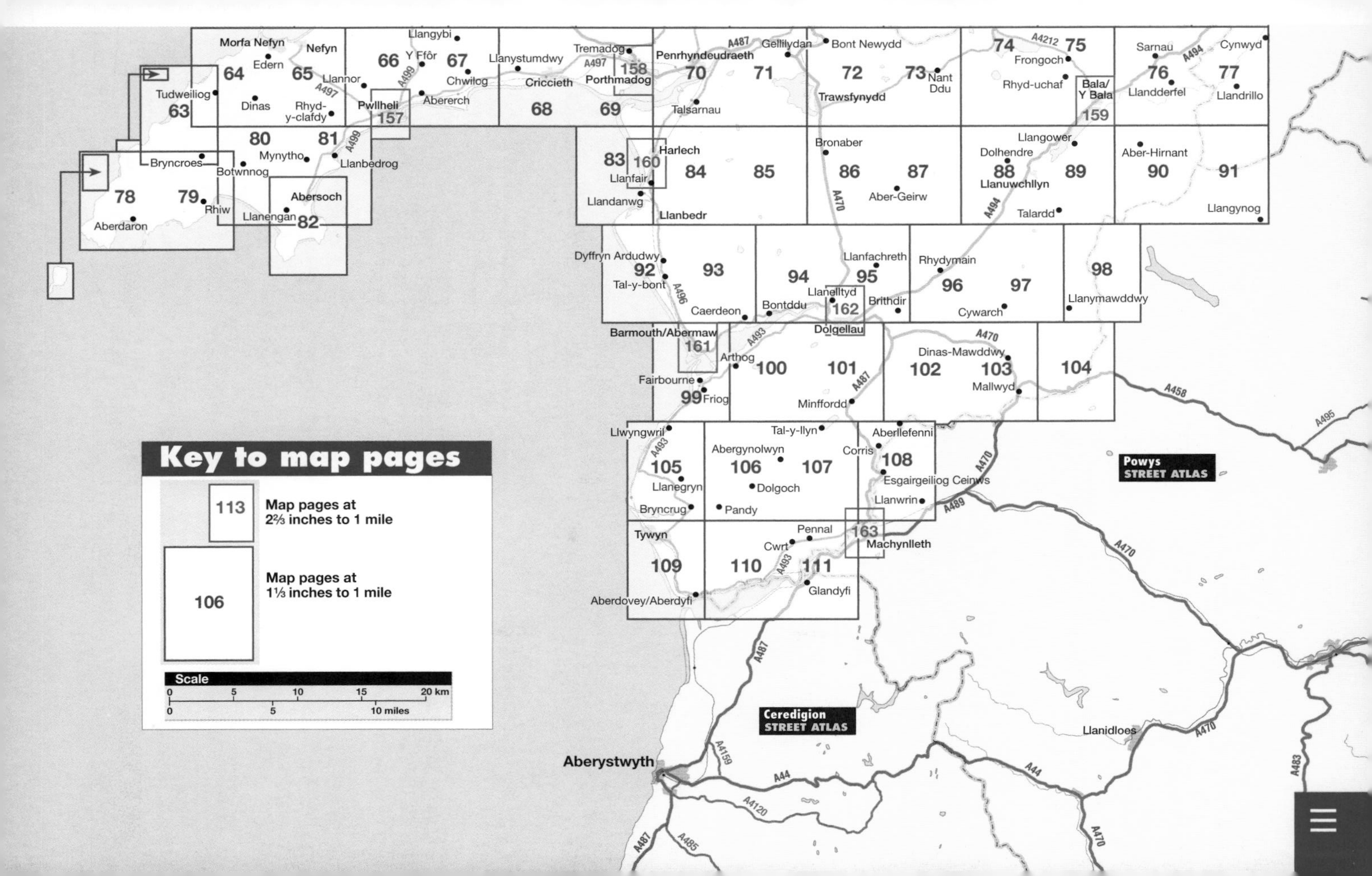

III

Powys STREET ATLAS

Ceredigion STREET ATLAS

Key to map pages

Map pages at
2⅔ inches to 1 mile

113

Map pages at
1⅓ inches to 1 mile

106

Scale

| 0 | 5 | 10 | 15 | 20 km |

| 0 | 5 | 10 miles |

I R I S H   S E A

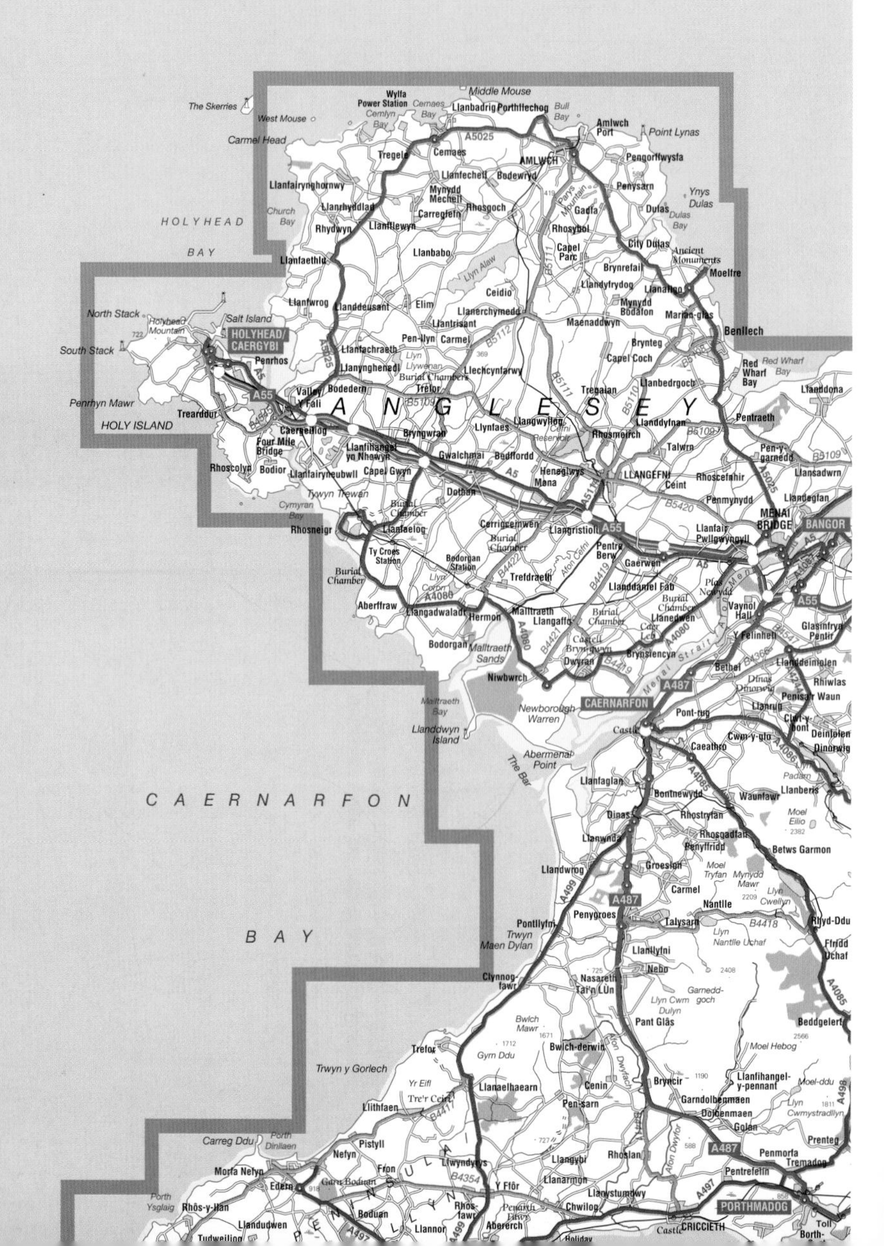

The Skerries
West Mouse
Carmel Head
Wylfa Power Station
Cemaes Bay
Cemlyn Bay
Middle Mouse
Llanbadrig
Porthllechog
Bull Bay
Amlwch Port
Point Lynas
A5025
Tregele
Cemaes
AMLWCH
Pengorffwysfa
Llanfairynghornwy
Llanfechell
Bodewryd
Penysarn
Ynys Dulas
Mynydd Mechell
Llanrhyddlad
Carreglefn
Rhosgoch
Parys Mountain
Gadfa
Dulas
Dulas Bay
Church Bay
HOLYHEAD
Rhydwyn
Llanfflewyn
Rhosybol
BAY
Llanbabo
Capel Parc
City Dulas
Ancient Monuments
Llanfaethlu
Llyn Alaw
Brynrefail
Moelfre
Llandyfrydog
Llanallgo
Llanfwrog
Llanddeusant
Elim
Ceidio
Mynydd Bodafon
North Stack
Salt Island
Holyhead Mountain
Llanerchymedd
Marian-glas
Llantrisant
Maenaddwyn
Benllech
HOLYHEAD/ CAERGYBI
Pen-llyn
Carmel
South Stack
Penrhos
Llanfachraeth
Llyn Llywenan
Brynteg
Capel Coch
Red Wharf Bay
Llanynghenedl
Burial Chambers
Llechcynfarwy
Red Wharf Bay
Trefor
Bodedern
Tregaian
Llanbedrgoch
Llanddona
Penrhyn Mawr
Valley/ Y Fali
A N G L E S E Y
Trearddur
HOLY ISLAND
Caergeiliog
Llynfaes
Llangwyllog
Cefni Reservoir
Llanddyfnan
Pentraeth
Bryngwran
Rhosmeirch
Talwrn
Four Mile Bridge
Llanfihangel yn Nhowyn
Pen-y-garnedd
Gwalchmai
Bodffordd
Rhoscolyn
Bodior
Llanfairyneubwll
Capel Gwyn
Heneglwys
Mona
LLANGEFNI
Rhoscefnhir
Llansadwrn
Ceint
Tywyn Trewan
Dothan
Cymyran Bay
Burial Chamber
Penmynydd
Llandegfan
Rhosneigr
Cerrigceinwen
Llangristiolus
Llanfair Pwllgwyngyll
MENAI BRIDGE
BANGOR
Llanfaelog
Burial Chamber
Ty Croes Station
Pentre Berw
Gaerwen
Bodorgan Station
Afon Cefni
Plas Newydd
Burial Chamber
Llyn Coron
Trefdraeth
Llanddaniel Fab
Burial Chamber
Aberffraw
Llangadwaladr
Hermon
Malltraeth
Llangaffo
Burial Chamber
Llanedwen
Vaynol Hall
Caer Leb
Castell Bryngwyn
Glasinfryn
Pentir
Bodorgan
Malltraeth Sands
Dwyran
Brynsiencyn
Y Felinheli
Menai Strait
Bethel
Llanddeiniolen
Niwbwrch
Dinas Dinorwig
Rhiwlas
Malltraeth Bay
CAERNARFON
Penisa'r Waun
Newborough Warren
Pont-rug
Llanrug
Cwm-y-glo
Clwt-y-bont
Llanddwyn Island
Castle
Caeathro
Deiniolen
Dinorwig
Abermenai Point
The Bar
Padarn
Llanfaglan
Llanberis
C A E R N A R F O N
Bontnewydd
Waunfawr
Dinas
Rhostryfan
Moel Eilio
Rhosgadfan
Llanwnda
Penyffridd
Betws Garmon
Llandwrog
Groeslon
Moel Tryfan
Mynydd Mawr
Carmel
Llyn Cwellyn
Nantlle
Penygroes
Talysarn
Rhyd-Ddu
Pontllyfni
B A Y
Trwyn Maen Dylan
Llyn Nantlle Uchaf
Ffridd Uchaf
Llanllyfni
Nebo
Clynnog-fawr
Nasareth
Tal'n Lôn
Garnedd-goch
Llyn Cwm Dulyn
Bwlch Mawr
Pant Glâs
Beddgelert
Moel Hebog
Gyrn Ddu
Bwlch-derwin
Trefor
Afon Dwyfach
Trwyn y Gorlech
Yr Eifl
Bryncir
Llanfihangel-y-pennant
Moel-ddu
Tre'r Ceiri
Llanaelhaearn
Cenin
Garndolbenmaen
Llithfaen
Pen-sarn
Llyn Cwmystradllyn
Dolbenmaen
Golan
Carreg Ddu
Porth Dinllaen
Prenteg
Pistyll
Nefyn
Llangybi
Rhoslan
Afon Dwyfor
Penmorfa
Tremadog
Morfa Nefyn
Fron
Llwyndyrys
Pentrefelin
Edern
Garn Boduan
Llanarmon
Y Ffôr
Llanystumdwy
PORTHMADOG
Porth Ysgaig
Rhôs-y-llan
Penarth Fawr
Chwilog
Boduan
Rhos-fawr
Llandudwen
Abererch
Castle
CRICCIETH
Tudweiliog
Llannor
Holiday
Toll
Borth-
P E N I N S U L A
L L Ŷ N
A55
A5
A5025
A4080
A487
A499
A497
A4085
A498
B4419
B4420
B4421
B4422
B4354
B4417
B4418
B5109
B5110
B5111
B5112
B5420

Route planning

Scale

0 1 2 3 4 5 6 7 8 km

0 1 2 3 4 5 miles

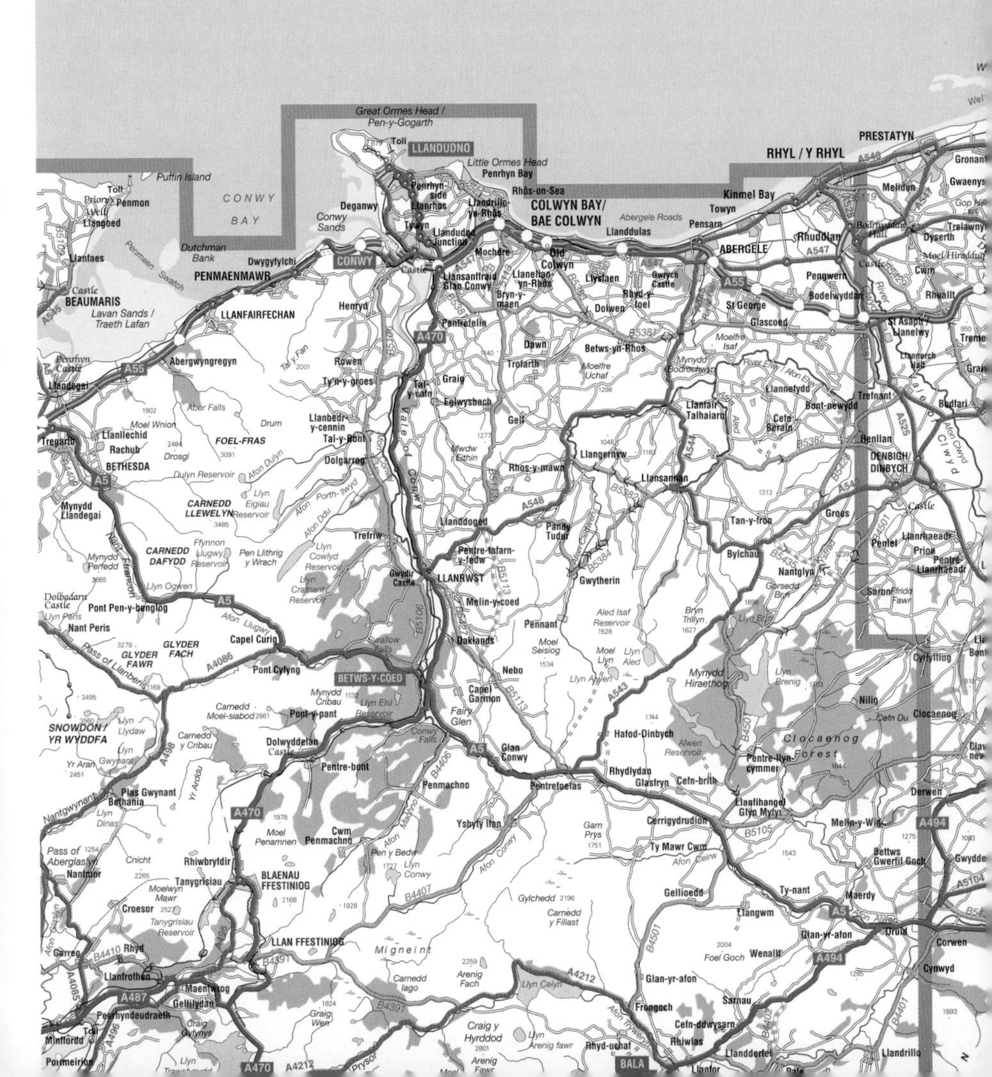

Great Ormes Head /
Pen-y-Gogarth
LLANDUDNO
Little Ormes Head
Penrhyn Bay
Rhôs-on-Sea
COLWYN BAY/
BAE COLWYN
Abergele Roads
Llanddulas
Pensarn
Towyn
Kinmel Bay
RHYL / Y RHYL
PRESTATYN
Puffin Island
CONWY
BAY
Penmon
Llangoed
Llanfaes
BEAUMARIS
Lavan Sands /
Traeth Lafan
Dutchman
Bank
Conwy
Sands
Deganwy
CONWY
Dwygyfylchi
PENMAENMAWR
LLANFAIRFECHAN
Abergwyngregyn
Llandegai
Tregarth
Llanllechid
Rachub
BETHESDA
Mynydd
Llandegai
FOEL-FRAS
CARNEDD
LLEWELYN
CARNEDD
DAFYDD
Pont Pen-y-benglog
Nant Peris
GLYDER
FAWR
GLYDER
FACH
Capel Curig
Pass of Llanberis
SNOWDON /
YR WYDDFA
Pont Cyfyng
BETWS-Y-COED
Pont-y-pant
Dolwyddelan
Pentre-bont
Plas Gwynant
Bethania
Nantmor
Rhiwbryfdir
Tanygrisiau
BLAENAU
FFESTINIOG
Croesor
LLAN FFESTINIOG
Rhyd
Garreg
Llanfrothen
Maentwrog
Gellilydan
Penrhyndeudraeth
Minffordd
Porthmeirion
Henryd
Rowen
Ty'n-y-groes
Tal-y-cafn
Llanbedr-
y-cennin
Tal-y-Bont
Dolgarrog
Trefriw
Gwydir
Castle
LLANRWST
Vale of Conwy
Llansanffraid
Glan Conwy
Pentrefelin
Graig
Eglwysbach
Gell
Llanddoged
Pentre-tafarn-
y-fedw
Melin-y-coed
Oaklands
Capel
Garmon
Nebo
Glan
Conwy
Penmachno
Pentrefoelas
Ysbyty Ifan
Cwm
Penmachno
Migneint
Mochdre
Llandudno
Junction
Llanelian-
yn-Rhos
Bryn-y-
maen
Old
Colwyn
Dawn
Trofarth
Rhos-y-mawn
Pandy
Tudur
Gwytherin
Pennant
Llysfaen
Rhyd-y-
foel
Dolwen
Betws-yn-Rhos
Gwrych
Castle
ABERGELE
St George
Glascoed
Bodelwyddan
Rhuddlan
Pengwern
Llangernyw
Llansannan
Llanfair
Talhaiarn
Llannefydd
Bont-newydd
Cefn
Berain
Henllan
DENBIGH/
DINBYCH
Tan-y-fron
Bylchau
Nantglyn
Groes
Peniel
Prion
Saron
Hafod-Dinbych
Rhydlydan
Glasfryn
Cefn-brith
Cerrigydrudion
Ty Mawr Cwm
Gellioedd
Llangwm
Glan-yr-afon
Wenallt
Sarnau
Frongoch
Cefn-ddwysarn
Rhiwlas
Llandderfel
Rhyd-uchaf
BALA
Llanfor
Llanfihangel
Glyn Myfyr
Pentre-llyn-
cymmer
Clocaenog
Forest
Melin-y-Wig
Bettws
Gwerfil Goch
Ty-nant
Maerdy
Druid
Corwen
Cynwyd
Derwen
Cyffylliog
Nilig
Clocaenog
Llandrillo
Meliden
Gwaenysgor
Trelawnyd
Dyserth
Cwm
Rhuallt
St Asaph /
Llanelwy
Trefnant
Llanrhaeadr
Moelfre
Isaf
Mynydd
Hiraethog
Llyn
Brenig
Alwen
Reservoir
Aled Isaf
Reservoir
Llyn Celyn
Arenig
Fach
Carnedd
Iago
Gylchedd
Carnedd
y Filiast
Foel Goch
Garn
Prys
Llyn
Conwy

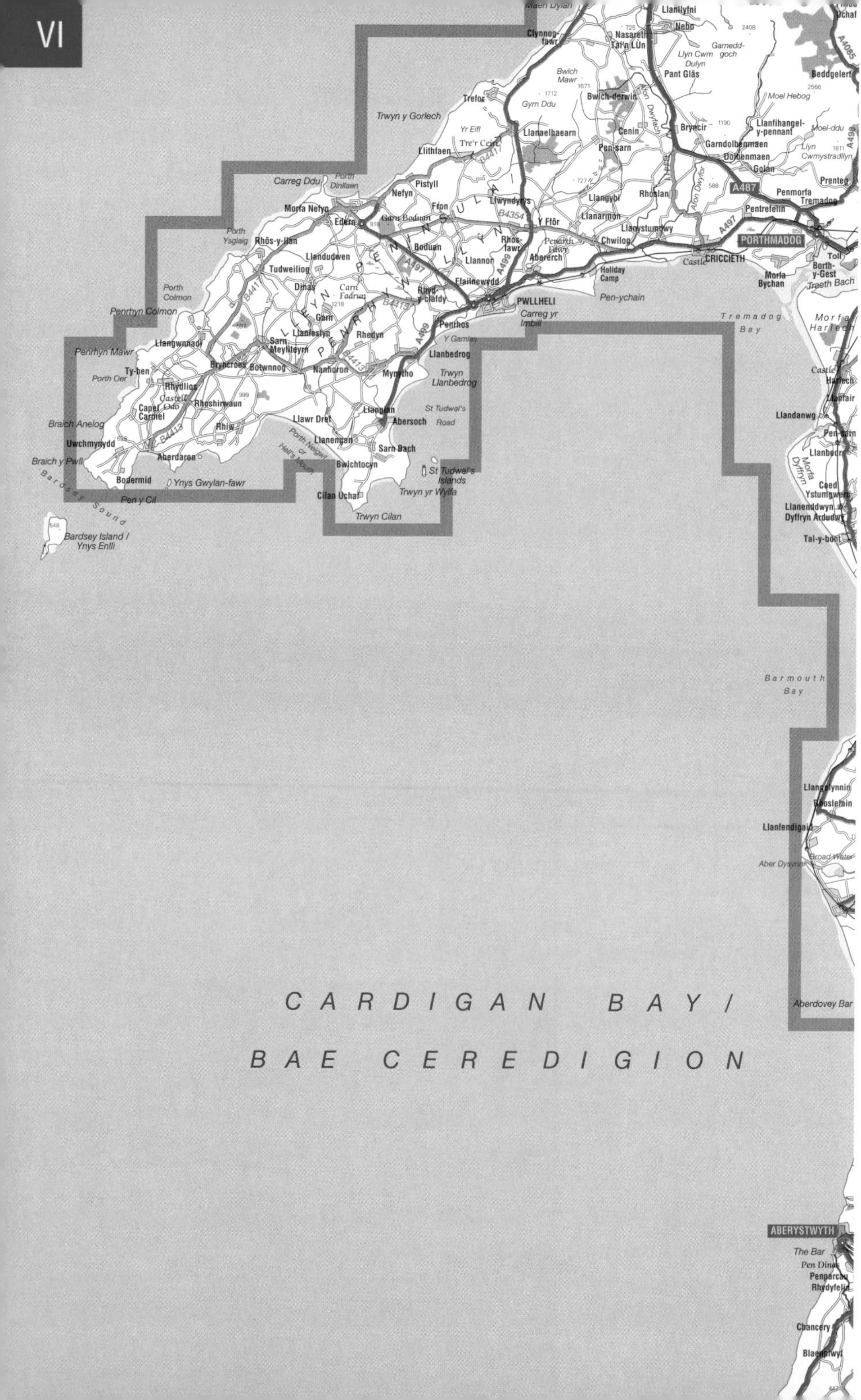

CARDIGAN BAY /

BAE CEREDIGION

Bardsey Island /
Ynys Enlli

Bardsey Sound

Braich y Pwll

Braich Anelog

Uwchmynydd

Bodermid

Pen y Cil

Ynys Gwylan-fawr

St Tudwal's Islands

St Tudwal's Road

Trwyn yr Wylfa

Trwyn Cilan

Cilan Uchaf

Bwlchtocyn

Sarn Bach

Llanengan

Abersoch

Llangian

Rhiw

Llawr Dref

Rhoshirwaun

Capel
Carmel

Castell
Odo

Aberdaron

Ty-ben

Porth Oer

Penrhyn Mawr

Penrhyn Colmon

Porth Colmon

Llangwnnadl

Porth
Ysglaig

Rhos-y-llan

Carreg Ddu

Porth
Dinllaen

Morfa Nefyn

Edern

Tudweiliog

Llandudwen

Dinas

Garn Fadrun

Garn

Rhydyclafdy

Sarn
Meyllteyrn

Botwnnog

Bryncroes

Rhydlios

Nanhoron

Mynytho

Llanbedrog

Trwyn
Llanbedrog

Y Gamlas

Carreg yr
Imbill

Penrhos

Pwllheli

Llanbedrog

Rhedyn

Llaniestyn

Boduan

Nefyn

Ffon

Pistyll

Llithfaen

Trefor

Trwyn y Gorlech

Yr Eifl

Tre'r Ceiri

Llanaelhaearn

Clynnog-fawr

Nebo

Llanllyfni

Nasareth

Tal-y-Lün

Pant Glas

Bwlch
Mawr

Gyrn Ddu

Bwlch-derwin

Cenin

Pen-sarn

Garnedd-
goch

Llyn Cwm
Dulyn

Moel Hebog

Beddgelert

Moel-ddu

Llanfihangel-
y-pennant

Bryncir

Garndolbenmaen

Dolbenmaen

Golan

Prenteg

Penmorfa
Tremadog

Pentrefelin

PORTHMADOG

Borth-
y-Gest

Morfa
Bychan

Traeth Bach

CRICCIETH

Castell

Pen-ychain

Holiday
Camp

Chwilog

Llanystumdwy

Llanarmon

Llangybi

Rhoslan

Abererch

Penarth
Fawr

Llannor

Rhos-
fawr

Y Ffôr

Llwyndyrys

Tremadog Bay

Morfa
Harlech

Harlech

Llandanwg

Llanbedr

Pen-sarn

Morfa
Dyffryn

Coed
Ystumgwern

Llanenddwyn

Dyffryn Ardudwy

Tal-y-bont

Barmouth Bay

Barmouth

Llangelynnin

Rhoslefain

Llanfendigaid

Aber Dysynni

Broad Water

Aberdovey Bar

ABERYSTWYTH

The Bar

Pen Dinas

Penparcau

Rhydyfelin

Chancery

Blaenbwbl

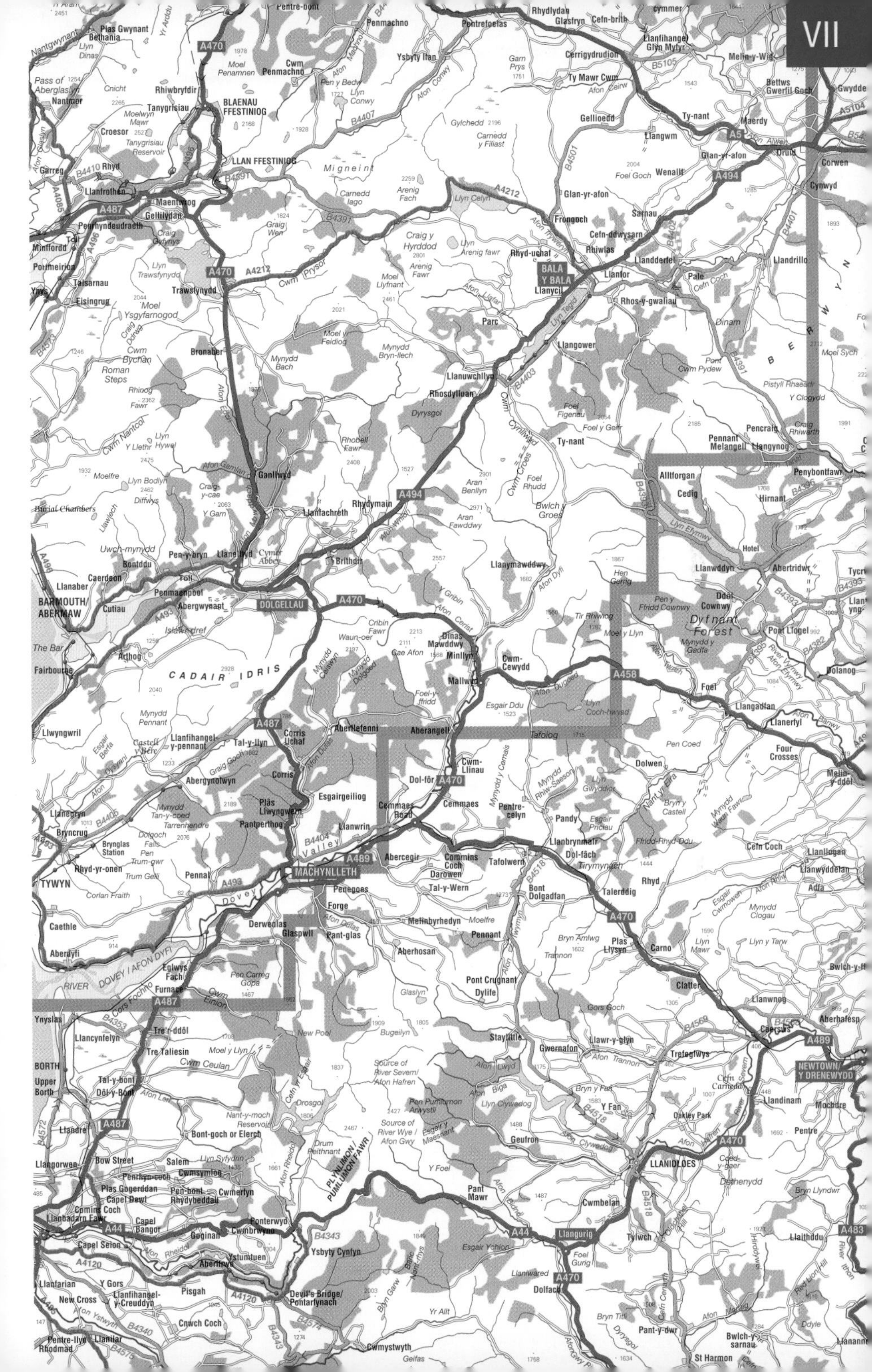
Pentre-bont
Rhydlydan
cymmer
Plas Gwynant
Bethania
Nantgwynant
Llyn Dinas
Yr Arddu
A470
Moel Penamnen
Penmachno
Cwm Penmachno
Afon Machno
Pentrefoelas
Ysbyty Ifan
Pen y Bedw
Llyn Conwy
Afon Conwy
Glasfryn
Cefn-brith
Cerrigydrudion
Llanfihangel Glyn Myfyr
Melin-y-Wig
Garn Prys
Ty Mawr Cwm
Afon Ceirw
B5105
Bettws Gwerfil Goch
Gwydde
Pass of Aberglaslyn
Cnicht
Nantmor
Rhiwbryfdir
BLAENAU FFESTINIOG
Tanygrisiau
Moelwyn Mawr
Tanygrisiau Reservoir
Croesor
B4407
Gylchedd
Carnedd y Filiast
Gellioedd
Ty-nant
Maerdy
A5104
A5
Afon Alwen
Llangwm
Druid
Corwen
Garreg
Rhyd
B4410
A496
LLAN FFESTINIOG
Migneint
B4391
Llanfrothen
A4085
A487
Maentwrog
Gellilydan
Carnedd Iago
Arenig Fach
Llyn Celyn
A4212
Foel Goch
Wenallt
Glan-yr-afon
B4501
A494
Cynwyd
Penrhyndeudraeth
Craig Wen
Frongoch
Sarnau
Toll
Minffordd
Portmeirion
Craig Gyfynys
Craig y Hyrddod
Llyn Arenig fawr
Arenig Fawr
Afon Tryweryn
Cefn-ddwysarn
Rhiwlas
B4402
B4401
Llandrillo
Llyn Trawsfynydd
A470
A4212
Cwm Prysor
Rhyd-uchaf
BALA
Y BALA
Llanfor
Llandderfel
Pale
Cefn Coch
Talsarnau
Ynys
Eisingrug
Trawsfynydd
Moel Llyfnant
Afon Lliw
Llanycil
Llyn Tegid
Rhos-y-gwaliau
Moel Ysgyfarnogod
Craig Dorwig
Cwm Bychan
Roman Steps
Rhinog Fawr
B4573
Bronaber
Moel yr Feidiog
Mynydd Bach
Mynydd Bryn-llech
Parc
Llangower
Dinam
B E R W Y N
Moel Sych
Afon Eden
Llanuwchllyn
B4403
Rhosdylluan
Cwm Pydew
B4391
Pistyll Rhaeadr
Y Clogydd
Cwm Nantcol
Y Llethr
Llyn Hywel
Dyrysgol
Rhobell Fawr
Foel Figenau
Foel y Geifr
Cwm Cynllwyd
Ty-nant
Pennant Melangell
Pencraig
Llangynog
Craig Rhiwarth
Moelfre
Llyn Bodlyn
Diffwys
Craig-y-cae
Afon Gamlan
Ganllwyd
Aran Benllyn
Cwm Croes
Foel Rhudd
Alltforgan
Cedig
Penybontfawr
B4396
Hirnant
Burial Chambers
Y Garn
Llawlech
Llanfachreth
Rhydymain
A494
Aran Fawddwy
Bwlch y Groes
B4393
Llyn Efyrnwy
Uwch-mynydd
Pen-y-bryn
Llanelltyd
Cymer Abbey
Brithdir
Afon Wnion
Hotel
Llanymawddwy
Hen Gerrig
A496
Llanaber
Caerdeon
Bontddu
Toll
Penmaenpool
Abergwynant
DOLGELLAU
A470
Y Gribin
Afon Cerist
Afon Dyfi
Llanwddyn
Abertridwr
B4393
BARMOUTH/ ABERMAW
Cutiau
A493
Islawr-dref
Cribin Fawr
Waun-oer
Cae Afon
Dinas Mawddwy
Minllyn
Tir Rhiwiog
Moel y Llyn
Pen y Ffridd Cownwy
Ddôl Cownwy
Dyfnant Forest
Mynydd y Gadfa
Pont Llogel
B4382
The Bar
Fairbourne
Arthog
CADAIR IDRIS
Mynydd Ceiswyn
Mynydd Dolgoed
Mallwyd
Cwm-Cewydd
Afon Dugoed
A458
Afon Twrch
River Vyrnwy / Afon Efyrnwy
B4395
Foel
Dolanog
Mynydd Pennant
Foel-y-ffridd
Esgair Ddu
Llyn Coch-hwyad
Llangadfan
Llanerfyl
Afon Banwy
Llwyngwril
A487
Corris Uchaf
Aberllefenni
Aberangell
Tafolog
Esgair Berfa
Castell y Bere
Llanfihangel-y-pennant
Tal-y-llyn
Graig Goch
Afon Dulas
Cwm-Llinau
Mynydd y Cemais
Mynydd Rhiw-Saeson
Llyn Gwyddior
Pen Coed
Dolwen
Four Crosses
Melin-y-ddôl
Afon Dysynni
Abergynolwyn
Corris
Esgairgeiliog
Dol-fôr
A470
Nant yr Eira
Bryn y Castell
Mynydd Waun Fawr
Llanegryn
Mynydd Tan-y-coed
Tarrenhendre
Plâs Llwyngwern
Pantperthog
Cemmaes Road
Cemmaes
Pentre-celyn
Pandy
Esgair Priciau
B4405
Bryncrug
Dolgoch Falls
Bryn y glas Station
Pen Trum-gwr
Llanwrin
B4404
Valley
Llanbrynmair
Ffridd-Rhyd Ddu
Cefn Coch
Llanllugan
A493
Rhyd-yr-onen
Trum Gelli
Pennal
A489
Abercegir
Commins Coch
Darowen
Tafolwern
Dol-fâch
Tirymynach
B4518
MACHYNLLETH
Llanwyddelan
TYWYN
Corlan Fraith
Dovey
Penegoes
Tal-y-Wern
Bont Dolgadfan
Talerddig
Rhyd
Esgair Cwmowen
Afon Rhiw
Adfa
Forge
Afon Dulas
Derwenlas
Glaspwll
Pant-glas
Melinbyrhedyn
Moelfre
Pennant
Bryn Amlwg
Trannon
A470
Plas Llysyn
Carno
Llyn Mawr
Mynydd Clogau
Llyn y Tarw
Caethle
Aberdyfi
DOVEY / AFON DYFI
RIVER
Eglwys Fach
Furnace
Cors Fochno
Pen Carreg Gopa
Cwm Einion
Aberhosan
Afon Twymyn
Pont Crugnant
Dylife
Glaslyn
Clatter
Bwlch-y-ffridd
A487
Ynyslas
B4353
Tre'r-ddôl
Llancynfelyn
Tre Taliesin
Moel y Llyn
Cwm Ceulan
New Pool
Bugeilyn
Staylittle
Gors Goch
Llawr-y-glyn
B4569
Llanwnog
Caersws
Aberhafesp
A489
BORTH
Upper Borth
Tal-y-bont
Dôl-y-Bont
Afon Leri
Cefn yr Esgair
Source of River Severn/ Afon Hafren
Afon Llwyd
Gwernafon
Afon Trannon
Trefeglwys
NEWTOWN/ Y DRENEWYDD
Cefn Carnedd
River Severn
Drosgol
Nant-y-moch Reservoir
Pen Pumlumon Arwystli
Afon Biga
Llyn Clywedog
Bryn y Fan
Y Fan
B4518
Llandinam
Mochdre
B4572
Llandre
A487
Bont-goch or Elerch
Drum Peithnant
Source of River Wye / Afon Gwy
Esgair y Maesnant
Oakley Park
Afon Clywedog
Pentre
Llangorwen
Bow Street
Salem
Llyn Syfydrin
Afon Rheidol
PLYNLIMON / PUMLUMON FAWR
Geufron
Afon Hafren
A470
Coed-y-gaer
Penrhyn-coch
Cwmsymlog
Y Foel
LLANIDLOES
Dethenydd
Plas Gogerddan
Capel Dewi
Pen-bont Rhydybeddau
Cwmerfyn
Pant Mawr
Afon Bidno
Cwmbelan
B4518
Bryn Llyndwr
Comins Coch
Llanbadarn Fawr
A44
Capel Bangor
Ponterwyd
Cwmbrwyno
Goginan
B4343
A44
Esgair Ychion
Llangurig
Tylwch
Hirddywel
Llaithddu
A483
Capel Seion
Afon Rheidol
Ystumtuen
Ysbyty Cynfyn
Banc Nant-rhys
Foel Gurig
Afon Ithon
A4120
Aberffrwd
Llanfarian
Y Gors
Llanfihangel-y-Creuddyn
Pisgah
A4120
Devil's Bridge/ Pontarfynach
Llaniwared
A470
Dolfach
Red Lion Hill
New Cross
Afon Ystwyth
B4340
Cnwch Coch
B4574
Bryn Garw
Yr Allt
Bryn Titli
Dyrysgol
Pant-y-dwr
Afon Marteg
Dyle
Pentre-llyn
Llanilar
Rhodmad
B4575
B4343
Cwmystwyth
Geifas
Afon Gwy
Bwlch-y-sarnau
St Harmon
Llananno

Allwedd i symbolau'r map

Traffordd gyda rhif y gyffordd	Gorsaf ambiwlans
Prif dramwyfeydd – ffordd ddeuol/un lôn	Gorsaf gwylwyr y glannau
Ffordd A – ffordd ddeuol/un lôn	Gorsaf Dân
Ffordd B – ffordd ddeuol/un lôn	Swyddfa'r heddlu
Ffyrdd bychan – ffordd ddeuol/un lôn	Mynedfa damwain ac argyfwng i'r ysbyty
Ffyrdd bychan eraill – ffordd ddeuol/un lôn	Ysbyty
Ffordd yn cael ei hadeiladu	Lle o addoliad
Twnnel, ffordd dan orchudd	Canolfan gwybodaeth (a'r agor drwy'r flwyddyn)
Trac gwledig, ffordd breifat, neu ffordd mewn ardal ddinesig	Parcio
Llidiart neu rhwystr i draffig (gall fod cyfyngiadau ddim yn ddilys ar gyfer bob amser neu i bob drafnidiaeth)	Parcio a chludo
Llwybr, llwybr march, cilffordd yn agored i bob trafnidiaeth, ffordd a ddefnyddir yn lwybr cyhoeddus	Swyddfa'r post
	Safle gwersylla
Mân cerddwyr	Safle carafan
Ffiniau codau-post	Cwrs golff
Ffiniau Sir ac awdurdod unedol	Safle picnic
Rheilffordd, twnnel, rheilffordd yn cael ei hadeiladu	Adeiladau pwysig, ysgolion, colegau, prifysgolion ac ysbytai
Tramffordd, tramffordd yn cael ei hadeiladu	Prim Sch
Rheilffordd ar raddfa fychan	River Medway — Enw dŵr
Gorsaf rheilffordd	Afon, cored, nant
Walsall	
Gorsaf rheilffordd breifat	Camlas, loc, twnnel
Gorsaf metro	Dŵr
South Shields	
Atalfa tram, atalfa tram yn cael ei hadeiladu	Dŵr llanw
Gorsaf fysiau	Coed
	Ardal adeiledig

Acad	Academi	IRB Sta	Gorsaf bad	Pal	Palas brenhinol	Cfurch	Hynafiaeth anrhufeinig
Allot Gdns	Gerddi ar osod		achub y glannau	PH	Tŷ tafarn		
Cemy	Mynwent	Inst	Institiwt	Recn Gd	Maes chwaraeon	ROMAN FORT	Hynafiaeth rhufeinig
C Ctr	Canolfan	Ct	Llys cyfraith	Resr	Cronfa ddŵr		
	ddinesig	L Ctr	Canolfan	Ret Pk	Parc adwerthu		Arwyddion dalennau cyfagos a bandiau
CH	Tŷ Clwb		hamdden	Sch	Ysgol	**94**	gorymylon
Coll	Coleg	LC	Croesfan	Sh Ctr	Canolfan Siopa		Y mae lliw y saeth â'r band yn dynodi gradd
Crem	Amlosgfa		wastad	TH	Neuadd y dref		y ddalen gyfagos â'r ddalen gorymyl
Ent	Menter	Liby	Llyfrgell	Trad Est	Ystad Fasnachol	**164**	(gwelwch y graddau islaw)
Ex H	Neuadd	Mkt	Marchnad	Univ	Prifysgol		
	Arddangos	Meml	Coffa	W Twr	Twrdŵr		
Ind Est	Ystad	Mon	Cofgolofn	Wks	Gwaith		
	ddiwydiannol	Mus	Amgueddfa	YH	Hostel ieuenctid		
		Obsy	Arsylffa				

■ Y mae'r rhifau bach o gwmpas ochrau'r mapiau yn dynodi llinelli grid cenedlaethol 1 cilomedr
■ Mae'r ffin llwyd tywyll ar ochr fewn rhai tudalennau yn dynodi nad yw'r mapio yn canlyn ymlaen i'r tudalen gyffiniol

Gradd y mapiau ar y dalennau gyda rhifau glas yw 4.2 cm i 1 km • 2⅔ modfedd i 1 filltir • 1: 23810	0 ¼ ½ ¾ 1 milltir 0 250m 500m 750m 1 km
Gradd y mapiau ar y dalennau gyda rhifau gwyrdd yw is 2.1 i to 1 km • 1⅓ modfedd i 1 filltir • 1: 47620	0 ¼ ½ ¾ 1 milltir 0 250m 500m 750m 1 km

Motorway with junction number		Ambulance station	
Primary route – dual/single carriageway		Coastguard station	
A road – dual/single carriageway		Fire station	
B road – dual/single carriageway		Police station	
Minor road – dual/single carriageway		Accident and Emergency entrance to hospital	
Other minor road – dual/single carriageway			
Road under construction		Hospital	
Tunnel, covered road		Place of worship	
Rural track, private road or narrow road in urban area		Information Centre (open all year)	
Gate or obstruction to traffic (restrictions may not apply at all times or to all vehicles)		Parking	
Path, bridleway, byway open to all traffic, road used as a public path		Park and Ride	
		Post Office	
Pedestrianised area		Camping site	
Postcode boundaries		Caravan site	
County and unitary authority boundaries		Golf course	
Railway, tunnel, railway under construction		Picnic site	
Tramway, tramway under construction	Prim Sch	Important buildings, schools, colleges, universities and hospitals	
Miniature railway	River Medway	Water name	
Railway station	Walsall	River, weir, stream	
Private railway station		Canal, lock, tunnel	
Metro station	South Shields	Water	
Tram stop, tram stop under construction		Tidal water	
Bus, coach station		Woods	
		Built up area	

Acad	Academy	Inst	Institute	Recn Gd	Recreation Ground	
Allot Gdns	Allotments	Ct	Law Court			
Cemy	Cemetery	L Ctr	Leisure Centre	Resr	Reservoir	
C Ctr	Civic Centre	LC	Level Crossing	Ret Pk	Retail Park	
CH	Club House	Liby	Library	Sch	School	
Coll	College	Mkt	Market	Sh Ctr	Shopping Centre	
Crem	Crematorium	Meml	Memorial	TH	Town Hall/House	
Ent	Enterprise	Mon	Monument	Trad Est	Trading Estate	
Ex H	Exhibition Hall	Mus	Museum	Univ	University	
Ind Est	Industrial Estate	Obsy	Observatory	W Twr	Water Tower	
IRB Sta	Inshore Rescue Boat Station	Pal	Royal Palace	Wks	Works	
		PH	Public House	YH	Youth Hostel	

Church	Non-Roman antiquity	
ROMAN FORT	Roman antiquity	
94	Adjoining page indicators and overlap bands	The colour of the arrow and the band indicates the scale of the adjoining or overlapping page (see scales below)
164		

■ The small numbers around the edges of the maps identify the 1 kilometre National Grid lines

■ The dark grey border on the inside edge of some pages indicates that the mapping does not continue onto the adjacent page

The scale of the maps on the pages numbered in blue is 4.2 cm to 1 km • 2⅔ inches to 1 mile • 1: 23810

0	¼	½	¾	1 mile
0	250m	500m	750m	1 kilometre

The scale of the maps on pages numbered in green is 2.1 cm to 1 km • 1⅓ inches to 1 mile • 1: 47620

0	¼	½	¾	1 mile
0	250m	500m	750m	1 kilometre

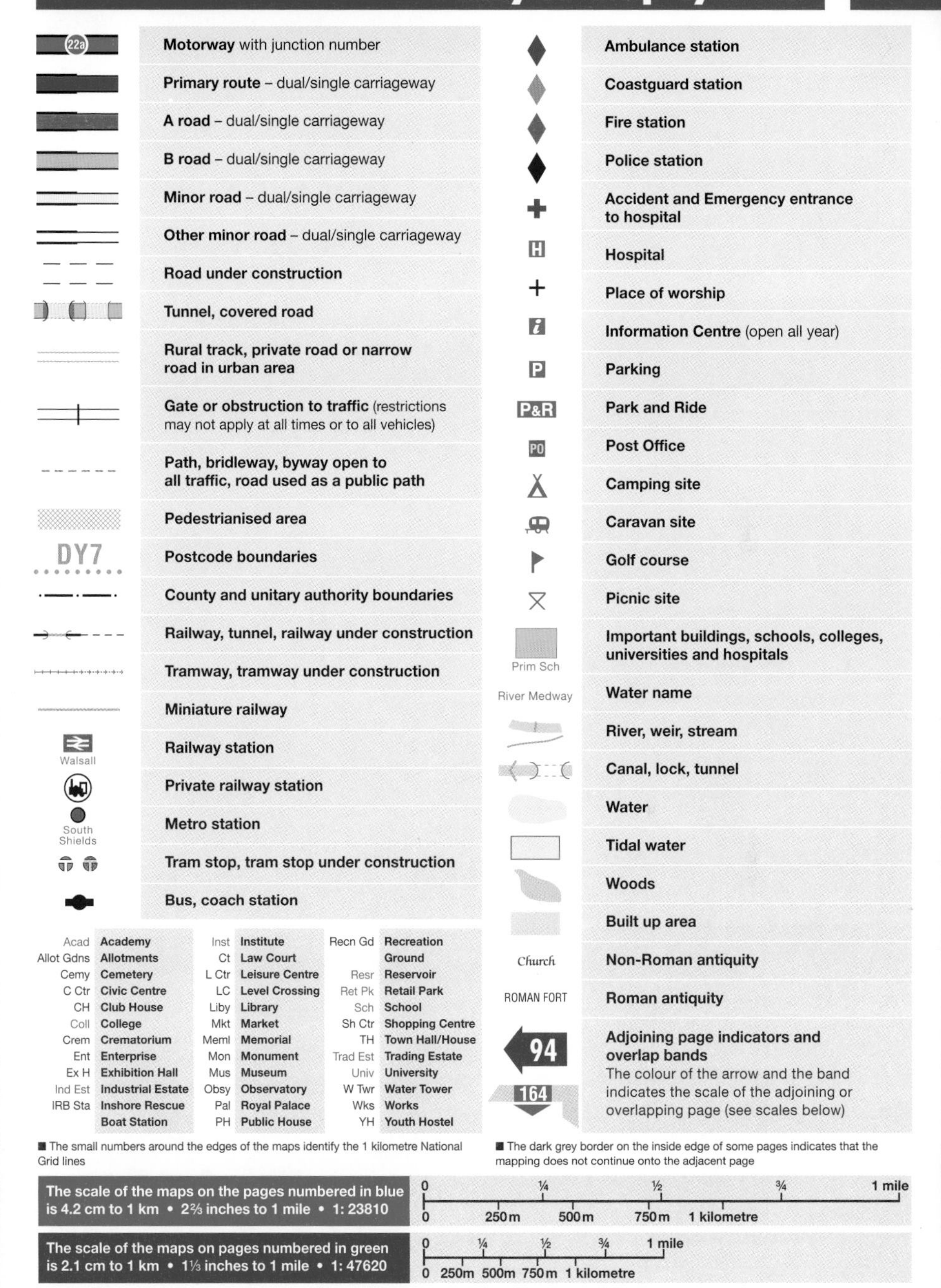

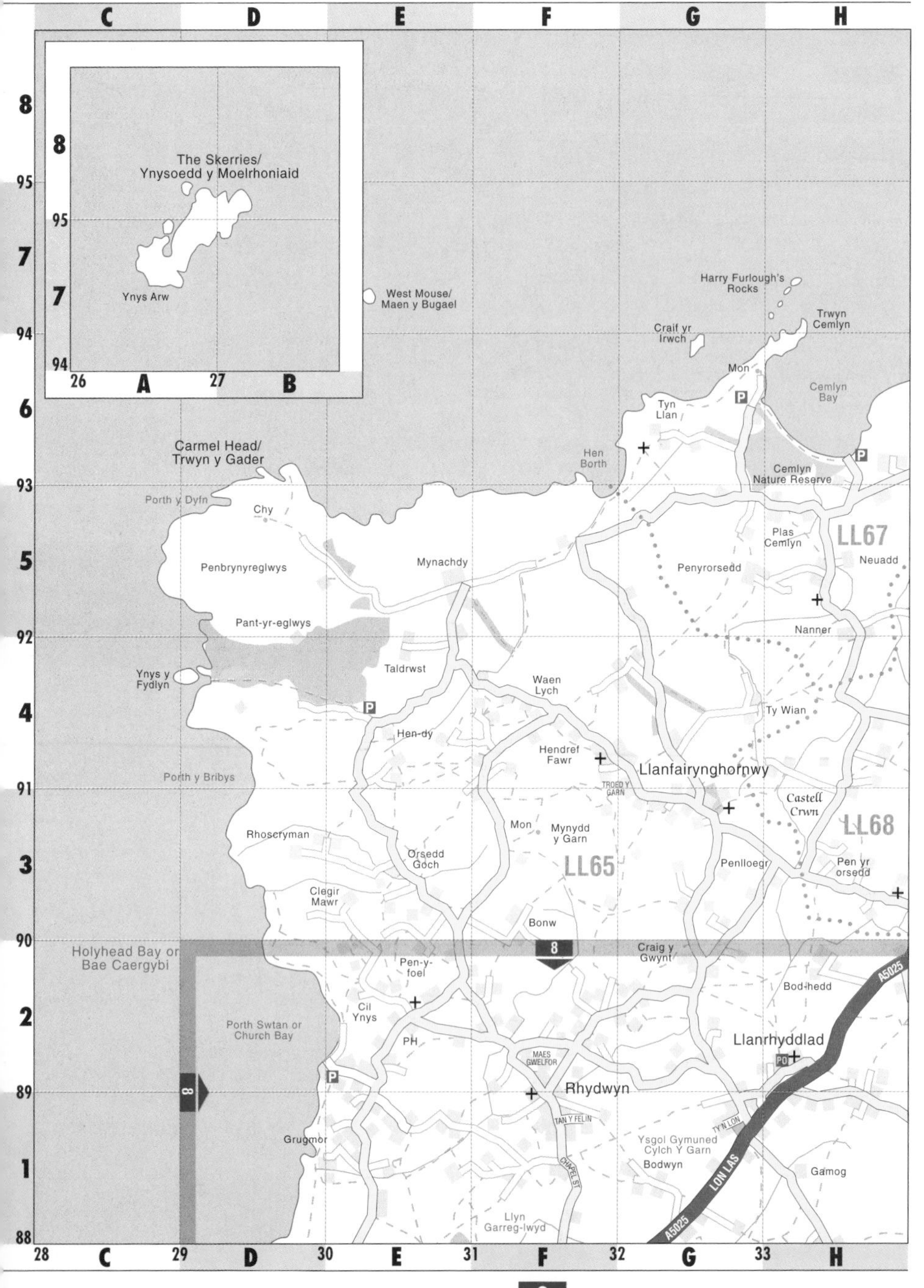

The Skerries/
Ynysoedd y Moelrhoniaid

Ynys Arw

A   27   **B**

26

West Mouse/
Maen y Bugael

Harry Furlough's
Rocks

Craif yr
Irwch

Trwyn
Cemlyn

Mon

Carmel Head/
Trwyn y Gader

Tyn
Llan

Cemlyn
Bay

Porth y Dyfn

Chy

Hen
Borth

Cemlyn
Nature Reserve

Penbrynyreglwys

Mynachdy

Plas
Cemlyn

LL67

Penyrorsedd

Neuadd

Pant-yr-eglwys

Nanner

Ynys y
Fydlyn

Taldrwst

Waen
Lych

Ty Wian

Hen-dy

Hendref
Fawr

Llanfairynghornwy

Porth y Bribys

TROED Y
GARN

Castell
Crwn

LL68

Rhoscryman

Mon

Mynydd
y Garn

Penlloegr

Pen yr
orsedd

LL65

Orsedd
Goch

Clegir
Mawr

Bonw

Holyhead Bay or
Bae Caergybi

Craig y
Gwynt

8

Pen-y-
foel

Bod-hedd

A5025

Porth Swtan or
Church Bay

Cil
Ynys

Llanrhyddlad

8

PH

MAES
GWELFOR

Rhydwyn

TAN Y FELIN

Grugmor

Ysgol Gymuned
Cylch Y Garn

Gamog

LON LAS

Bodwyn

TYN TORS

Llyn
Garreg-lwyd

A5025

28   **C**   29   **D**   30   **E**   31   **F**   32   **G**   33   **H**

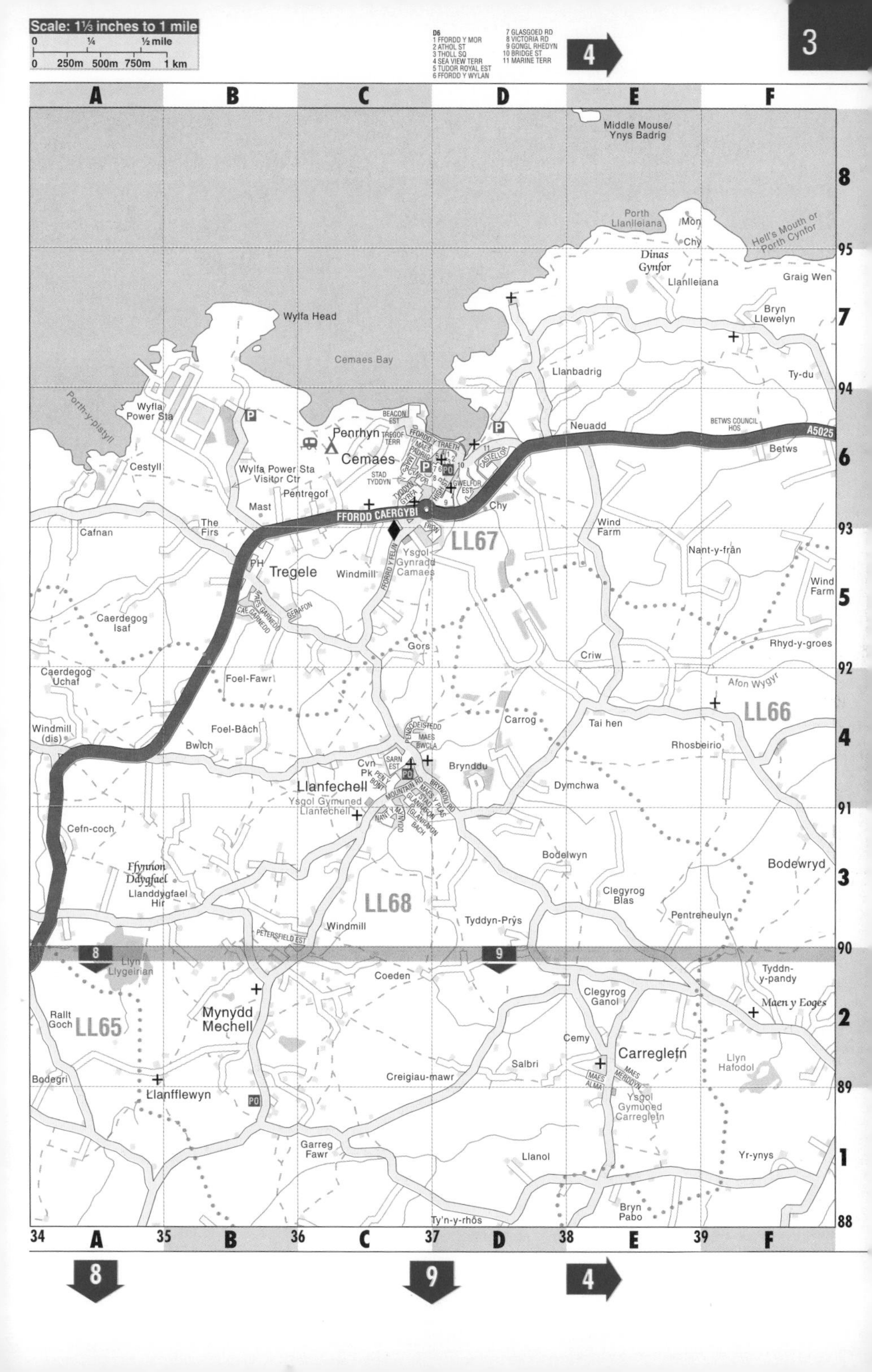

Scale: 1⅓ inches to 1 mile

0   ¼   ½ mile
0   250m 500m 750m 1 km

D6
1 FFORDD Y MOR
2 ATHOL ST
3 THOLL SQ
4 SEA VIEW TERR
5 TUDOR ROYAL EST
6 FFORDD Y WYLAN

7 GLASGOED RD
8 VICTORIA RD
9 GONGL RHEDYN
10 BRIDGE ST
11 MARINE TERR

Middle Mouse/
Ynys Badrig

Porth
Llanlleiana

/Môn
Chy

Hell's Mouth or
Porth Cynfor

Dinas
Gynfor

Llanlleiana

Graig Wen

Wylfa Head

Cemaes Bay

Llanbadrig

Bryn
Llewelyn

Ty-du

Penrhyn
Cemaes

Neuadd

BETWS COUNCIL
HOS

A5025

Betws

Wylfa
Power Sta

Cestyll

Wylfa Power Sta
Visitor Ctr

Pentregof

Mast

FFORDD CAERGYBI

LL67

Chy

Wind
Farm

Nant-y-frân

Wind
Farm

Cafnan

The Firs

PH

Tregele

Windmill

Ysgol
Gynradd
Camaes

Gors

Criw

Rhyd-y-groes

Caerdegog
Isaf

Foel-Fawr

Carrog

Tai hen

Afon Wygyr

LL66

Caerdegog
Uchaf

Foel-Bâch

Bwlch

Brynddu

Dymchwa

Rhosbeirio

Windmill
(dis)

Llanfechell

Cvn
Pk

Ysgol Gymuned
Llanfechell

Bodelwyn

Clegyrog
Blas

Bodewryd

Cefn-coch

Ffynnon
Ddygfael

Llanddygfael
Hir

LL68

Windmill

Tyddyn-Prŷs

Pentreheulyn

PETERSFIELD EST

8

Llyn
Llygeirian

9

Coeden

Tyddyn-
y-pandy

Rallt
Goch

LL65

Mynydd
Mechell

Clegyrog
Ganol

Cemy

Maen y Eoges

Bodegri

Llanfflewyn

Creigiau-mawr

Salbri

Carreglefn

Llyn
Hafodol

Ysgol
Gymuned
Carreglefn

Garreg
Fawr

Llanol

Yr-ynys

Ty'n-y-rhôs

Bryn
Pabo

34   A   35   B   36   C   37   D   38   E   39   F

8

9

4

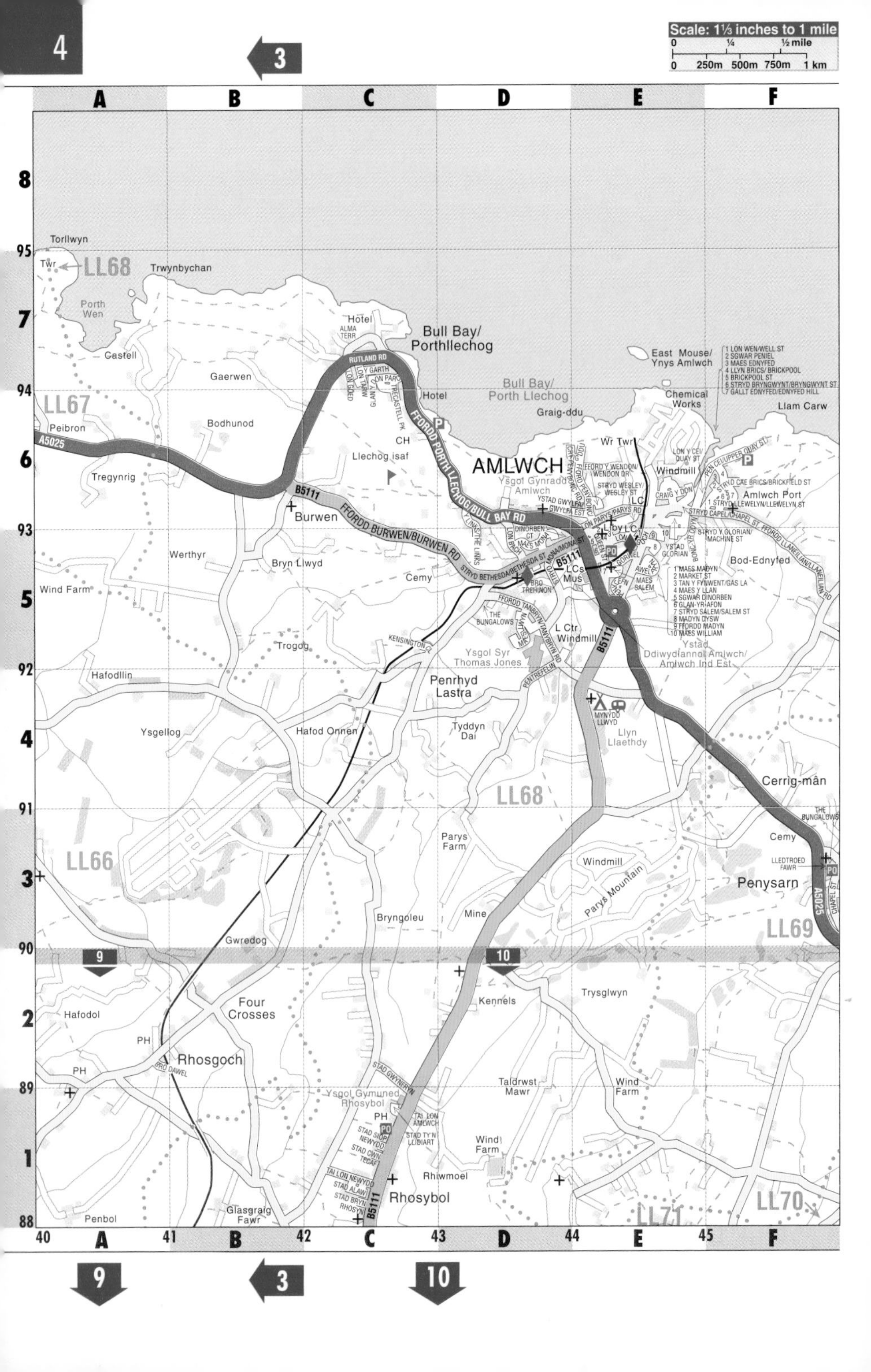

4
3
Scale: 1⅓ inches to 1 mile
0 ¼ ½ mile
0 250m 500m 750m 1 km
A B C D E F
8
95
7
94
6
93
5
92
4
91
3
90
2
89
1
88
40 41 42 43 44 45
Torllwyn
Twr
LL68
Trwynbychan
Porth Wen
Castell
Hotel
ALMA TERR
Bull Bay/ Porthllechog
RUTLAND RD
Gaerwen
LL67
Peibron
A5025
Bodhunod
Hotel
Bull Bay/ Porth Llechog
Graig-ddu
East Mouse/ Ynys Amlwch
Chemical Works
Llam Carw
1 LON WEN/WELL ST
2 SGWAR PENIEL
3 MAES EDNYFED
4 LLYN BRICS/ BRICKPOOL
5 BRICKPOOL ST
6 STRYD BRYNGWYNT/BRYNGWYNT ST
7 GALLT EDNYFED/EDNYFED HILL
CH
Llechog isaf
FFORDD PORTH LLECHOG/BULL BAY RD
AMLWCH
Ysgol Gynradd Amlwch
Wr Twr
Windmill
Amlwch Port
Tregynrig
B5111
Burwen
FFORDD BURWEN/BURWEN RD
STRYD BETHESDA/BETHESDA ST
Werthyr
Bryn Llwyd
Cemy
Wind Farm
YSTAD GLORIAN
Bod-Ednyfed
FFORDD LLANELIAN/LLANELIAN RD
1 MAES MADYN
2 MARKET ST
3 TAN Y FYNWENT/GAS LA
4 MAES Y LLAN
5 SGWAR DINORBEN
6 GLAN-YR-AFON
7 STRYD SALEM/SALEM ST
8 MADYN DYSW
9 FFORDD MADYN
10 MAES WILLIAM
LCs Mus
THE BUNGALOWS
L Ctr Windmill
KENSINGTON CL
Trogog
Ysgol Syr Thomas Jones
Ystad Ddiwydiannol Amlwch/ Amlwch Ind Est
Hafodllin
Penrhyd Lastra
MYNYDD LLWYD
Llyn Llaethdy
Ysgellog
Hafod Onnen
Tyddyn Dai
LL68
Cerrig-mân
LL66
Parys Farm
THE BUNGALOWS
Cemy
LLEDTROED FAWR
Windmill
Parys Mountain
Penysarn
Bryngoleu
Mine
LL69
Gwredog
9
10
Kennels
Trysglwyn
Four Crosses
Hafodol
PH
Rhosgoch
BRO DAWEL
PH
Taldrwst Mawr
Wind Farm
STAD GWYNERYN
Ysgol Gymuned Rhosybol
PH
PO
Wind Farm
Rhiwmoel
Rhosybol
Glasgraig Fawr
Penbol
LL71
LL70
9
3
10

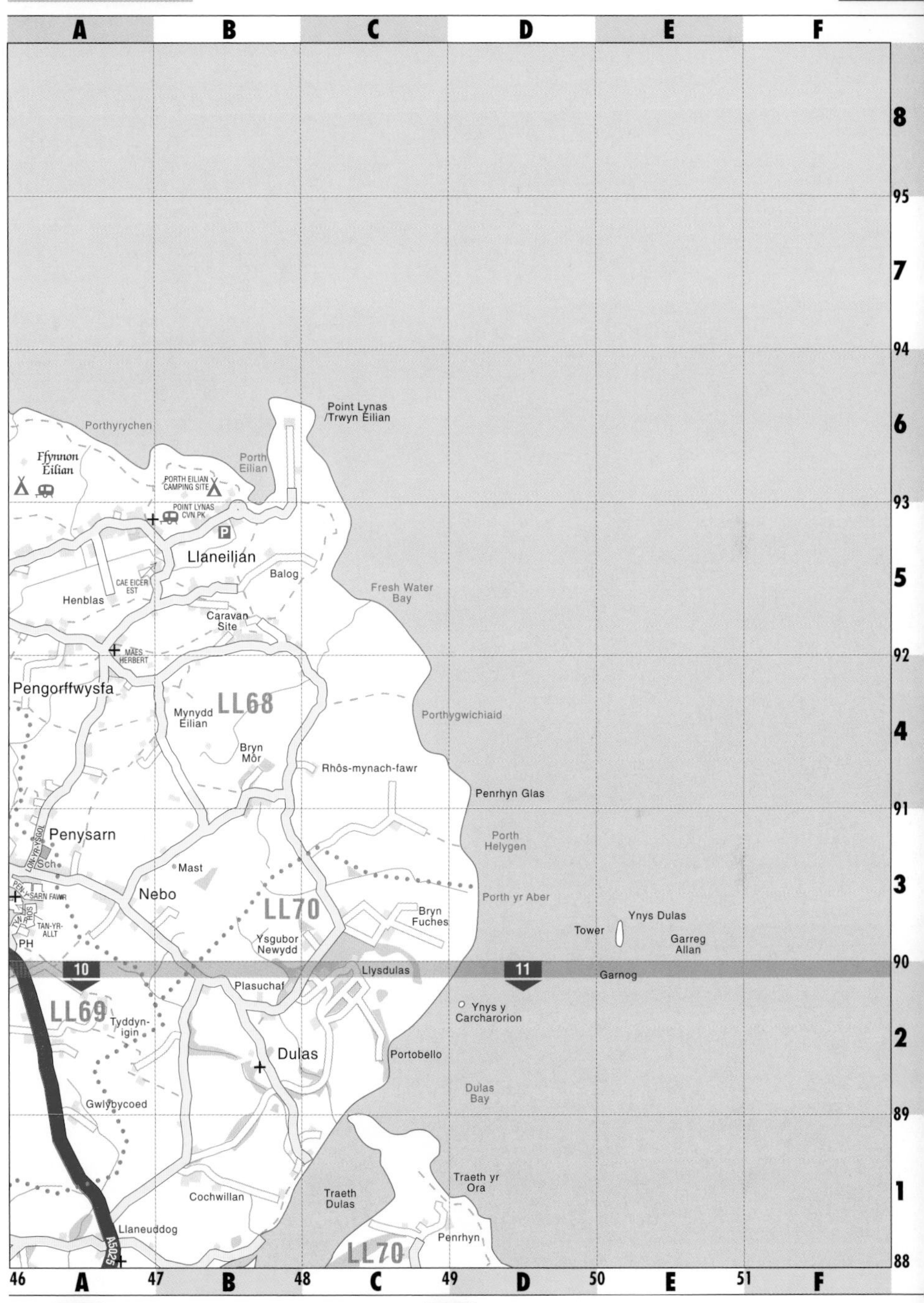

Scale: 1⅓ inches to 1 mile

| 0 | ¼ | ½ mile |
| 0 | 250m | 500m | 750m | 1 km |

A   **B**   **C**   **D**   **E**   **F**

8
95
7
94
6
93
5
92
4
91
3
90
2
89
1
88

Porthyrychen

Point Lynas /Trwyn Eilian

Ffynnon Eilian

Porth Eilian

PORTH EILIAN CAMPING SITE

POINT LYNAS CVN PK

Llaneilian

Balog

CAE EICIER EST

Fresh Water Bay

Henblas

Caravan Site

MAES HERBERT

Pengorffwysfa

LL68

Mynydd Eilian

Bryn Môr

Rhôs-mynach-fawr

Porthygwichiaid

Penrhyn Glas

Penysarn

Porth Helygen

Mast

Nebo

LL70

Porth yr Aber

Bryn Fuches

Tower   Ynys Dulas

Garreg Allan

Sch

SARN FAWR

TAN-YR-ALLT

Ysgubor Newydd

Llysdulas

Garnog

PH

10

LL69

Tyddyn-igin

Plasuchaf

Dulas

Portobello

Ynys y Carcharorion

11

Gwlybycoed

Dulas Bay

Cochwillan

Traeth Dulas

Traeth yr Ora

89

Llaneuddog

LL70

Penrhyn

46   **A**   47   **B**   48   **C**   49   **D**   50   **E**   51   **F**

10   11

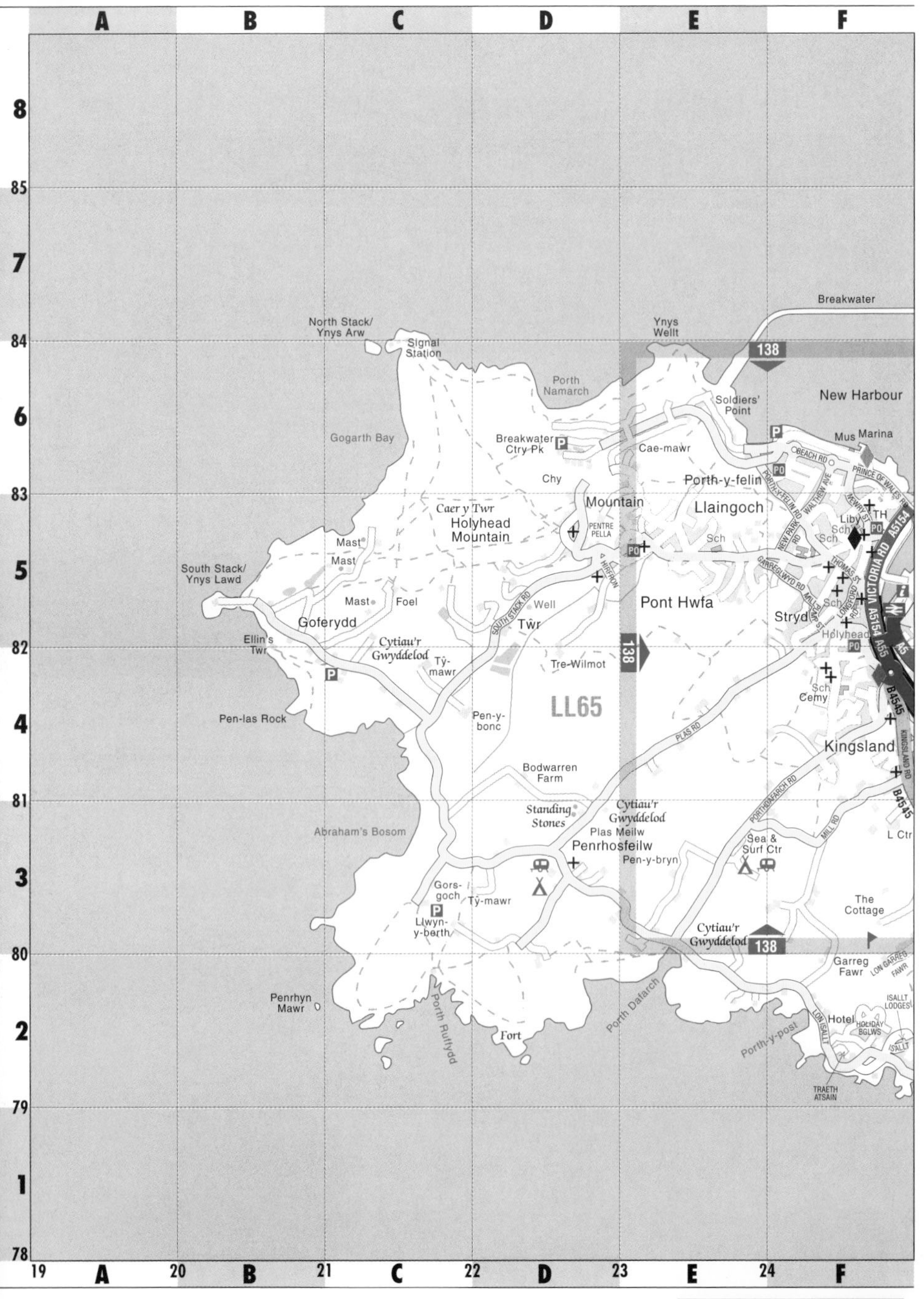

Scale: 1⅓ inches to 1 mile

0   ¼   ½ mile

0   250m   500m 750m   1 km

A   **B**   **C**   **D**   **E**   **F**

8
85
7
84

Breakwater

North Stack/
Ynys Arw

Signal
Station

Ynys
Wellt

138

New Harbour

6
83

Gogarth Bay

Porth
Namarch

Breakwater
Ctry Pk

Soldiers'
Point

Cae-mawr

Porth-y-felin

Mus Marina

Chy

Mountain

PO

BEACH RD

PRINCE OF WALES RD

Caer y Twr
Holyhead
Mountain

PENTRE
PELLA

Llaingoch

Sch

Lib/YTH

PO

5
82

South Stack/
Ynys Lawd

Mast

Mast

Mast

Foel

Well

SOUTH STACK RD

Twr

Pont Hwfa

Sch

Goferydd

Ellin's
Twr

Cytiau'r
Gwyddelod

Tŷ-
mawr

Tre-Wilmot

138

Stryd

Holyhead

PO

Sch
Cemy

A5154 A55

A55

B4545

Pen-las Rock

Pen-y-
bonc

LL65

PLAS RD

Kingsland

B4545

4
81

Bodwarren
Farm

Abraham's Bosom

Standing
Stones

Plas Meilw

Cytiau'r
Gwyddelod

Penrhosfeilw

Pen-y-bryn

Sea &
Surf Ctr

L Ctr

PORTHDAFARCH RD

MILL RD

3
80

Gors-
goch

Tŷ-mawr

Llwyn-
y-berth

Cytiau'r
Gwyddelod

138

The
Cottage

Garreg
Fawr

LON GAREG
FAWR

Penrhyn
Mawr

Porth Ruffydd

Fort

Porth Dafarch

Porth-y-post

Hotel

ISALLT
LODGES

HOLIDAY
BGLWS

LON ISALLT

2
79

TRAETH
ATSAIN

1
78

19   **A**   20   **B**   21   **C**   22   **D**   23   **E**   24   **F**

For full street detail of the
highlighted area see page 138

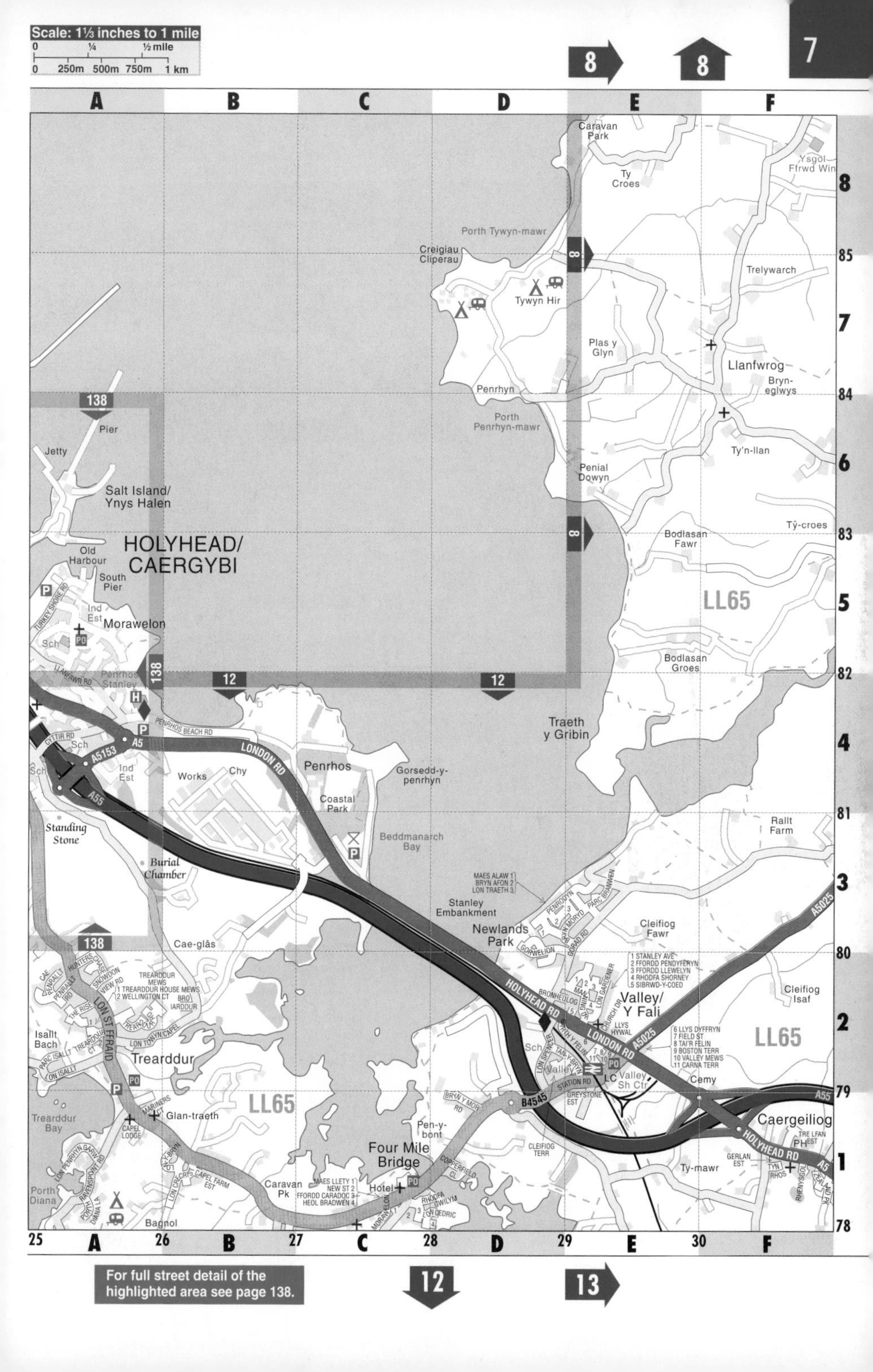

Scale: 1⅓ inches to 1 mile
0 ¼ ½ mile
0 250m 500m 750m 1 km

8
8

Caravan Park

Ysgol Ffrwd Win

Ty Croes

Porth Tywyn-mawr

Creigiau Cliperau

Trelywarch

Tywyn Hir

Plas y Glyn

Llanfwrog

Bryn-eglwys

138

Pier

Penrhyn

Ty'n-llan

Jetty

Porth Penrhyn-mawr

Salt Island/ Ynys Halen

Penial Dowyn

Tŷ-croes

Old Harbour

HOLYHEAD/ CAERGYBI

South Pier

Bodlasan Fawr

LL65

Ind Est

Morawelon

Sch PO

138

Penrhos Stanley

Bodlasan Groes

12

12

Traeth y Gribin

Penrhos Beach Rd

P

A5

London Rd

Penrhos

A5153

Ind Est

Works

Chy

Gorsedd-y-penrhyn

Coastal Park

Beddmanarch Bay

Rallt Farm

Standing Stone

A55

Burial Chamber

P

A5025

Stanley Embankment

MAES ALAW 1
BRYN AFON 2
LON TRAETH 3

Cleifiog Fawr

138

Cae-glâs

Newlands Park

1 STANLEY AVE
2 FFORDD PENDYFÊRYN
3 FFORDD LLEWELYN
4 RHODFA SHORNEY
5 SIBRWD-Y-COED

Cleifiog Isaf

Holyhead Rd

Valley/ Y Fali

LL65

Isallt Bach

Trearddur

6 LLYS DYFFRYN
7 FIELD ST
8 TAI'R FELIN
9 BOSTON TERR
10 VALLEY MEWS
11 CARNA TERR

London Rd

A5025

A55

LL65

Station Rd

Cemy

P PO

Glan-traeth

Capel Lodge

Valley Sh Ctr

Caergeiliog

Holyhead Rd

A5

Trearddur Bay

Pen-y-bont

B4545

Cleifiog Terr

Greystone Est

Tre Lfan PH

Gerlan Est

Four Mile Bridge

Ty-mawr

Porth Diana

Caravan Pk

MAES LLETY 1
NEW ST 2
FFORDD CARADOG 3
HEOL BRADWEN 4

Hotel PO

Bagnol

For full street detail of the highlighted area see page 138.

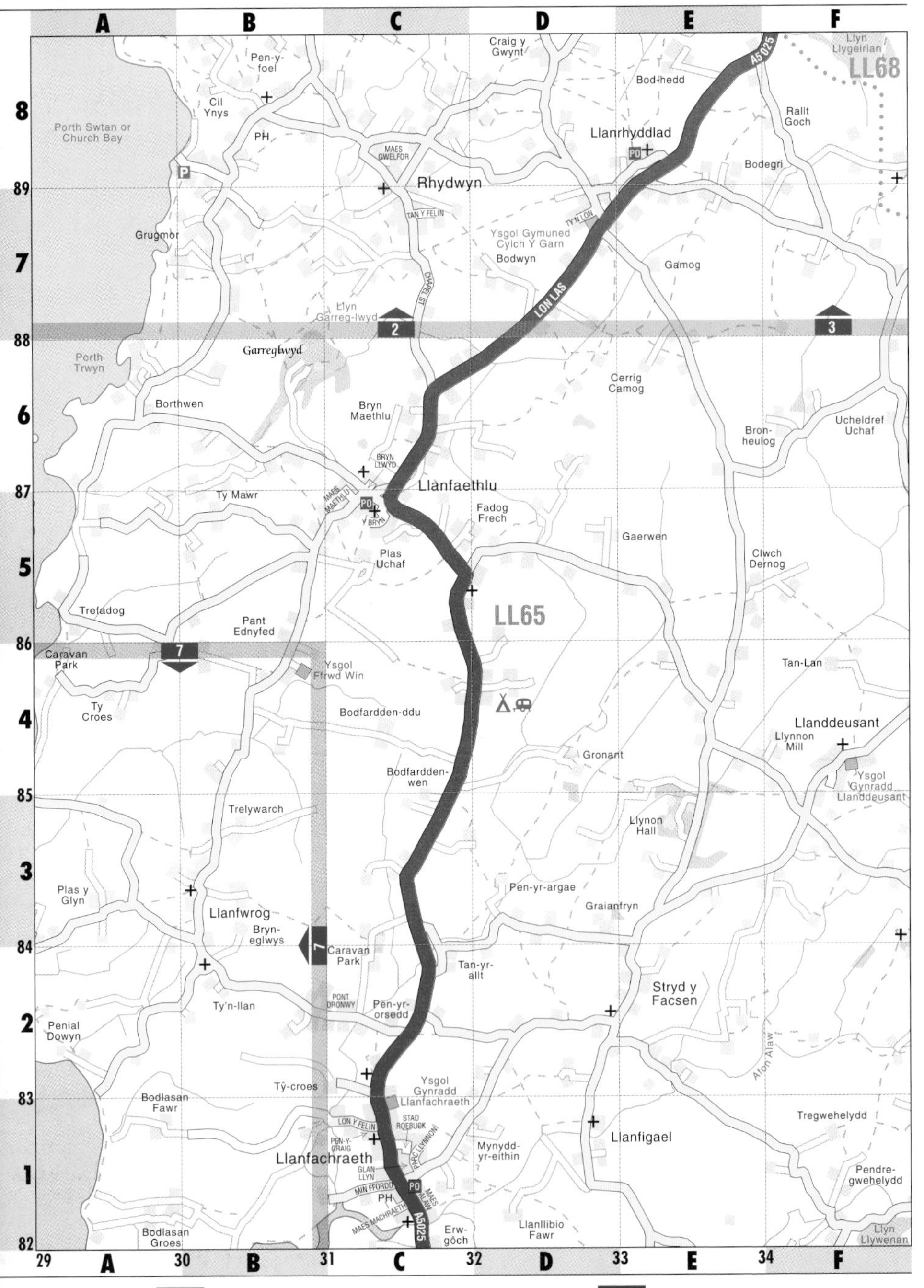

Porth Swtan or
Church Bay

Pen-y-
foel

Cil
Ynys

PH

Craig y
Gwynt

Bod-hedd

Llanrhyddlad

A5025

LL68

Llyn
Llygeirian

Rallt
Goch

Bodegri

8

Grugmor

MAES
DWELFOR

Rhydwyn

89

TAN Y FELIN

PO

YN LON

Bodwyn

Ysgol Gymuned
Cylch Y Garn

Gamog

7

Porth
Trwyn

Llŷn
Garreg-lwyd

Garreglwyd

LON LAS

88

Borthwen

Bryn
Maethlu

Cerrig
Camog

Bron-
heulog

Ucheldref
Uchaf

6

Ty Mawr

BRYN
LLWYD

MAES
MAETHLU

PO
Y BRYN

Llanfaethlu

Fadog
Frech

Gaerwen

Ciwch
Dernog

87

Tretadog

Plas
Uchaf

Pant
Ednyfed

LL65

5

Caravan
Park

7

Ysgol
Ffrwd Win

Tan-Lan

86

Ty
Croes

Bodfardden-ddu

Llanddeusant

Llynnon
Mill

Ysgol
Gynradd
Llanddeusant

4

Trelywarch

Bodfardden-
wen

Gronant

Llynon
Hall

85

Plas y
Glyn

Llanfwrog

Bryn-
eiglwys

Pen-yr-argae

Graianfryn

3

Caravan
Park

7

Tan-yr-
allt

Stryd y
Facsen

84

Penial
Dowyn

Ty'n-llan

PONT
DRONWY

Pen-yr-
orsedd

2

Tŷ-croes

Ysgol
Gynradd
Llanfachraeth

Llanfigael

Tregwehelydd

83

Bodlasan
Fawr

LON Y FELIN

PEN-Y-
GRAIG

STAD
RIOSBURK

GLAN
LLYN

Llanfachraeth

MAES LLINNON

Mynydd-
yr-eithin

Llanllibio
Fawr

Pendre-
gwehelydd

1

Bodlasan
Groes

MIN FFORDD

PO
PH

MAES MACHRAETH

A5025

Erw-
gôch

Llyn
Llywenan

82

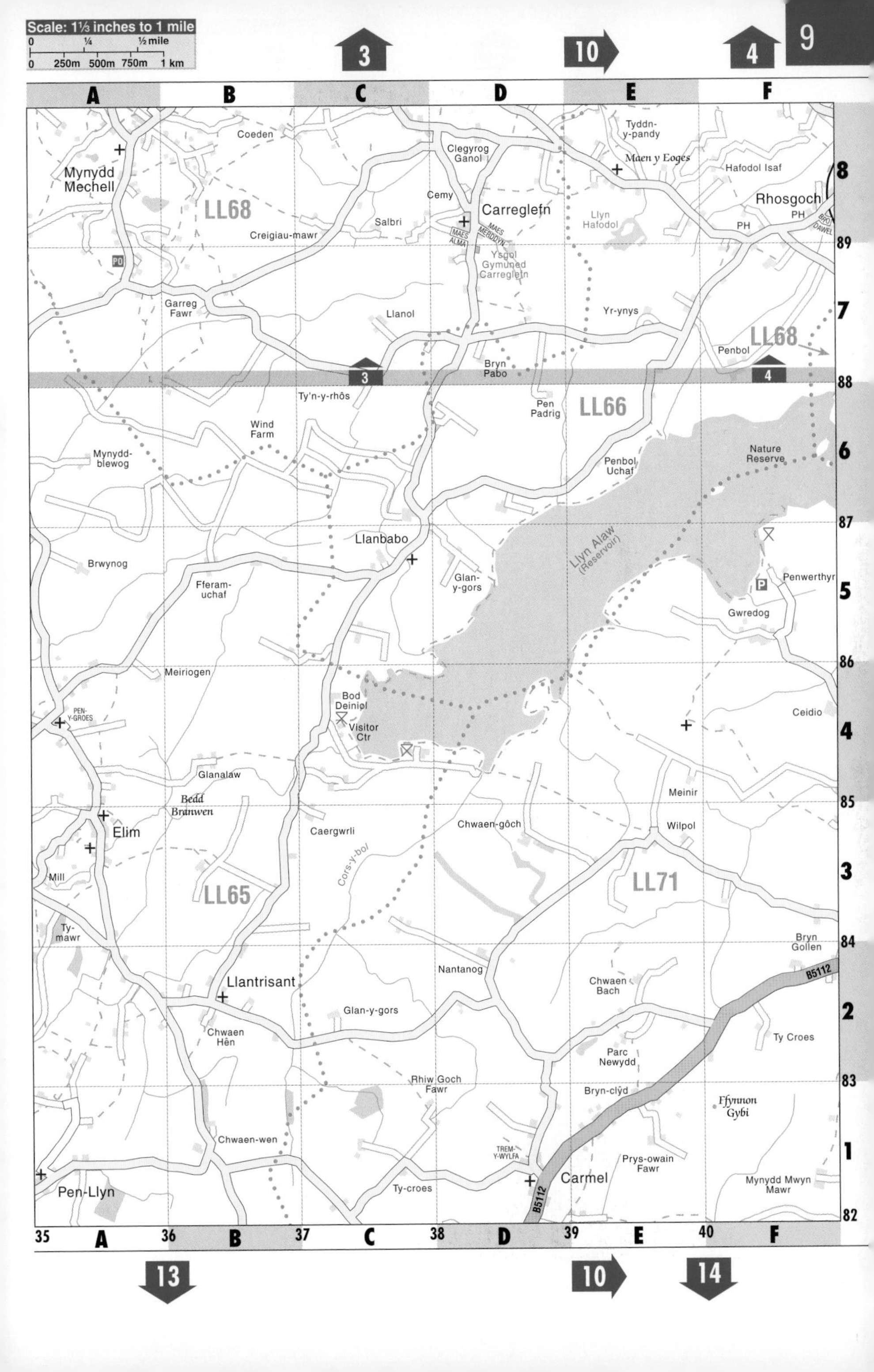
Scale: 1⅓ inches to 1 mile
0 ¼ ½ mile
0 250m 500m 750m 1 km
3
10
4
A B C D E F
Coeden
Mynydd Mechell
Tyddn-y-pandy
Maen y Eoges
Clegyrog Ganol
Hafodol Isaf
Cemy
Carreglefn
Rhosgoch
LL68
Salbri
Llyn Hafodol
PH
Creigiau-mawr
Maes Alma
Maes Merddyn
Ysgol Gymuned Carreglefn
PO
Garreg Fawr
Llanol
Yr-ynys
LL68
Penbol
Bryn Pabo
Ty'n-y-rhôs
Pen Padrig
LL66
Wind Farm
Mynydd-blewog
Penbol Uchaf
Nature Reserve
Llanbabo
Llyn Alaw (Reservoir)
Brwynog
Glan-y-gors
Fferam-uchaf
Penwerthyr
Gwredog
Meiriogen
Bod Deiniol
Visitor Ctr
Pen-y-groes
Ceidio
Glanalaw
Bedd Branwen
Meinir
Elim
Caergwrli
Chwaen-gôch
Wilpol
Cors-y-bol
Mill
LL65
LL71
Ty-mawr
Bryn Gollen
Nantanog
Llantrisant
Chwaen Bach
B5112
Glan-y-gors
Chwaen Hên
Ty Croes
Parc Newydd
Rhiw Goch Fawr
Bryn-clŷd
Ffynnon Gybi
Chwaen-wen
Trem-y-Wylfa
Prys-owain Fawr
Carmel
Mynydd Mwyn Mawr
Pen-Llyn
Ty-croes
B5112
8 89 7 88 6 87 5 86 4 85 3 84 2 83 1 82
35 36 37 38 39 40
13
10
14

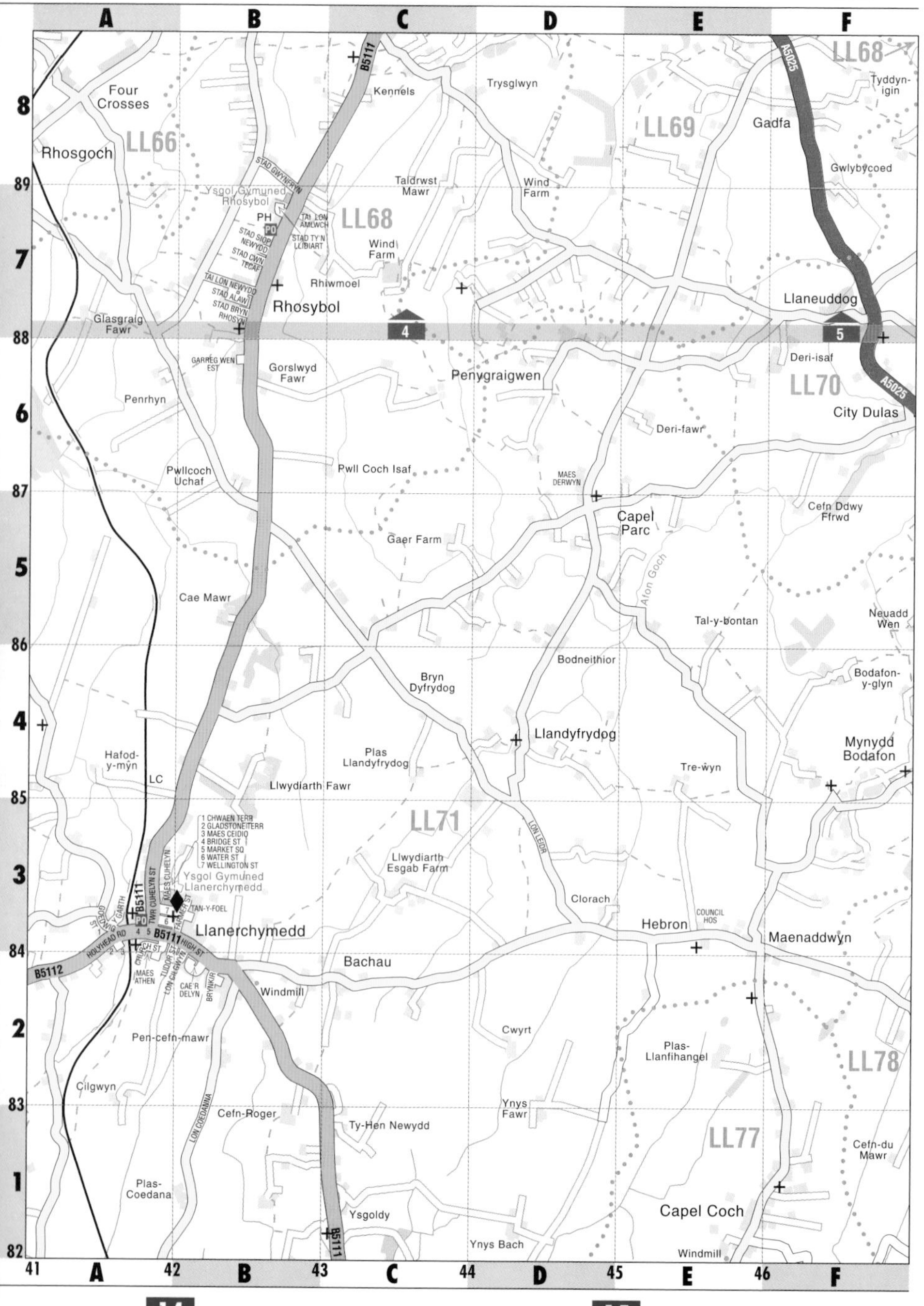

Scale: 1⅓ inches to 1 mile

0 ¼ ½ mile
0 250m 500m 750m 1 km

4

5

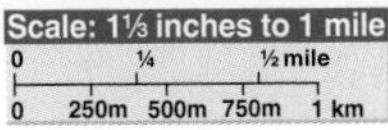

A   B   C   D   E   F

8

89

7

88

6

5

87

86

4

85

3

84

2

83

1

82

Plasuchaf
Llysdulas
Ynys y Carcharorion
Dulas
Portobello
Dulas Bay
Traeth yr Ora
Cochwillan
Traeth Dulas
Penrhyn
Pentre Eirianell
Lligwy Bay
Traeth Lligwy
Capel Elen CVN SITE
GADLYS CVN SITE
TYDDYN ISAF CVN SITE
PH
Mon
Bodafon Isaf
LLIGWY CVN SITE
Brynrefail
Tyddyn Isaf
Rhos Lligwy
TY'N-RHOS CVN SITE
Bryn Tirion
Ynys Moelfre
LL70
Fedw
MELIN RHOS FARM CVN SITE
Cvn Site
PENRHOS TERR
LB Sta
Heritage Ctr
Ty-mawr
RYNYS CVN PK
Din Lligwy
Hen Capel Lligwy
Ysgol Gymuned Moelfre
Moelfre
Liby
1 PORTH YR YNYS
2 CIL SWNT
3 FFORDD ELETH
4 FFORDD SEIRIOL
5 RHOSFFORDD
6 SWN YR AFON
7 MORANNEDD
Plas Lligwy
Lligwy Burial Chamber
Plas Bodafon
LL71
LL72
Llanallgo
YSTAD NANT BYCHAN
Nant Bychan
Caerhoslligwy
Ffynnon Allgo
Cvn Pk
Traeth Bychan
Cvn Pks
Penrhyn
LL73
Cvn Pks PH
Hotel
Parciau
Cvn Pk
Marian-glas
PENRHYN POINT CVN SITE
Borth-wen
Ponciau
LL78
Frigan Farm
Bodafon CVN SITE
EFAIL NEWYDD
PLAS UCHAF CVN PK
LL74
PEN PARC CVN SITE
CAE YSGAWEN
Tyddyn Phillip
Tynygongl
STAD MINFFORDD
GOLDEN SUNSET CVN PK
Huslan
8 MIN YR AFON
9 LON ABER
10 BRYN AWEL
11 LON FFERAM
12 LON PENRHYN
13 LON PENMON
14 RHIANFA
Nant Isaf
CAE TY COCH
Brynteg
Hotel
Benllech Sand
DINGLE LA
Djnas
PH
CH
LL75
AD ASTRA CVN SITE
Benllech
LON THELWAL
LON GOGARTH

A   B   C   D   E   F

47   48   49   50   51   52

5

5

A5025

A5108

B5108

B5110

A5025

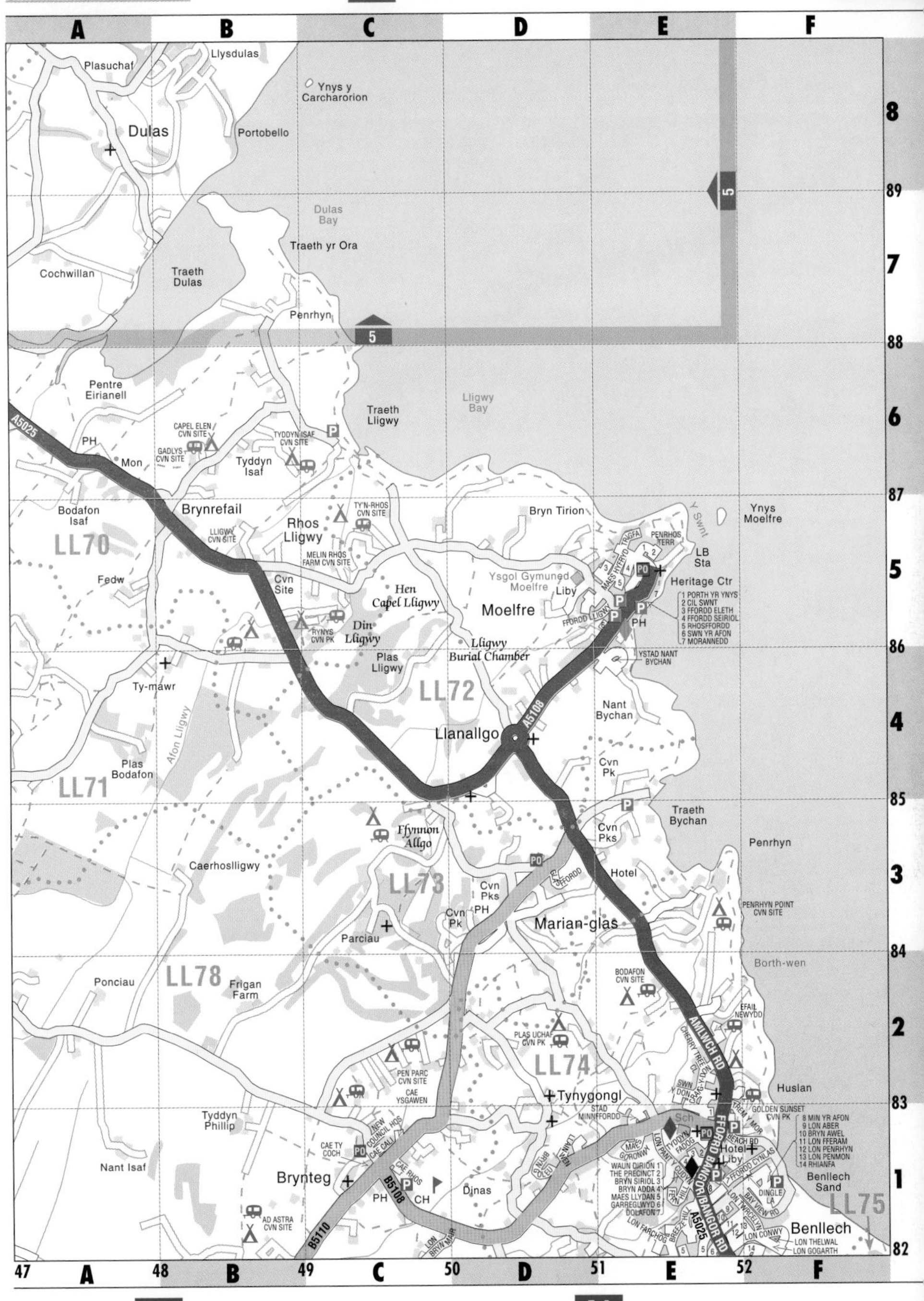

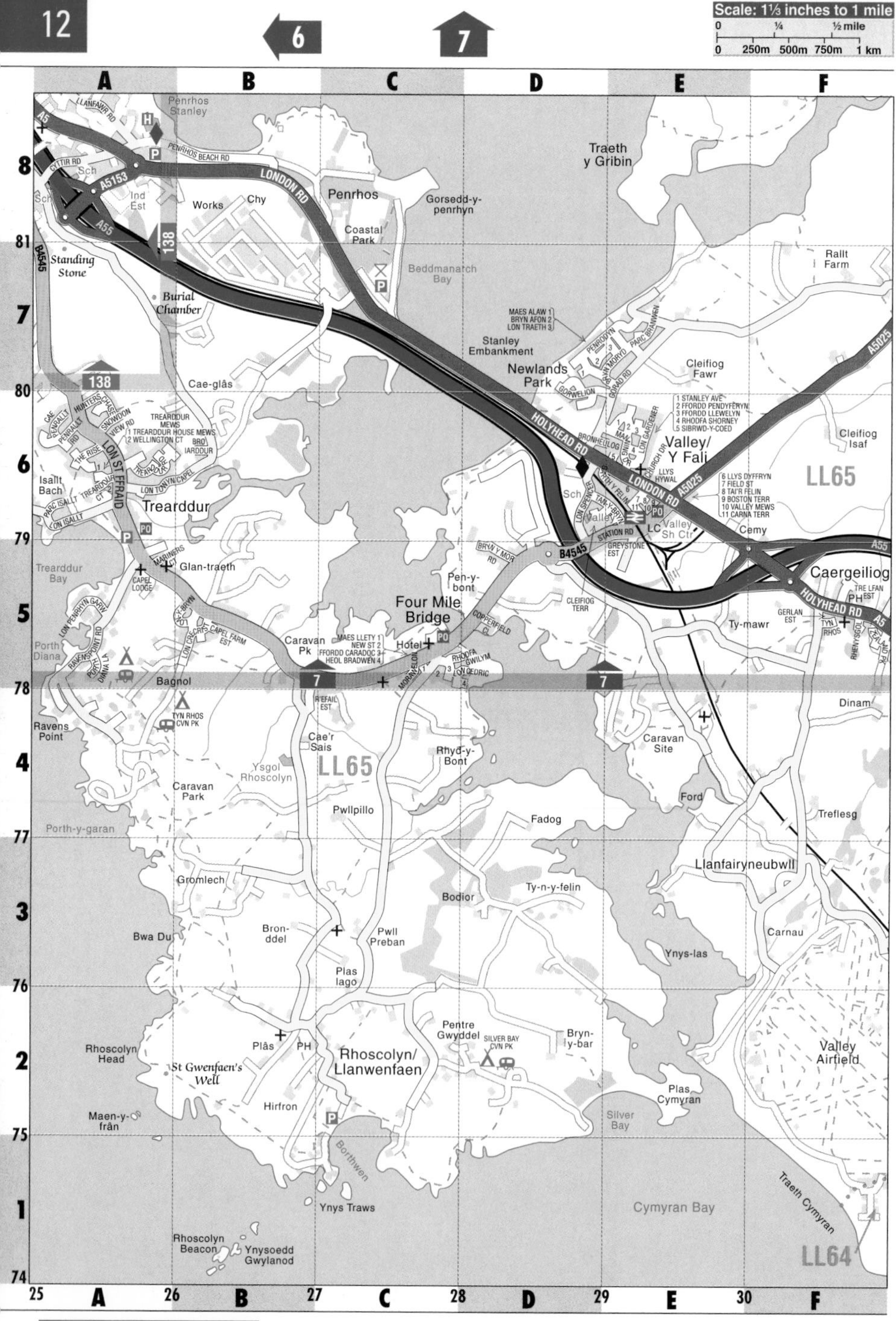

6

7

A   **B**   **C**   **D**   **E**   **F**

Penrhos
Stanley

Traeth
y Gribin

LLANFAWR RD

PENRHOS BEACH RD

LONDON RD

Penrhos

Gorsedd-y-
penrhyn

A5153

A55

Works

Chy

Coastal
Park

Beddmanatch
Bay

Ralit
Farm

Ind Est

Sch

Standing
Stone

138

Stanley
Embankment

MAES ALAW 1
BRYN AFON 2
LON TRAETH 3

Cleifiog
Fawr

Burial
Chamber

Cae-glâs

Newlands
Park

1 STANLEY AVE
2 FFORDD PENDYFRYN
3 FFORDD LLEWELYN
4 RHODFA SHORNEY
5 SIBRWD-Y-COED

Cleifiog
Isaf

138

HOLYHEAD RD

Valley/
Y Fali

LL65

HUNTERS

LON ST FFRAID

1 TREARDDUR
MEWS
1 TREARDDUR HOUSE MEWS
2 WELLINGTON CT

LLYS
HYWAL

6 LYS DYFFRYN
7 FIELD ST
8 TAI'R FELIN
9 BOSTON TERR
10 VALLEY MEWS
11 CARNA TERR

Isallt
Bach

LONDON RD

A5025

Cemy

Trearddur

Sch

LC

Valley
Sh Ctr

Caergeiliog

Trearddur
Bay

CAPEL
LODGE

Glan-traeth

Pen-y-
bont

STATION RD

B4545

Cleifiog
Terr

HOLYHEAD RD

TRE LFAN
PH

A5

Porth
Diana

Four Mile
Bridge

Ty-mawr

GERLAN
EST

Bagnol

MAES LLETY 1
NEW ST 2
FFORDD CARADOC 3
HEOL BRADWEN 4

Caravan
Pk

Hotel

MORAWELON

RHODFA
Y WYLAN
LON CEDRIC

Dinam

TYN RHOS
CVN PK

Ravens
Point

Cae'r
Sais

Rhyd-y-
Bont

Caravan
Site

Porth-y-garan

Ysgol
Rhoscolyn

LL65

Ford

Treflesg

Caravan
Park

Pwllpillo

Fadog

Llanfairyneubwll

Gromlech

Bwa Du

Bron-
ddel

Pwll
Preban

Bodior

Ty-n-y-felin

Carnau

Ynys-las

Plas
Iago

Rhoscolyn
Head

Plâs

PH

Pentre
Gwyddel

SILVER BAY
CVN PK

Bryn-
ly-bar

Valley
Airfield

St Gwenfaen's
Well

Rhoscolyn/
Llanwenfaen

Plas
Cymyran

Maen-y-
frân

Hirfron

Silver
Bay

Borthwen

Ynys Traws

Cymyran Bay

Traeth Cymyran

Rhoscolyn
Beacon

Ynysoedd
Gwylanod

LL64

A 26 **B** 27 **C** 28 **D** 29 **E** 30 **F**

For full street detail of the
highlighted area see page 138

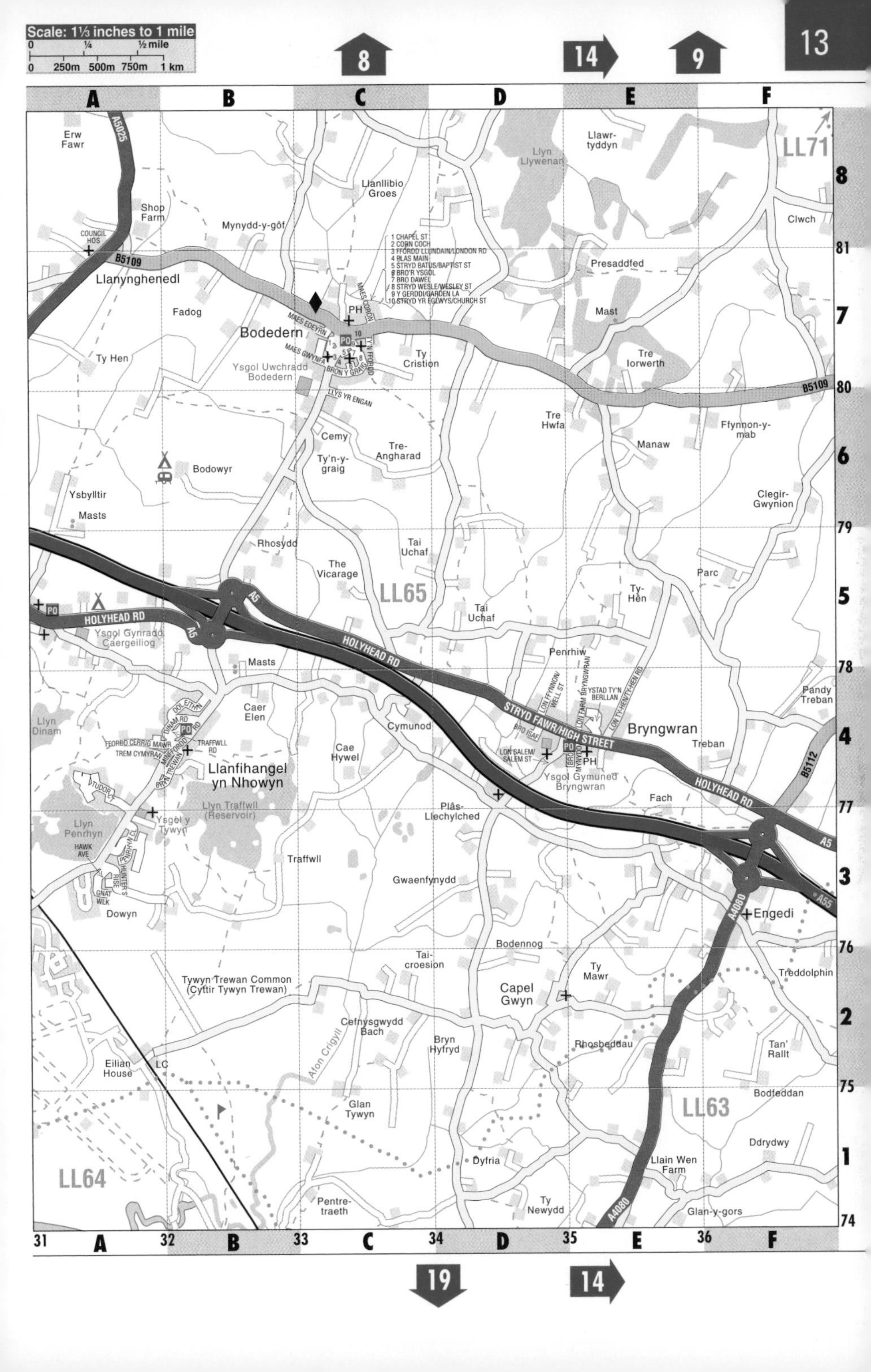
Scale: 1⅓ inches to 1 mile
0 ¼ ½ mile
0 250m 500m 750m 1 km
8
14
9
A B C D E F
1 2 3 4 5 6 7 8
31 32 33 34 35 36
74 75 76 77 78 79 80 81
Erw Fawr
A5025
Shop Farm
COUNCIL HOS
Mynydd-y-gôf
Llanllibio Groes
Llyn Llywenan
Llawr-tyddyn
LL71
Clwch
1 CHAPEL ST
2 CORN COCH
3 FFORDD LLUNDAIN/LONDON RD
4 PLAS MAIN
5 STRYD BATUS/BAPTIST ST
6 BRO'R YSGOL
7 BRO DAWEL
8 STRYD WESLE/WESLEY ST
9 Y GERDDI/GARDEN LA
10 STRYD YR EGLWYS/CHURCH ST
B5109
Llanynghenedl
Presaddfed
Fadog
MAES CORON
PH
Mast
MAES EDEYRN
Bodedern
PO
TY'N FFORDD
MAES GWYNFA
BRON Y GRAIG
Ty Hen
Ty Cristion
Tre Iorwerth
Ysgol Uwchradd Bodedern
LLYS YR ENGAN
Tre Hwfa
Ffynnon-y-mab
Manaw
Cemy
Tre-Angharad
Ty'n-y-graig
Bodowyr
Ysbylltir
Masts
Clegir-Gwynion
Rhosydd
Tai Uchaf
The Vicarage
Parc
LL65
Ty-Hen
Tai Uchaf
HOLYHEAD RD
A5
Ysgol Gynradd Caergeiliog
Penrhiw
Masts
STRYD FAWR/HIGH STREET
Pandy Treban
LON FFYNNON/WELL ST
LON FARM BRYNGWRAN
YSTAD TY'N BERLLAN
LON TY-HEN/TY-HEN RD
DOL EITHIN
Caer Elen
Llyn Dinam
Cymunod
Bryngwran
BRO ISAF
Treban
FFORDD CERRIG MAWR
TREM CYMYRAU
DINAM RD
MINFFORDD RD
TRAFFWLL RD
BRYN TREWAN
Cae Hywel
LON SALEM/SALEM ST
BRO MYNYDD
B5112
Llanfihangel yn Nhowyn
Ysgol Gymuned Bryngwran
TUDOR CT
Llyn Traffwll (Reservoir)
Fach
Plâs-Llechylched
Ysgol y Tywyn
Llyn Penrhyn
PENRHYN CL
HAWK AVE
HUNTER'S RISE
GNAT WLK
Traffwll
A55
Gwaenfynydd
Dowyn
A4080
Engedi
Bodennog
Tai-croesion
Ty Mawr
Treddolphin
Tywyn Trewan Common (Cyttir Tywyn Trewan)
Capel Gwyn
Cefnysgwydd Bach
Bryn Hyfryd
Rhosbeddau
Tan' Rallt
Eilian House
LC
Afon Crigyll
Bodfeddan
Glan Tywyn
LL63
Ddrydwy
Dyfria
Llain Wen Farm
LL64
Pentre-traeth
Ty Newydd
Glan-y-gors
19
14

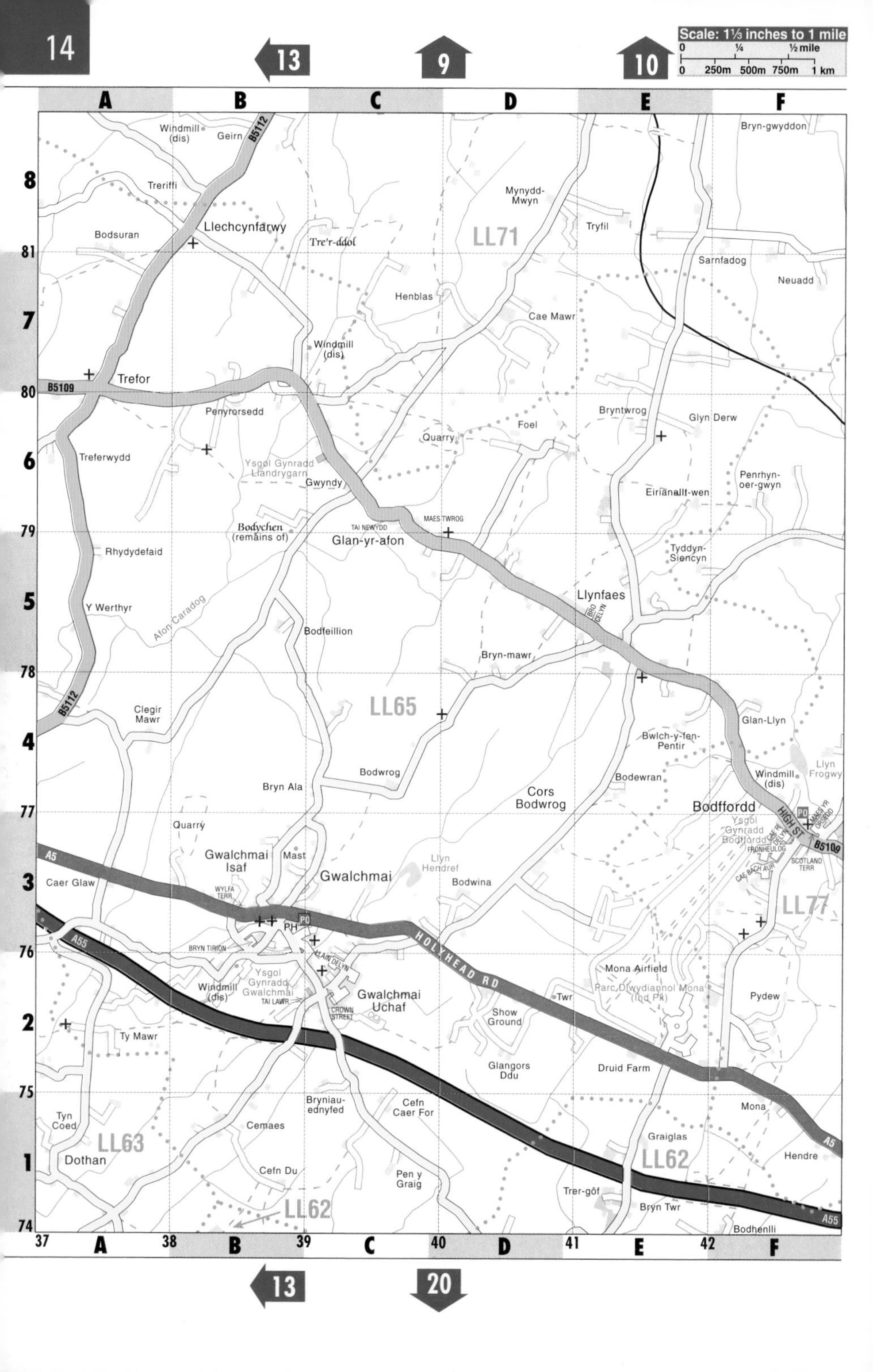
13
9
10
Scale: 1⅓ inches to 1 mile
0 ¼ ½ mile
0 250m 500m 750m 1 km
A B C D E F
8
81
7
80
6
79
5
78
4
77
3
76
2
75
1
74
Windmill (dis)
Geirn
B5112
Treriffi
Bodsuran
Llechcynfarwy
Tre'r-ddol
Mynydd-Mwyn
LL71
Tryfil
Bryn-gwyddon
Sarnfadog
Neuadd
Henblas
Cae Mawr
Windmill (dis)
Trefor
B5109
Penyrorsedd
Bryntwrog
Glyn Derw
Foel
Quarry
Treferwydd
Ysgol Gynradd Llandrygarn
Gwyndy
Eirianallt-wen
Penrhyn-oer-gwyn
Bodychen (remains of)
TAI NEWYDD
MAES TWROG
Glan-yr-afon
Tyddyn-Siencyn
Rhydydefaid
Llynfaes
BRO CELYN
Y Werthyr
Afon Caradog
Bodfeillion
Bryn-mawr
Clegir Mawr
LL65
Glan-Llyn
Bwlch-y-fen-Pentir
Llyn Frogwy
Windmill (dis)
Bodwrog
Bodewran
Bryn Ala
Cors Bodwrog
Bodffordd
HIGH ST
MAES YR ORSEDD
PO
Quarry
Ysgol Gynradd Bodffordd
CAE'R DELYN
FRONHEULOG
SCOTLAND TERR
CAE BACH AUR
A5
Gwalchmai Isaf
Mast
Gwalchmai
Llyn Hendref
Bodwina
LL77
Caer Glaw
WYLFA TERR
PH
PO
BRYN TIRION
HOLYHEAD RD
A55
LLAIN DELYN
Ysgol Gynradd Gwalchmai
TAI LAWR
Windmill (dis)
Gwalchmai Uchaf
CROWN STREET
Mona Airfield
Parc Diwydiannol Mona (Ind Pk)
Twr
Show Ground
Pydew
Ty Mawr
Glangors Ddu
Druid Farm
Bryniau-ednyfed
Cefn Caer For
Mona
Tyn Coed
Cemaes
Graiglas
LL63
Dothan
LL62
Hendre
Cefn Du
Pen y Graig
Trer-gôf
LL62
Bryn Twr
A55
Bodhenlli
37 38 39 40 41 42

13
20

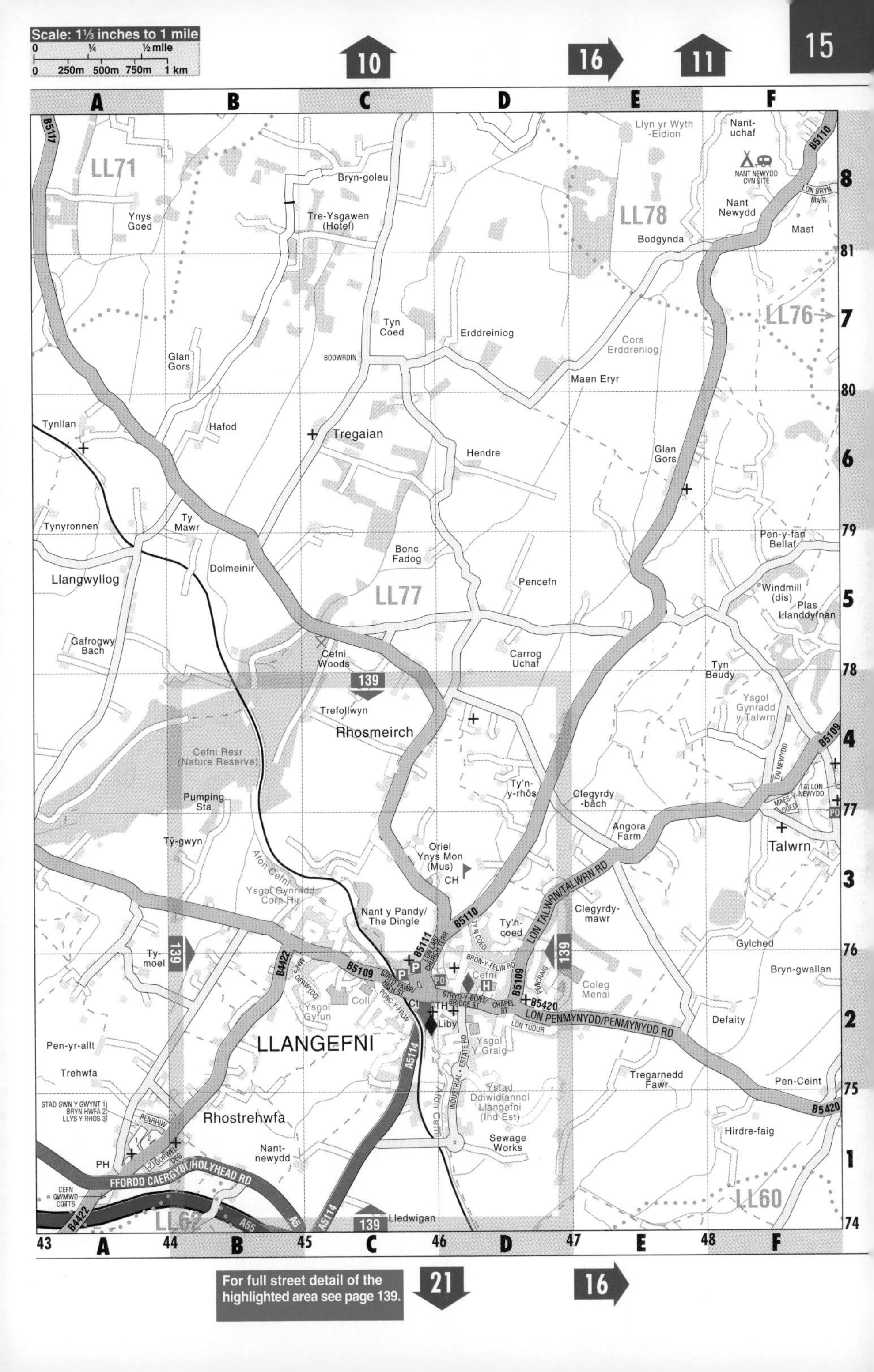

Scale: 1⅓ inches to 1 mile

0   ¼   ½ mile
0 250m 500m 750m 1 km

10   16   11

A   **B**   **C**   **D**   **E**   **F**

B5117

LL71

Ynys Goed

Bryn-goleu

Tre-Ysgawen (Hotel)

Llyn yr Wyth -Eidion

Nant-uchaf

NANT NEWYDD CVN SITE

Nant Newydd

Mast

B5110

LON BRYN MAWR

8

LL78

Bodgynda

81

Tyn Coed

Erddreiniog

BODWRDIN

Cors Erddreniog

Maen Eryr

LL76 →

7

80

Tynllan

Tregaian

Hendre

Glan Gors

6

Tynyronnen

Ty Mawr

Dolmeinir

Glan Gors

Bonc Fadog

Pencefn

Pen-y-fan Bellaf

79

Llangwyllog

LL77

Windmill (dis)

Plas Llanddyfnan

Gafrogwy Bach

Cefni Woods

Carrog Uchaf

Tyn Beudy

5

78

139

Trefollwyn

Ysgol Gynradd y Talwrn

B5109

Cefni Resr (Nature Reserve)

Rhosmeirch

Ty'n-y-rhôs

Clegyrdy -bach

Angora Farm

TAL LON NEWYDD

MAES-Y-COED

4

77

Pumping Sta

Oriel Ynys Mon (Mus) CH

Clegyrdy-mawr

Talwrn

Tŷ-gwyn

LON TALWRN/TALWRN RD

Gylched

Ysgol Gynradd Corn Hir

Afon Cefni

Nant y Pandy/ The Dingle

B5111 B5110

Ty'n-coed

139

Bryn-gwallan

3

76

Ty-moel

139

B4422

B5109

CEFNI BRIDGE PENLON

STRYD-Y-BONT/ BRIDGE ST

BROK-Y-FELIN RD

TN COED

Cefni

Coleg Menai

Defaliy

2

Ysgol Gyfun

Coll.

PO

CHAPEL

H

B5420

LON PENMYNYDD/PENMYNYDD RD

PH

Pen-yr-allt

CH Liby

Ysgol Y Graig

LON TUDOR

Pen-Ceint

B5420

Trehwfa

LLANGEFNI

A5114

Ystad Ddiwidiannol Llangefni (Ind Est)

Tregarnedd Fawr

75

STAD SWN Y GWYNT 1 BRYN HWFA 2 LLYS Y RHOS 3

PENRHIN

Rhostrehwfa

Nant-newydd

Afon Cefni

Sewage Works

Hirdre-faig

1

PH

CEFN GWMWD COITS

FFORDD CAERGYBI/HOLYHEAD RD

A55

A5

A5114

Lledwigan

139

LL60

B4422

LL62

74

43 **A** **44** **B** **45** **C** **46** **D** **47** **E** **48** **F**

For full street detail of the highlighted area see page 139.

21   16

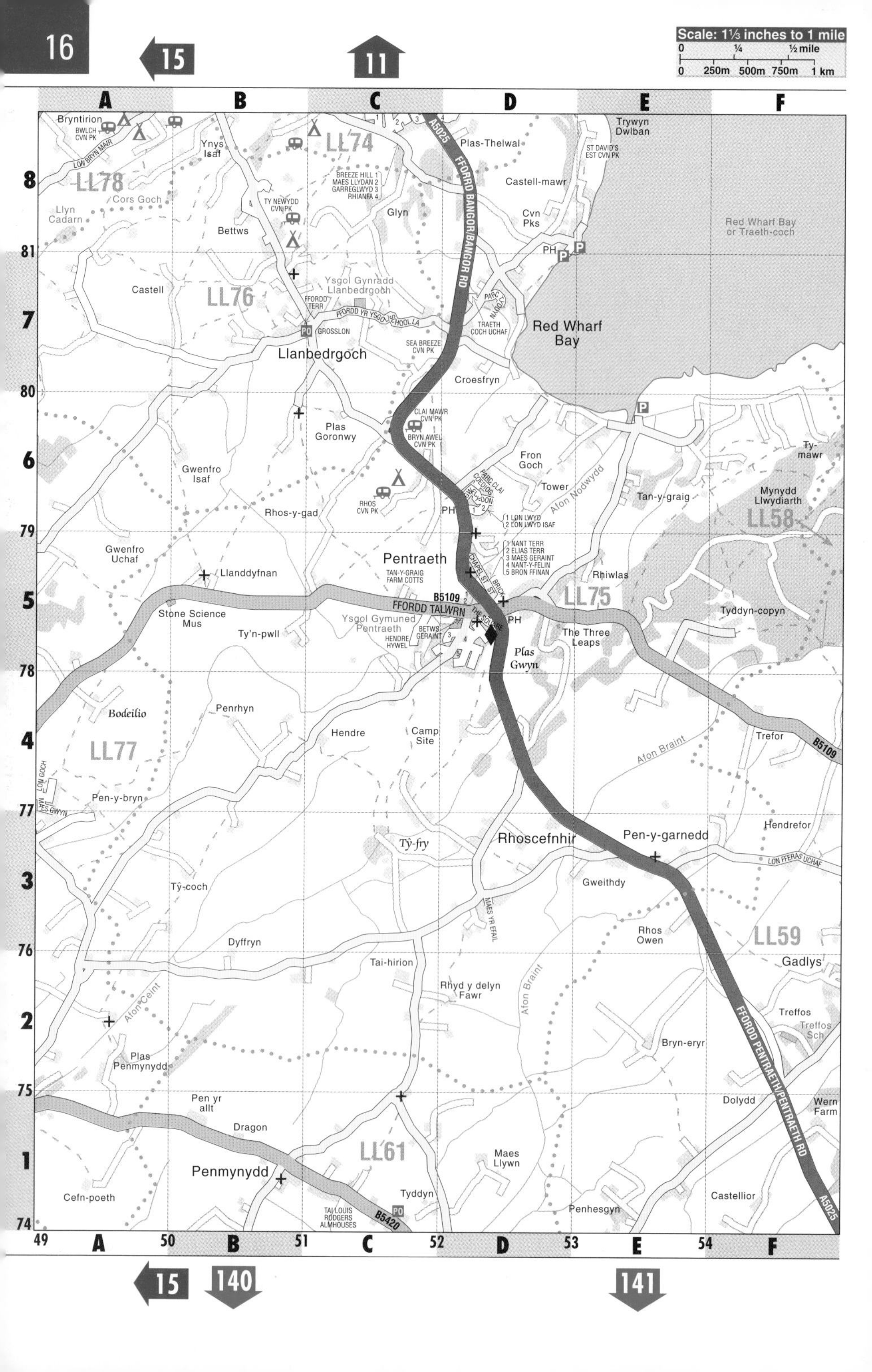
15
11
Scale: 1⅓ inches to 1 mile
0
¼
½ mile
0
250m
500m
750m
1 km
A
B
C
D
E
F
8
81
7
80
6
79
5
78
4
77
3
76
2
75
1
74
49
50
51
52
53
54
Bryntirion
BWLCH CVN PK
LON BRYN MAIR
Ynys Isaf
LL74
A5025
Plas-Thelwal
Trywyn Dwlban
ST DAVID'S EST CVN PK
LL78
Cors Goch
Llyn Cadarn
BREEZE HILL 1
MAES LLYDAN 2
GARREGLWYD 3
RHIANFA 4
TY NEWYDD CVN PK
Bettws
Glyn
FFORDD BANGOR/BANGOR RD
Castell-mawr
Cvn Pks
Red Wharf Bay or Traeth-coch
PH
Castell
LL76
Ysgol Gynradd Llanbedrgoch
FFORDD TERR
FFORDD YR YSGOL/SCHOOL LA
PO
GROSSLON
PARC TYDDYN
TRAETH COCH UCHAF
Red Wharf Bay
SEA BREEZE CVN PK
Llanbedrgoch
Croesfryn
CLAI MAWR CVN PK
BRYN AWEL CVN PK
Plas Goronwy
Fron Goch
Ty-mawr
Gwenfro Isaf
PARC CLAI
COEDIOG
Tower
Afon Nodwydd
Tan-y-graig
Mynydd Llwydiarth
RHOS CVN PK
Rhos-y-gad
PH
1 LON LWYD
2 LON LWYD ISAF
LL58
Gwenfro Uchaf
Pentraeth
1 NANT TERR
2 ELIAS TERR
3 MAES GERAINT
4 NANT-Y-FELIN
5 BRON FFINAN
Llanddyfnan
TAN-Y-GRAIG FARM COTTS
CHAPEL ST
BRICK
Rhiwlas
B5109
FFORDD TALWRN
THE SQUARE
LL75
Stone Science Mus
Ty'n-pwll
Ysgol Gymuned Pentraeth
HENDRE HYWEL
BETWS GERAINT
PH
The Three Leaps
Tyddyn-copyn
Plas Gwyn
Bodeilio
Penrhyn
Hendre
Camp Site
LL77
Trefor
B5109
Afon Braint
LON GOCH
Pen-y-bryn
MAES GWYN
Tŷ-fry
Rhoscefnhir
Pen-y-garnedd
Hendrefor
LON FFERAS UCHAF
Tŷ-coch
Gweithdy
MAES YR EFAIL
Dyffryn
Rhos Owen
LL59
Tai-hirion
Gadlys
Rhyd y delyn Fawr
Afon Braint
Afon Ceint
Treffos
Treffos Sch
FFORDD PENTRAETH/PENTRAETH RD
Plas Penmynydd
Bryn-eryr
Pen yr allt
Dolydd
Wern Farm
Dragon
LL61
Maes Llywn
Penmynydd
Cefn-poeth
Tyddyn
TAI LOUIS RODGERS ALMHOUSES
B5420
PO
Penhesgyn
Castellior
A5025
15
140
141

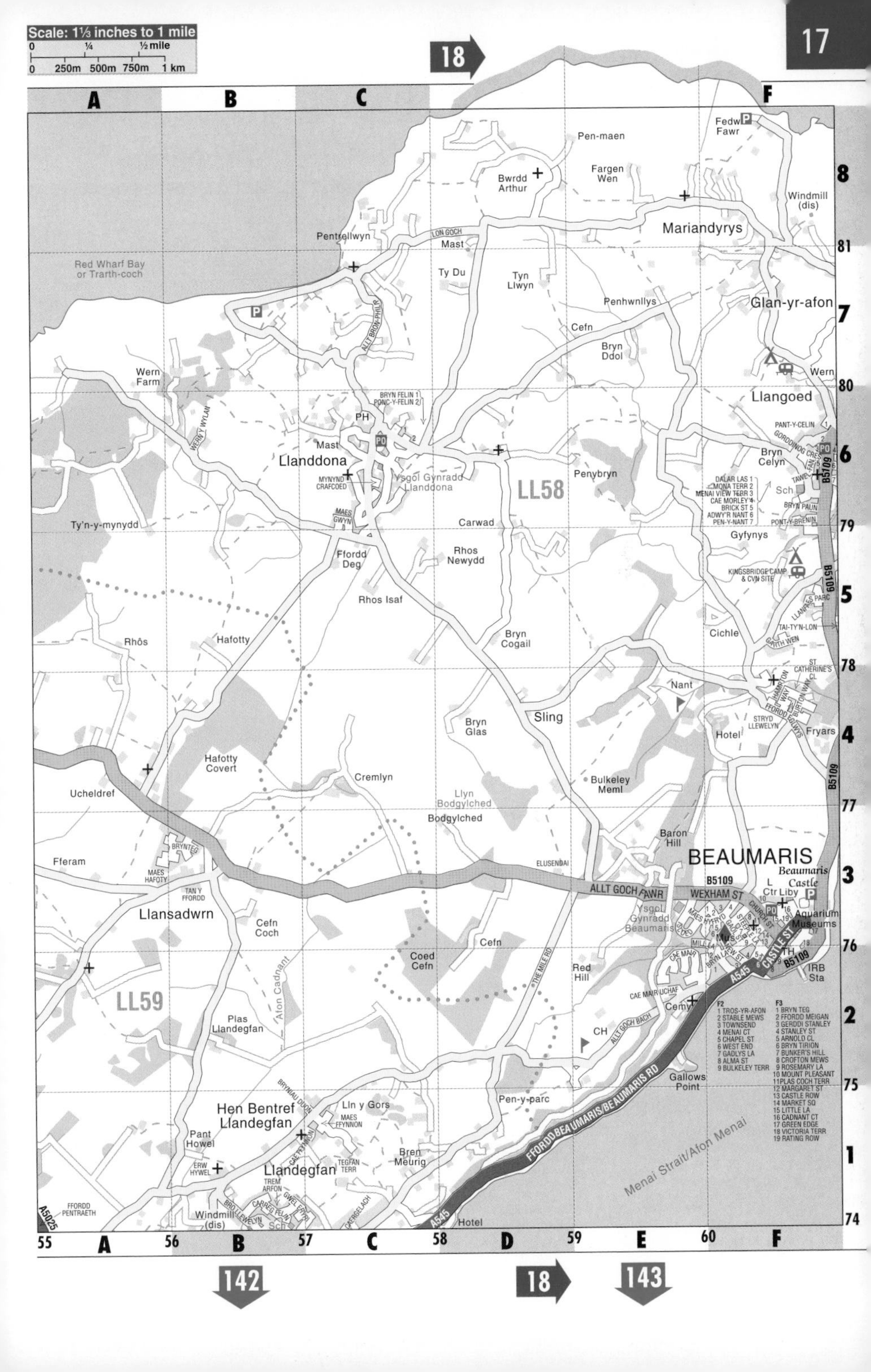
Scale: 1⅓ inches to 1 mile
0 ¼ ½ mile
0 250m 500m 750m 1 km
18
Red Wharf Bay or Traeth-coch
Pen-maen
Bwrdd Arthur
Fargen Wen
Fedw Fawr
Windmill (dis)
Mariandyrys
Pentrellwyn
LON GOCH
Mast
Ty Du
Tyn Llwyn
Penhwnllys
Glan-yr-afon
Cefn
Bryn Ddol
Wern
Wern Farm
Llangoed
PH
Mast
Llanddona
Ysgol Gynradd Llanddona
LL58
Penybryn
Bryn Celyn
Sch
Ty'n-y-mynydd
Carwad
Gyfynys
Ffordd Deg
Rhos Newydd
KINGSBRIDGE CAMP & CVN SITE
Rhos Isaf
B5109
Rhôs
Hafotty
Bryn Cogail
Cichle
Nant
Sling
Bryn Glas
Hotel
Fryars
Hafotty Covert
Cremlyn
Bulkeley Meml
Ucheldref
Llyn Bodgylched
Bodgylched
Baron Hill
Fferam
BEAUMARIS
Beaumaris Castle
ALLT GOCH FAWR
WEXHAM ST
Ctr Liby
Ysgol Gynradd Beaumaris
Aquarium
Museums
Llansadwrn
Cefn Coch
Coed Cefn
Cefn
Red Hill
TH
IRB Sta
LL59
Afon Cadnant
Plas Llandegfan
CH
Cemy
Gallows Point
Hen Bentref Llandegfan
Lln y Gors
Pen-y-parc
Pant Howel
Bren Meurig
Llandegfan
FFORDD BEAUMARIS/BEAUMARIS RD
Menai Strait/Afon Menai
Windmill (dis)
Hotel
A545
A5025
F2
1 TROS-YR-AFON
2 STABLE MEWS
3 TOWNSEND
4 MENAI CT
5 CHAPEL ST
6 WEST END
7 GADLYS LA
8 ALMA ST
9 BULKELEY TERR
F3
1 BRYN TEG
2 FFORDD MEIGAN
3 GERDDI STANLEY
4 STANLEY ST
5 ARNOLD CL
6 BRYN TIRION
7 BUNKER'S HILL
8 CROFTON MEWS
9 ROSEMARY LA
10 MOUNT PLEASANT
11 PLAS COCH TERR
12 MARGARET ST
13 CASTLE ROW
14 MARKET SQ
15 LITTLE LA
16 CADNANT CT
17 GREEN EDGE
18 VICTORIA TERR
19 RATING ROW
DALAR LAS 1
MONA TERR 2
MENAI VIEW TERR 3
CAE MORLEY 4
BRICK ST 5
ADWY'R NANT 6
PEN-Y-NANT 7
A B C D E F
55 56 57 58 59 60
74 75 76 77 78 79 80 81
1 2 3 4 5 6 7 8
142
18
143

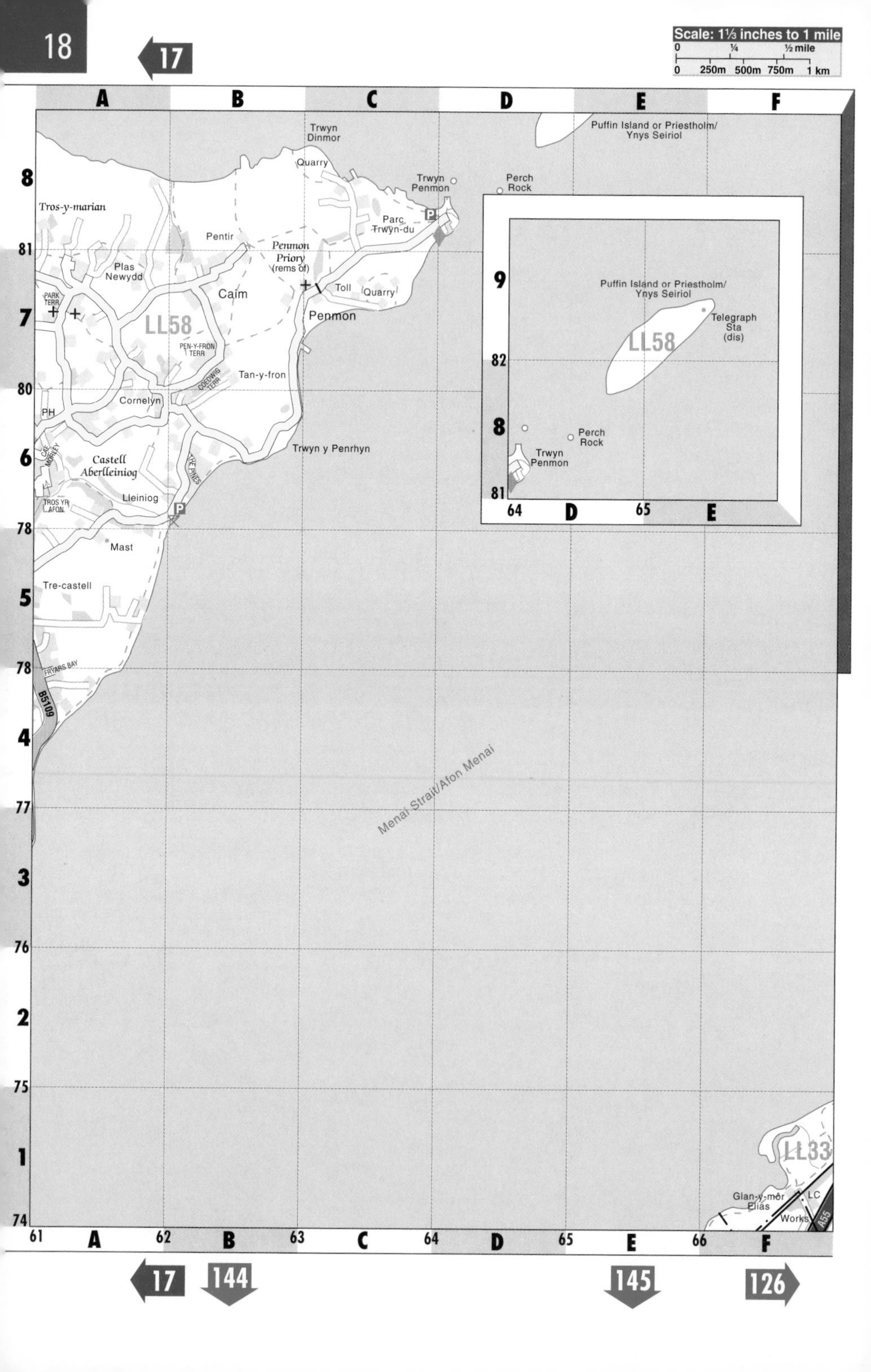

Scale: 1⅓ inches to 1 mile

| 0 | ¼ | ½ mile |

| 0 | 250m | 500m | 750m | 1 km |

A **B** **C** **D** **E** **F**

Puffin Island or Priestholm/
Ynys Seiriol

8

Tros-y-marian

Trwyn
Dinmor

Quarry

Trwyn
Penmon

Perch
Rock

81

Pentir

Parc
Trwyn-du

Penmon
Priory
(rems of)

Plas
Newydd

PARK
TERR.

Caim

Toll

Quarry

9

Puffin Island or Priestholm/
Ynys Seiriol

Telegraph
Sta
(dis)

7

PEN-Y-FRON
TERR.

LL58

Penmon

82

LL58

Tan-y-fron

80

Cornelyn

8

Perch
Rock

PH

Trwyn y Penrhyn

Trwyn
Penmon

6

Castell
Aberlleiniog

81

Lleiniog

64 **D** **65** **E**

TROS YR
AFON

78

Mast

5

Tre-castell

78

LLANGOED BAY

B5109

4

Menai Strait/Afon Menai

77

3

76

2

75

1

LL33

Glan-y-môr
Elias

Works

74

61 **A** **62** **B** **63** **C** **64** **D** **65** **E** **66** **F**

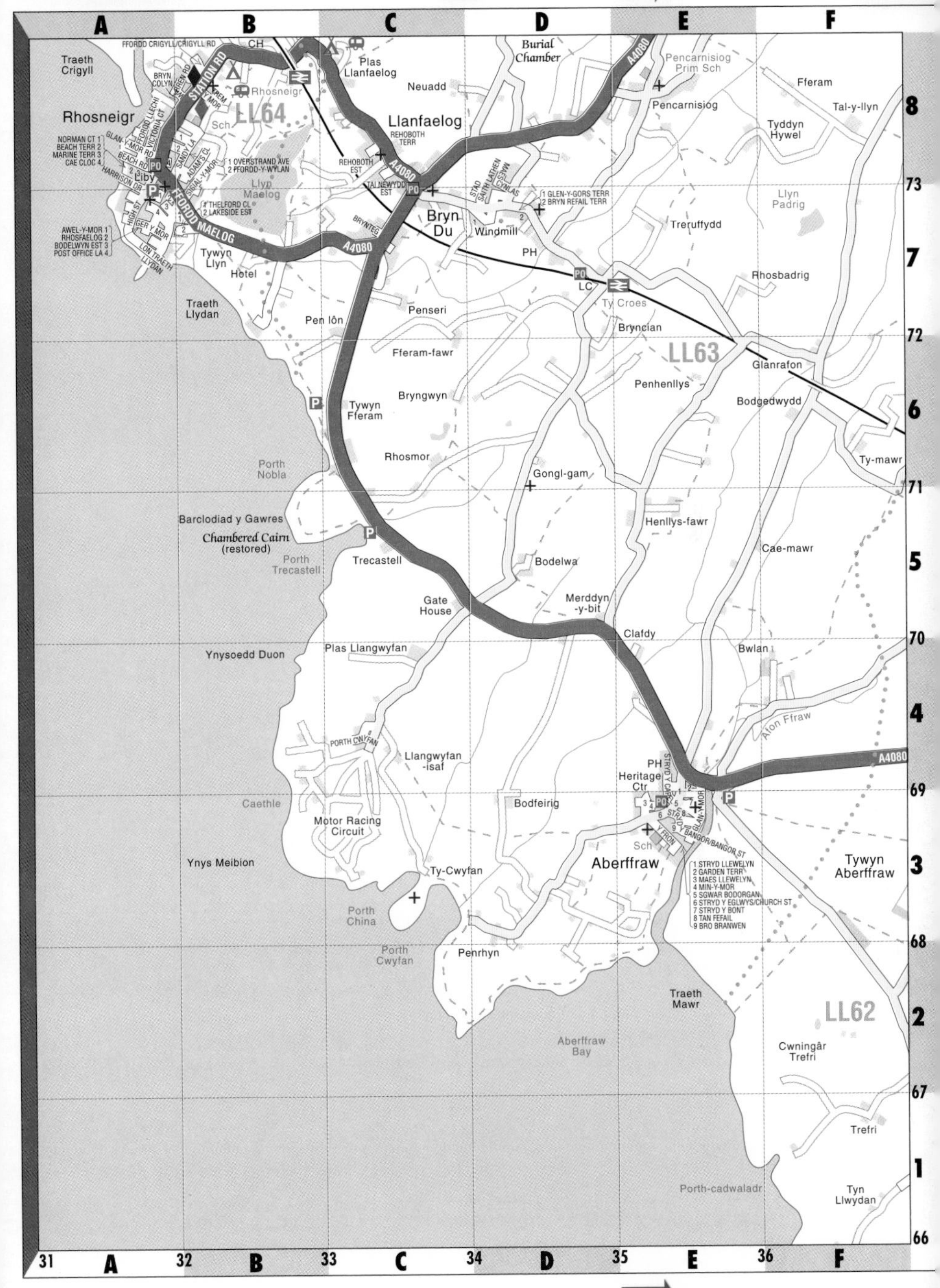

Scale: 1⅓ inches to 1 mile

0   ¼   ½ mile
0   250m 500m 750m   1 km

13

20

Traeth
Crigyll

FFORDD CRIGYLL/CRIGYLL RD   CH

BRYN
COLYN

STATION RD

Plas
Llanfaelog

Burial
Chamber

Pencarnisiog
Prim Sch

Fferam

Tal-y-llyn

Rhosneigr

Rhosneigr

Neuadd

Pencarnisiog

Tyddyn
Hywel

8

LL64

Sch

Llanfaelog

REHOBOTH
TERR

73

NORMAN CT 1
BEACH TERR 2
MARINE TERR 3
CAE CLOC 4.

Libr

1 OVERSTRAND AVE
2 FFORD-Y-WYLAN

REHOBOTH
EST

Llyn
Padrig

P

A4080

1 THELFORD CL
2 LAKESIDE EST

PO

Bryn
Du

Trerruffydd

AWEL-Y-MOR 1
RHOSFAELOG 2
BODELWYN EST 3
POST OFFICE LA 4.

Llyn
Maelog

BRYNTEG

Windmill

1 GLEN-Y-GORS TERR
2 BRYN REFAIL TERR

Rhosbadrig

7

Tywyn
Llyn

Hotel

A4080

PH

PO

LC

Ty Croes

Traeth
Llydan

Pen Iôn

Penseri

Bryncian

72

Fferam-fawr

Penhenllys

LL63

Glanrafon

Bodgedwydd

6

P

Tywyn
Fferam

Bryngwyn

Porth
Nobla

Rhosmor

Gongl-gam

Ty-mawr

71

Barclodiad y Gawres

Chambered Cairn
(restored)

Porth
Trecastell

P

Trecastell

Bodelwa

Henllys-fawr

Cae-mawr

5

Gate
House

Merddyn
-y-bit

Ynysoedd Duon

Plas Llangwyfan

Clafdy

Bwlan

70

Afon Ffraw

4

PORTH CWYFAN

Llangwyfan
-isaf

A4080

Caethle

Motor Racing
Circuit

Bodfeirig

PH
Heritage
Ctr

P

69

Ynys Meibion

Ty-Cwyfan

Aberffraw

Sch

Tywyn
Aberffraw

3

Porth
China

1 STRYD LLEWELYN
2 GARDEN TERR
3 MAES LLEWELYN
4 MIN-Y-MOR
5 SGWAR BODORGAN
6 STRYD Y EGLWYS/CHURCH ST
7 STRYD Y BONT
8 TAN FEFAIL
9 BRO BRANWEN

68

Porth
Cwyfan

Penrhyn

Traeth
Mawr

LL62

2

Aberffraw
Bay

Cwningâr
Trefri

67

Trefri

Porth-cadwaladr

Tyn
Llwydan

1

66

20

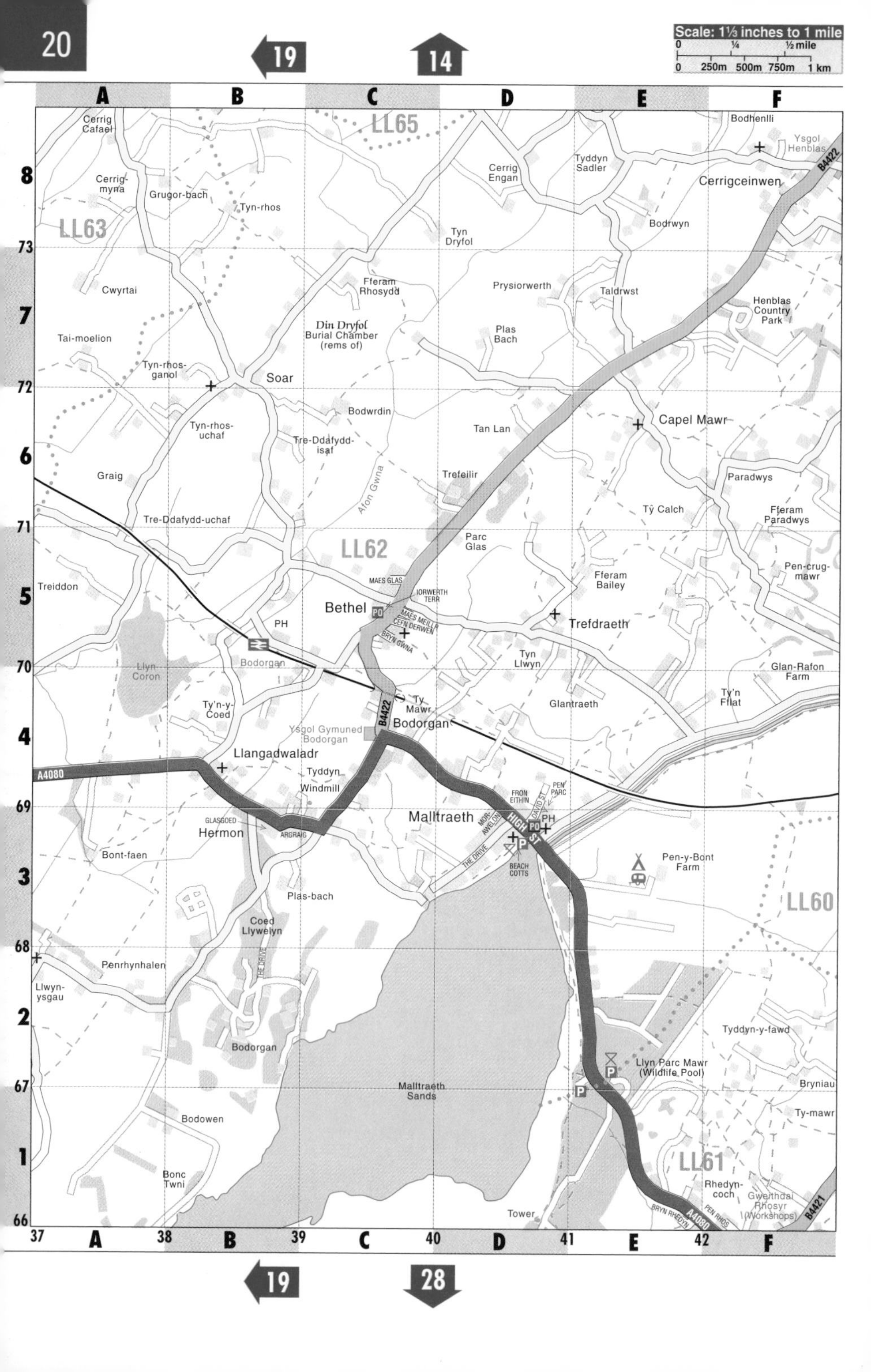
19
14
Scale: 1⅓ inches to 1 mile
0 ¼ ½ mile
0 250m 500m 750m 1 km
A B C D E F
Cerrig Cafael
LL65
Bodhenlli
Ysgol Henblas
B4422
Cerrig-myna
Grugor-bach
Tyn-rhos
Cerrig Engan
Tyddyn Sadler
Cerrigceinwen
LL63
Bodrwyn
Tyn Dryfol
Cwyrtai
Fferam Rhosydd
Prysiorwerth
Taldrwst
Henblas Country Park
Din Dryfol
Burial Chamber (rems of)
Tai-moelion
Plas Bach
Tyn-rhos-ganol
Soar
Bodwrdin
Tan Lan
Capel Mawr
Tyn-rhos-uchaf
Tre-Ddafydd-isaf
Afon Gwna
Graig
Trefeilir
Paradwys
Tŷ Calch
Fferam Paradwys
Tre-Ddafydd-uchaf
Parc Glas
LL62
Pen-crug-mawr
Fferam Bailey
Treiddon
MAES GLAS
IORWERTH TERR
Bethel
PH
MAES MEILLR
CEFN DERWEN
BRYN GWNA
Trefdraeth
Bodorgan
Llyn Coron
Tyn Llwyn
Glan-Rafon Farm
Ty Mawr
Ty'n Fflat
Glantraeth
Ty'n-y-Coed
Bodorgan
Ysgol Gymuned Bodorgan
Llangadwaladr
A4080
Tyddyn Windmill
FRON EITHIN
PEN PARC
DAVID ST
Malltraeth
MOR-AWELON
HIGH ST
GLASGOED
Hermon
ARGRAIG
THE DRIVE
BEACH COTTS
Pen-y-Bont Farm
Bont-faen
Plas-bach
LL60
Coed Llywelyn
THE DRIVE
Penrhynhalen
Llwyn-ysgau
Tyddyn-y-fawd
Bodorgan
Llyn Parc Mawr (Wildlife Pool)
Bryniau
Malltraeth Sands
Bodowen
Ty-mawr
LL61
Bonc Twni
Rhedyn-coch
Gwerthdai Rhosyr (Workshops)
B4421
Tower
BRYN RHEDYN
PEN RHOS
A4080
8
73
7
72
6
71
5
70
4
69
3
68
2
67
1
66
37 38 39 40 41 42
A B C D E F
19
28

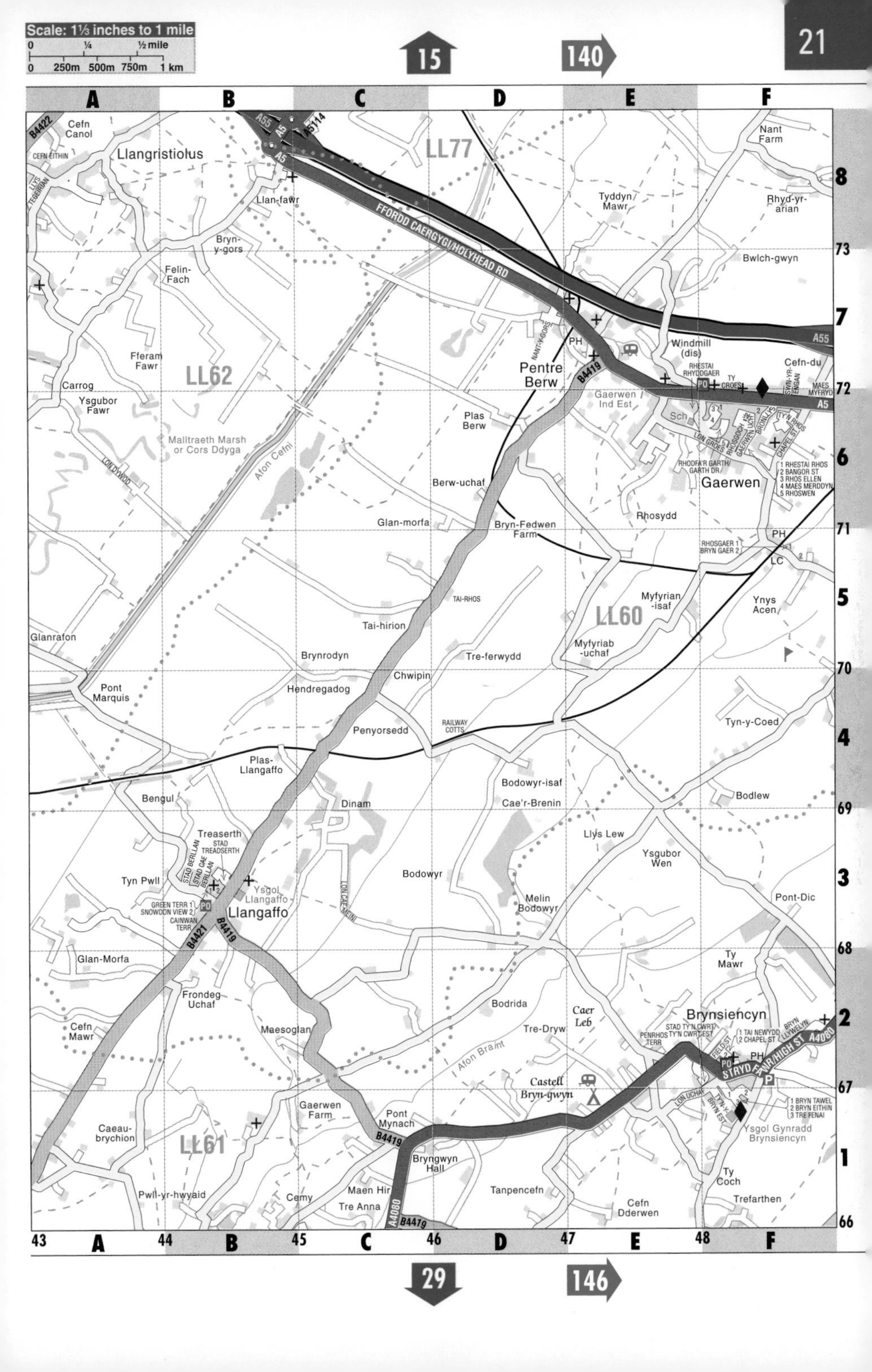
Scale: 1⅓ inches to 1 mile
0 ¼ ½ mile
0 250m 500m 750m 1 km
15
140
Cefn Canol
Llangristiolus
Llan-fawr
LL77
FFORDD CAERGYGI/HOLYHEAD RD
Tyddyn Mawr
Nant Farm
Rhyd-yr-arian
Bryn-y-gors
Felin-Fach
Bwlch-gwyn
Fferam Fawr
LL62
Carrog
Ysgubor Fawr
Pentre Berw
Windmill (dis)
Cefn-du
Gaerwen Ind Est
Plas Berw
Malltraeth Marsh or Cors Ddyga
Afon Cefni
Berw-uchaf
Gaerwen
Rhosydd
Glan-morfa
Bryn-Fedwen Farm
Myfyrian -isaf
Ynys Acen
LL60
Glanrafon
Tai-hirion
Myfyriab -uchaf
Brynrodyn
Tre-ferwydd
Pont Marquis
Hendregadog
Chwipin
Tyn-y-Coed
Penyorsedd
Plas-Llangaffo
Bodowyr-isaf
Bengul
Dinam
Cae'r-Brenin
Bodlew
Treaserth
Llys Lew
Ysgubor Wen
Tyn Pwll
Ysgol Llangaffo
Bodowyr
Pont-Dic
Llangaffo
Melin Bodowyr
Glan-Morfa
Ty Mawr
Frondeg Uchaf
Bodrida
Caer Leb
Brynsiencyn
Cefn Mawr
Maesoglan
Tre-Dryw
Afon Braint
Castell Bryn-gwyn
Gaerwen Farm
Pont Mynach
Ysgol Gynradd Brynsiencyn
Caeau-brychion
LL61
Bryngwyn Hall
Ty Coch
Pwll-yr-hwyaid
Cemy
Maen Hir
Tanpencefn
Cefn Dderwen
Trefarthen
Tre Anna
29
146

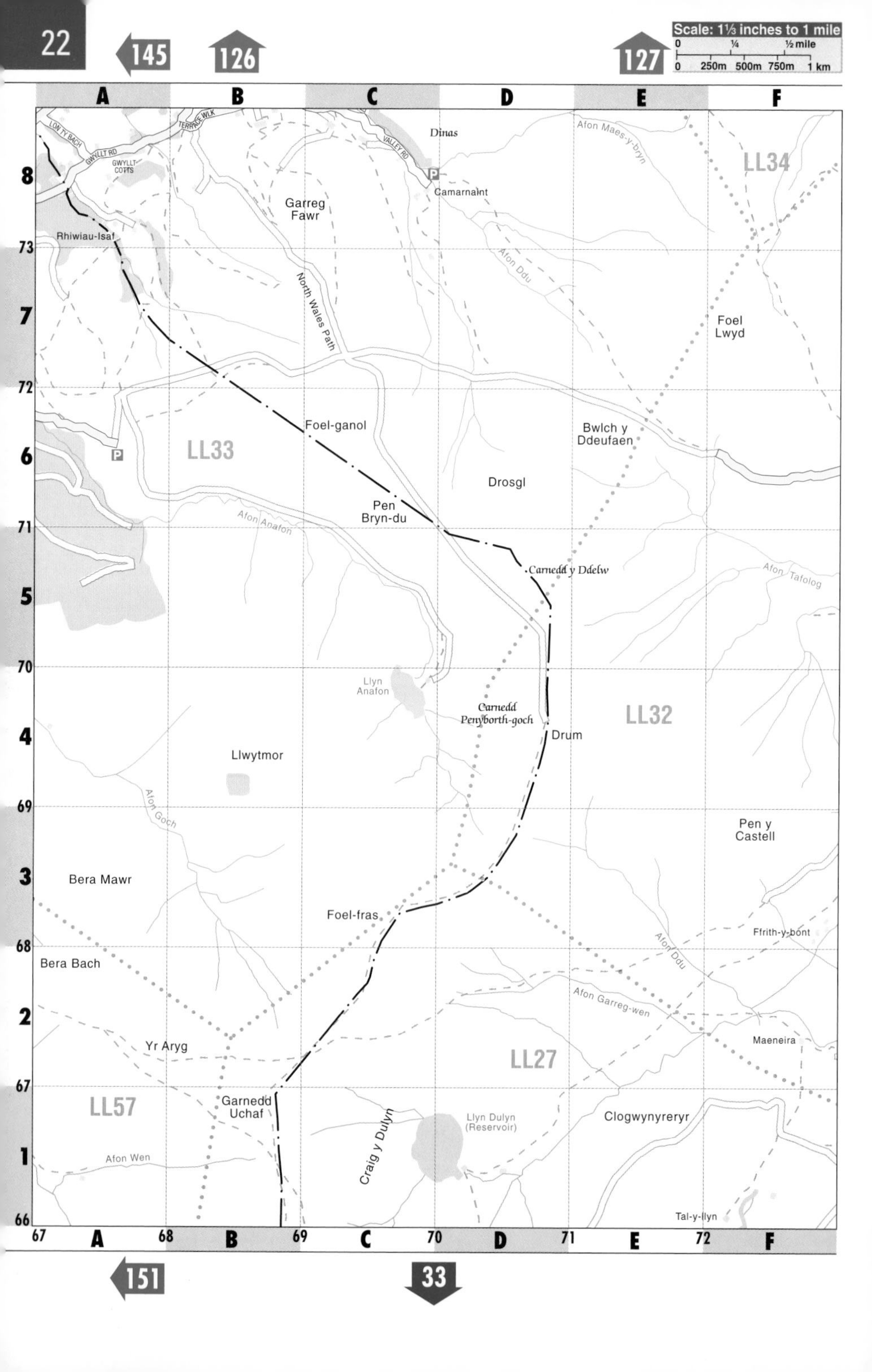

145
126
127

Scale: 1⅓ inches to 1 mile

0   ¼   ½ mile
0 250m 500m 750m 1 km

LL34

Dinas

Afon Maes-y-bryn

Garreg
Fawr

Camarnaint

Rhiwiau-isaf

North Wales Path

Afon Ddu

Foel
Lwyd

LL33

Foel-ganol

Bwlch y
Ddeufaen

Afon Anafon

Drosgl

Pen
Bryn-du

Carnedd y Ddelw

Afon Tafolog

Llyn
Anafon

Llwytmor

Carnedd
Penyborth-goch

LL32

Drum

Afon Goch

Pen y
Castell

Bera Mawr

Foel-fras

Afon Ddu

Ffrith-y-bont

Bera Bach

Afon Garreg-wen

Yr Aryg

Maeneira

LL27

Garnedd
Uchaf

LL57

Clogwynyreryr

Afon Wen

Craig y Dulyn

Llyn Dulyn
(Reservoir)

Tal-y-llyn

151
33

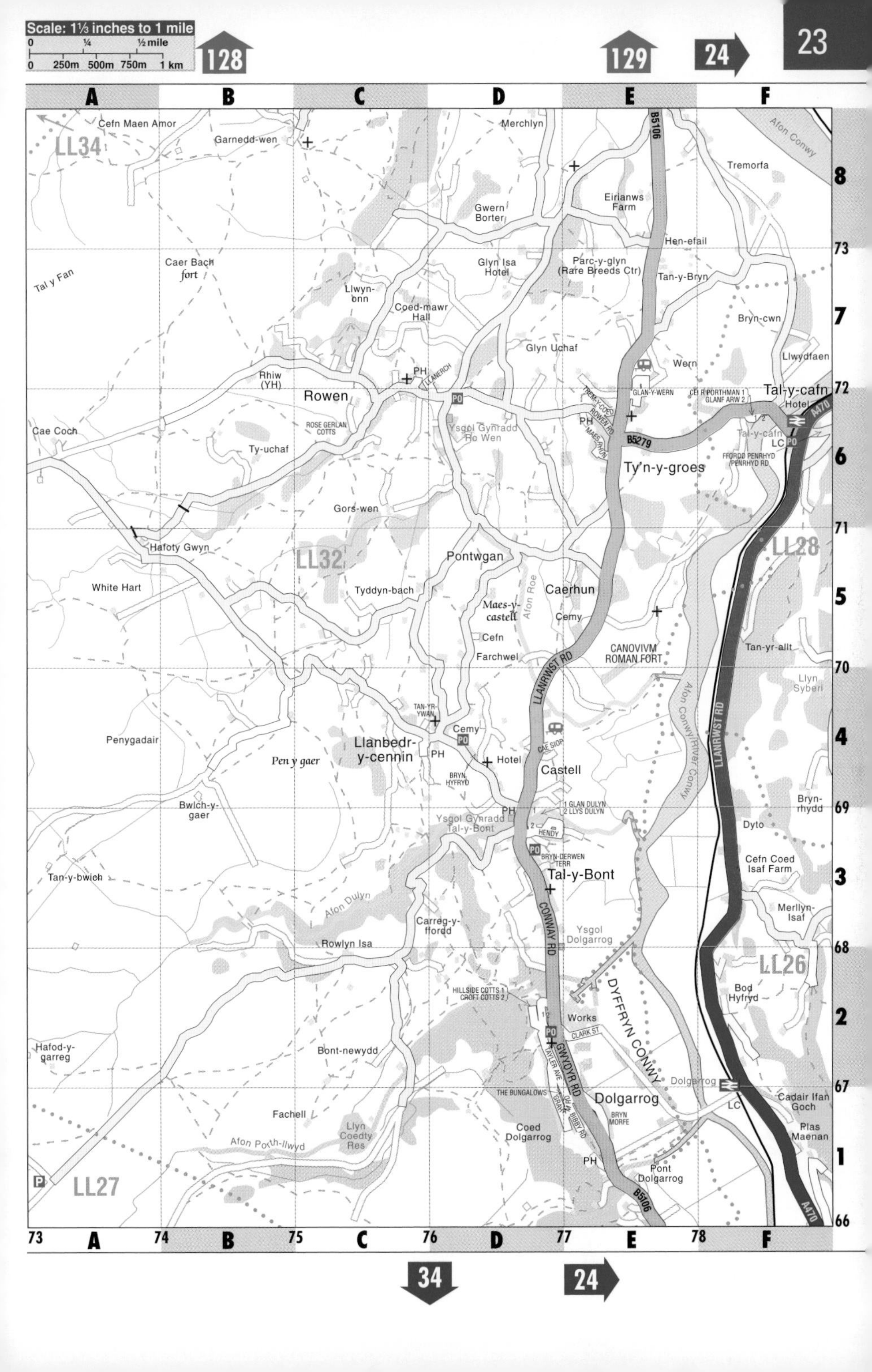
Scale: 1⅓ inches to 1 mile
0 ¼ ½ mile
0 250m 500m 750m 1 km
128
129
24
A B C D E F
Cefn Maen Amor
Garnedd-wen
Merchlyn
LL34
B5106
Afon Conwy
Tremorfa
Eirianws Farm
Gwern Borter
Hen-efail
Caer Bach
fort
Glyn Isa Hotel
Parc-y-glyn (Rare Breeds Ctr)
Tan-y-Bryn
Tal y Fan
Llwyn-onn
Coed-mawr Hall
Bryn-cwn
Glyn Uchaf
Llwydfaen
Wern
Rhiw (YH)
PH
LLANERCH
Rowen
PO
TREM-Y-COED
ROWEN RD
GLAN-Y-WERN
CEIR PORTHMAN 1
GLANF ARW 2
Tal-y-cafn
Hotel
A470
Cae Coch
ROSE GERLAN COTTS
Ysgol Gynradd Ro Wen
MAES-RHUN
B5279
Tal-y-cafn
LC
Ty-uchaf
FFORDD PENRHYD (PENRHYD RD)
Ty'n-y-groes
Gors-wen
Hafoty Gwyn
LL32
Pontwgan
LL28
White Hart
Tyddyn-bach
Afon Roe
Caerhun
Maes-y-castell
Cemy
Cefn
CANOVIVM ROMAN FORT
Tan-yr-allt
Farchwel
LLANRWST RD
Afon Conwy/River Conwy
Llyn Syberi
TAN-YR-YWAN
Penygadair
Cemy
Llanbedr-y-cennin
Pen y gaer
Hotel
CAE SIOP
Castell
BRYN HYFRYD
Bryn-rhydd
Bwlch-y-gaer
Ysgol Gynradd Tal-y-Bont
1 GLAN DULYN
2 LLYS DULYN
HENDY
Dyto
BRYN-DERWEN TERR
Cefn Coed Isaf Farm
Tal-y-Bont
Tan-y-bwlch
Afon Dulyn
CONWAY RD
Merllyn-Isaf
Carreg-y-ffordd
Ysgol Dolgarrog
Rowlyn Isa
LL26
DYFFRYN CONWY
HILLSIDE COTTS 1
CROFT COTTS 2
Bod Hyfryd
Works
CLARK ST
Hafod-y-garreg
Bont-newydd
GWYDYR RD
TAYLER AVE
Dolgarrog
THE BUNGALOWS
Dolgarrog
Cadair Ifan Goch
Fachell
Llyn Coedty Res
Coed Dolgarrog
BRYN MORFE
Plas Maenan
Afon Porth-llwyd
PH
Pont Dolgarrog
LL27
B5106
A470
8
73
7
72
6
71
5
70
4
69
3
68
2
67
1
66
73 74 75 76 77 78
34
24

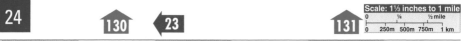
130
23
131
Scale: 1⅓ inches to 1 mile
0 ¼ ½ mile
0 250m 500m 750m 1 km

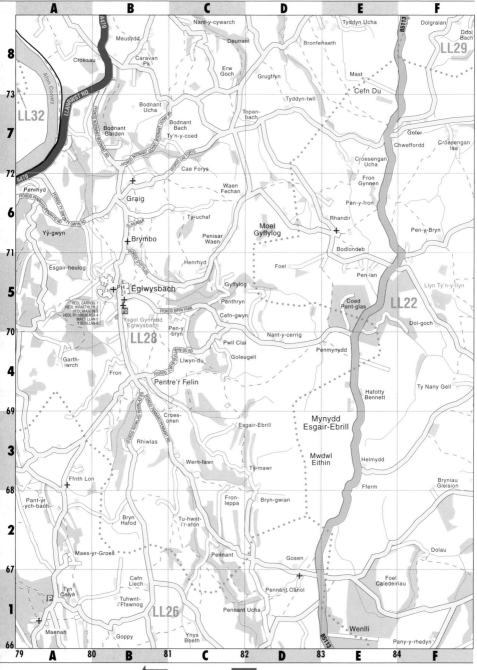
A
B
C
D
E
F
Nant-y-cywarch
Tyddyn Ucha
Dolgraian
Ddol Bach
Meusydd
Deunant
Bronferiaeth
LL29
Croesau
Caravan Pk
Erw Goch
Grugfryn
Mast
Afon Conwy
Cefn Du
LL32
LLANRWST RD
A470
Bodnant Ucha
Tyddyn-twll
Topan-bach
Bodnant Bach
Bodnant Garden
Ty'n-y-coed
Gofer
Chweffordd
Croesengan Isa
FFORDD BODNANT/BODNANT RD
FFORDD BODNANT UCHAF/BODNANT UCHAF RD
FFORDD CAE FORYS
Croesengan Ucha
Cae Forys
Fron Gynnen
Penrhyd
Waen Fechan
FFORDD PENRHYD/PENRHYD RD
FFORDD TY GWYN/TY GWYN RD
Graig
Pen-y-fron
Tŷ-uchaf
Rhandir
GLAN ABER
Moel Gyffylog
Pen-y-Bryn
Yŷ-gwyn
Brymbo
Penisar Waen
Bodlondeb
FFORDD GYFFYLOG
Henrhyd
Foel
Esgair-heulog
Pen-lan
Gyffylog
Llyn Ty'n-y-llyn
PH
Eglwysbach
Coed Pant-glas
Penthryn
LL22
HEOL CARROG 1
HEOL HIRAETHLYN 2
HEOL MARTIN 3
HEOL FFYNNON ASA 4
MAES LLAN 5
Y BERLLAN 6
PO
FFORDD BRYN FRAN
Cefn-gwyn
Ysgol Gynradd Eglwysbach
Dol-goch
Pen-y-bryn
Nant-y-cerrig
LL28
Pwll Clai
Penmynydd
FFORDD LLWYN DU/LLWYN DU RD
Garth-iwrch
Llwyn-du
Goleugell
Fron
Pentre'r Felin
Ty Nany Gell
Hafotty Bennett
FFORDD RHIWLAS/RHIWLAS RD
FFORDD PENNANT/PENNANT RD
Croes-onen
Esgair-Ebrill
Mynydd Esgair-Ebrill
Rhiwlas
Mwdwl Eithin
Wern-fawr
Helmydd
Tŷ-mawr
Ffrith Lon
Bryniau Gleision
Fferm
Pant-yr-ych-bach
Fron-leppa
Bryn-gwian
Bryn Hafod
Tu-hwnt-i'r-afon
Maes-yr-Groes
Pennant
Gosen
Dolau
Cefn Llech
Foel Caledeiriau
Tyn Celyn
P
Pennant Canol
Tuhwnt-i'Ffawnog
LL26
Pennant Ucha
Wenlli
Maenan
Goppy
Ynys Boeth
Pany-y-rhedyn
B5113
8
73
7
72
6
71
5
70
4
69
3
68
2
67
1
66
79
80
81
82
83
84

23
35

Scale: 1⅓ inches to 1 mile
0 ¼ ½ mile
0 250m 500m 750m 1 km
132
133
26
25

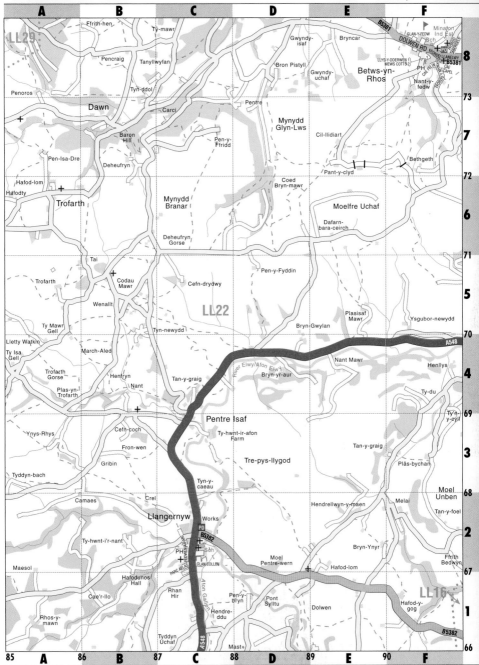

A
B
C
D
E
F
LL29
Ffrith-hen
Tŷ-mawr
Gwyndy-isaf
Bryncar
B5381
Minafon Ind Est
GLAN-Y-FEDW
Sch
DOLWEN RD
PO
FFORDD LLANELWY
B5381
LLYS-Y-DDERWEN
MEWS COTTS
PH
Pencraig
Tanyllwyfan
Bron Pistyll
Gwyndy-uchaf
Betws-yn-Rhos
Nant-y-fedw
8
Penoros
Tyn-ddol
73
Dawn
Carci
Pentre
Mynydd Glyn-Lws
Baron Hill
Pen-y-Ffridd
Cil-llidiart
7
Pen-Isa-Dre
Deheufryn
Bethgeth
Pant-y-clyd
72
Hafod-lom
Hafodty
Trofarth
Mynydd Branar
Coed Bryn-mawr
Moelfre Uchaf
6
Dafarn-bara-ceirch
Deheufryn Gorse
71
Tai
Pen-y-Fyddin
Trofarth
Codau Mawr
Cefn-drydwy
5
Wenallt
LL22
Plasisaf Mawr
Ty Mawr Gell
Tyn-newydd
Bryn-Gwylan
Ysgubor-newydd
70
Lletty Watkin
A548
Ty Isa Gell
March-Aled
Nant Mawr
River Elwy/Afon Elwy
Henllys
Trofarth Gorse
Henfryn
Bryn-yr-aur
4
Tan-y-graig
Nant
Plas-yn-Trofarth
Ty-du
69
Pentre Isaf
Ty'n-y-cyll
Cefn-coch
Ynys-Rhys
Ty-hwnt-ir-afon Farm
Fron-wen
Tan-y-graig
3
Gribin
Tre-pys-llygod
Plâs-bychan
Tyddyn-bach
Tyn-y-caeau
Moel Unben
68
Camaes
Crel
Hendrellwyn-y-maen
Melai
Tan-y-foel
Llangernyw
Works
PO
2
B5382
Ty-hwnt-i'r-nant
Sch
Bryn-Ynyr
PH
Moel Pentre-wern
Ffrith Bedwyn
Maesol
PARC AELAS
GLAN COLLEN
Hafod-lom
67
Hafodunos Hall
LL16
Rhan Hir
Afon Gallen
Cae'r-llo
Pen-y-bryn
Pont Sylltu
Dolwen
Hafod-y-gog
1
Hendre-ddu
Rhos-y-mawn
B5382
Tyddyn Uchaf
A548
Mast
66
85
86
87
88
89
90
36
26

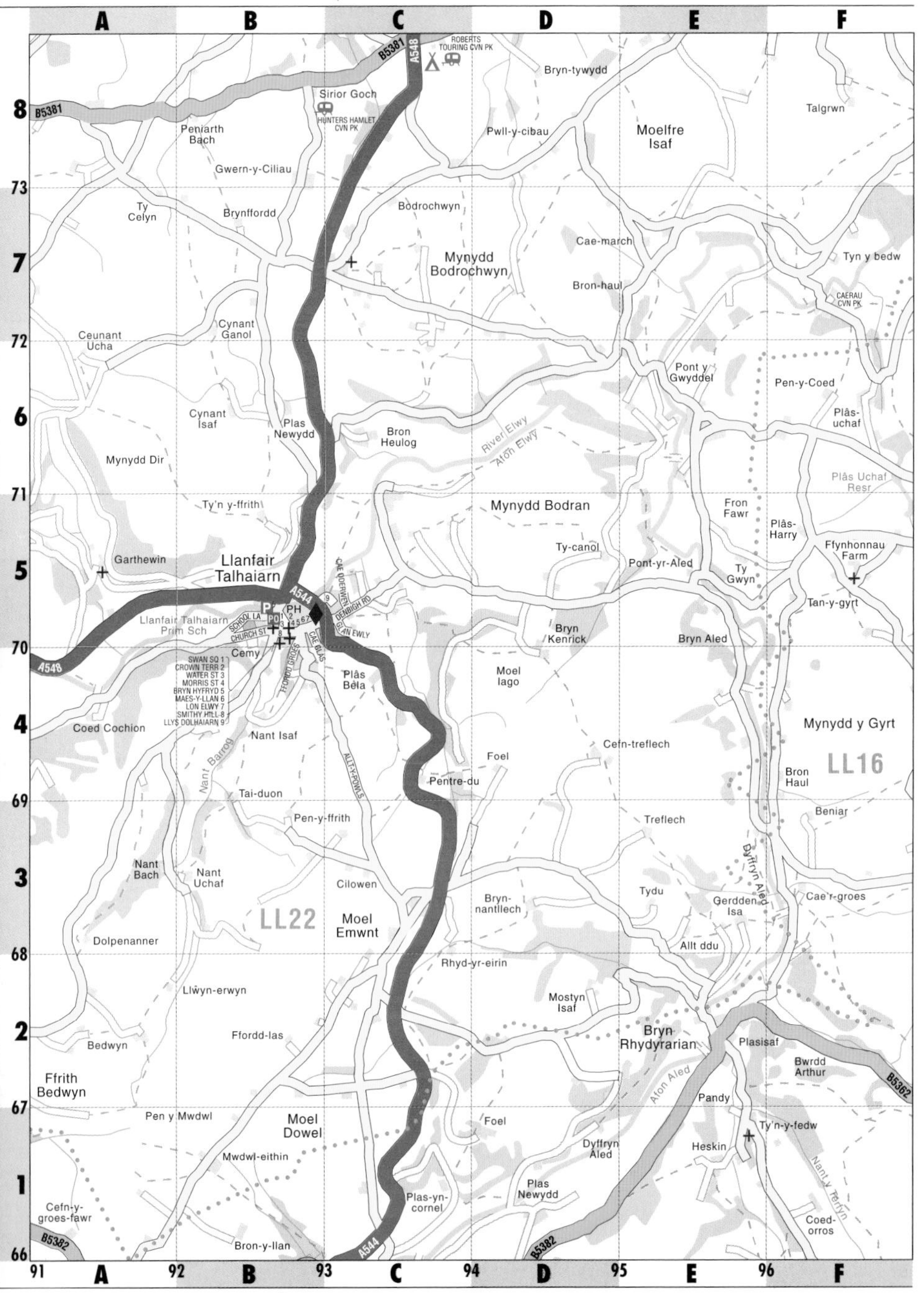

Scale: 1⅓ inches to 1 mile

0   ¼   ½ mile
0   250m 500m 750m 1 km

Row 8: B5381 | Sirior Goch | ROBERTS TOURING CVN PK | Bryn-tywydd | Moelfre Isaf | Talgrwn

Row 73: B5381 | Penrarth Bach | HUNTERS HAMLET CVN PK | Pwll-y-cibau

Gwern-y-Ciliau | Bodrochwyn | Cae-march | Tyn y bedw

Ty Celyn | Brynffordd | CAERAU CVN PK

Row 72: Mynydd Bodrochwyn | Bron-haul

Ceunant Ucha | Cynant Ganol | Pont y Gwyddel | Pen-y-Coed | Plâs-uchaf

Row 6: Cynant Isaf | Plas Newydd | Bron Heulog | River Elwy / Afon Elwy | Plâs Uchaf Resr

Mynydd Dir

Row 71: Ty'n y-ffrith | Mynydd Bodran | Fron Fawr | Plâs-Harry | Ffynhonnau Farm

Row 5: Garthewin | Llanfair Talhaiarn | Ty-canol | Pont-yr-Aled | Ty Gwyn | Tan-y-gyrt

Llanfair Talhaiarn Prim Sch | P | PH | CHURCH ST | Cefny | Bryn Kenrick | Bryn Aled

Row 70: A548 | SWAN SQ 1 / CROWN TERR 2 / WATER ST 3 / MORRIS ST 4 / BRYN HYFRYD 5 / MAES-Y-LLAN 6 / LON ELWY 7 / SMITHY HILL 8 / LLYS DOLHAIARN 9 | Plâs Bela | Moel Iago | Mynydd y Gyrt | LL16

Row 4: Coed Cochion | Nant Isaf | Nant Bryn | Foel | Cefn-treflech | Bron Haul

Row 69: Tai-duon | Pentre-du | Treflech | Beniar

Pen-y-ffrith

Row 3: Nant Bach | Nant Uchaf | Cilowen | Tydu | Gerdden Isa | Cae'r-groes

LL22 | Moel Emwnt | Bryn-nantllech | Allt ddu

Row 68: Dolpenanner | Rhyd-yr-eirin

Llwyn-erwyn | Mostyn Isaf

Row 2: Bedwyn | Ffordd-las | Bryn Rhydyrarian | Plaisisaf | Bwrdd Arthur | B5382

Ffrith Bedwyn

Row 67: Pen y Mwdwl | Moel Dowel | Foel | Pandy | Ty'n-y-fedw

Mwdwl-eithin | Dyffryn Aled | Heskin

Row 1: Cefn-y-groes-fawr | B5382 | Plas-yn-cornel | Plas Newydd | Coed-orros | Nant y Tennin

Row 66: B5382 | Bron-y-llan | A544 | B5382

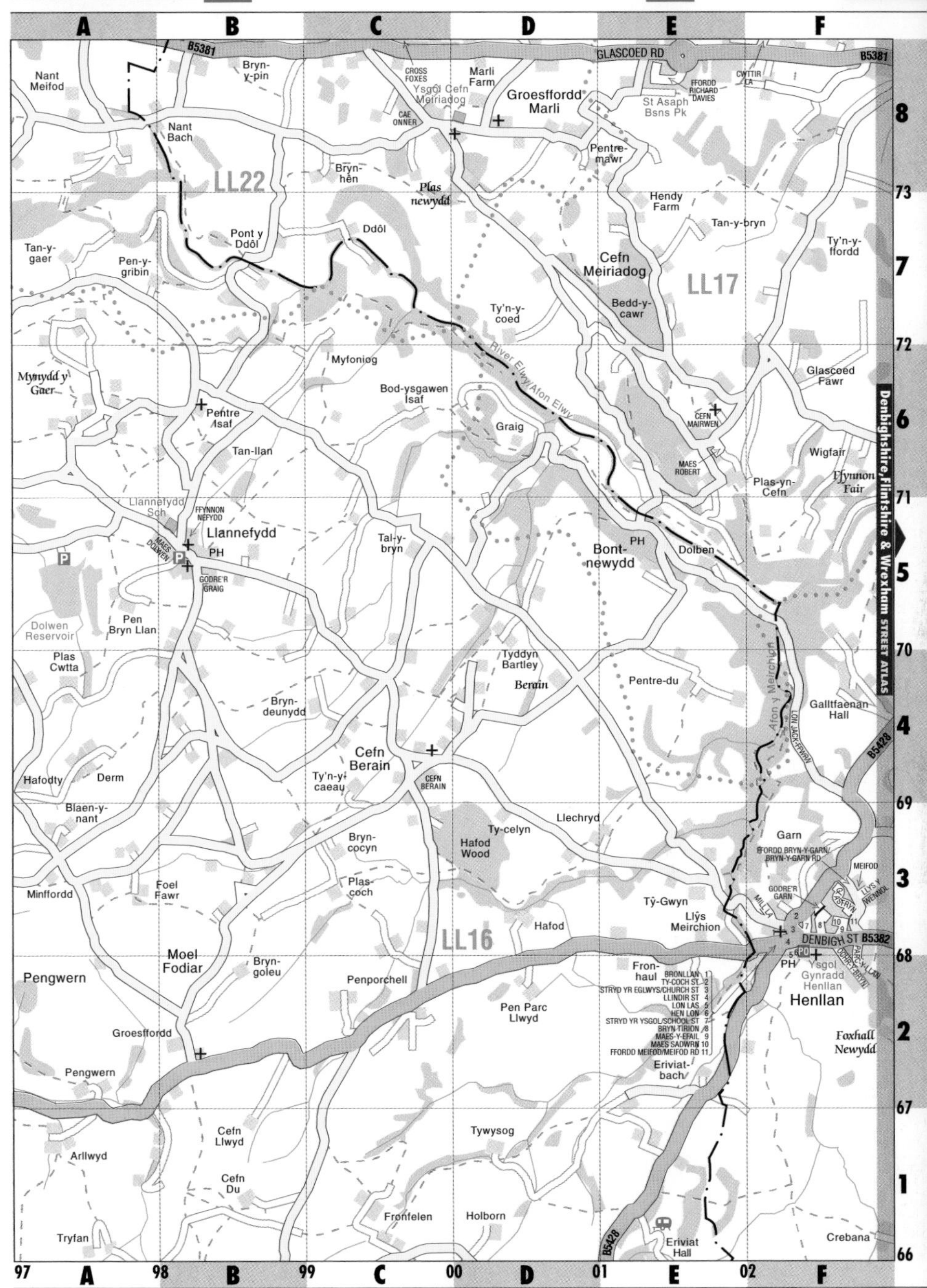

Scale: 1⅓ inches to 1 mile

0   ¼   ½ mile
0   250m 500m 750m 1 km

Denbighshire Flintshire & Wrexham STREET ATLAS

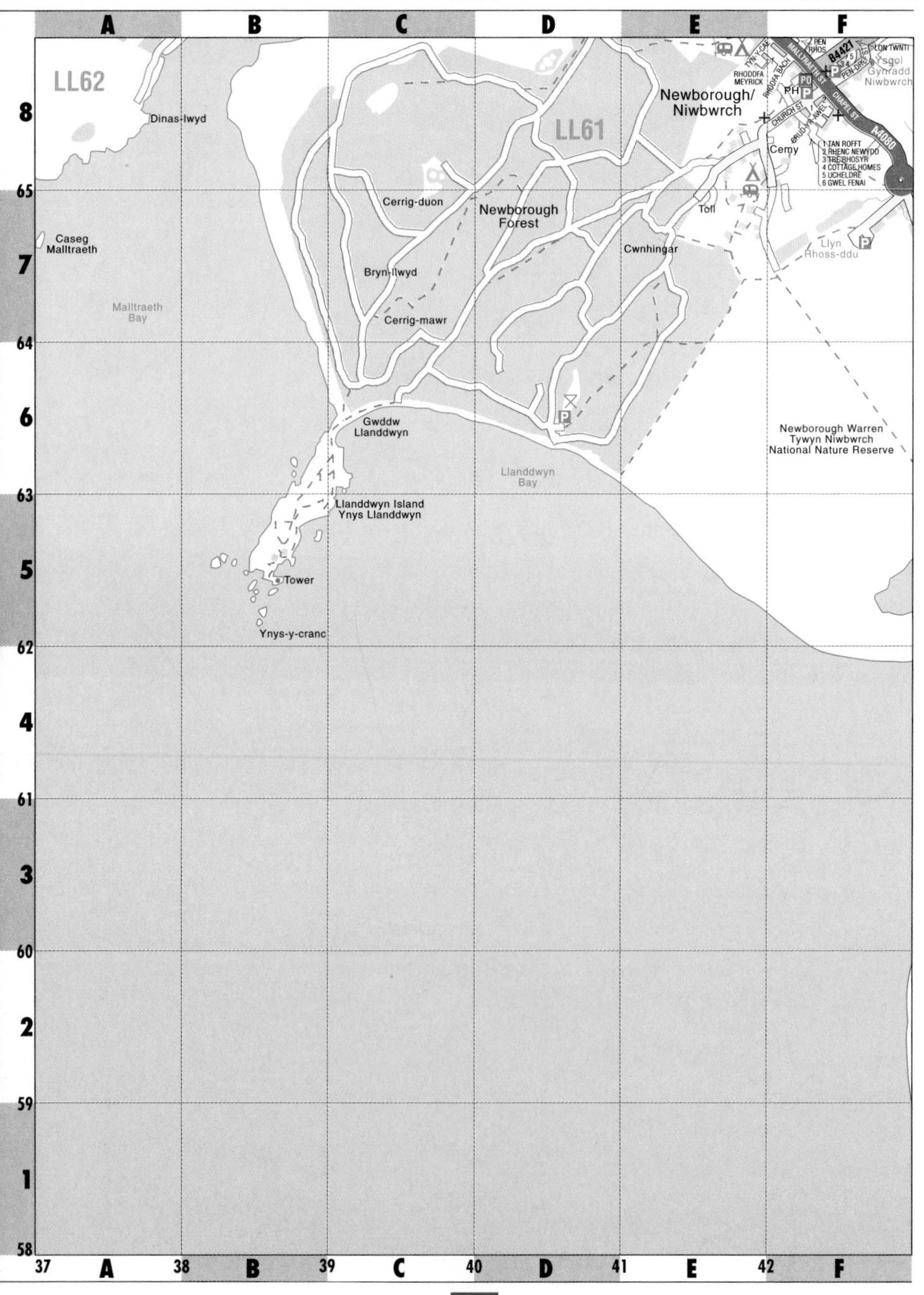

Scale: 1⅓ inches to 1 mile

LL62

Dinas-lwyd

Caseg
Malltraeth

Malltraeth
Bay

Cerrig-duon

Newborough
Forest

LL61

Newborough/
Niwbwrch

Cerny

1 TAN ROFFT
2 RHENC NEWYDD
3 TREBRHOSYR
4 COTTAGE HOMES
5 UCHELDRE
6 GWEL FENAI

Bryn-llwyd

Cwnhingar

Tofl

Llyn
Rhoss-ddu

Cerrig-mawr

Gwddw
Llanddwyn

Llanddwyn Island
Ynys Llanddwyn

Llanddwyn
Bay

Newborough Warren
Tywyn Niwbwrch
National Nature Reserve

Tower

Ynys-y-cranc

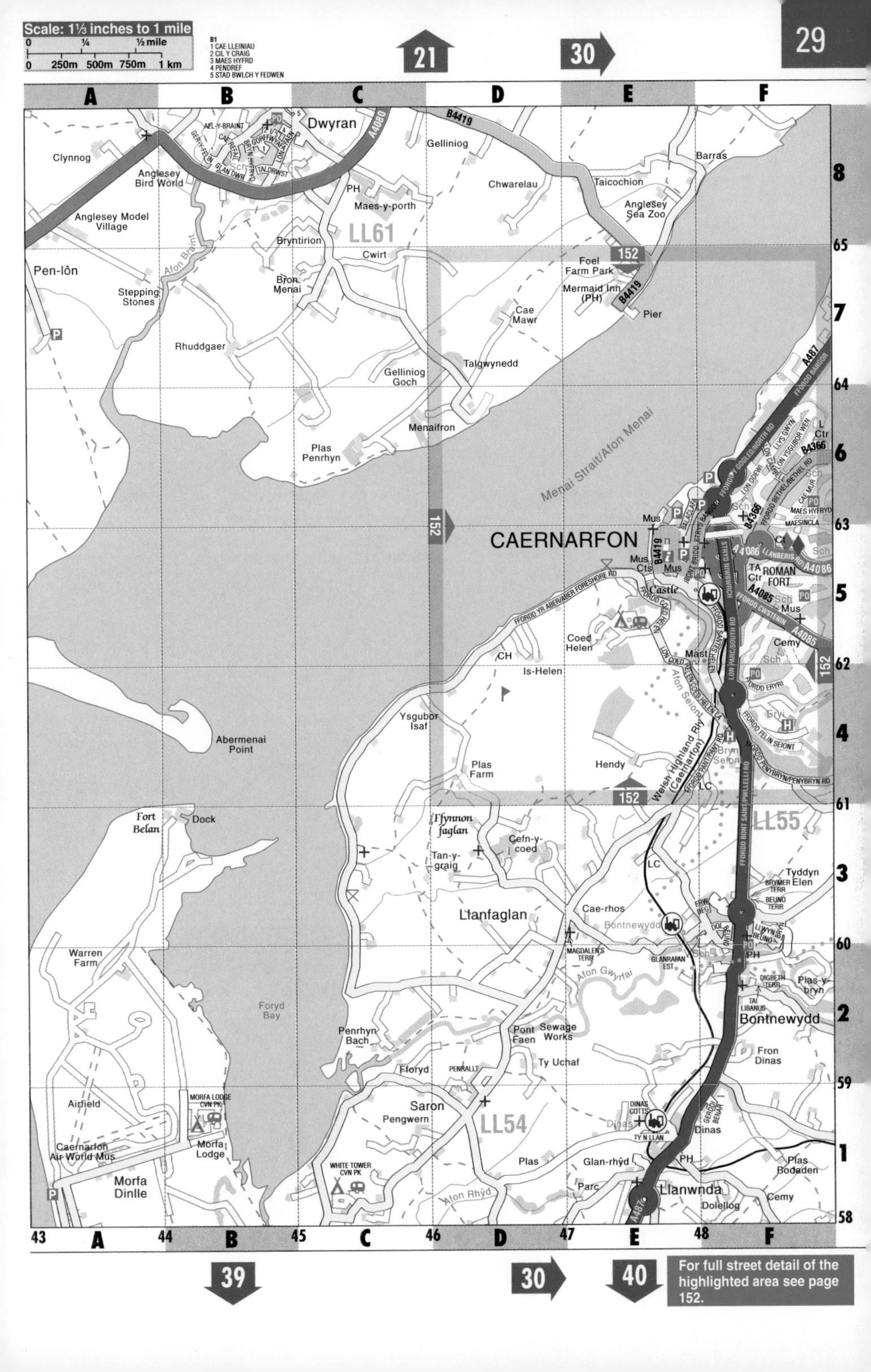
Scale: 1⅓ inches to 1 mile
0 ¼ ½ mile
0 250m 500m 750m 1 km
B1
1 CAE LLEINIAU
2 CIL Y CRAIG
3 MAES HYFRD
4 PENDREF
5 STAD BWLCH Y FEDWEN
21
30
Dwyran
Clynnog
Anglesey Bird World
Anglesey Model Village
Gelliniog
Chwarelau
Barras
Taicochion
Anglesey Sea Zoo
Maes-y-porth
LL61
Bryntirion
Cwirt
Pen-lôn
Stepping Stones
Bron Menai
Foel Farm Park
Mermaid Inn (PH)
Pier
Cae Mawr
Rhuddgaer
Talgwynedd
Gelliniog Goch
Menaifron
Plas Penrhyn
Menai Strait/Afon Menai
CAERNARFON
Castle
ROMAN FORT
Coed Helen
Is-Helen
Mast
Cemy
Ysgubor Isaf
Abermenai Point
Plas Farm
Hendy
Welsh Highland Rly (Caernarfon)
Fort Belan
Dock
Ffynnon faglan
Cefn-y-coed
Tan-y-graig
LL55
Tyddyn Elen
Llanfaglan
Cae-rhos
Bontnewydd
Warren Farm
Foryd Bay
Afon Gwyrfai
Plas-y-bryn
Bontnewydd
Penrhyn Bach
Pont Faen
Sewage Works
Fron Dinas
Fforyd
Ty Uchaf
Airfield
Morfa Lodge CVN PK
Saron
Pengwern
LL54
Dinas
Caernarfon Air World Mus
Morfa Lodge
Plas
Glan-rhŷd
Plas Bodaden
Morfa Dinlle
White Tower CVN PK
Parc
Llanwnda
Dolellog
Cemy
Afon Rhŷd
43 44 45 46 47 48
A B C D E F
39
30
40
For full street detail of the highlighted area see page 152.

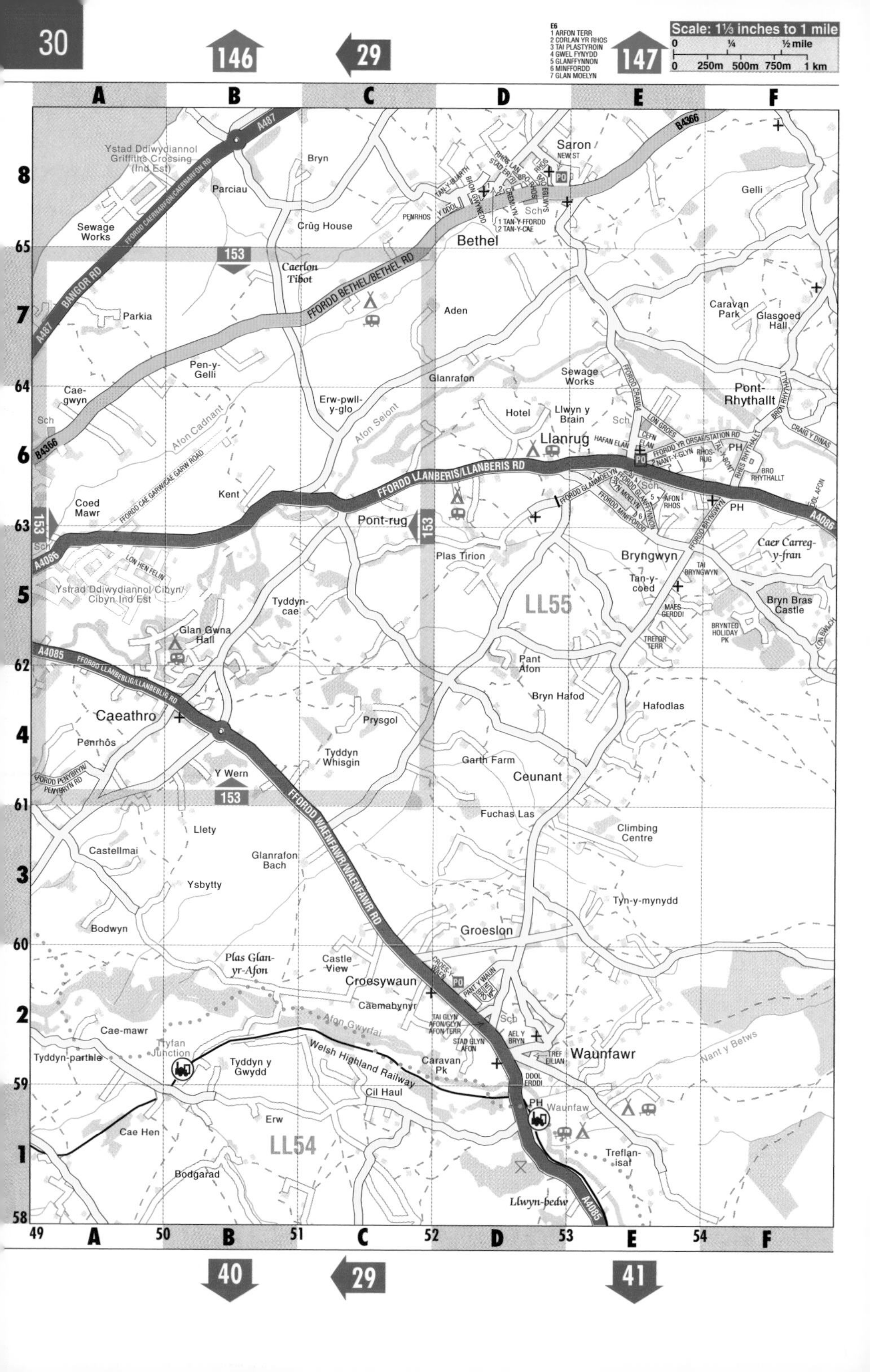
146
29
E6
1 ARFON TERR
2 CORLAN YR RHOS
3 TAI PLASTYROIN
4 GWEL FYNYDD
5 GLANFFYNNON
6 MINFFORDD
7 GLAN MOELYN
147
Scale: 1⅓ inches to 1 mile
0
¼
½ mile
0
250m
500m
750m
1 km
A
B
C
D
E
F
8
65
7
64
6
63
5
62
4
61
3
60
2
59
1
58
49
50
51
52
53
54
A487
Ystad Ddiwydiannol Griffiths Crossing (Ind Est)
FFORDD CAERNARFON/CAERNARFON RD
Sewage Works
BANGOR RD
Parciau
Bryn
Crûg House
Caerlon Tibot
153
Saron
NEW ST
PO
Sch
Bethel
PENRHOS
Y DDOL
TAN-Y-BUARTH
BRON GWYNEDD
1 TAN-Y-FFORDD
2 TAN-Y-CAE
B4366
Gelli
Parkia
FFORDD BETHEL/BETHEL RD
Aden
Caravan Park
Glasgoed Hall
Pen-y-Gelli
Cae-gwyn
Sch
Afon Cadnant
Erw-pwll-y-glo
Afon Seiont
Glanrafon
Sewage Works
FFORDD CRAWIA
Pont-Rhythallt
Hotel
Llwyn y Brain
Llanrug
LON GROES
HAFAN ELAN
CEFN ELAN
FFORDD YR ORSAF/STATION RD
NANT-Y-GLYN
RHOS-RUG
TAL-Y-BONT
PH
RHES RHYTHALLT
BRO RHYTHALLT
CRAIG Y DINAS
FFORDD CAE GARW/CAE GARW ROAD
Kent
Coed Mawr
FFORDD LLANBERIS/LLANBERIS RD
Pont-rug
FFORDD GLANMOELYN
AFON RHOS
FFORDD MINFFORDD
FFORDD BRYNGWYN
PH
A4086
DOL AFON
LON HEN FELIN
Plas Tirion
Bryngwyn
Caer Carreg-y-fran
TAI BRYNGWYN
Tan-y-coed
Ystrad Ddiwydiannol Cibyn/Cibyn Ind Est
Tyddyn-cae
LL55
MAES GERDDI
Bryn Bras Castle
BRYNTEG HOLIDAY PK
TREFOR TERR
Glan Gwna Hall
A4085
FFORDD LLANBEBLIG/LLANBEBLIG RD
Pant Afon
Bryn Hafod
Hafodlas
Caeathro
Prysgol
Penrhôs
Tyddyn Whisgin
Garth Farm
Ceunant
FFORDD PENYBRYN
PENYBRYN RD
Y Wern
153
Fuchas Las
Llety
Climbing Centre
Castellmai
Glanrafon Bach
FFORDD WAENFAWR/WAENFAWR RD
Ysbytty
Tyn-y-mynydd
Bodwyn
Groeslon
Plas Glan-yr-Afon
Castle View
Croesywaun
PO
Caemabynyr
Afon Gwyrfai
Cae-mawr
TAI GLYN
AFON/GLYN
AFON TERR
STAD GLYN AFON
AEL Y BRYN
TREF EILIAN
Waunfawr
Nant y Betws
Tyfan Junction
Tyddyn-parthle
Tyddyn y Gwydd
Welsh Highland Railway
Caravan Pk
DDOL ERDDI
Cil Haul
PH
Waunfaw
Erw
Cae Hen
LL54
Treflan-isaf
Bodgarad
Llwyn-bedw
A4085
40
29
41

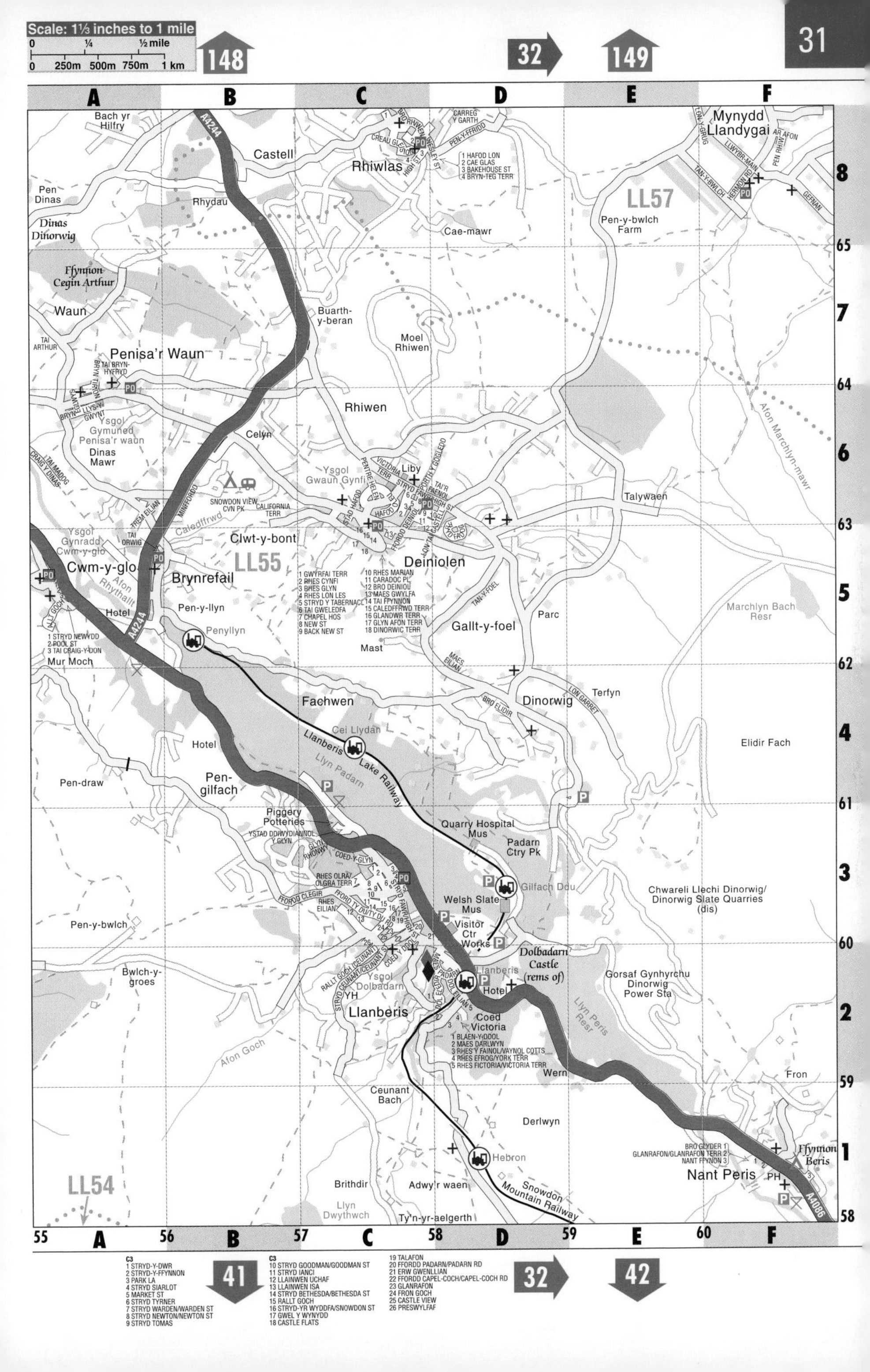

LL57

LL55

LL54

Mynydd Llandygai

Bach yr Hilfry

Pen Dinas

Dinas Dinorwig

Castell

Rhiwlas

Cae-mawr

Pen-y-bwlch Farm

Ffynnon Cegin Arthur

Waun

TAI ARTHUR

Penisa'r Waun

Rhydau

Buarth-y-beran

Moel Rhiwen

Rhiwen

Talywaen

TAI BRYN HYFRYD

Ysgol Gymuned Penisa'r waun

Celyn

Dinas Mawr

Ysgol Gwaun Gynfi

Liby

Victoria Terr

Clwt-y-bont

Deiniolen

Marchlyn Bach Resr

SNOWDON VIEW CVN PK

CALIFORNIA TERR

Ysgol Gynradd Cwm-y-glo

Cwm-y-glo

Brynrefail

1 GWYRFAI TERR
2 RHES CYNFI
3 SHES GLYN
4 RHES LON LES
5 STRYD Y TABERNACL
6 TAI GWELEDFA
7 CHAPEL HOS
8 NEW ST
9 BACK NEW ST

10 RHES MARIAN
11 CARADOC PL
12 BRO DEINIOL
13 MAES GWYLFA
14 TAI FFYNNON
15 CALEDFFRWD TERR
16 GLANDWR TERR
17 GLYN AFON TERR
18 DINORWIC TERR

Pen-y-llyn

Penyllyn

Mast

Gallt-y-foel

Parc

1 STRYD NEWYDD
2 RHOS
3 TAI CRAIG-Y-DON

Mur Moch

Hotel

Fachwen

Llanberis Lake Railway

Cei Llydan

Dinorwig

Terfyn

Elidir Fach

Pen-draw

Hotel

Pen-gilfach

Llyn Padarn

Chwareli Llechi Dinorwig/ Dinorwig Slate Quarries (dis)

Piggery Potteries

YSTAD DDIWYDIANNOL Y GLYN

Quarry Hospital Mus

Padarn Ctry Pk

RHES OLAF/ OLGRA TERR

Pen-y-bwlch

Welsh Slate Mus

Visitor Ctr Works

Gilfach Ddu

Gorsaf Gynhyrchu Dinorwig Power Sta

Bwlch-y-groes

Ysgol Dolbadarn

YH

Llanberis

Dolbadarn Castle (rems of)

Llanberis

Hotel

Llyn Peris Resr

Fron

Afon Goch

Wern

1 Coed Victoria
2 BLAEN-Y-DDOL
3 MAES DARLWYN
4 STRYD FAWR/LWAYNOL COTTS
5 RHES EFROG/YORK TERR
6 RHES FICTORIA/VICTORIA TERR

Ffynnon Beris

Ceunant Bach

Derlwyn

BRO GLYDER 1
GLANRAFON/GLANRAFON TERR 2
NANT FFYNON 3

Nant Peris

Brithdir

Hebron

Adwy'r waen

Snowdon Mountain Railway

PH

Llyn Dwythwch

Ty'n-yr-aelgerth

C3
1 STRYD-Y-DWR
2 STRYD-Y-FFYNNON
3 PARK LA
4 STRYD SIARLOT
5 MARKET ST
6 STRYD TYRNER
7 STRYD WARDEN/WARDEN ST
8 STRYD NEWTON/NEWTON ST
9 STRYD TOMAS

C3
10 STRYD GOODMAN/GOODMAN ST
11 STRYD IANCI
12 LLAINWEN UCHAF
13 LLAINWEN ISA
14 STRYD BETHESDA/BETHESDA ST
15 RALLT GOCH
16 STRYD-YR WYDDFA/SNOWDON ST
17 GWEL Y WYNYOD
18 CASTLE FLATS

19 TALAFON
20 FFORDD PADARN/PADARN RD
21 ERW GWENLLIAN
22 FFORDD CAPEL-COCH/CAPEL-COCH RD
23 GLANRAFON
24 FRON GOCH
25 CASTLE VIEW
26 PRESWYLFAF

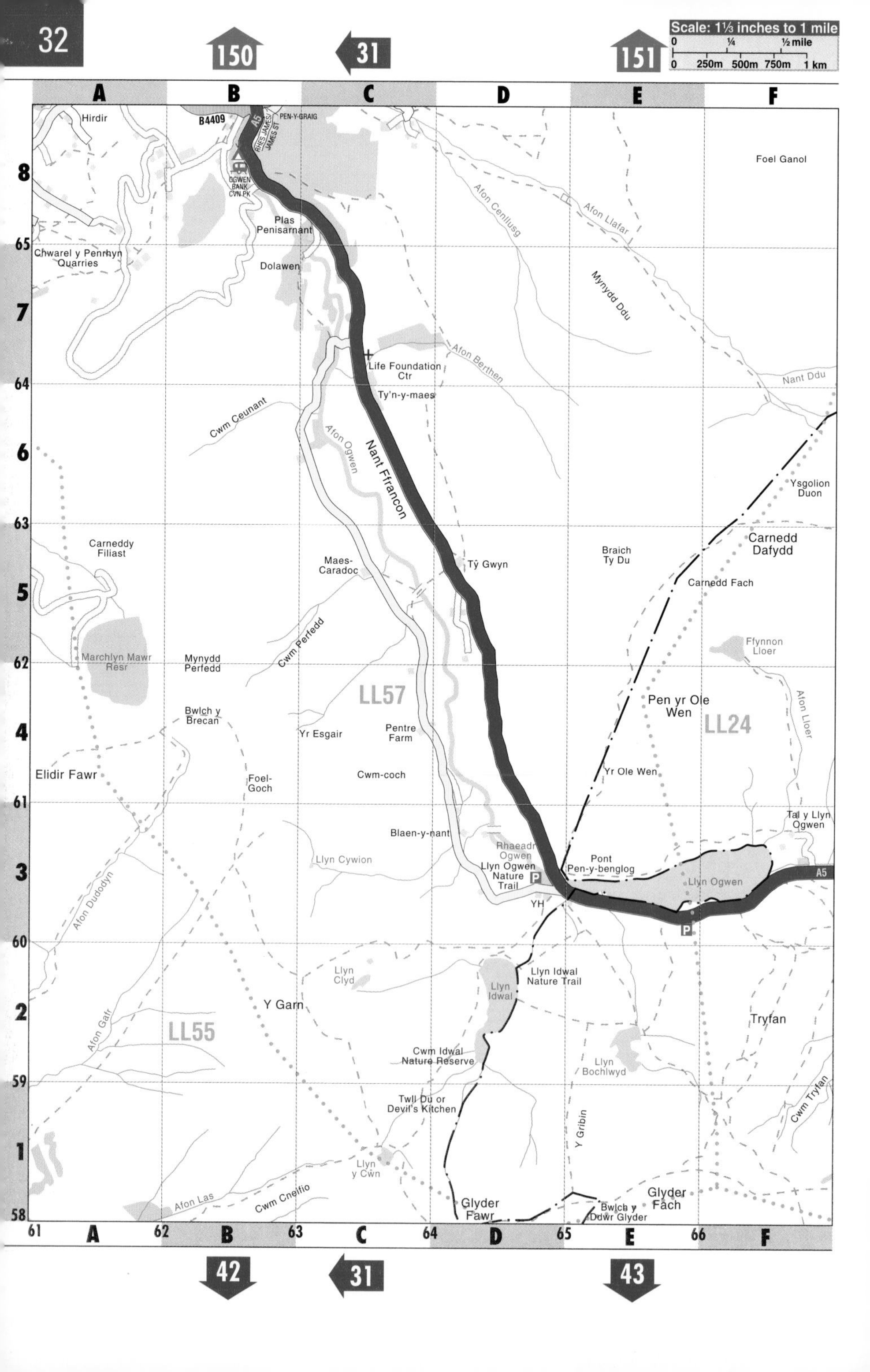
150
31
151
Scale: 1⅓ inches to 1 mile
0 ¼ ½ mile
0 250m 500m 750m 1 km
A B C D E F
8 65 7 64 6 63 5 62 4 61 3 60 2 59 1 58
61 62 63 64 65 66
Hirdir
B4409
A5
PEN-Y-GRAIG
RHES JAMES/ JAMES ST
OGWEN BANK CVN PK
Foel Ganol
Afon Cenllusg
Afon Llafar
Plas Penisarnant
Chwarel y Penrhyn Quarries
Dolawen
Mynydd Ddu
Afon Berthen
Life Foundation Ctr
Ty'n-y-maes
Nant Ddu
Cwm Ceunant
Afon Ogwen
Nant Ffrancon
Ysgolion Duon
Carnedd Dafydd
Carneddy Filiast
Maes-Caradoc
Tŷ Gwyn
Braich Ty Du
Carnedd Fach
Cwm Perfedd
Ffynnon Lloer
Marchlyn Mawr Resr
Mynydd Perfedd
LL57
Pen yr Ole Wen
Afon Lloer
LL24
Bwlch y Brecan
Yr Esgair
Pentre Farm
Elidir Fawr
Foel-Goch
Cwm-coch
Yr Ole Wen
Tal y Llyn Ogwen
Blaen-y-nant
Rhaeadr Ogwen
Pont Pen-y-benglog
Llyn Cywion
Llyn Ogwen Nature Trail
P
Llyn Ogwen
A5
Afon Dudodyn
YH
P
Llyn Clyd
Llyn Idwal
Llyn Idwal Nature Trail
Y Garn
Tryfan
LL55
Afon Gafr
Cwm Idwal Nature Reserve
Llyn Bochlwyd
Twll Du or Devil's Kitchen
Y Gribin
Cwm Tryfan
Llyn y Cwn
Afon Las
Cwm Cneifio
Glyder Fawr
Bwlch y Ddwr Glyder
Glyder Fach
42
31
43

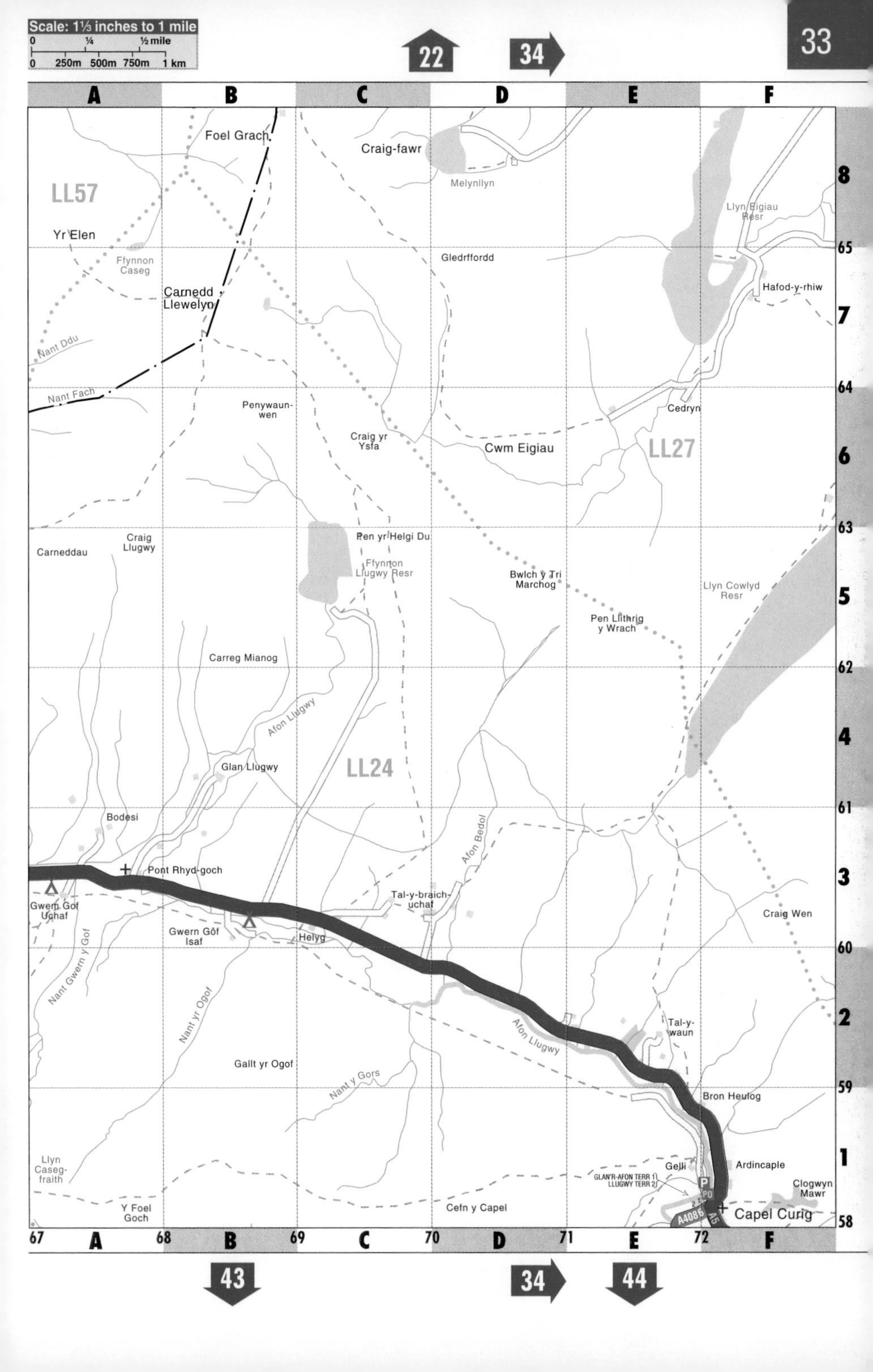
Scale: 1⅓ inches to 1 mile
0 ¼ ½ mile
0 250m 500m 750m 1 km
22
34
A B C D E F
Foel Grach
Craig-fawr
Melynllyn
LL57
Llyn Eigiau Resr
Yr Elen
Ffynnon Caseg
Gledrfffordd
Hafod-y-rhiw
Carnedd Llewelyn
Nant Ddu
Nant Fach
Penywaun-wen
Cedryn
Craig yr Ysfa
Cwm Eigiau
LL27
Carneddau
Craig Llugwy
Pen yr Helgi Du
Ffynnon Llugwy Resr
Bwlch y Tri Marchog
Llyn Cowlyd Resr
Pen Llithrig y Wrach
Carreg Mianog
Afon Llugwy
Glan Llugwy
LL24
Bodesi
Afon Bedol
Pont Rhyd-goch
Tal-y-braich-uchaf
Gwern Gof Uchaf
Gwern Gôf Isaf
Helyg
Craig Wen
Nant Gwern y Gof
Nant yr Ogof
Afon Llugwy
Tal-y-waun
Gallt yr Ogof
Nant y Gors
Bron Heulog
Llyn Caseg-fraith
Ardincaple
Gelli
GLAN'R-AFON TERR 1
LLUGWY TERR 2
P
PO
Clogwyn Mawr
Y Foel Goch
Cefn y Capel
A4086
A5
Capel Curig
8 65 7 64 6 63 5 62 4 61 3 60 2 59 1 58
67 68 69 70 71 72
43
34
44

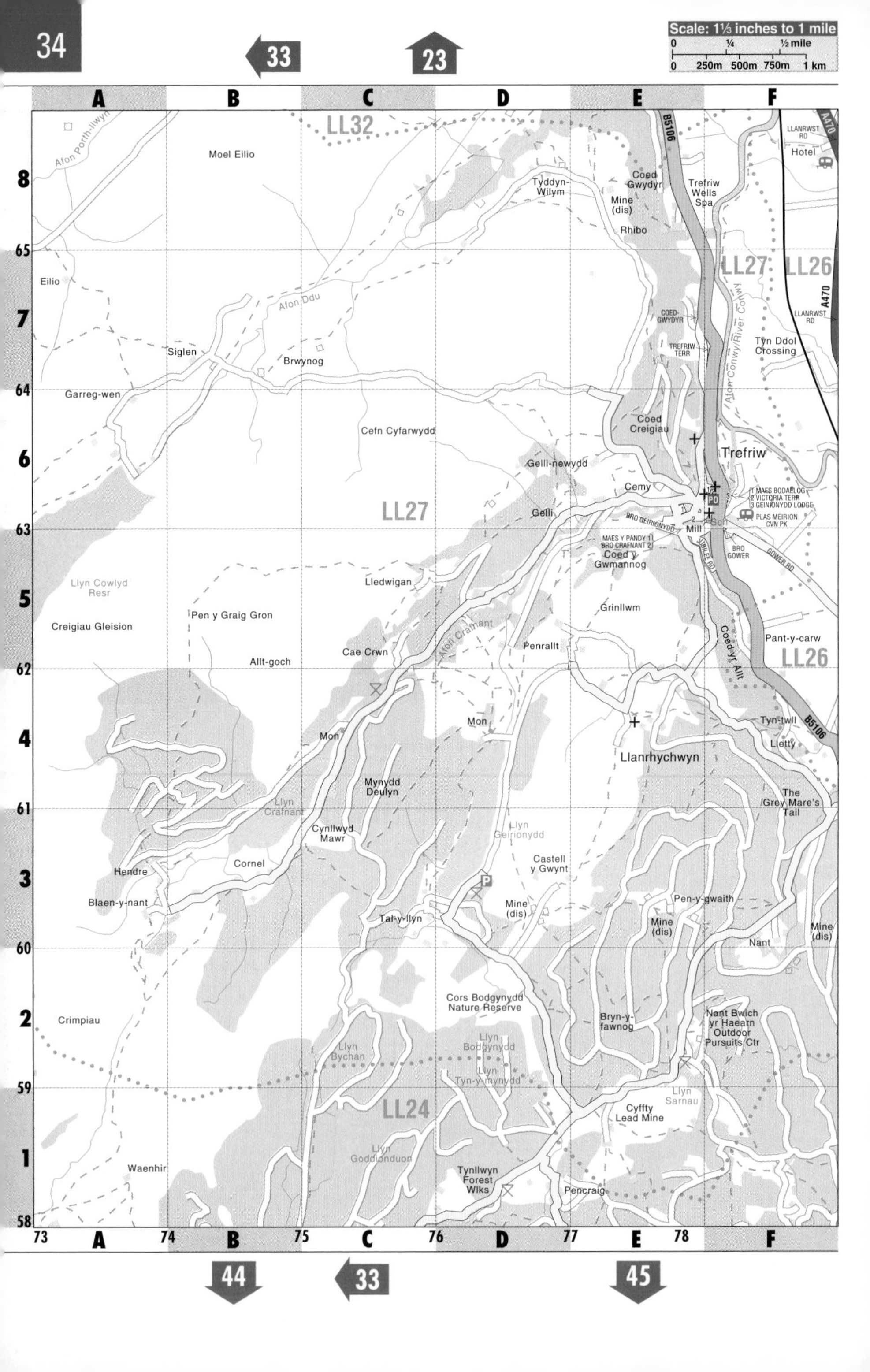
33
23
Scale: 1⅓ inches to 1 mile
A B C D E F
LL32
Moel Eilio
Afon Porth-llwyd
Tyddyn-Wilym
Coed Gwydyr
Mine (dis)
Rhibo
Trefriw Wells Spa
Hotel
LLANRWST RD
B5106
A470
LL27
LL26
Eilio
Afon Ddu
Siglen
Brwynog
Garreg-wen
COED-GWYDYR
TREFRIW TERR
LLANRWST RD
Tyn Ddol Crossing
Afon Conwy/River Conwy
Cefn Cyfarwydd
Coed Creigiau
Trefriw
Gelli-newydd
Cemy
Gelli
1 MAES BODAELOG
2 VICTORIA TERR
3 GEINIONYDD LODGE
PLAS MEIRION CVN PK
BRO GEIRIONYDD
Mill
Sch
MAES Y PANDY 1
BRO CRAFNANT 2
Coed y Gwmannog
JUBILEE RD
BRO GOWER
GOWER RD
Llyn Cowlyd Resr
Lledwigan
Grinllwm
Creigiau Gleision
Pen y Graig Gron
Afon Cramant
Penrallt
Pant-y-carw
Coed-yr Allt
Cae Crwn
Allt-goch
Mon
Tyn-twll
Lletty
Llanrhychwyn
Mynydd Deulyn
Llyn Crafnant
The Grey Mare's Tail
Cynllwyd Mawr
Llyn Geirionydd
Castell y Gwynt
Hendre
Cornel
Blaen-y-nant
Mine (dis)
Pen-y-gwaith
Tal-y-llyn
Nant
Cors Bodgynydd Nature Reserve
Crimpiau
Llyn Bychan
Llyn Bodgynydd
Llyn Tyn-y-mynydd
Bryn-y-fawnog
Nant Bwlch yr Haearn Outdoor Pursuits Ctr
LL24
Llyn Sarnau
Cyffty Lead Mine
Llyn Goddionduon
Waenhir
Tynllwyn Forest Wlks
Pencraig
73 74 75 76 77 78
44
33
45

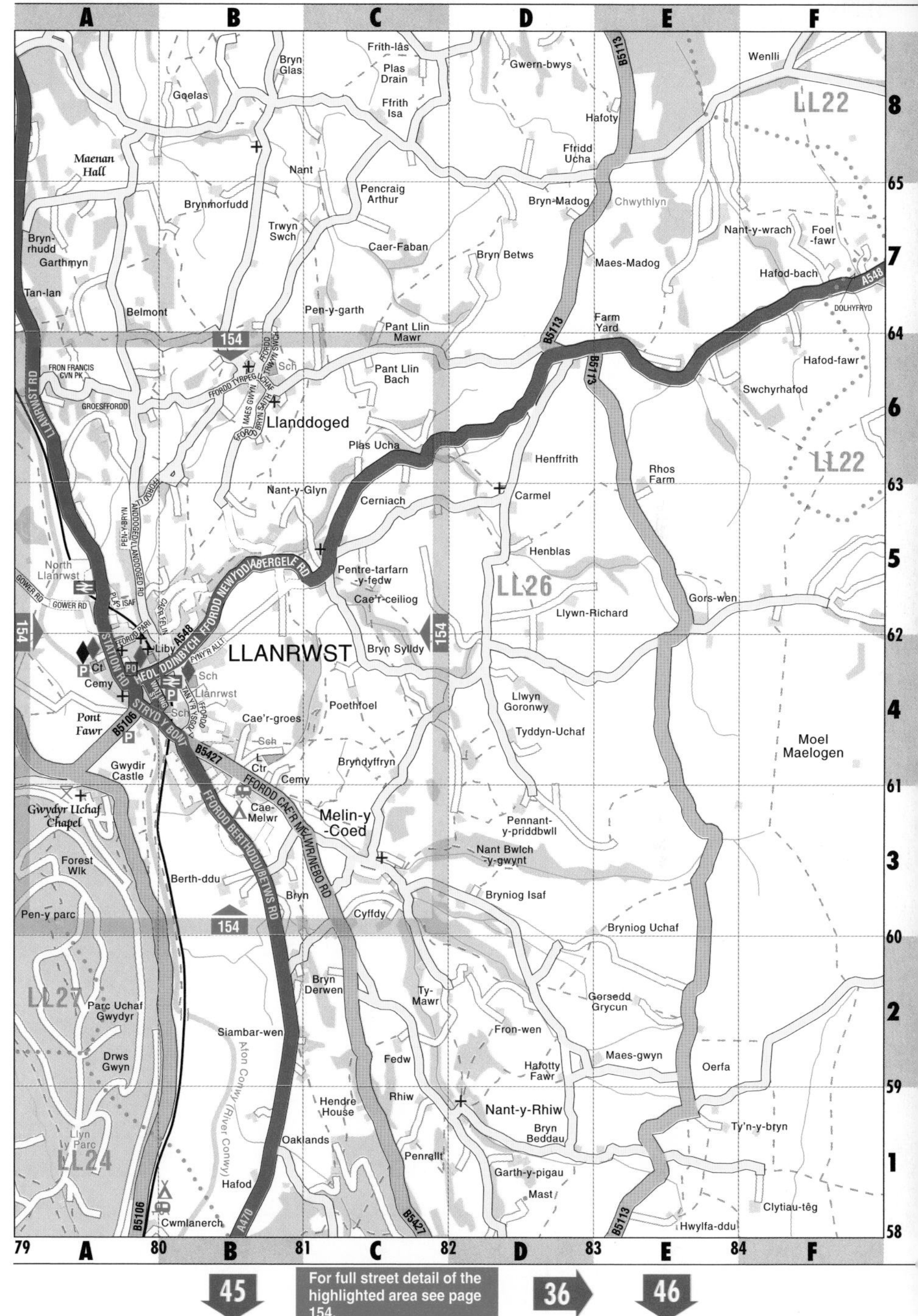

A   B   C   D   E   F

Maenan Hall
Bryn Glas
Frith-läs
Plas Drain
Gwern-bwys
Wenlli
LL22

Goelas
Bryn Drain
Ffrith Isa
Hafoty

Nant
Pencraig Arthur
Ffridd Ucha
Bryn-Madog
Chwythlyn
Nant-y-wrach
Foel-fawr

Brynmorfudd
Trwyn Swch
Caer-Faban
Bryn Betws
Maes-Madog
Hafod-bach
DOLHYFRYD

Bryn-rhudd Garthmyn
Tan-lan
Pen-y-garth
Pant Llin Mawr
Farm Yard
Hafod-fawr

Belmont
154
Pant Llin Bach
Swchyrhafod
LL22

FRON FRANCIS CVN PK
GROESFFORDD
Sch
Llanddoged
Plas Ucha
Henffrith
Rhos Farm

North Llanrwst
Nant-y-Glyn
Cerniach
Carmel

Pentre-tarfarn-y-fedw
Henblas

LL26

LLANRWST
Cae'r-ceiliog
Llwyn-Richard
Gors-wen

Bryn Sylldy
154

Pont Fawr
Cae'r-groes
Poethfoel
Llwyn Goronwy
Moel Maelogen

Gwydir Castle
Bryndyfrryn
Tyddyn-Uchaf

Gwydyr Uchaf Chapel
Cae-Melwr
Melin-y-Coed
Pennant-y-priddbwll

Forest Wlk
Berth-ddu
Blyn
Nant Bwlch-y-gwynt
Bryniog Isaf

Pen-y parc
154
Cyffdy
Bryniog Uchaf

LL27
Parc Uchaf Gwydyr
Bryn Derwen
Ty-Mawr
Gorsedd Grycun

Drws Gwyn
Siambar-wen
Fron-wen
Maes-gwyn
Oerfa

Forest Wlk
Fedw
Hafotty Fawr

Llyn y Parc
LL24
Hendre House
Rhiw
Nant-y-Rhiw
Ty'n-y-bryn

Oaklands
Penrallt
Bryn Beddau
Clytiau-têg

Hafod
Garth-y-pigau
Mast

Cwmlanerch
Hwylfa-ddu

79   A   80   B   81   C   82   D   83   E   84   F   58

45   36   46

For full street detail of the highlighted area see page 154.

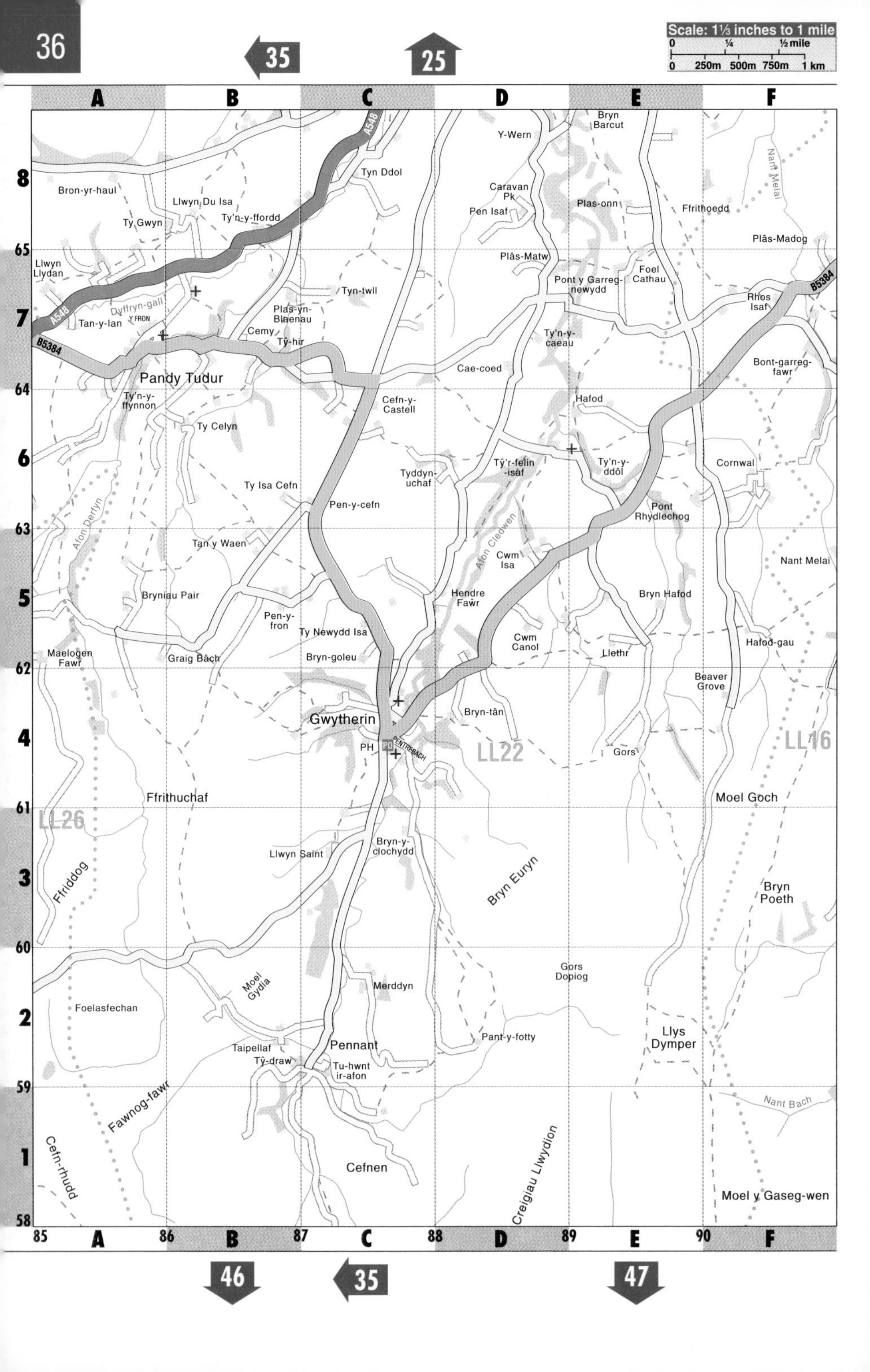
35
25
Scale: 1⅓ inches to 1 mile
0 ¼ ½ mile
0 250m 500m 750m 1 km
A B C D E F
8 65 7 64 6 63 5 62 4 61 3 60 2 59 1 58
85 86 87 88 89 90
Bryn Barcut
Y-Wern
Tyn Ddol
Caravan Pk
Pen Isaf
Plas-onn
Ffrithoedd
Nant Melai
Plâs-Madog
Bron-yr-haul
Llwyn Du Isa
Ty'n-y-ffordd
Ty Gwyn
Llwyn Llydan
Plâs-Matw
Foel Cathau
Pont y Garreg-newydd
A548
B5384
Rhos Isaf
Tyn-twll
Plas-yn-Blaenau
Dyffryn-gall
Y FRON
Tan-y-lan
Cemy
Tŷ-hir
Ty'n-y-caeau
Pandy Tudur
Cae-coed
Bont-garreg-fawr
Ty'n-y-ffynnon
Cefn-y-Castell
Hafod
Ty Celyn
Tŷ'r-felin-isaf
Ty'n-y-ddôl
Cornwal
Tyddyn-uchaf
Ty Isa Cefn
Pen-y-cefn
Pont Rhydlechog
Afon Derfyn
Afon Cledwen
Tan y Waen
Cwm Isa
Nant Melai
Bryniau Pair
Hendre Fawr
Bryn Hafod
Pen-y-fron
Ty Newydd Isa
Cwm Canol
Maelogen Fawr
Graig Bâch
Bryn-goleu
Llethr
Hafod-gau
Beaver Grove
Bryn-tân
Gwytherin
PH
PO
PENTREBACH
LL22
Gors
LL16
Ffrithuchaf
Moel Goch
LL26
Bryn-y-clochydd
Llwyn Saint
Ffriddog
Bryn Euryn
Bryn Poeth
Gors Dopiog
Moel Gydia
Merddyn
Foelasfechan
Llys Dymper
Pant-y-fotty
Taipellaf
Pennant
Tŷ-draw
Tu-hwnt ir-afon
Nant Bach
Fawnog-fawr
Creigiau Llwydion
Cefn-rhudd
Cefnen
Moel y Gaseg-wen
46
35
47

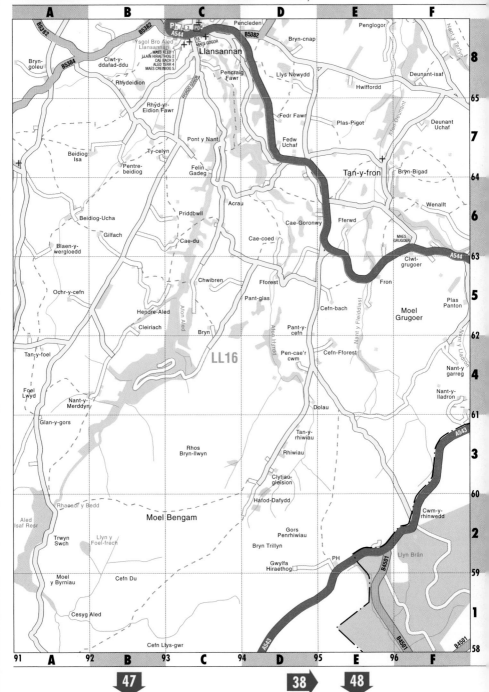

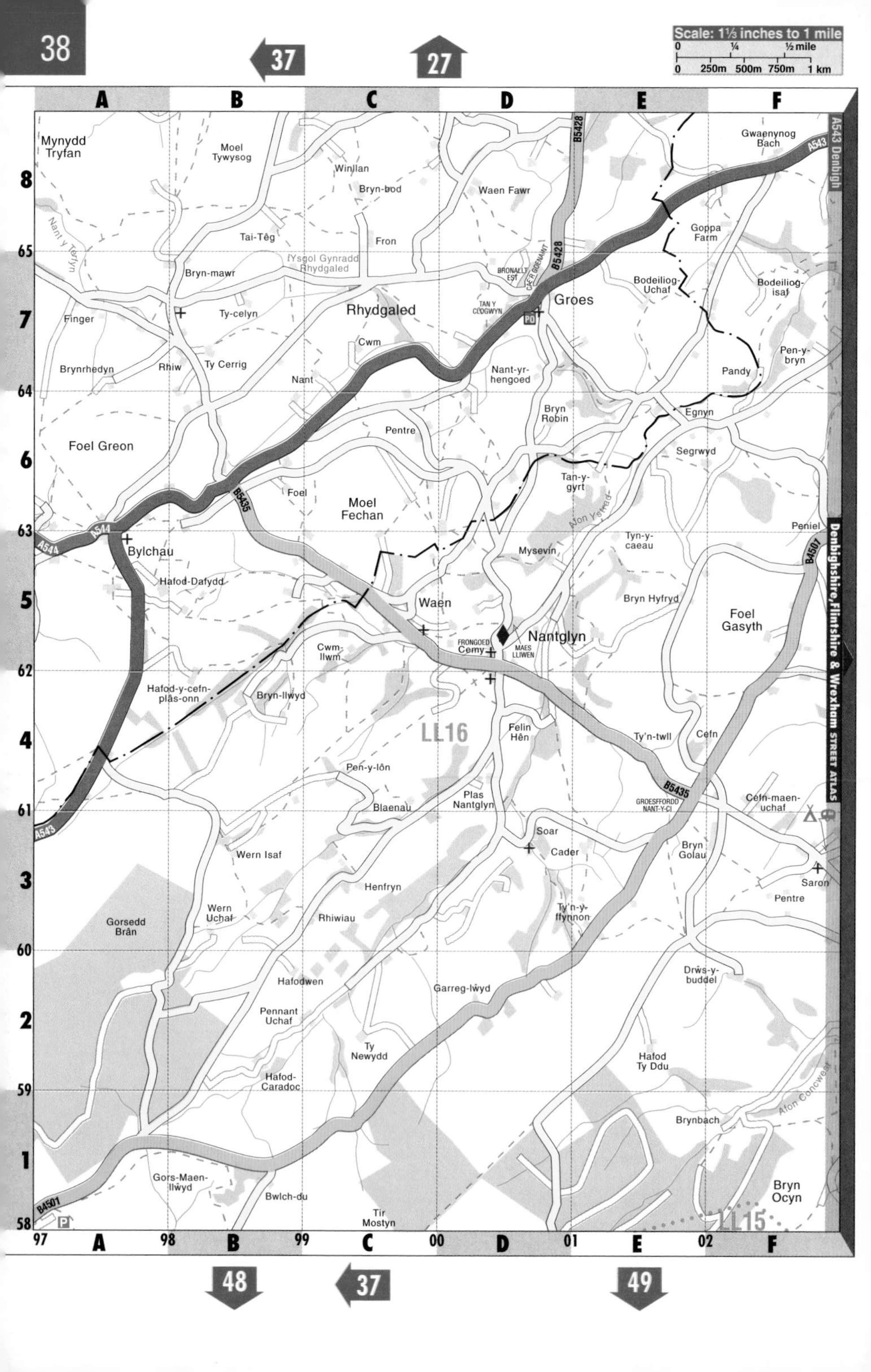
37
27
Scale: 1⅓ inches to 1 mile
0 ¼ ½ mile
0 250m 500m 750m 1 km
A B C D E F
Mynydd Tryfan
Moel Tywysog
Winllan
Bryn-bod
Waen Fawr
Gwaenynog Bach
A543 Denbigh
Nant y Terfyn
Tai-Têg
Fron
Goppa Farm
Ysgol Gynradd Rhydgaled
Bryn-mawr
B5428
Bronallt Est
Cae'r Goenant
Bodeiliog-Uchaf
Bodeiliog-isaf
Finger
Ty-celyn
Rhydgaled
Tan y Coogwyn
PO
Groes
Cwm
Brynrhedyn
Rhiw
Ty Cerrig
Nant
Nant-yr-hengoed
Pen-y-bryn
Pandy
Bryn Robin
Egnyn
Pentre
Foel Green
Segrwyd
Foel
Moel Fechan
Tan-y-gyrt
B5435
A544
Afon Ystrad
Peniel
Bylchau
Tyn-y-caeau
Mysevin
B4507
Hafod-Dafydd
Waen
Bryn Hyfryd
Foel Gasyth
Nantglyn
Cwm-llwm
Frongoed
Cerny
Maes Lliwen
Denbighshire, Flintshire & Wrexham STREET ATLAS
Hafod-y-cefn-plâs-onn
Bryn-llwyd
LL16
Felin Hên
Ty'n-twll
Cefn
Pen-y-lôn
Plas Nantglyn
Blaenau
Groesffordd Nant-y-Ci
Cefn-maen-uchaf
A543
Soar
Cader
Bryn Golau
Wern Isaf
Saron
Henfryn
Pentre
Gorsedd Brân
Wern Uchaf
Rhiwiau
Ty'n-y-ffynnon
Drws-y-buddel
Hafodwen
Garreg-lwyd
Pennant Uchaf
Ty Newydd
Hafod Ty Ddu
Hafod-Caradoc
Afon Concwest
Brynbach
B4501
Gors-Maen-llwyd
Bwlch-du
Bryn Ocyn
Tir Mostyn
LL15
P
8 65 7 64 6 63 5 62 4 61 3 60 2 59 1 58
97 98 99 00 01 02
48
37
49

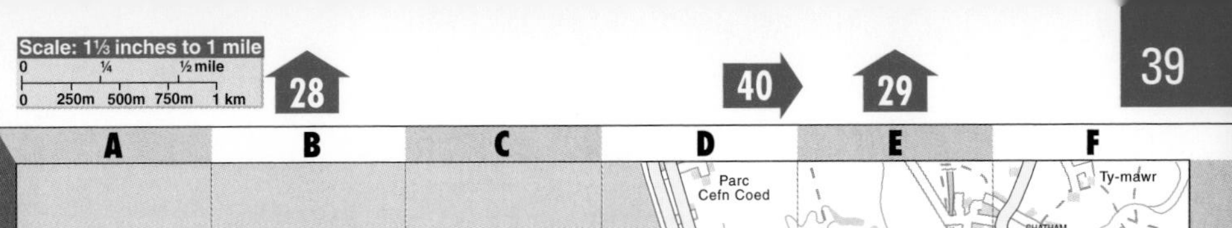

A   B   C   D   E   F

8
57
7
56
6
55
5
54
4
53
3
52
2
51
1
50

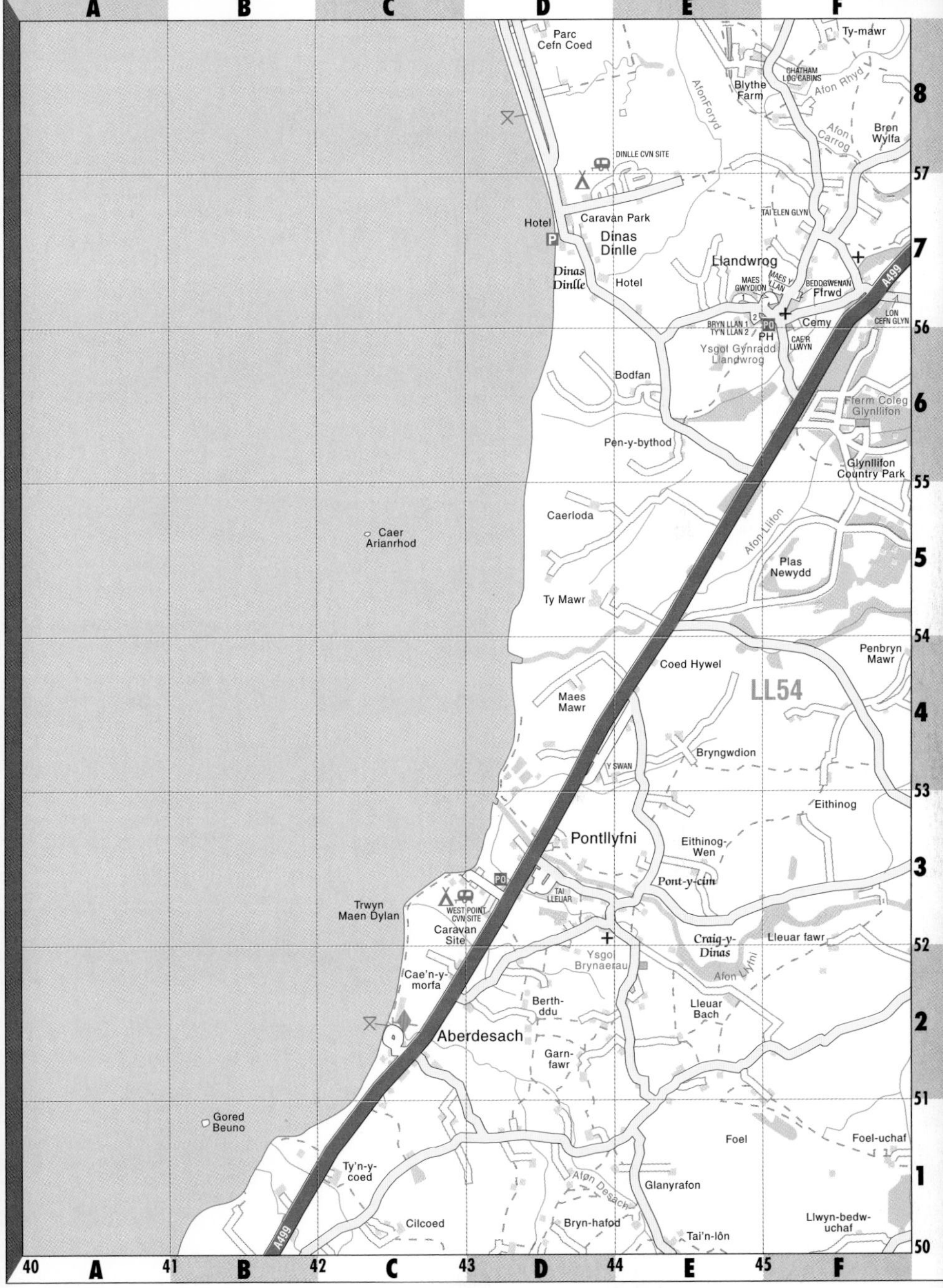

Parc Cefn Coed

Ty-mawr

CHATHAM LOG CABINS

Blythe Farm

Afon Foryd

Afon Rhyd

Bron Wylfa

Afon Carrog

DINLLE CVN SITE

TAI ELEN GLYN

Hotel

Caravan Park

Dinas Dinlle

Llandwrog

MAES GWYDION

MAES Y LLAN

BEDDGWENAN

LON CEFN GLYN

Dinas Dinlle

Hotel

BRYN LLAN 1

TY'N LLAN 2

PO

PH

CAER LLWYN

Cemy

Ffrwd

Ysgol Gynradd Llandwrog

Bodfan

Fferm Coleg Glynllifon

Pen-y-bythod

Glynllifon Country Park

Caer Arianrhod

Caerloda

Afon Llifon

Plas Newydd

Ty Mawr

Penbryn Mawr

Coed Hywel

LL54

Maes Mawr

Bryngwdion

Y SWAN

Eithinog

Pontllyfni

Eithinog-Wen

Pont-y-cim

Trwyn Maen Dylan

WEST POINT CVN SITE

PO

TAI LLEUAR

Craig-y-Dinas

Lleuar fawr

Caravan Site

Ysgol Brynaerau

Cae'n-y-morfa

Afon Llyfni

Berth-ddu

Lleuar Bach

Aberdesach

Garn-fawr

Gored Beuno

Foel

Foel-uchaf

Ty'n-y-coed

Afon Desach

Glanyrafon

Cilcoed

Bryn-hafod

Tai'n-lôn

Llwyn-bedw-uchaf

A499

40   A   41   B   42   C   43   D   44   E   45   F   50

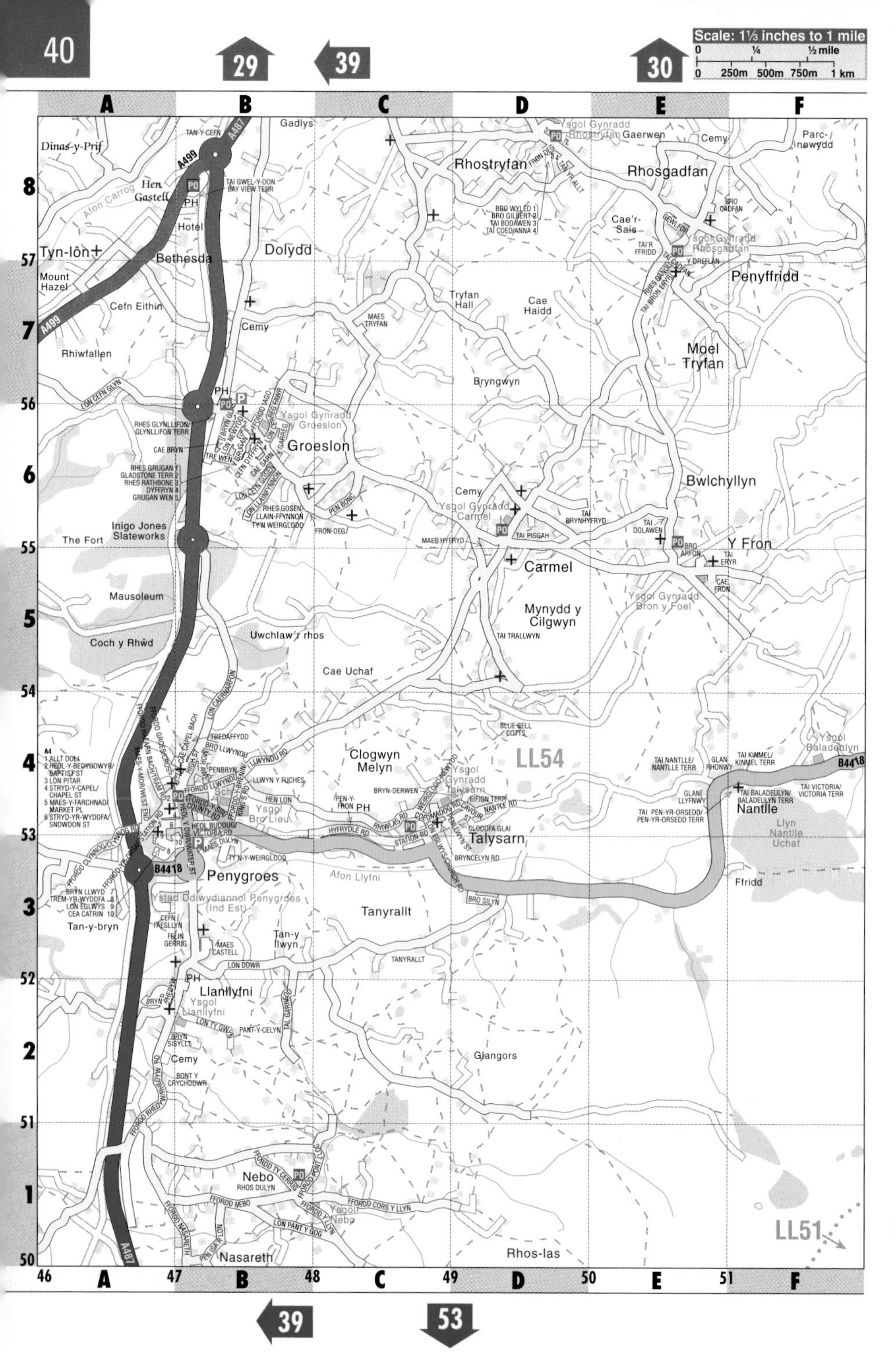
29
39
30
Scale: 1⅓ inches to 1 mile
0
¼
½ mile
0
250m
500m
750m
1 km
A
B
C
D
E
F
Dinas-y-Prif
Gadlys
TAN-Y-CEFN
A487
A499
Hen Gastell
Afon Carrog
TAI GWEL-Y-DON
BAY VIEW TERR
PH
Hotel
Tyn-lôn
Mount Hazel
Bethesda
Dolydd
Cefn Eithin
Cemy
Rhiwfallen
Ysgol Gynradd Rhostryfan
Gaerwen
Rhostryfan
FRON DEG
TAN YR ALLT
BRO WYLED 1
BRO GILBERT 2
TAI BODAWEN 3
TAI COED/ANNA 4
Rhosgadfan
Parc-newydd
BRO CADFAN
GEWLFOR
Cae'r-Sais
TAI'R FFRIDD
Ysgol Gynradd Rhosgadfan
Y DREFLAN
TAI CADFAN
RHES CADFAN
TAI BRON ERYRI
Penyffridd
Tryfan Hall
Cae Haidd
MAES TRYFAN
Moel Tryfan
Bryngwyn
LON CEFN GLYN
PH
RHES GLYNLLIFON/ GLYNLLIFON TERR
CAE BRYN
RHES GRUGAN 1
GLADSTONE TERR 2
RHES RATHBONE 3
DYFFRYN 4
GRUGAN WEN 5
Ysgol Gynradd y Groeslon
Groeslon
LON CEFN GOSEN
LON LLAINFFYNNON
RHES GOSEN/ LLAIN-FFYNNON
TY'N WEIRGLODD
FRON-DEG
PEN BONC
Cemy
Ysgol Gynradd Carmel
TAI BRYNHYFRYD
TAI PISGAH
MAES HYFRYD
Carmel
TAI DOLAWEN
BRO ARFON
Y Fron
TAI ERYR
CAE FRON
Bwlchyllyn
Ysgol Gynradd Bron y Foel
Inigo Jones Slateworks
The Fort
Mausoleum
Coch y Rhŵd
Uwchlaw'r rhos
Mynydd y Cilgwyn
TAI TRALLWYN
Cae Uchaf
LON CAERNARFON
BLUE BELL COTTS
LL54
TREDAFFYDD
BRO LLWYNDU
PENBRYN
Clogwyn Melyn
Ysgol Gynradd Talysarn
A4
1 ALLT DDU
2 HEOL-Y-BEDYDDWYR/ BAPTIST ST
3 LON PITAR
4 STRYD-Y-CAPEL/ CHAPEL ST
5 MAES-Y-FARCHNAD/ MARKET PL
6 STRYD-YR-WYDDFA/ SNOWDON ST
LLWYN Y FUCHES
HEN LON
BRYN-DERWEN
PEN-Y-FRON
PH
Ysgol Bro Lleu
EIFION TERR
NANTLLE RD
GLODDFA GLAI
HYFRYDLE RD
RHIWLAS RD
STATION RD
Talysarn
BRYNCELYN RD
TAI NANTLLE/ NANTLLE TERR
GLAN RHONWY
TAI KINMEL/ KINMEL TERR
Ysgol Baladeulyn
B4418
TAI VICTORIA/ VICTORIA TERR
TAI BALADEULYN/ BALADEULYN TERR
GLAN LLYFNWY
TAI PEN-YR-ORSEDD/ PEN-YR-ORSEDD TERR
Nantlle
Llyn Nantlle Uchaf
HEOL BUDDUG/ VICTORIA RD
MAES DULYN
TY'N-Y-WEIRGLODD
B4418
Penygroes
Afon Llyfni
Ffridd
BRO SILYN
BRYN LLWYD 7
TREM-YR-WYDDFA 8
LON EGLWYS 9
CEA CATRIN 10
Ystad Ddiwydiannol Penygroes (Ind Est)
Tanyrallt
Tan-y-bryn
CEFN FAESLLYN
FELIN GERRIG
MAES CASTELL
Tan-y llwyn
LON DDWR
TANYRALLT
PH
Llanllyfni
Ysgol Llanllyfni
LON TY GWYN
PANT-Y-CELYN
TAL GARNEDD
BRYN SISYLLT
Cemy
Glangors
BONT Y CRYCHDDWR
Nebo
RHOS DULYN
FFORDD TY CERRIG
FFORDD NEBO
FFORDD CORS Y LLYN
Ysgol Nebo
LON PANT Y GOG
FFORDD NASARETH
Nasareth
Rhos-las
LL51
A487
8
57
7
56
6
55
5
54
4
53
3
52
2
51
1
50
46
47
48
49
50
51
39
53

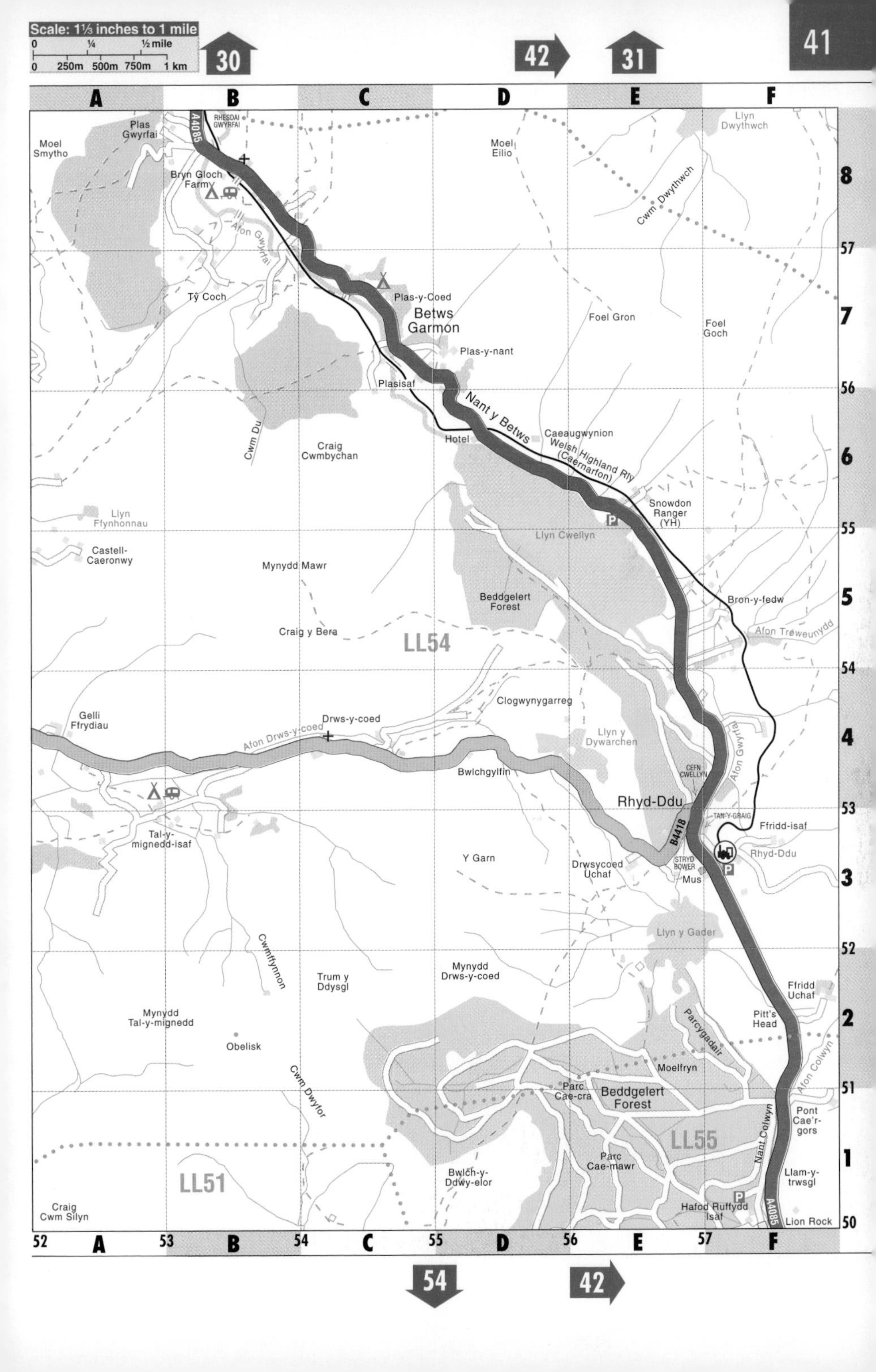
Scale: 1⅓ inches to 1 mile
0 ¼ ½ mile
0 250m 500m 750m 1 km
30
42
31
A B C D E F
Plas Gwyrfai
Moel Smytho
RHESDAI GWYRFAI
A4085
Bryn Gloch Farm
Afon Gwyrfai
Moel Eilio
Llyn Dwythwch
Cwm Dwythwch
Tŷ Coch
Plas-y-Coed
Betws Garmon
Plas-y-nant
Foel Gron
Foel Goch
Plasisaf
Nant y Betws
Cwm Du
Craig Cwmbychan
Hotel
Caeaugwynion
Welsh Highland Rly (Caernarfon)
Snowdon Ranger (YH)
Llyn Ffynhonnau
Castell-Caeronwy
Mynydd Mawr
Llyn Cwellyn
Beddgelert Forest
Bron-y-fedw
Afon Treweunydd
Craig y Bera
LL54
Clogwynygarreg
Gelli Ffrydiau
Drws-y-coed
Afon Drws-y-coed
Llyn y Dywarchen
Bwlchgylfin
CEFN CWELLYN
Afon Gwyrfai
Rhyd-Ddu
B4418
TAN-Y-GRAIG
Ffridd-isaf
Tal-y-mignedd-isaf
Y Garn
Drwsycoed Uchaf
STRYD BOWER
Mus
Rhyd-Ddu
Llyn y Gader
Cwmffynnon
Trum y Ddysgl
Mynydd Drws-y-coed
Ffridd Uchaf
Mynydd Tal-y-mignedd
Parcygadair
Pitt's Head
Obelisk
Cwm Dwyfor
Moelfryn
Afon Colwyn
Parc Cae-cra
Beddgelert Forest
Pont Cae'r-gors
LL55
Nant Colwyn
Parc Cae-mawr
Llam-y-trwsgl
LL51
Bwlch-y-Ddwy-elor
Craig Cwm Silyn
Hafod Ruffydd Isaf
A4085
Lion Rock
8 57 7 56 6 55 5 54 4 53 3 52 2 51 1 50
52 53 54 55 56 57
54
42

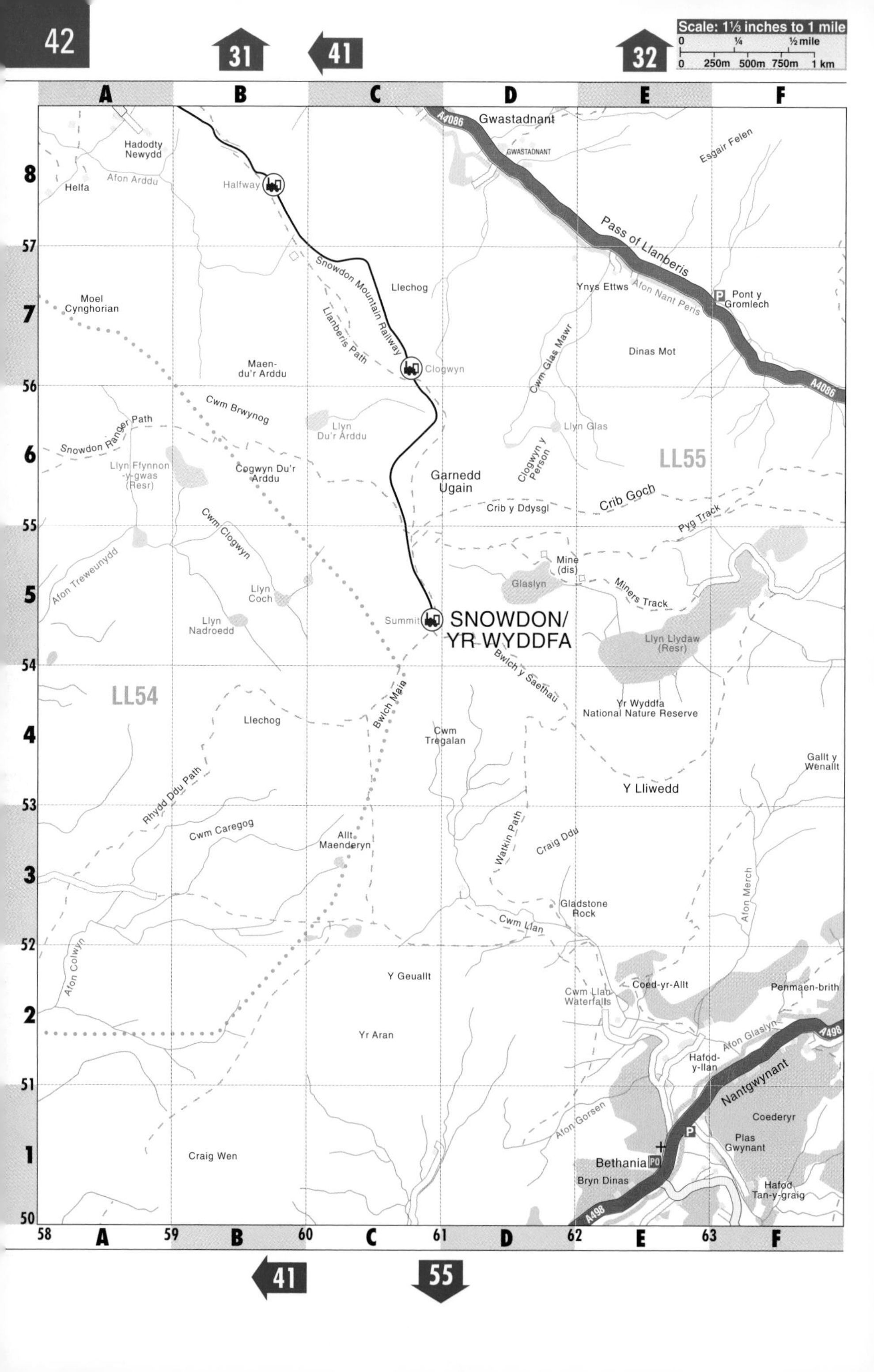

Scale: 1⅓ inches to 1 mile

0   ¼   ½ mile
0   250m 500m 750m 1 km

A B C D E F

Gwastadnant
A4086
GWASTADNANT
Esgair Felen

Hadodty
Newydd
Helfa
Afon Arddu
8

Pass of Llanberis

Halfway
Snowdon Mountain Railway
57
Llechog
Ynys Ettws
Afon Nant Peris
Pont y
Gromlech
P

Moel
Cynghorian
7
Llanberis Path
Dinas Mot

Maen-
du'r Arddu
Clogwyn
56
Cwm Brynog
Cwm Glas Mawr
Llyn Glas

Snowdon Ranger Path
6
Llyn
Du'r Arddu
Clogwyn y
Person
LL55

Llyn Ffynnon-
y-gwas
(Resr)
Cogwyn Du'r
Arddu
Garnedd
Ugain
Crib Goch

Cwm Clogwyn
55
Crib y Ddysgl
Pyg Track

Afon Treweunydd
5
Llyn
Coch
Glaslyn
Mine
(dis)
Miners Track

Llyn
Nadroedd
Summit
SNOWDON/
YR WYDDFA
Llyn Llydaw
(Resr)

54
Bwlch y Saethau

LL54
Bwlch Main
Yr Wyddfa
National Nature Reserve

Llechog
4
Cwm
Tregalan
Gallt y
Wenallt

53
Craig Ddu
Y Lliwedd

Rhydd Ddu Path
Cwm Caregog
Allt
Maenderyn
Watkin Path
Aton Merch

3
Gladstone
Rock

Cwm Llan
Aton Colwyn
52
Cwm Llan
Waterfalls
Coed-yr-Allt
Penmaen-brith

Y Geuallt
2
Aton Glaslyn
A498
Nantgwynant

Yr Aran
Hafod-
y-llan
51
Coederyr
Plas
Gwynant

1
Aton Gorsen
P
Bethania
Bryn Dinas
Hafod
Tan-y-graig
Craig Wen

50
A498

58 A 59 B 60 C 61 D 62 E 63 F

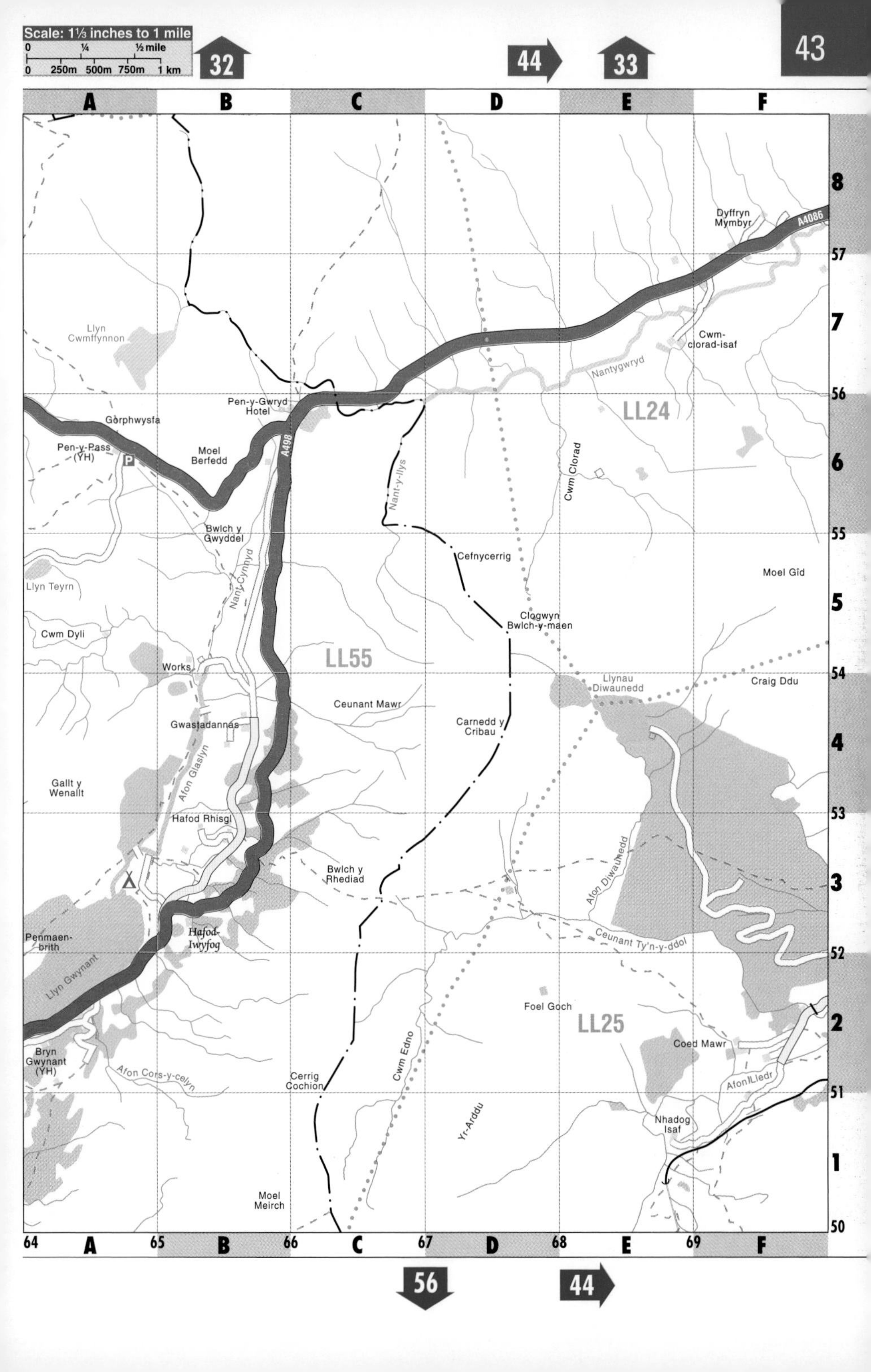
Scale: 1⅓ inches to 1 mile
0
¼
½ mile
0
250m
500m
750m
1 km
32
44
33
A
B
C
D
E
F
8
7
6
5
4
3
2
1
57
56
55
54
53
52
51
50
64
65
66
67
68
69
Dyffryn Mymbyr
A4086
Llyn Cwmffynnon
Cwm-clorad-isaf
Nantygwryd
Pen-y-Gwryd Hotel
LL24
Gorphwysfa
Pen-y-Pass (YH)
Moel Berfedd
A498
Nant-y-llys
Cwm Clorad
Bwlch y Gwyddel
Cefnycerrig
Moel Gîd
Llyn Teyrn
Nant Cynnyd
Cwm Dyli
Clogwyn Bwlch-y-maen
LL55
Works
Llynau Diwaunedd
Craig Ddu
Ceunant Mawr
Gwastadannas
Carnedd y Cribau
Afon Glaslyn
Gallt y Wenallt
Hafod Rhisgl
Afon Diwaunedd
Bwlch y Rhediad
Penmaen-brith
Hafod-Iwyfog
Ceunant Ty'n-y-ddol
Llyn Gwynant
Foel Goch
LL25
Cwm Edno
Coed Mawr
Bryn Gwynant (YH)
Afon Cors-y-celyn
Cerrig Cochion
Afon Lledr
Nhadog Isaf
Yr-Arddu
Moel Meirch
56
44

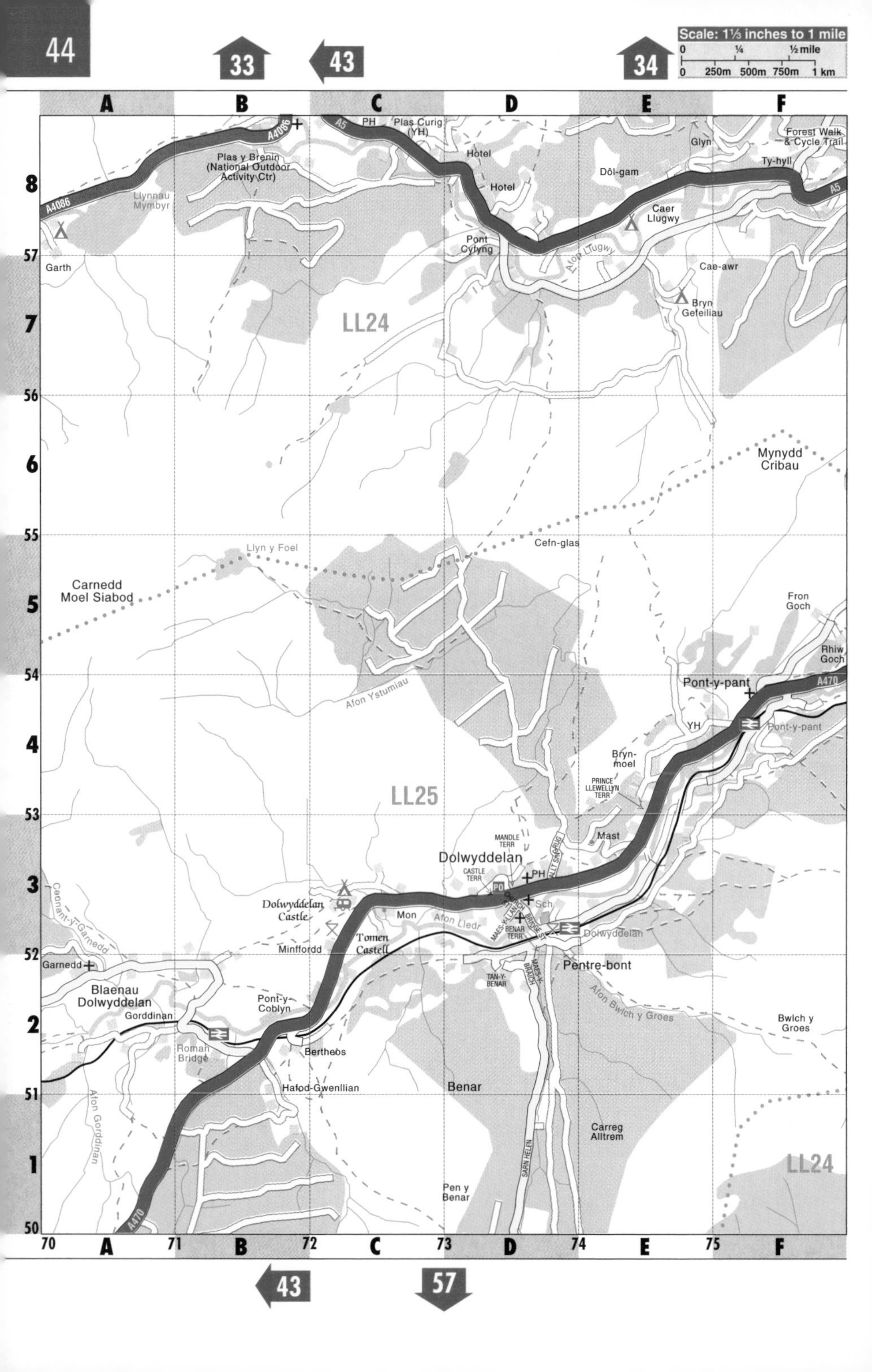

33
43
34
Scale: 1⅓ inches to 1 mile
0 ¼ ½ mile
0 250m 500m 750m 1 km
A B C D E F
A4086
A5
PH
Plas Curig (YH)
Plas y Brenin (National Outdoor Activity Ctr)
Llynnau Mymbyr
Hotel
Hotel
Dôl-gam
Glyn
Forest Walk & Cycle Trail
Ty-hyll
Caer Llugwy
Pont Cyfyng
Afon Llugwy
Garth
Cae-awr
Bryn Gefeiliau
LL24
Mynydd Cribau
Cefn-glas
Llyn y Foel
Carnedd Moel Siabod
Fron Goch
Rhiw Goch
Afon Ystumiau
Pont-y-pant
A470
YH
Pont-y-pant
Bryn-moel
PRINCE LLEWELLYN TERR
LL25
MANDLE TERR
Mast
Dolwyddelan
CASTLE TERR
PH
ALLT SINGRUG
PO
Sch
Dolwyddelan Castle
Mon
Afon Lledr
CHURCH ST
BRIDGE ST
BENAR TERR
MAES-Y-LLAN
Dolwyddelan
Cwmnant-y-Garnedd
Minffordd
Tomen Castell
Garnedd
TAN-Y-BENAR
MAES-Y-BRAICH
Pentre-bont
Blaenau Dolwyddelan
Afon Bwlch y Groes
Gorddinan
Pont-y-Coblyn
Bwlch y Groes
Roman Bridge
Bertheos
Hafod-Gwenllian
Benar
Afon Gorddinan
Carreg Alltrem
SARN HELEN
LL24
Pen y Benar
8 57 7 56 6 55 5 54 4 53 3 52 2 51 1 50
70 71 72 73 74 75
43
57

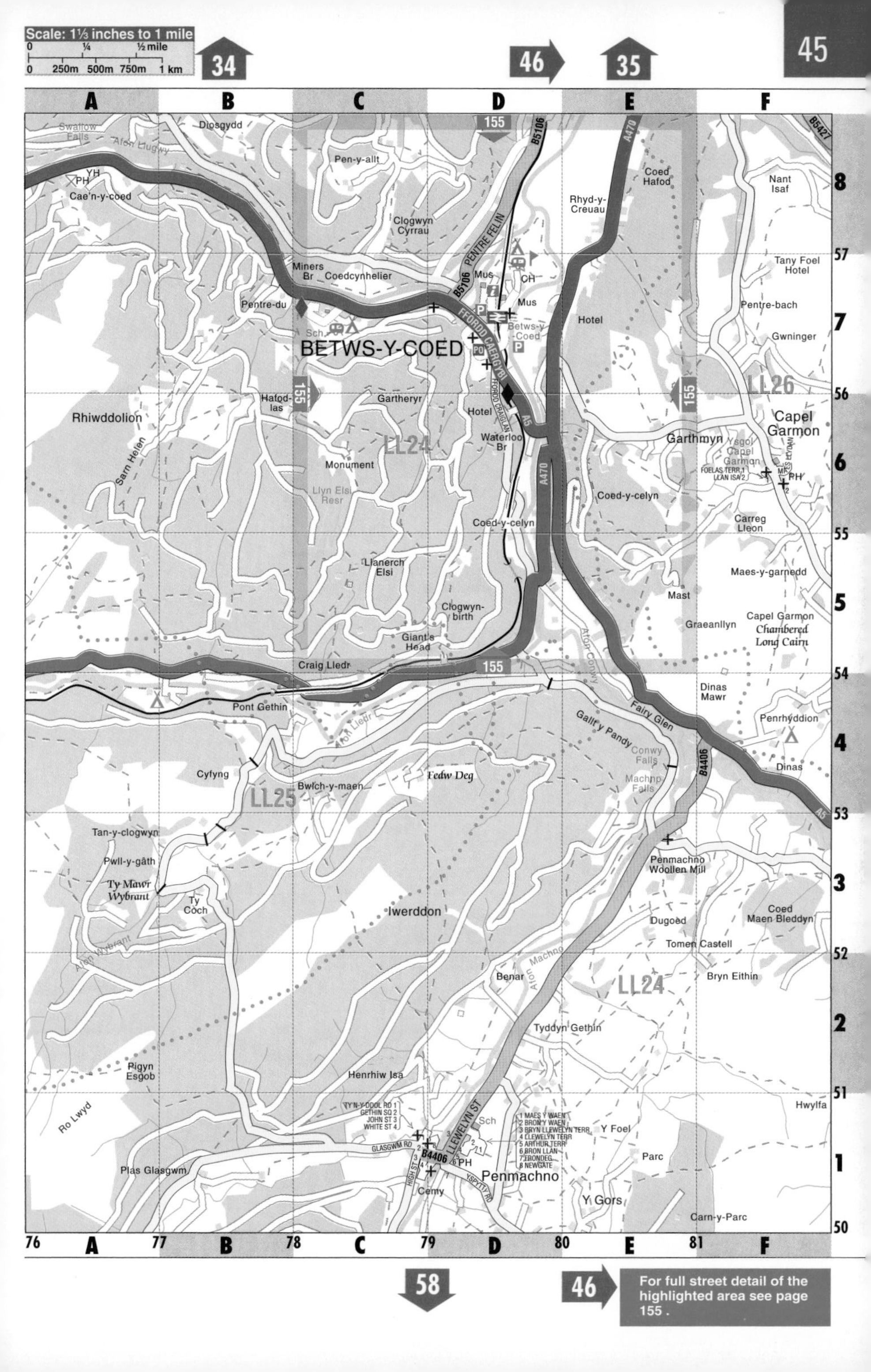

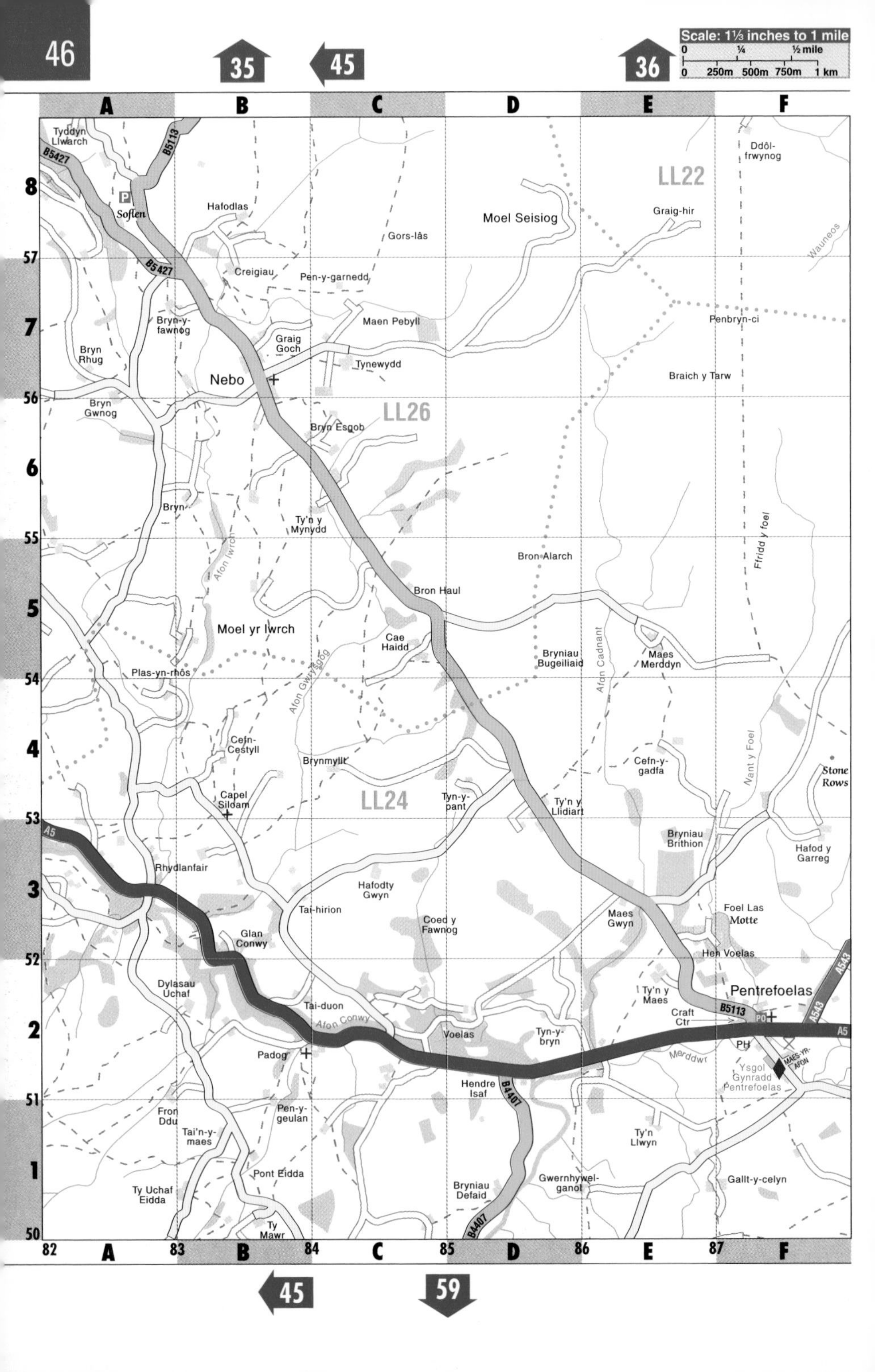
35
45
36
Scale: 1⅓ inches to 1 mile
0 ¼ ½ mile
0 250m 500m 750m 1 km
A B C D E F
Tyddyn Llwarch
B5427
B5113
Soflen
Hafodlas
Moel Seisiog
LL22
Ddôl-frwynog
Graig-hir
Gors-lâs
Wauneos
Creigiau
Pen-y-garnedd
Maen Pebyll
Penbryn-ci
Bryn-y-fawnog
Bryn Rhug
Graig Goch
Tynewydd
Nebo
Braich y Tarw
Bryn Gwnog
LL26
Bryn Esgob
Bryn
Ty'n y Mynydd
Afon Iwrch
Bron Alarch
Ffridd y foel
Bron Haul
Moel yr Iwrch
Cae Haidd
Bryniau Bugeiliaid
Afon Cadnant
Maes Merddyn
Plas-yn-rhôs
Afon Gwrysgog
Cefn-Cestyll
Brynmyllt
Cefn-y-gadfa
Nant y Foel
Stone Rows
Capel Sildam
LL24
Tyn-y-pant
Ty'n y Llidiart
A5
Bryniau Brithion
Hafod y Garreg
Rhydlanfair
Hafodty Gwyn
Tai-hirion
Maes Gwyn
Foel Las
Motte
Coed y Fawnog
Glan Conwy
Hen Voelas
A543
Dylasau Uchaf
Ty'n y Maes
Pentrefoelas
Tai-duon
Craft Ctr
B5113
PO
Afon Conwy
Voelas
Tyn-y-bryn
Padog
PH
Merddwr
Ysgol Gynradd Pentrefoelas
MAES-YR-AFON
Hendre Isaf
B4407
Fron Ddu
Pen-y-geulan
Tai'n-y-maes
Ty'n Llwyn
Pont Eidda
Bryniau Defaid
Gwernhywel-ganol
Gallt-y-celyn
Ty Uchaf Eidda
Ty Mawr
82 83 84 85 86 87
50 51 52 53 54 55 56 57
1 2 3 4 5 6 7 8
45
59

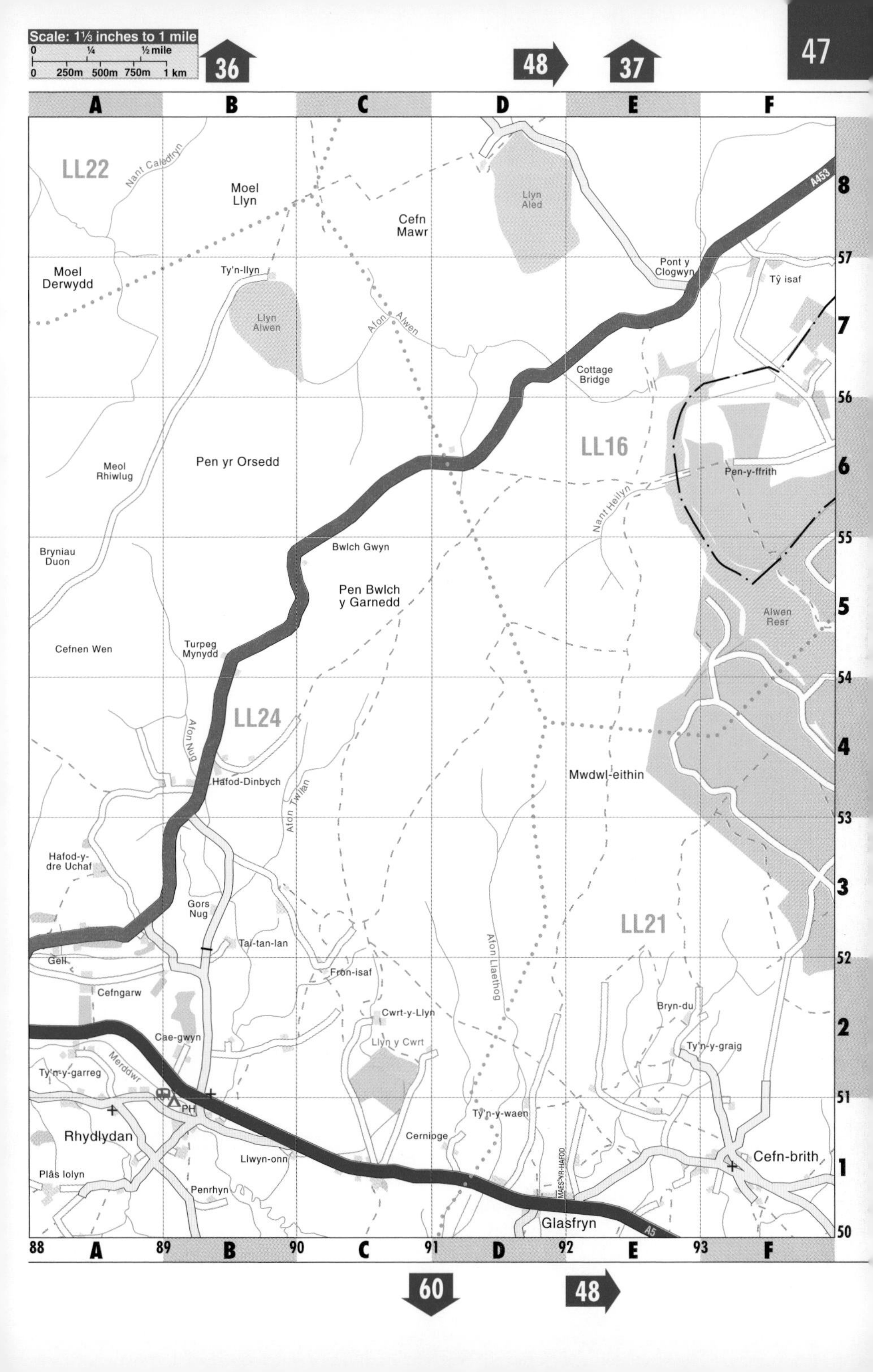
Scale: 1⅓ inches to 1 mile
0 ¼ ½ mile
0 250m 500m 750m 1 km
36
48
37
A B C D E F
LL22
Nant Caledfryn
Moel Llyn
Cefn Mawr
Llyn Aled
A453
Moel Derwydd
Ty'n-llyn
Llyn Alwen
Afon Alwen
Pont y Clogwyn
Tŷ isaf
Cottage Bridge
LL16
Meol Rhiwlug
Pen yr Orsedd
Pen-y-ffrith
Nant Hellyn
Bryniau Duon
Bwlch Gwyn
Pen Bwlch y Garnedd
Alwen Resr
Cefnen Wen
Turpeg Mynydd
LL24
Afon Nug
Hafod-Dinbych
Mwdwl-eithin
Afon Twllan
Hafod-y-dre Uchaf
Gors Nug
LL21
Tai-tan-lan
Afon Llaethog
Gell
Fron-isaf
Cefngarw
Cwrt-y-Llyn
Bryn-du
Cae-gwyn
Llyn y Cwrt
Ty'n-y-graig
Merddwr
Ty'n-y-garreg
PH
Ty'n-y-waen
Rhydlydan
Cernioge
Cefn-brith
Llwyn-onn
MAES-YR-HAFOD
Plâs Iolyn
Penrhyn
Glasfryn
A5
8 57 7 56 6 55 5 54 4 53 3 52 2 51 1 50
88 89 90 91 92 93
60
48

Scale: 1⅓ inches to 1 mile

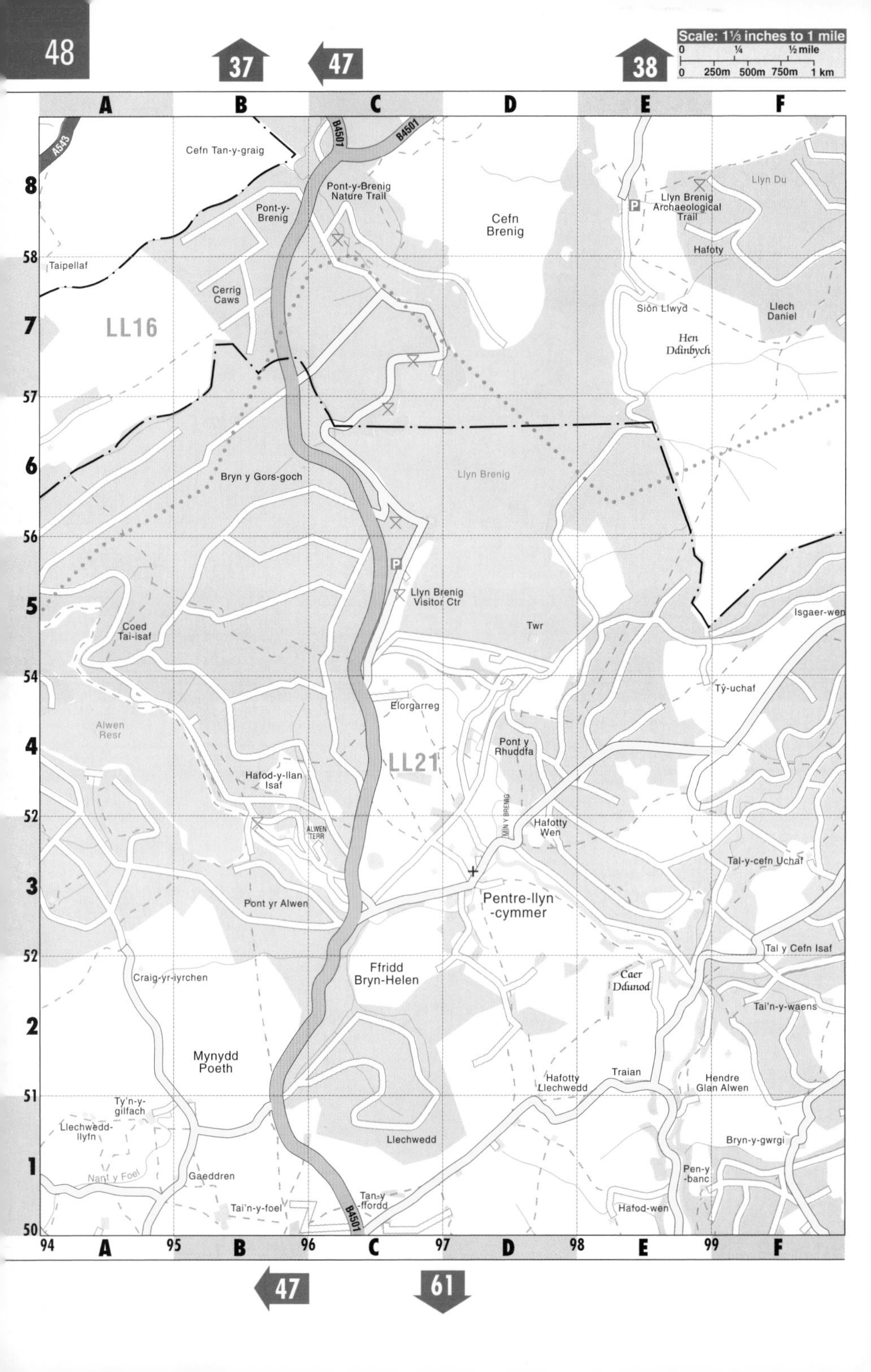
0 ¼ ½ mile
0 250m 500m 750m 1 km
A B C D E F
8 7 6 5 4 3 2 1
58 57 56 54 52 51 50
94 95 96 97 98 99
A543
B4507
B4501
Cefn Tan-y-graig
Pont-y-Brenig Nature Trail
Pont-y-Brenig
Cefn Brenig
Llyn Brenig Archaeological Trail
Llyn Du
Hafoty
Taipellaf
Cerrig Caws
LL16
Siôn Llwyd
Llech Daniel
Hen Ddinbych
Bryn y Gors-goch
Llyn Brenig
Llyn Brenig Visitor Ctr
Coed Tai-isaf
Twr
Isgaer-wen
Tŷ-uchaf
Elorgarreg
Alwen Resr
Pont y Rhuddfa
LL21
Hafod-y-llan Isaf
MIN Y BRENIG
ALWEN TERR
Hafotty Wen
Tal-y-cefn Uchaf
Pentre-llyn -cymmer
Pont yr Alwen
Tal y Cefn Isaf
Ffridd Bryn-Helen
Craig-yr-iyrchen
Caer Ddunod
Tai'n-y-waens
Mynydd Poeth
Hafotty Llechwedd
Traian
Hendre Glan Alwen
Ty'n-y-gilfach
Llechwedd-llyfn
Llechwedd
Bryn-y-gwrgi
Nant y Foel
Gaeddren
Pen-y -banc
Tai'n-y-foel
Tan-y -ffordd
Hafod-wen

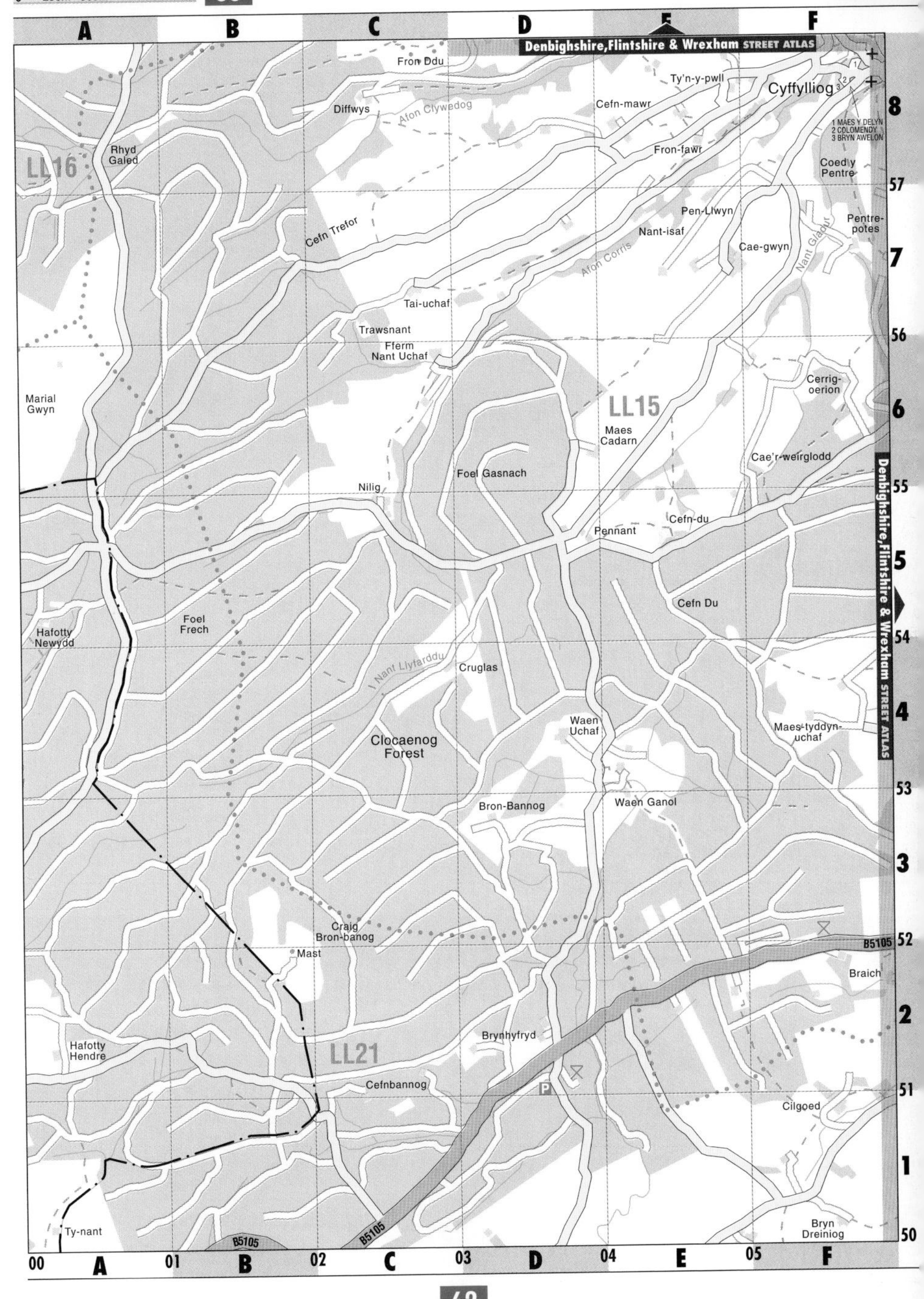

Scale: 1⅓ inches to 1 mile

0   ¼   ½ mile
0   250m 500m 750m 1 km

38

Fron Ddu
Ty'n-y-pwll
Cyffylliog
8
Diffwys
Afon Clywedog
Cefn-mawr
1 MAES Y DELYN
2 COLOMENDY
3 BRYN AWELON

LL16
Rhyd
Galed
Fron-fawr
Coed-y
Pentre
57

Cefn Trefor
Pen-Llwyn
Nant-isaf
Cae-gwyn
Pentre-
potes
7

Afon Corris
Nant Galed

Tai-uchaf
56

Trawsnant
Fferm
Nant Uchaf
Cerrig-
oerion

Marial
Gwyn
LL15
Maes
Cadarn
6

Nilig
Foel Gasnach
Cae'r-weirglodd
55

Pennant
Cefn-du

Hafotty
Newydd
Foel
Frech
Cefn Du
5

54

Nant Llytarddu
Cruglas
4

Clocaenog
Forest
Waen
Uchaf
Maes-tyddyn-
uchaf

Bron-Bannog
Waen Ganol
53

Craig
Bron-banog
3

Mast
B5105
52

Braich

Hafotty
Hendre
Brynhyfryd
2

LL21
Cilgoed
Cefnbannog
P
51

Ty-nant
Bryn
Dreiniog
1

B5105
B5105
50

00   A   01   B   02   C   03   D   04   E   05   F

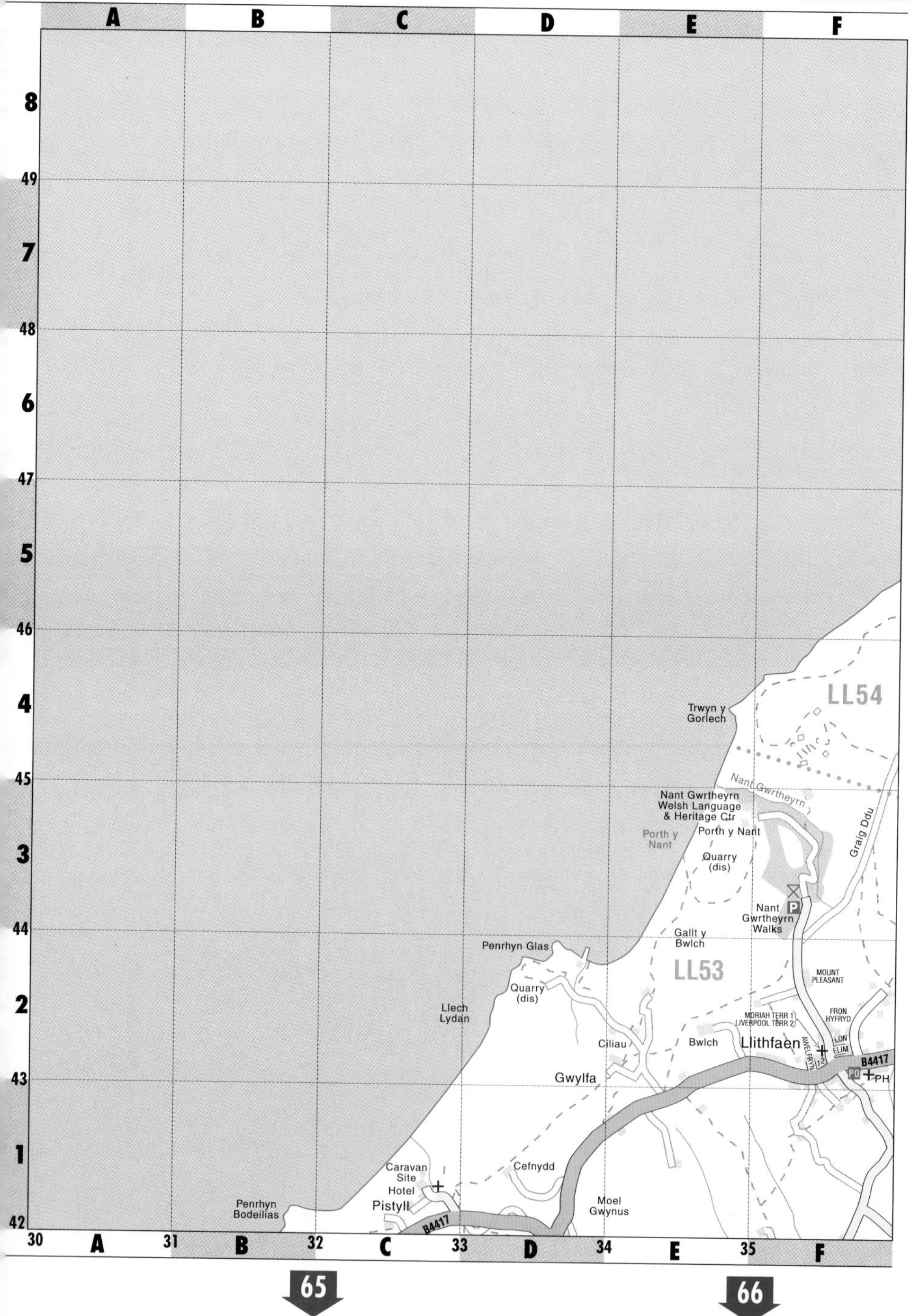

A   B   C   D   E   F

8
49
7
48
6
47
5
46
4
45
3
44
2
43
1
42

30   A   31   B   32   C   33   D   34   E   35   F

LL54

Trwyn y
Gorlech

Nant Gwrtheyrn

Nant Gwrtheyrn
Welsh Language
& Heritage Ctr
Porth y Nant

Porth y
Nant

Quarry
(dis)

Graig Ddu

Nant
Gwrtheyrn
Walks

Gallt y
Bwlch

Penrhyn Glas

LL53

MOUNT
PLEASANT

Quarry
(dis)

Llech
Lydan

MORIAH TERR 1
LIVERPOOL TERR 2

FRON
HYFRYD

Ciliau

Bwlch

Llithfaen

Gwylfa

B4417

PO
PH

Caravan
Site
Hotel

Cefnydd

Pistyll

Penrhyn
Bodeilias

Moel
Gwynus

B4417

65   66

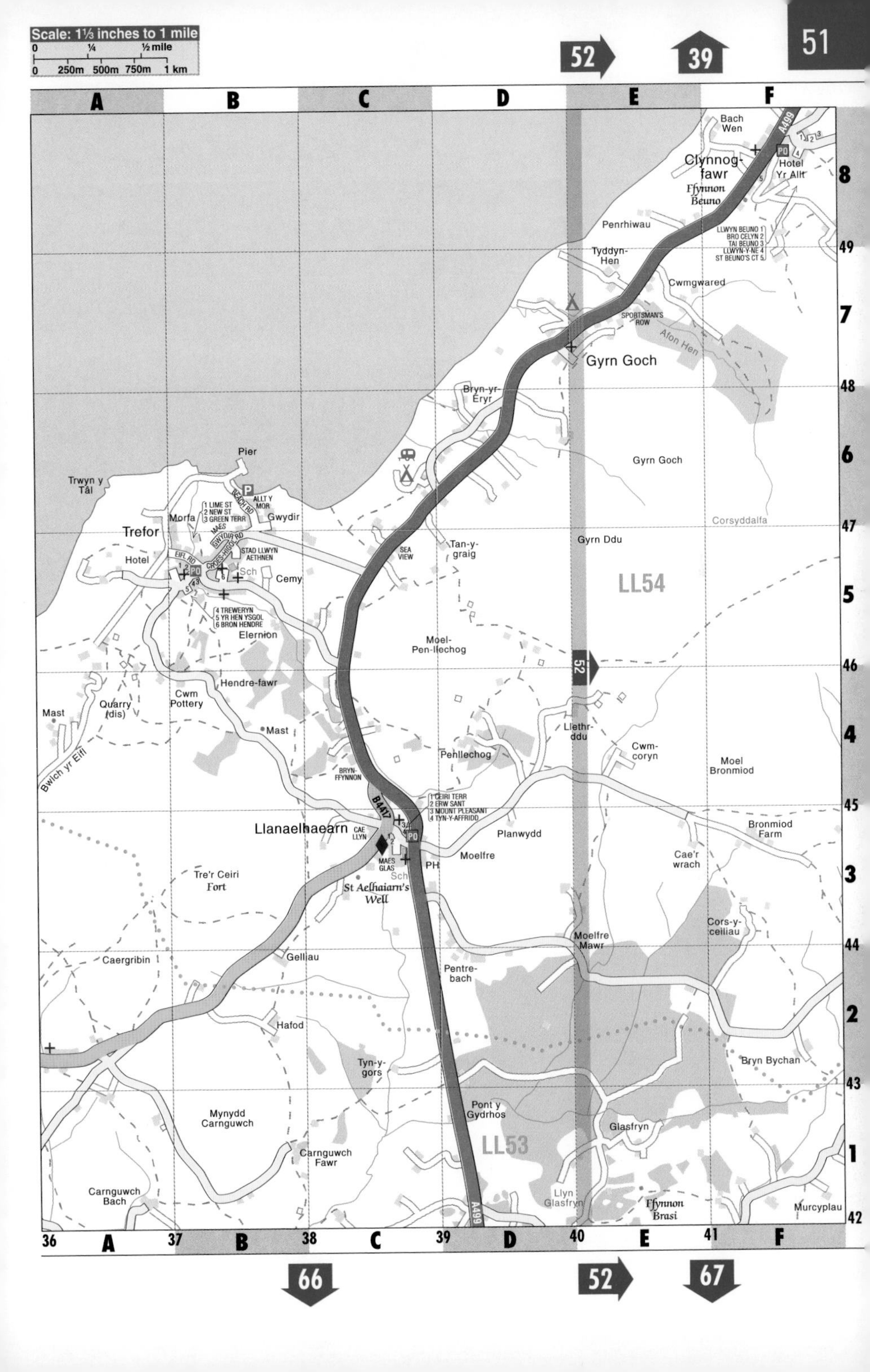
Scale: 1⅓ inches to 1 mile
0 ¼ ½ mile
0 250m 500m 750m 1 km
52
39
A B C D E F
Bach Wen
A499
Clynnog-fawr
Hotel Yr Allt
Ffynnon Beuno
Penrhiwau
LLWYN BEUNO 1
BRO CELYN 2
TAI BEUNO 3
LLWYN-Y-NE 4
ST BEUNO'S CT 5
Tyddyn-Hen
Cwmgwared
SPORTSMAN'S ROW
Afon Hen
Gyrn Goch
Bryn-yr-Eryr
Pier
Trwyn y Tâl
ALLT Y MOR
BEACH RD
1 LIME ST
2 NEW ST
3 GREEN TERR
Morfa
Gwydir
Trefor
MAES GWYDIR RD
CROES-HIGOL
EIFL RD
STAD LLWYN AETHNEN
Hotel
Sch
Cemy
SEA VIEW
Tan-y-graig
Gyrn Ddu
Corsyddalfa
LL54
4 TREWERYN
5 YR HEN YSGOL
6 BRON HENDRE
Elernion
Moel-Pen-llechog
Hendre-fawr
Cwm Pottery
Quarry (dis)
Mast
Mast
Llethr-ddu
Cwm-coryn
Moel Bronmiod
Pehllechog
BRYN-FFYNNON
Bwlch yr Eifl
B4417
1 CEIRI TERR
2 ERW SANT
3 MOUNT PLEASANT
4 TYN-Y-AFFRIDD
Llanaelhaearn
CAE LLYN
MAES GLAS
PH
Moelfre
Planwydd
Bronmiod Farm
Cae'r wrach
Tre'r Ceiri Fort
St Aelhaiarn's Well
Cors-y-ceiliau
Moelfre Mawr
Caergribin
Gelliau
Pentre-bach
Hafod
Bryn Bychan
Tyn-y-gors
Pont y Gydrhos
Glasfryn
Mynydd Carnguwch
Carnguwch Fawr
LL53
Carnguwch Bach
Llyn Glasfryn
Ffynnon Brasi
Murcyplau
8 49 7 48 6 47 5 46 4 45 3 44 2 43 1 42
36 37 38 39 40 41
66
52
67

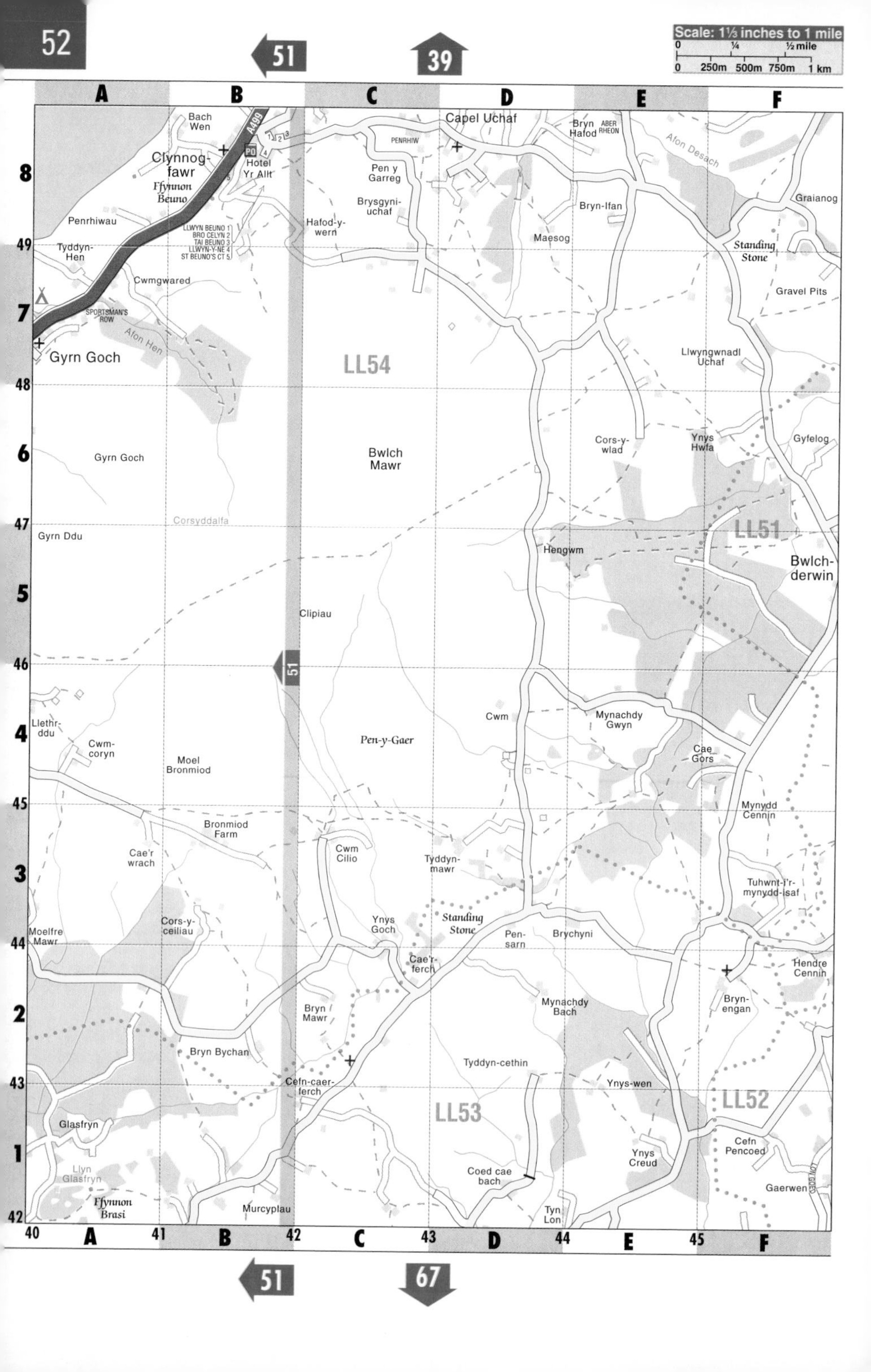
51
39
Scale: 1⅓ inches to 1 mile
0 ¼ ½ mile
0 250m 500m 750m 1 km
A B C D E F
Bach Wen
Clynnog-fawr
Ffynnon Beuno
A499
PO
Hotel Yr Allt
Capel Uchaf
PENRHIW
Pen y Garreg
Brysgyni-uchaf
Hafod-y-wern
Bryn Hafod
ABER RHEON
Afon Desach
Bryn-Ifan
Maesog
Graianog
Standing Stone
Gravel Pits
Penrhiwau
LLWYN BEUNO 1
BRO CELYN 2
TAI BEUNO 3
LLWYN-Y-NE 4
ST BEUNO'S CT 5
Tyddyn-Hen
Cwmgwared
SPORTSMAN'S ROW
Afon Hen
Gyrn Goch
LL54
Llwyngwnadl Uchaf
Gyrn Goch
Bwlch Mawr
Cors-y-wlad
Ynys Hwfa
Gyfelog
Corsyddalfa
Gyrn Ddu
LL51
Hengwm
Bwlch-derwin
Clipiau
51
Llethr-ddu
Cwm-coryn
Moel Bronmiod
Cwm
Mynachdy Gwyn
Pen-y-Gaer
Cae Gors
Mynydd Cennin
Bronmiod Farm
Cae'r wrach
Cwm Cilio
Tyddyn-mawr
Tuhwnt-i'r-mynydd-isaf
Cors-y-ceiliau
Moelfre Mawr
Ynys Goch
Standing Stone
Pen-sarn
Brychyni
Cae'r-ferch
Hendre Cennin
Bryn Mawr
Mynachdy Bach
Bryn-engan
Bryn Bychan
Tyddyn-cethin
Cefn-caer-ferch
Ynys-wen
LL52
LL53
Glasfryn
Cefn Pencoed
Llyn Glasfryn
Ynys Creud
Coed cae bach
LON GOED
Gaerwen
Ffynnon Brasi
Murcyplau
Tyn Lon
8 49 7 48 6 47 5 46 4 45 3 44 2 43 1 42
40 41 42 43 44 45
51
67

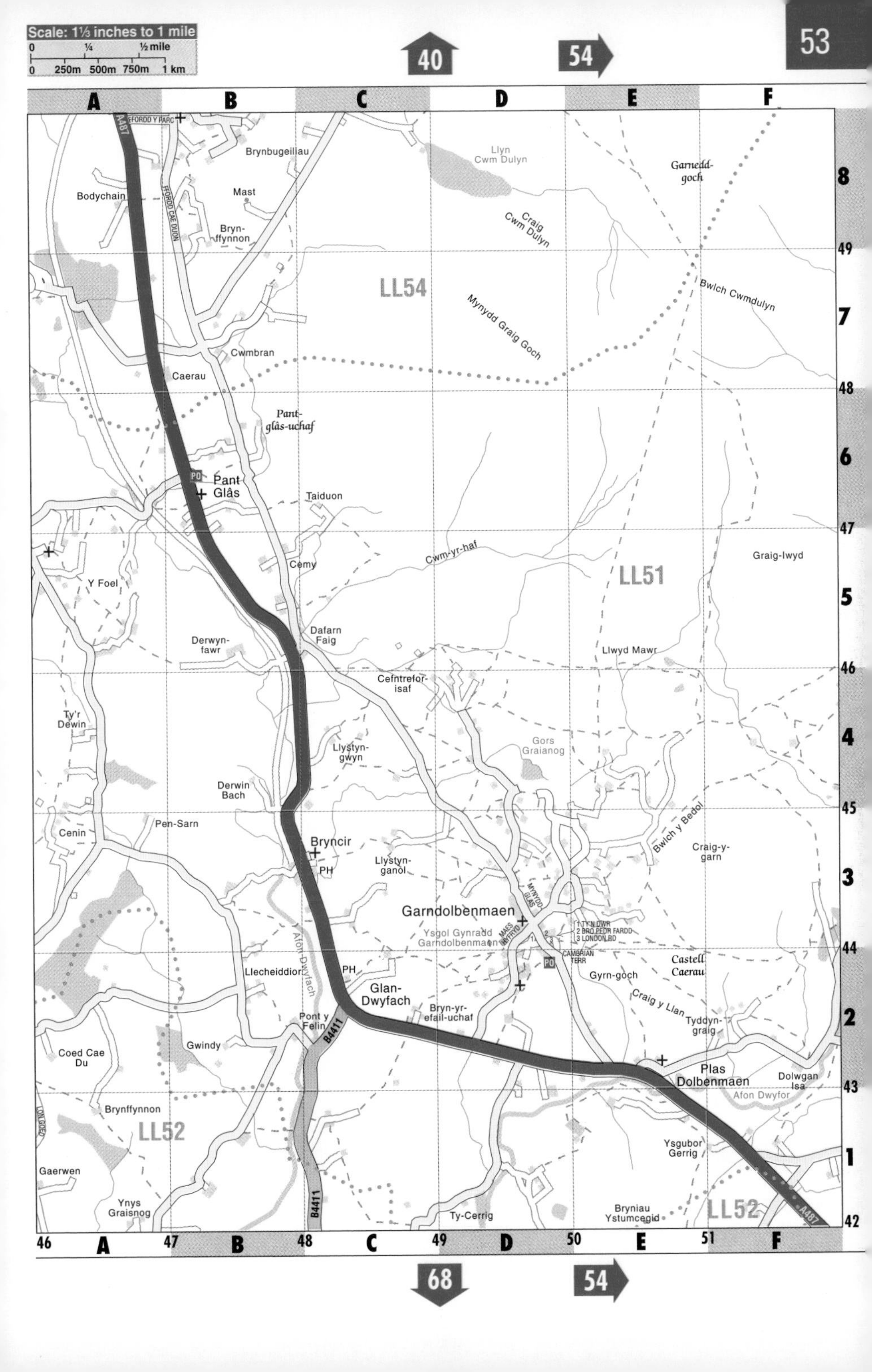
Scale: 1⅓ inches to 1 mile
0 ¼ ½ mile
0 250m 500m 750m 1 km
40
54
A B C D E F
A487
FFORDD Y PARC
FFORDD CAE DUON
Brynbugeiliau
Llyn Cwm Dulyn
Garnedd-goch
Bodychain
Mast
Craig Cwm Dulyn
Bryn-ffynnon
LL54
Bwlch Cwmdulyn
Mynydd Graig Goch
Cwmbran
Caerau
Pant-glâs-uchaf
PO
Pant Glâs
Taiduon
Cwm-yr-haf
Graig-lwyd
Cemy
LL51
Y Foel
Dafarn Faig
Derwyn-fawr
Llwyd Mawr
Cefntrefor-isaf
Ty'r Dewin
Llystyn-gwyn
Gors Graianog
Derwin Bach
Bwlch y Bedol
Pen-Sarn
Cenin
Bryncir
PH
Llystyn-ganol
Craig-y-garn
MYNYDD GLAS
Garndolbenmaen
MAES HYFRYD
1 TY'N DWR
2 BRO PEDR FARDD
3 LONDON RD
Ysgol Gynradd Garndolbenmaen
CAMBRIAN TERR
Afon Dwyfach
PH
Llecheiddior
Castell Caerau
Gyrn-goch
Glan-Dwyfach
Craig y Llan
Tyddyn-graig
Pont y Felin
Bryn-yr-efail-uchaf
B4411
Coed Cae Du
Gwindy
Plas Dolbenmaen
Dolwgan Isa
Afon Dwyfor
LON GOED
Brynffynnon
LL52
Ysgubor Gerrig
Gaerwen
Ynys Graisnog
B4411
Ty-Cerrig
Bryniau Ystumcegid
LL52
8 49 7 48 6 47 5 46 4 45 3 44 2 43 1 42
46 47 48 49 50 51
68
54

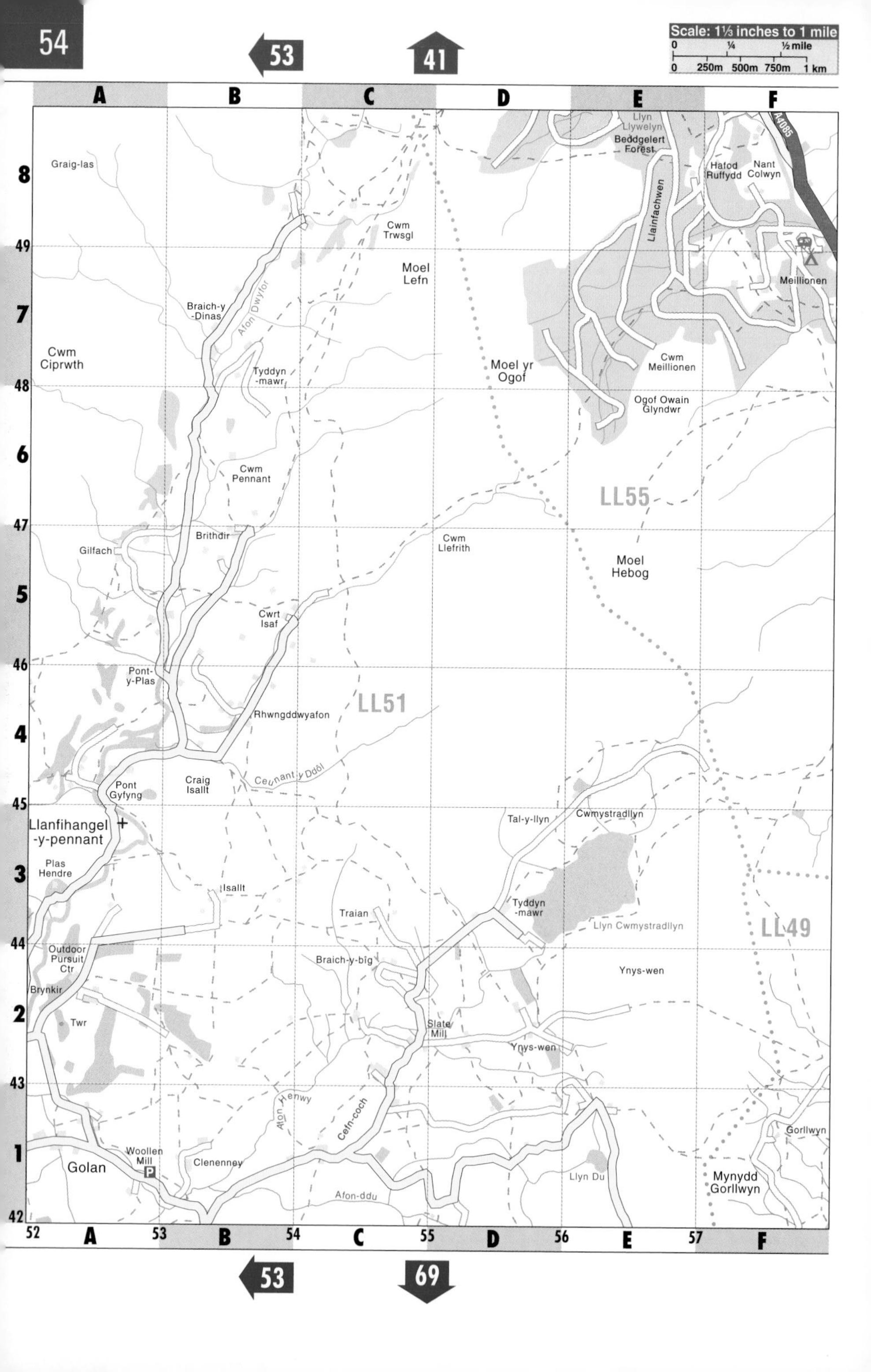
53
41
Scale: 1⅓ inches to 1 mile
0
¼
½ mile
0
250m
500m
750m
1 km
A
B
C
D
E
F
8
49
7
48
6
47
5
46
4
45
3
44
2
43
1
42
52
53
54
55
56
57
Graig-las
Cwm Trwsgl
Moel Lefn
Llyn Llywelyn
Beddgelert Forest
A4085
Hafod Ruffydd
Nant Colwyn
Llainfachwen
Meillionen
Braich-y-Dinas
Afon Dwyfor
Cwm Ciprwth
Tyddyn-mawr
Moel yr Ogof
Cwm Meillionen
Ogof Owain Glyndwr
Cwm Pennant
LL55
Gilfach
Brithdir
Cwm Llefrith
Moel Hebog
Cwrt Isaf
Pont-y-Plas
LL51
Rhwngddwyafon
Craig Isallt
Ceunant y Ddôl
Pont Gyfyng
Llanfihangel-y-pennant
Tal-y-llyn
Cwmystradllyn
Plas Hendre
Isallt
Traian
Tyddyn-mawr
Llyn Cwmystradllyn
LL49
Outdoor Pursuit Ctr
Braich-y-bîg
Ynys-wen
Brynkir
Twr
Slate Mill
Ynys-wen
Afon Henwy
Cefn-coch
Gorllwyn
Woollen Mill
Golan
Clenenney
Llyn Du
Mynydd Gorllwyn
Afon-ddu
53
69

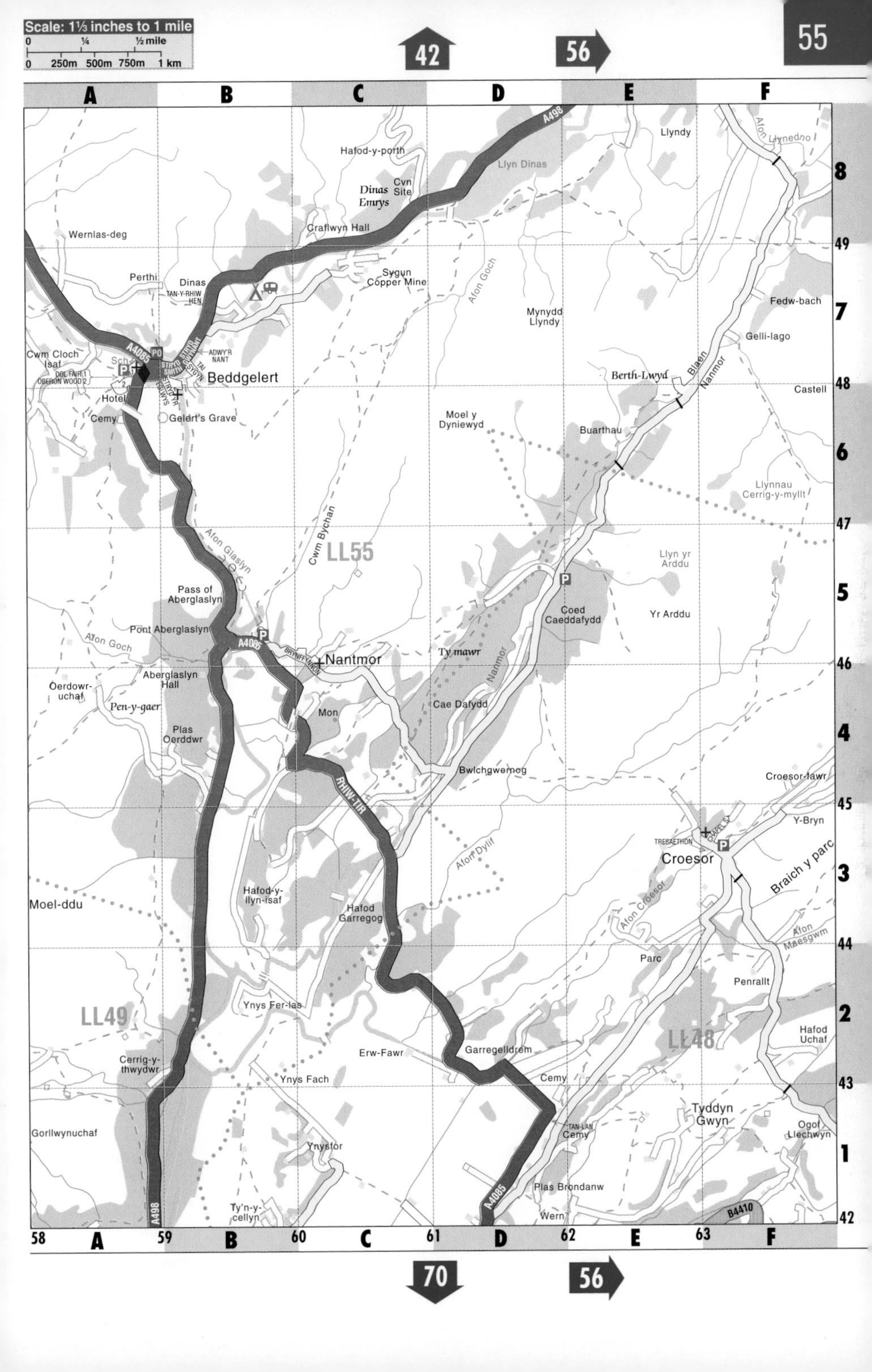
Scale: 1⅓ inches to 1 mile
0
¼
½ mile
0
250m
500m
750m
1 km
42
56
A
B
C
D
E
F
A498
Llyndy
Afon Llynedno
Hafod-y-porth
Llyn Dinas
Cvn Site
Dinas Emrys
Craflwyn Hall
Wernlas-deg
Sygun Copper Mine
Perthi
Dinas
TAN-Y-RHIW HEN
Afon Goch
Mynydd Llyndy
Fedw-bach
Gelli-lago
Cwm Cloch Isaf
A4085
PO
STRYD GLANRAFON
STRYD SMITH
ADWY'R NANT
DOL FAIR 1
OBERON WOOD 2
Beddgelert
Berth-Lwyd
Blaen Nanmor
Castell
Hotel
Cemy
Gelert's Grave
Moel y Dyniewyd
Buarthau
Llynnau Cerrig-y-myllt
Cwm Bychan
LL55
Afon Glaslyn
Llyn yr Arddu
Pass of Aberglaslyn
Coed Caeddafydd
Yr Arddu
Pont Aberglaslyn
Afon Goch
A4086
BRYNFFYNNON
Nantmor
Ty mawr
Nanmor
Oerdowr-uchaf
Aberglaslyn Hall
Pen-y-gaer
Cae Dafydd
Mon
Plas Oerddwr
Bwlchgwernog
Croesor-fawr
RHIW-TIR
Y-Bryn
TRESAETHON
CHAPEL ST
Croesor
Afon Dylif
Braich y parc
Moel-ddu
Hafod-y-llyn-isaf
Hafod Garregog
Afon Croesor
Afon Maesgwm
Parc
Penrallt
LL49
Ynys Fer-las
LL48
Hafod Uchaf
Cerrig-y-thwydwr
Erw-Fawr
Garregelldrem
Ynys Fach
Cemy
Tyddyn Gwyn
TAN-LAN
Cemy
Ogof Llechwyn
Gorllwynuchaf
Ynystor
Plas Brondanw
A4085
Ty'n-y-cellyn
Wern
B4410
A498
8
49
7
48
6
47
5
46
4
45
3
44
2
43
1
42
58
59
60
61
62
63
70
56

Scale: 1⅓ inches to 1 mile

0	¼	½ mile
0	250m 500m 750m	1 km

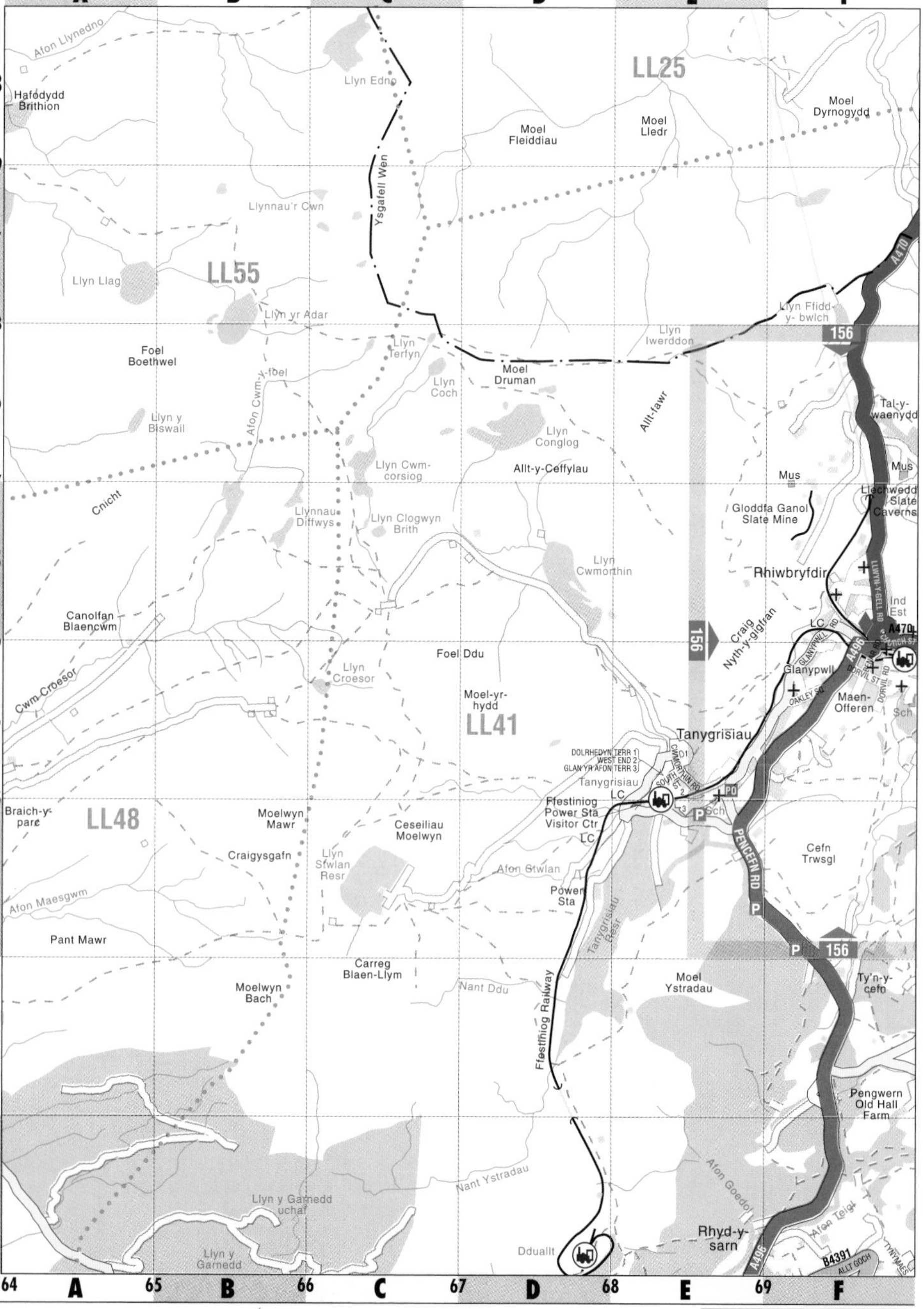

A **B** **C** **D** **E** **F**

Aton Llynedno

Hafodydd
Brithion

Llyn Edno

LL25

Moel
Dyrnogydd

8

Moel
Fleiddiau

Moel
Lledr

Moel

49

Ysgafell Wen

Llynnau'r Cwm

7

LL55

Llyn Llag

Llyn yr Adar

Llyn Fildd-
y-bwlch

48

156

Foel
Boethwel

Llyn Terfyn

Moel
Druman

Llyn
Iwerddon

Tal-y-
waenydd

6

Mus

Llyn y
Biswail

Aton Cwm-y-foel

Llyn
Coch

Allt-fawr

Mus

47

Cnicht

Llyn Cwm-
corsiog

Llyn
Conglog

Allt-y-Ceffylau

Gloddfa Ganol
Slate Mine

Llechwedd
Slate
Caverns

Llynnau
Diffwys

Llyn Clogwyn
Brith

Llyn
Cwmorthin

Rhiwbryfdir

5

Ind
Est

46

Canolfan
Blaencwm

Llyn
Croesor

Foel Ddu

Craig
Nyth-y-gigfran

A470

LC

Glanypwll

Maen-
Offeren

Sch

Cwm-Croesor

Moel-yr-
hydd

LL41

Glanypwll

4

Braich-y-
parc

LL48

Moelwyn
Mawr

Craigysgafan

Llyn
Sfwlan
Resr

Ceseiliau
Moelwyn

Tanygrisiau

DOLRHEDYN TERR 1
WEST END 2
GLAN YR AFON TERR 3

Tanygrisiau

70

Cefn
Trwsgl

45

Aton Maesgwm

Afon Stwlan

Ffestiniog
Power Sta
Visitor Ctr

P

PENGCEN RD

3

Pant Mawr

Power
Sta

LC

P

156

44

Moelwyn
Bach

Carreg
Blaen-Llym

Nant Ddu

Moel
Ystradau

Ty'n-y-
cefn

Ffestiniog Railway

2

Pengwern
Old Hall
Farm

43

Llyn y Garnedd
uchaf

Nant Ystradau

Aton Goedol

1

Llyn y
Garnedd

Dduallt

Rhyd-y-
sarn

Aton Terigi

B4391

42

A **B** **C** **D** **E** **F**
64 65 66 67 68 69

For full street detail of the
highlighted area see page 156.

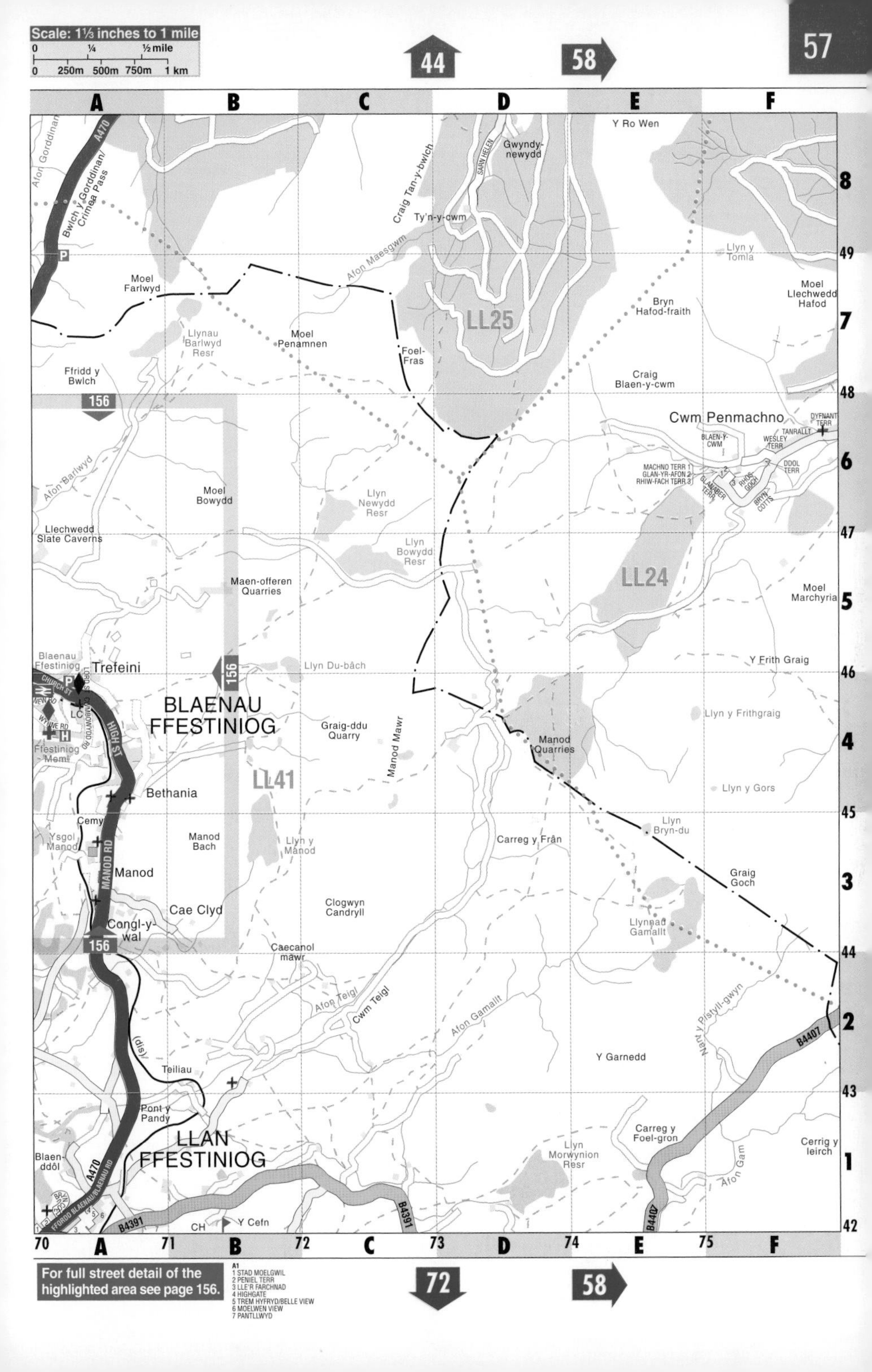

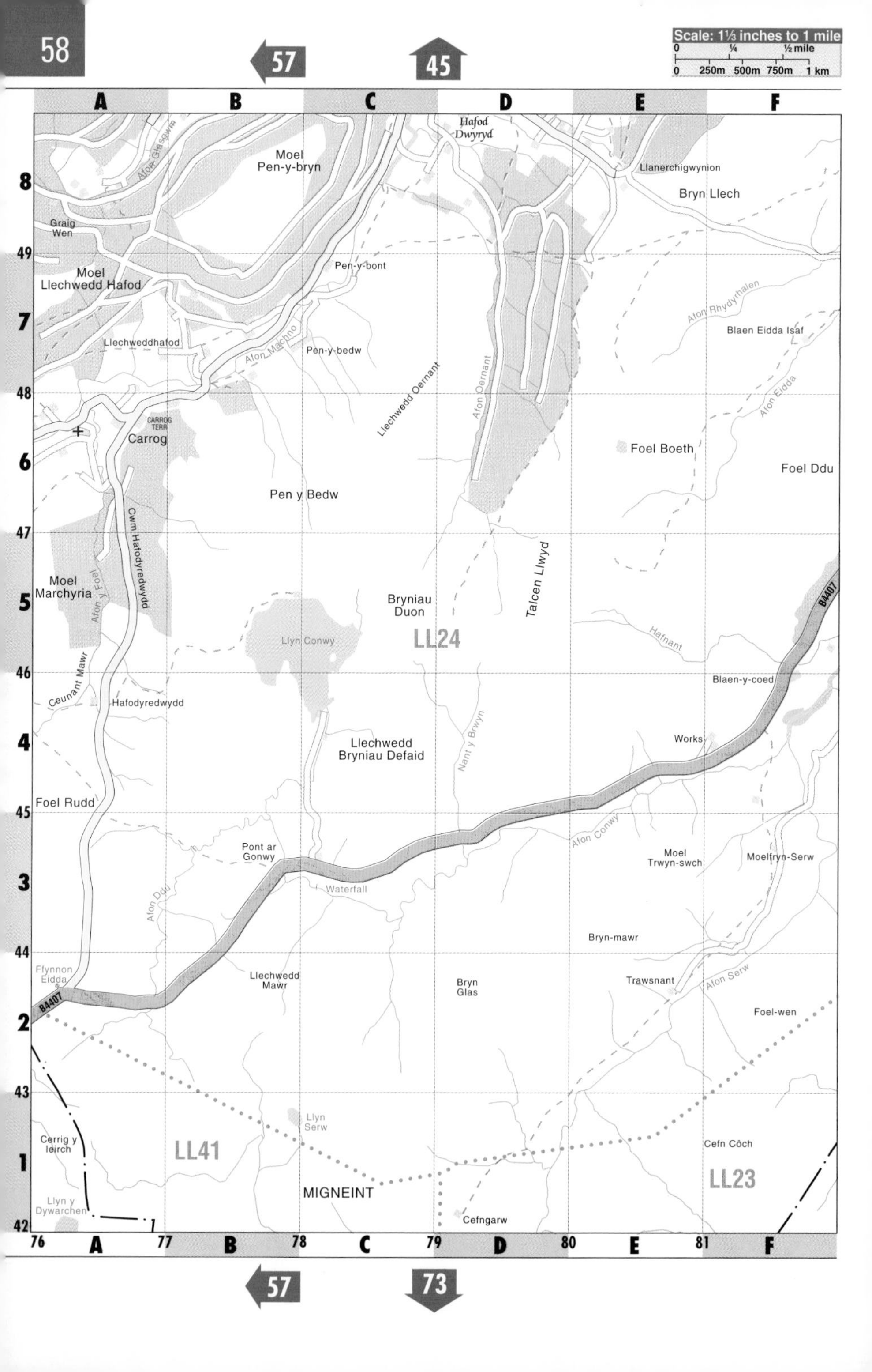
57
45
Scale: 1⅓ inches to 1 mile
0 ¼ ½ mile
0 250m 500m 750m 1 km
A B C D E F
Hafod Dwyryd
Moel Pen-y-bryn
Afon Glasgwm
Llanerchigwynion
Bryn Llech
Graig Wen
Pen-y-bont
Moel Llechwedd Hafod
Afon Rhydyrhalen
Blaen Eidda Isaf
Llechweddhafod
Afon Machno
Pen-y-bedw
Llechwedd Oernant
Afon Oernant
Afon Eidda
CARROG TERR
Carrog
Foel Boeth
Foel Ddu
Pen y Bedw
Cwm Hafodyredwydd
Talcen Llwyd
Moel Marchyria
Afon y Foel
Bryniau Duon
B4407
Llyn Conwy
LL24
Hafnant
Ceunant Mawr
Blaen-y-coed
Hafodyredwydd
Works
Llechwedd Bryniau Defaid
Nant y Brwyn
Foel Rudd
Afon Conwy
Pont ar Gonwy
Moel Trwyn-swch
Moelfryn-Serw
Waterfall
Afon Ddu
Bryn-mawr
Ffynnon Eidda
Llechwedd Mawr
Bryn Glas
Trawsnant
Afon Serw
Foel-wen
Llyn Serw
Cerrig y Ieirch
LL41
Cefn Côch
MIGNEINT
LL23
Llyn y Dywarchen
Cefngarw
8 49 7 48 6 47 5 46 4 45 3 44 2 43 1 42
76 77 78 79 80 81
57
73

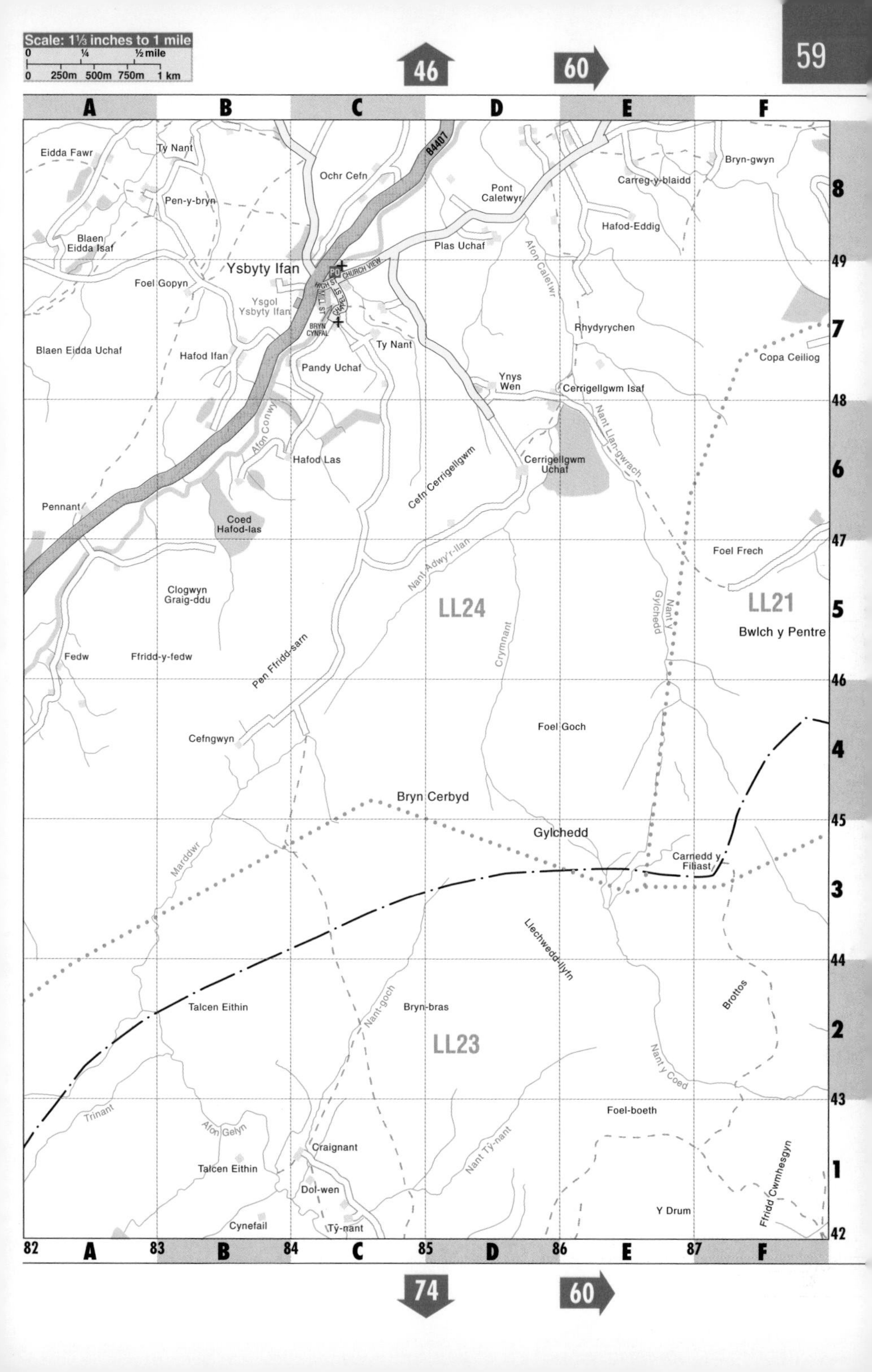

Scale: 1⅓ inches to 1 mile
0 ¼ ½ mile
0 250m 500m 750m 1 km
46
60
Eidda Fawr
Ty Nant
Pen-y-bryn
Blaen Eidda Isaf
Ochr Cefn
B4407
Pont Caletwyr
Carreg-y-blaidd
Bryn-gwyn
Hafod-Eddig
Plas Uchaf
Ysbyty Ifan
PO
CHURCH VIEW
HIGH ST
MILL ST
CHAPEL ST
BRYN CYNFAL
Foel Gopyn
Ysgol Ysbyty Ifan
Afon Caletwr
Rhydyrychen
Blaen Eidda Uchaf
Hafod Ifan
Ty Nant
Pandy Uchaf
Copa Ceiliog
Ynys Wen
Cerrigellgwm Isaf
Afon Conwy
Hafod Las
Cefn Cerrigellgwm
Cerrigellgwm Uchaf
Nant Llan-gwrach
Pennant
Coed Hafod-las
Foel Frech
Nant-Adwy'r-llan
Clogwyn Graig-ddu
LL24
LL21
Nant y Gylchedd
Bwlch y Pentre
Fedw
Ffridd-y-fedw
Pen Ffridd-sarn
Crymnant
Foel Goch
Cefngwyn
Bryn Cerbyd
Gylchedd
Carnedd y Filiast
Marddwr
Llechwedd-llyfn
Brottos
Talcen Eithin
Nant-goch
Bryn-bras
LL23
Nant y Coed
Trinant
Afon Gelyn
Foel-boeth
Craignant
Nant Tŷ-nant
Talcen Eithin
Ffridd Cwmhesgyn
Dol-wen
Y Drum
Cynefail
Tŷ-nant
A B C D E F
8 49 7 48 6 47 5 46 4 45 3 44 2 43 1 42
82 83 84 85 86 87
74
60

59
47

Scale: 1⅓ inches to 1 mile

0	¼	½ mile
0	250m	500m	750m	1 km

A5

Glan-y-
gors
Racing
Circuit

Gilar

Garn
Brys

LL24

Bryn

Cefnhirfynydd
Isaf

Parc

Pant-y-griafolen

Clust-y-
blaidd

Cefnhirfynydd
Uchaf

Maes-
newyddion

Swch y
Llan

Garn
Prys

Moel
Eglwys

Mast

Llaethwryd

Bwlch-y-maen
-melyn

Tai-ucha'n
-cwm

Bwlch-y-mawn

Fron

Ty-isa
-cwm

Tyn-y-
-rhos

Cappele

Plas
Onn

Ty Mawr Cwm

Blaen-y-cwm

Pentre
-cwm

Ty'n-y-braich

Cwm Penanner

Cwm-main

Cwmoerddwr

Hafotty
Cerrig

Nant
-fach

Carreg-y
-Ddafad

Erw-
Dinmael

Gydros

Craig y Gydros

LL21

Trum Nant-fach

Afon Nant-fach

Moel y
Gydros

Cadair
Benllyn

Gellioedd

B4501

Defaidty

Llechwedd-Figyn

Rhyd-dolwen

Llyn
Hesgyn

LL23

Ucheldre

Llwyn Gwgan

Aeddren

Craig yr Hafod

Ffridd y Hafod

Cae'r-
garreg

Y Gesail

Hafod-y-Bryn

Rhyd Yr Ewig

Graig
Ddu

Pentre

Hafod-yr-
Esgob-Uchaf

Nant-y-
cyrtiau

Ty Cerrig

Cerrig y
Gordref

Bwlch y Greigwen

Bwlch
Graianog

Cwmtirmynach

Hendre
-bâch

Greigwen

Garnedd Fawr

B4501

Pen-yr-allt

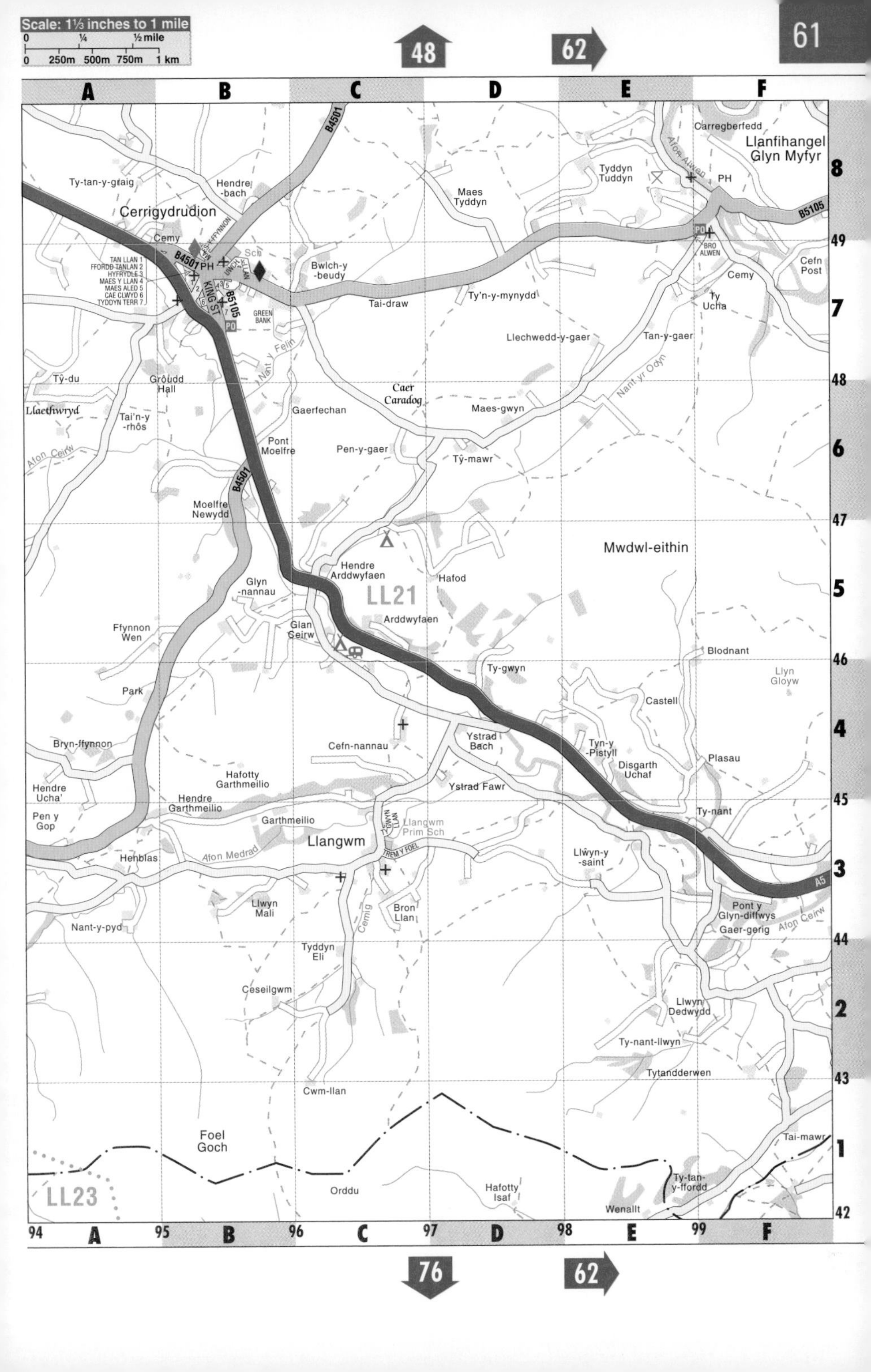
Scale: 1⅓ inches to 1 mile
0 ¼ ½ mile
0 250m 500m 750m 1 km
48
62
A B C D E F
Ty-tan-y-graig
Hendre
-bach
Cerrigydrudion
Cemy
B4501
PH
TAN LLAN 1
FFORDD TANLAN 2
HYFRYDLE 3
MAES Y LLAN 4
MAES ALED 5
CAE CLWYD 6
TYDDYN TERR 7
KING ST
B5105
Sch
GREEN BANK
PO
Bwlch-y
-beudy
Tai-draw
Maes
Tyddyn
Ty'n-y-mynydd
Llechwedd-y-gaer
Tyddyn
Tuddyn
Carregberfedd
Llanfihangel
Glyn Myfyr
Afon Alwen
PH
B5105
BRO ALWEN
Cefn
Post
Cemy
Ty
Ucha
Tan-y-gaer
Nant-yr Odyn
Nant y Felin
Tŷ-du
Grôudd
Hall
Llaethwryd
Tai'n-y
-rhôs
Afon Ceirw
Caer
Caradog
Gaerfechan
Maes-gwyn
Pont
Moelfre
Pen-y-gaer
Tŷ-mawr
Moelfre
Newydd
B4501
Mwdwl-eithin
Hendre
Arddwyfaen
Hafod
LL21
Glyn
-nannau
Ffynnon
Wen
Glan
Ceirw
Arddwyfaen
Blodnant
Llyn
Gloyw
Ty-gwyn
Park
Castell
Bryn-ffynnon
Cefn-nannau
Ystrad
Bach
Tyn-y
-Pistyll
Disgarth
Uchaf
Plasau
Hafotty
Garthmeilio
Hendre
Garthmeilio
Ystrad Fawr
Hendre
Ucha'
Pen y
Gop
Garthmeilio
Llangwm
Llangwm
Prim Sch
Ty-nant
Henblas
Afon Medrad
TREM Y FOEL
Llŵyn-y
-saint
A5
Llwyn
Mali
Bron
Llan
Cemig
Pont y
Glyn-diffwys
Afon Ceirw
Gaer-gerig
Nant-y-pyd
Tyddyn
Eli
Ceseilgwm
Llwyn
Dedwydd
Ty-nant-llwyn
Tytandderwen
Cwm-llan
Foel
Goch
Tai-mawr
LL23
Orddu
Hafotty
Isaf
Ty-tan-
y-ffordd
Wenallt
8 49 7 48 6 47 5 46 4 45 3 44 2 43 1 42
94 95 96 97 98 99
76
62

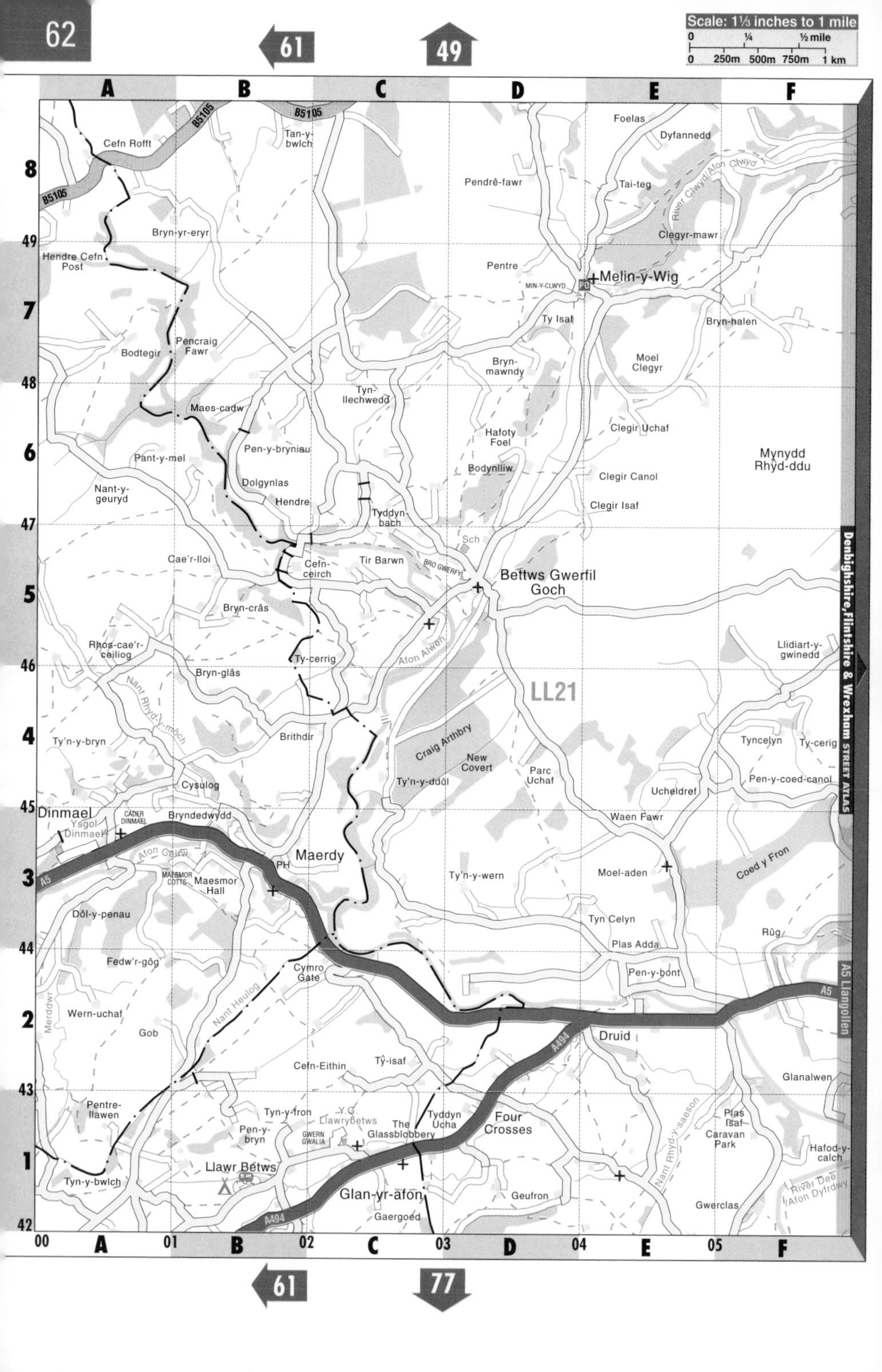
61
49
Scale: 1⅓ inches to 1 mile
0 ¼ ½ mile
0 250m 500m 750m 1 km
A B C D E F
8 49 7 48 6 47 5 46 4 45 3 44 2 43 1 42
00 01 02 03 04 05
B5105
Cefn Rofft
Tan-y-bwlch
Foelas
Dyfannedd
Pendrê-fawr
Tai-teg
River Clwyd/Afon Clwyd
Bryn-yr-eryr
Clegyr-mawr
Hendre Cefn Post
Pentre
MIN-Y-CLWYD
PO
Melin-y-Wig
Ty Isaf
Bryn-halen
Pencraig Fawr
Bodtegir
Moel Clegyr
Bryn-mawndy
Tyn-llechwedd
Maes-cadw
Hafoty Foel
Clegir Uchaf
Pen-y-bryniau
Mynydd Rhyd-ddu
Pant-y-mel
Bodynlliw
Clegir Canol
Dolgynlas
Nant-y-geuryd
Hendre
Clegir Isaf
Tyddyn-bach
Sch
Cae'r-lloi
Cefn-ceirch
Tir Barwn
BRO GWERFYL
Bettws Gwerfil Goch
Bryn-crâs
Rhos-cae'r-ceiliog
Afon Alwen
Llidiart-y-gwinedd
Ty-cerrig
Bryn-glâs
LL21
Nant Rhyd-y-moch
Ty'n-y-bryn
Brithdir
Craig Arthbry
Tyncelyn
Ty-cerig
New Covert
Cysulog
Ty'n-y-ddôl
Parc Uchaf
Pen-y-coed-canol
Ucheldref
Dinmael
CADER DINMAEL
Bryndedwydd
Waen Fawr
Ysgol Dinmael
Afon Geirw
Maerdy
PH
A5
MAESMOR COTTS
Maesmor Hall
Ty'n-y-wern
Moel-aden
Coed y Fron
Dôl-y-penau
Tyn Celyn
Rûg
Plas Adda
Fedw'r-gôg
Cymro Gate
Pen-y-bont
Nant Heulog
Merddwr
Wern-uchaf
Druid
A494
Gob
Tŷ-isaf
Cefn-Eithin
Glanalwen
Pentre-llawen
Tyn-y-fron
Y.G. Llawrybetws
Tyddyn Ucha
Four Crosses
Nant Rhyd-y-saeson
Plas Isaf
Caravan Park
Pen-y-bryn
GWERN GWALIA
The Glassblobbery
Hafod-y-calch
Llawr Betws
Tyn-y-bwlch
Glan-yr-afon
Geufron
River Dee/Afon Dyfrdwy
Gwerclas
Gaergoed
A5 Llangollen
Denbighshire, Flintshire & Wrexham STREET ATLAS
61
77

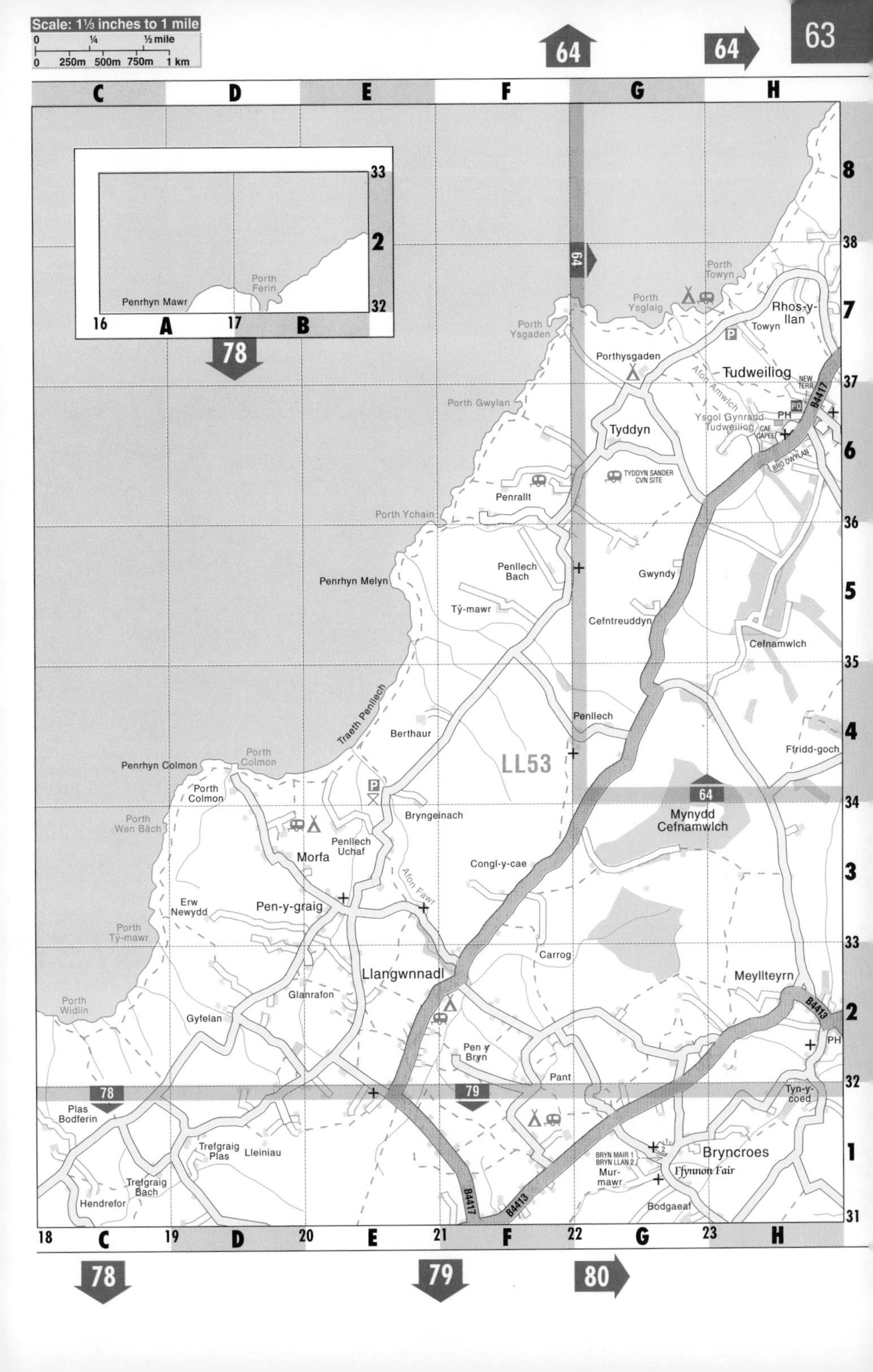
Scale: 1⅓ inches to 1 mile
0 ¼ ½ mile
0 250m 500m 750m 1 km
64
64
C D E F G H
8 38 7 37 6 36 5 35 4 34 3 33 2 32 1 31
33 2 32
Porth Ferin
Penrhyn Mawr
16 A 17 B
78
Porth Towyn
Porth Ysglaig
Rhos-y-llan
Towyn
Porth Ysgaden
Porthysgaden
Tudweiliog
NEW TERR
Afon Amwlch
Ysgol Gynradd Tudweiliog
PH
CAE CAPEL
B4417
BRO DWYLAN
Porth Gwylan
Tyddyn
TYDDYN SANDER CVN SITE
Penrallt
Porth Ychain
Penllech Bach
Gwyndy
Penrhyn Melyn
Tŷ-mawr
Cefntreuddyn
Cefnamwlch
Traeth Penllech
Berthaur
Penllech
Ffridd-goch
Penrhyn Colmon
Porth Colmon
LL53
Porth Colmon
Bryngeinach
Mynydd Cefnamwlch
Porth Wen Bâch
Penllech Uchaf
Morfa
Afon Fawr
Congl-y-cae
Erw Newydd
Pen-y-graig
Porth Tŷ-mawr
Carrog
Llangwnnadl
Meyllteyrn
Glanrafon
B4413
Porth Widlin
Gyfelan
PH
Pen y Bryn
Pant
Tyn-y-coed
78
79
Plas Bodferin
Trefgraig Plas
Lleiniau
BRYN MAIR 1
BRYN LLAN 2
Bryncroes
Ffynnon Fair
Trefgraig Bach
Mur-mawr
Hendrefor
B4417
B4413
Bodgaeaf
18 C 19 D 20 E 21 F 22 G 23 H
78
79
80

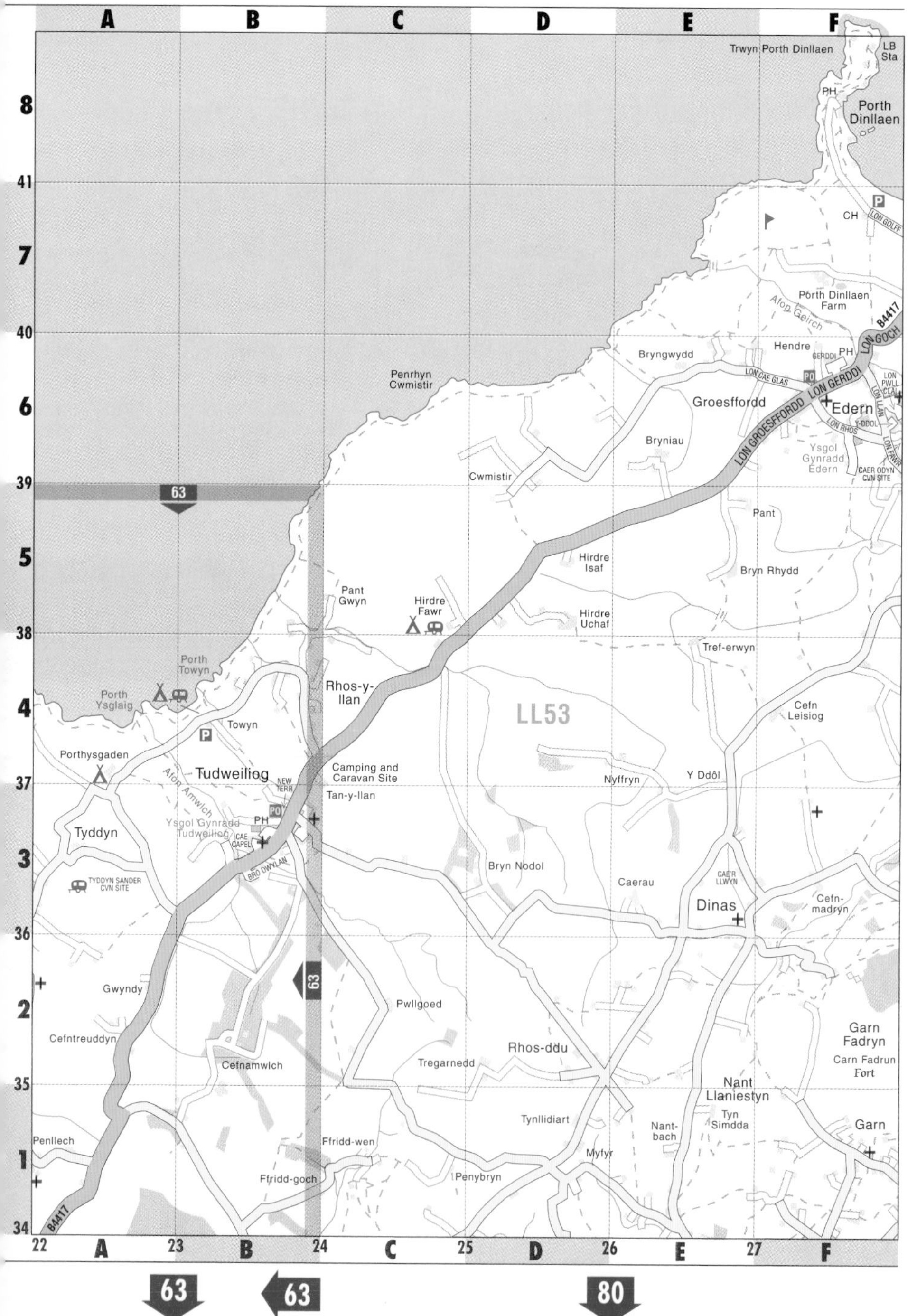

Scale: 1½ inches to 1 mile

| 0 | ¼ | ½ mile |
| 0 | 250m | 500m | 750m | 1 km |

Trwyn Porth Dinllaen

LB Sta

PH

Porth Dinllaen

P

CH

LÔN GOLFF

Porth Dinllaen Farm

Afon Gerrch

Hendre

PH

LÔN CAE GLAS

GERDDI

LÔN GERDDI

LÔN GOCH

LÔN PWLL-Y-CALL

B4417

Bryngwydd

Groesffordd

Edern

LÔN GROESFFORDD

Ysgol Gynradd Edern

LÔN RHOS

CAER ODYN CVN SITE

Penrhyn Cwmistir

Bryniau

Cwmistir

Pant

Hirdre Isaf

Bryn Rhydd

Pant Gwyn

Hirdre Fawr

Hirdre Uchaf

Tref-erwyn

Porth Towyn

Rhos-y-llan

LL53

Cefn Leisiog

Porth Ysglaig

Porthysgaden

Towyn

P

Nyffryn

Y Ddôl

Tan-y-llan

Camping and Caravan Site

NEW TERR

Tudweiliog

Afon Amwlch

Bryn Nodol

Caerau

CAER LLWYN

Cefn-madryn

Tyddyn

Ysgol Gynradd Tudweiliog

PH

CAE CAPEL

Dinas

BRO GWYLAN

TYDDYN SANDER CVN SITE

Gwyndy

63

Pwllgoed

Garn Fadryn

Cefntreuddyn

Carn Fadryn Fort

Cefnamwlch

Tregarnedd

Rhos-ddu

Nant Llaniestyn

Garn

Penllech

Ffridd-wen

Tynllidiart

Nantbach

Tyn Simdda

B4417

Ffridd-goch

Penybryn

Myfyr

| 22 | A | 23 | B | 24 | C | 25 | D | 26 | E | 27 | F |

63   63   80

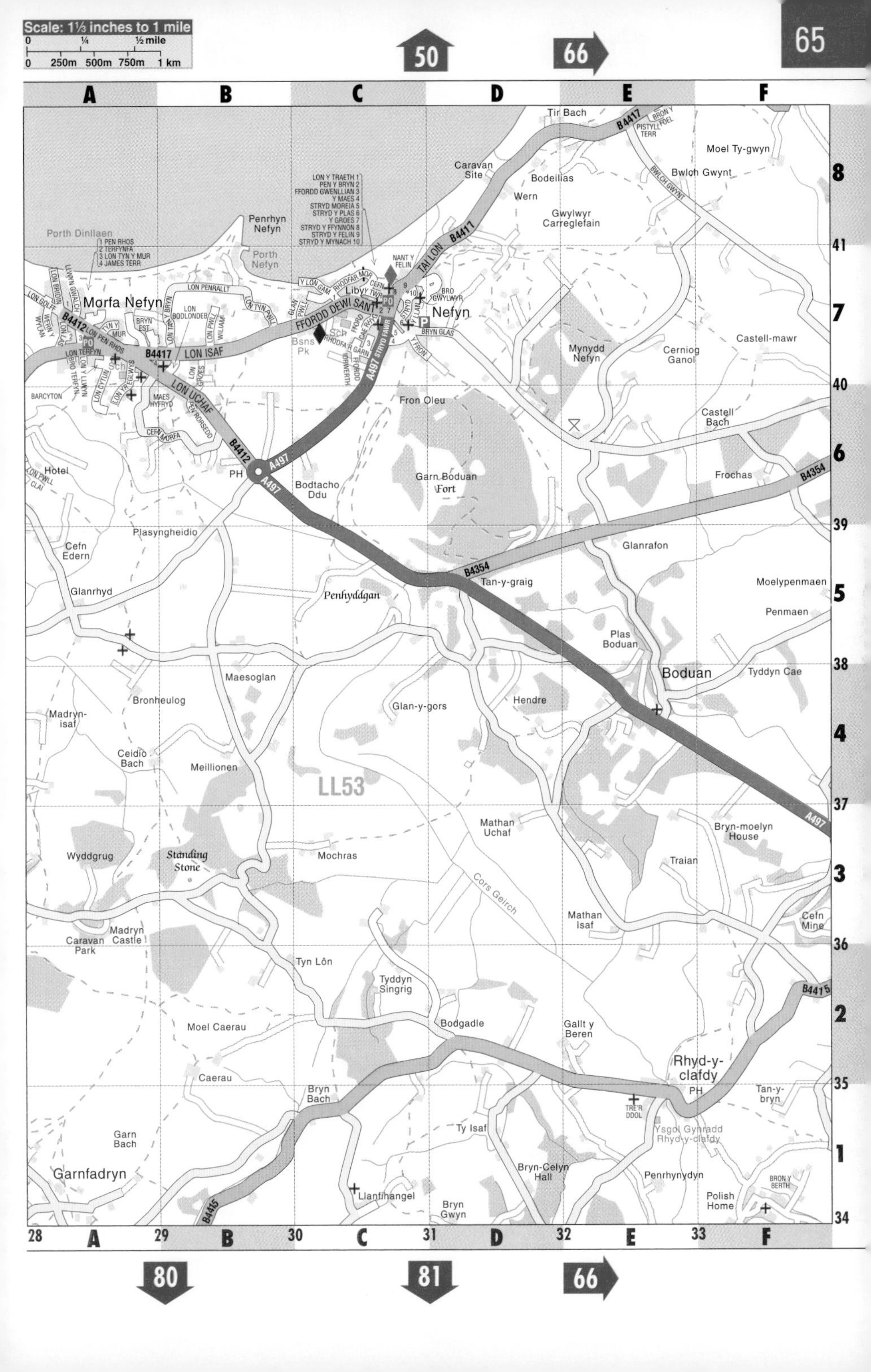

Scale: 1⅓ inches to 1 mile
0 ¼ ½ mile
0 250m 500m 750m 1 km
50
66
A B C D E F
Tir Bach
B4417
PISTYLL TERR
BRON Y FOEL
Moel Ty-gwyn
Caravan Site
Bodeilias
Bwlch Gwynt
BWLCH GWYNT
Wern
Gwylwyr Carreglefain
Penrhyn Nefyn
Porth Dinllaen
Porth Nefyn
1 PEN RHOS
2 TERFYNFA
3 LON TYN Y MUR
4 JAMES TERR
LON Y TRAETH 1
PEN Y BRYN 2
FFORDD GWENLLIAN 3
Y MAES 4
STRYD MOREIA 5
STRYD Y PLAS 6
Y GROES 7
STRYD Y FFYNNON 8
STRYD Y FELIN 9
STRYD Y MYNACH 10
NANT Y FELIN
TAI LON
B4417
Morfa Nefyn
Nefyn
LON PENRALLT
FFORDD DEWI SANT
BRO GWYLWYR
BRYN GLAS
LON ISAF
B4417
B4412
LON UCHAF
LON BODLONDEB
Bsns Pk
Sch
Castell-mawr
Mynydd Nefyn
Cerniog Ganol
Fron Oleu
Castell Bach
Hotel
PH
A497
B4412
Bodtacho Ddu
Garn Boduan Fort
Frochas
B4354
Plasyngheidio
Cefn Edern
Glanrafon
B4354
Tan-y-graig
Moelypenmaen
Glanrhyd
Penhyddgan
Penmaen
Plas Boduan
Maesoglan
Boduan
Tyddyn Cae
Bronheulog
Glan-y-gors
Hendre
Madryn-isaf
Ceidio Bach
Meillionen
LL53
A497
Mathan Uchaf
Bryn-moelyn House
Wyddgrug
Standing Stone
Mochras
Cors Geirch
Traian
Mathan Isaf
Cefn Mine
Caravan Park
Madryn Castle
Tyn Lôn
Tyddyn Singrig
B4415
Moel Caerau
Bodgadle
Gallt y Beren
Rhyd-y-clafdy
Caerau
Bryn Bach
PH
Tan-y-bryn
TRE'R DDOL
Ty Isaf
Ysgol Gynradd Rhyd-y-clafdy
Garn Bach
Bryn-Celyn Hall
Penrhynydyn
Garnfadryn
Llanfihangel
Bryn Gwyn
Polish Home
BRON Y BERTH
B4415
8 41 7 40 6 39 5 38 4 37 3 36 2 35 1 34
28 29 30 31 32 33
80
81
66

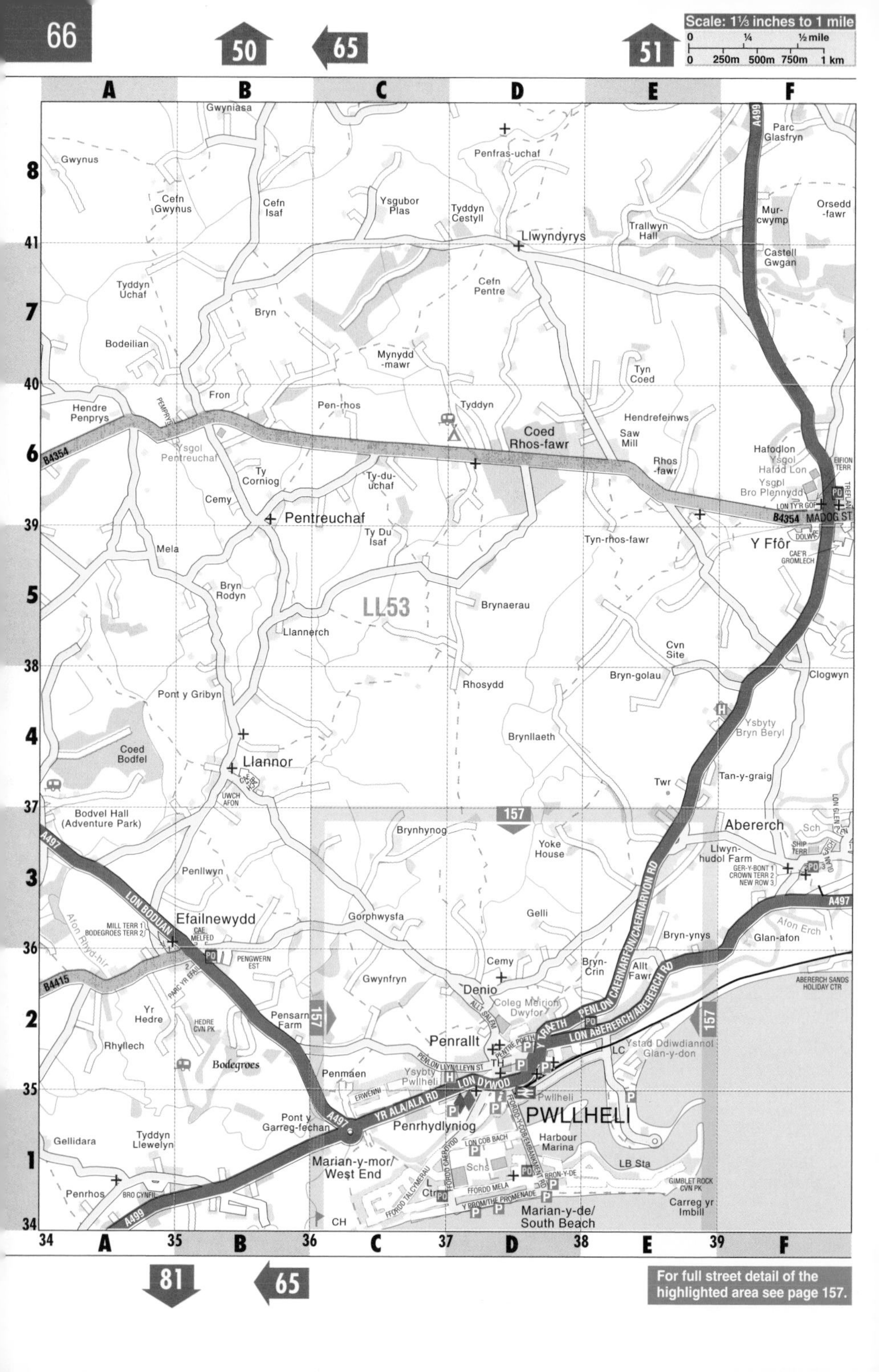

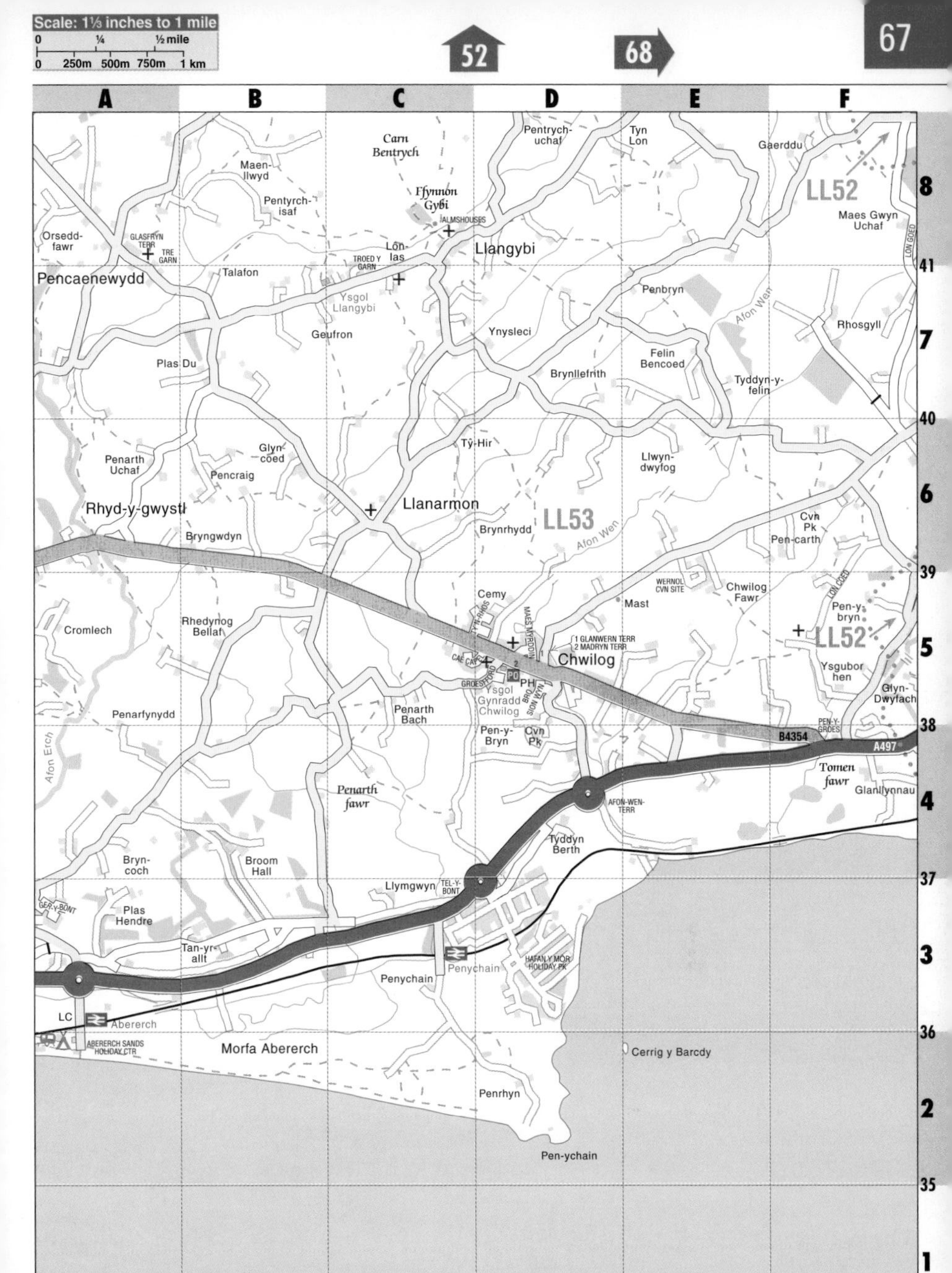

A   B   C   D   E   F

Pentrych-uchaf
Carn Bentrych
Tyn Lon
Gaerddu
LL52
Maen-llwyd
Pentyrch-isaf
Ffynnon Gybi
ALMSHOUSES
Maes Gwyn Uchaf
8
Orsedd-fawr
GLASFRYN TERR
TRE GARN
Lon las
Llangybi
Penbryn
LON GOED
41
Pencaenewydd
Talafon
TROED Y GARN
Ysgol Llangybi
Rhosgyll
Geufron
Ynysleci
Felin Bencoed
Tyddyn-y-felin
7
Plas Du
Brynllefrith
40
Penarth Uchaf
Glyn-coed
Tŷ-Hir
Llwyn-dwyfog
Cwm Pk Pen-carth
Rhyd-y-gwystl
Pencraig
Llanarmon
LL53
6
Bryngwydyn
Brynrhydd
Afon Wen
LON GOED
39
Cromlech
Rhedynog Bellaf
Cemy
Mast
WERNHOL CVN SITE
Chwilog Fawr
Pen-y-bryn
LL52
5
CAE CARN
MAES MEIRION
GROES
1 GLANWERN TERR
2 MADRYN TERR
Chwilog
PH
Ysgubor hen
Penarfynydd
Penarth Bach
Ysgol Gynradd Chwilog
Glyn-Dwyfach
PEN-Y-GROES
38
Penarth fawr
Pen-y-Bryn
Cwm Pk
B4354
A497
Tomen fawr
Glanllynnau
4
Bryn-coch
Broom Hall
Llymgwyn
TEL-Y-BONT
AFON-WEN-TERR
Tyddyn Berth
37
LLEF-Y-BONT
Plas Hendre
Tan-yr-allt
Penychain
Penychain
HAFAN Y MOR HOLIDAY PK
3
LC
Abererch
Morfa Abererch
Cerrig y Barcdy
36
ABERERCH SANDS HOLIDAY CTR
Penrhyn
2
Pen-ychain
35

1
34

40   A   41   B   42   C   43   D   44   E   45   F

68

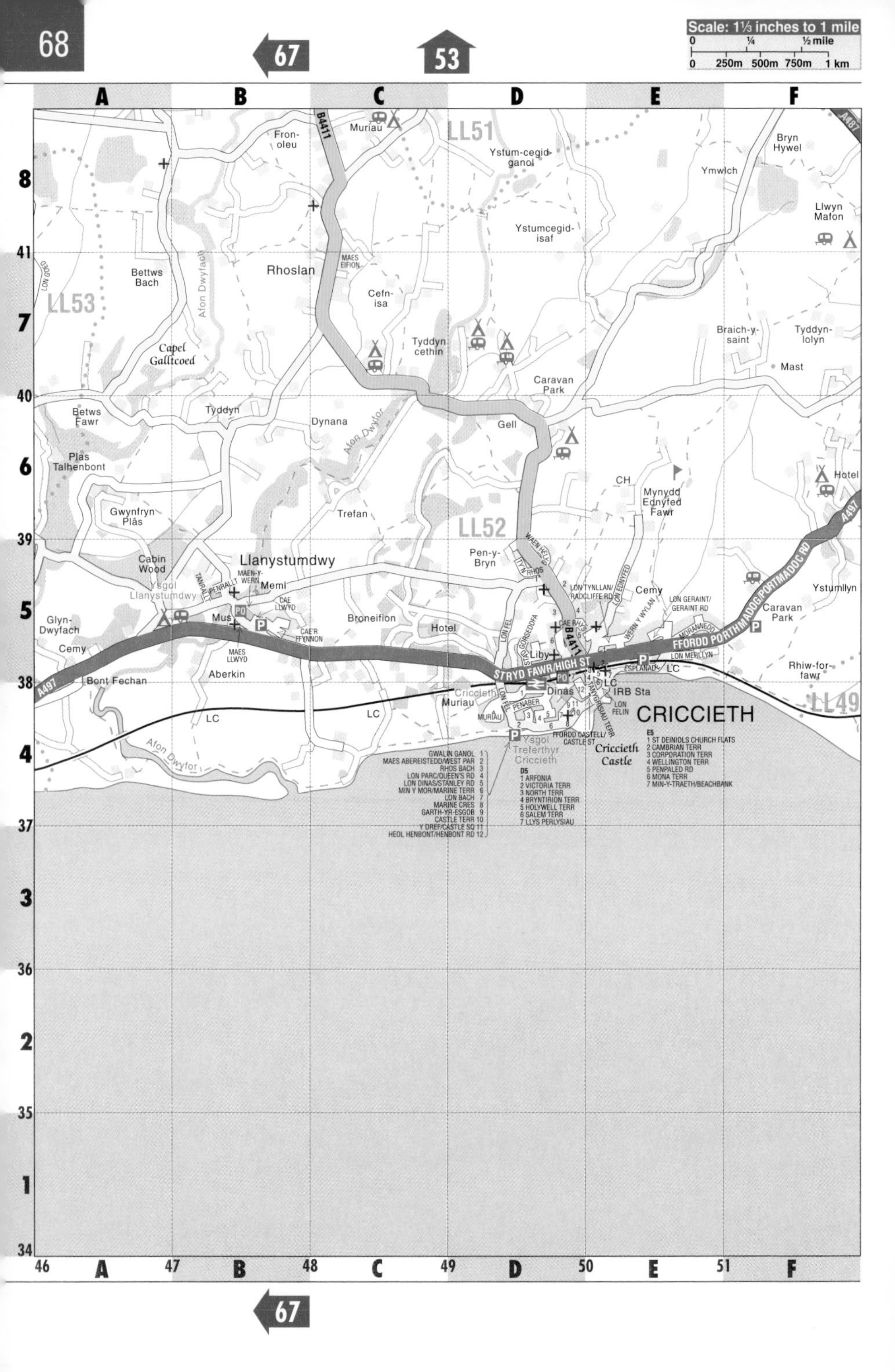

67
53

Scale: 1⅓ inches to 1 mile

0 ¼ ½ mile

0 250m 500m 750m 1 km

8

41

7

40

6

39

5

38

4

37

3

36

2

35

1

34

A   B   C   D   E   F

Fron-oleu

Muriau

LL51

Ystum-cegid-ganol

Bryn Hywel

Ymwich

Llwyn Mafon

Bettws Bach

Rhoslan

MAES EIFION

Cefn-isa

Ystumcegid-isaf

LL53

Aton Dwyfach

Capel Galltcoed

Tyddyn cethin

Caravan Park

Braich-y-saint

Tyddyn-lolyn

Mast

Betws Fawr

Tyddyn

Dynana

Aton Dwyfor

Gell

CH

Mynydd Ednyfed Fawr

Hotel

Plâs Talhenbont

Gwynfryn Plâs

Trefan

LL52

Pen-y-Bryn

Glyn-Dwyfach

Cabin Wood

Ysgol Llanystumdwy

Llanystumdwy

Memi

MAEN-Y WERN

Mus

CAE LLWYD

CAE'R FFYNNON

Broneifion

Hotel

LON TYNLLAN/ RADCLIFFE RD

LON GERAINT/ GERAINT RD

Cemy

LON MERLLYN

Ystumllyn

Caravan Park

Rhiw-for-fawr

Cemy

MAES LLWYD

Aberkin

Criccieth

Muriau

STRYD FAWR/HIGH ST

Dinas

Liby

ESPLANADE

LC

IRB Sta

LON FELIN

LL49

Bont Fechan

LC

LC

LC

MURIAU

PENABER

CRICCIETH

Aton Dwyfor

Gwalin Ganol 1
MAES ABEREISTEDD/WEST PAR 2
RHOS BACH 3
LON PARC/QUEEN'S RD 4
LON DINAS/STANLEY RD 5
MIN Y MOR/MARINE TERR 6
LON BACH 7
MARINE CRES 8
GARTH-YR-ESGOB 9
CASTLE TERR 10
Y DREF/CASTLE SQ 11
HEOL HENBONT/HENBONT RD 12

Ysgol Treferthyr Criccieth

FFORDD CASTELL/ CASTLE ST

Criccieth Castle

E5
1 ST DEINIOLS CHURCH FLATS
2 CAMBRIAN TERR
3 CORPORATION TERR
4 WELLINGTON TERR
5 PENFRALED RD
6 MONA TERR
7 MIN-Y-TRAETH/BEACHBANK

D5
1 ARFONIA
2 VICTORIA TERR
3 NORTH TERR
4 BRYNTIRION TERR
5 HOLYWELL TERR
6 SALEM TERR
7 LLYS PERLYSIAU

FFORDD PORTHMADOG/PORTHMADOG RD

46   47   48   49   50   51

54

70

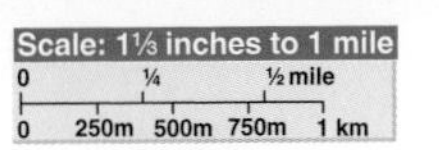

Scale: 1⅓ inches to 1 mile

| 0 | ¼ | ½ mile |
| 0 | 250m | 500m | 750m | 1 km |

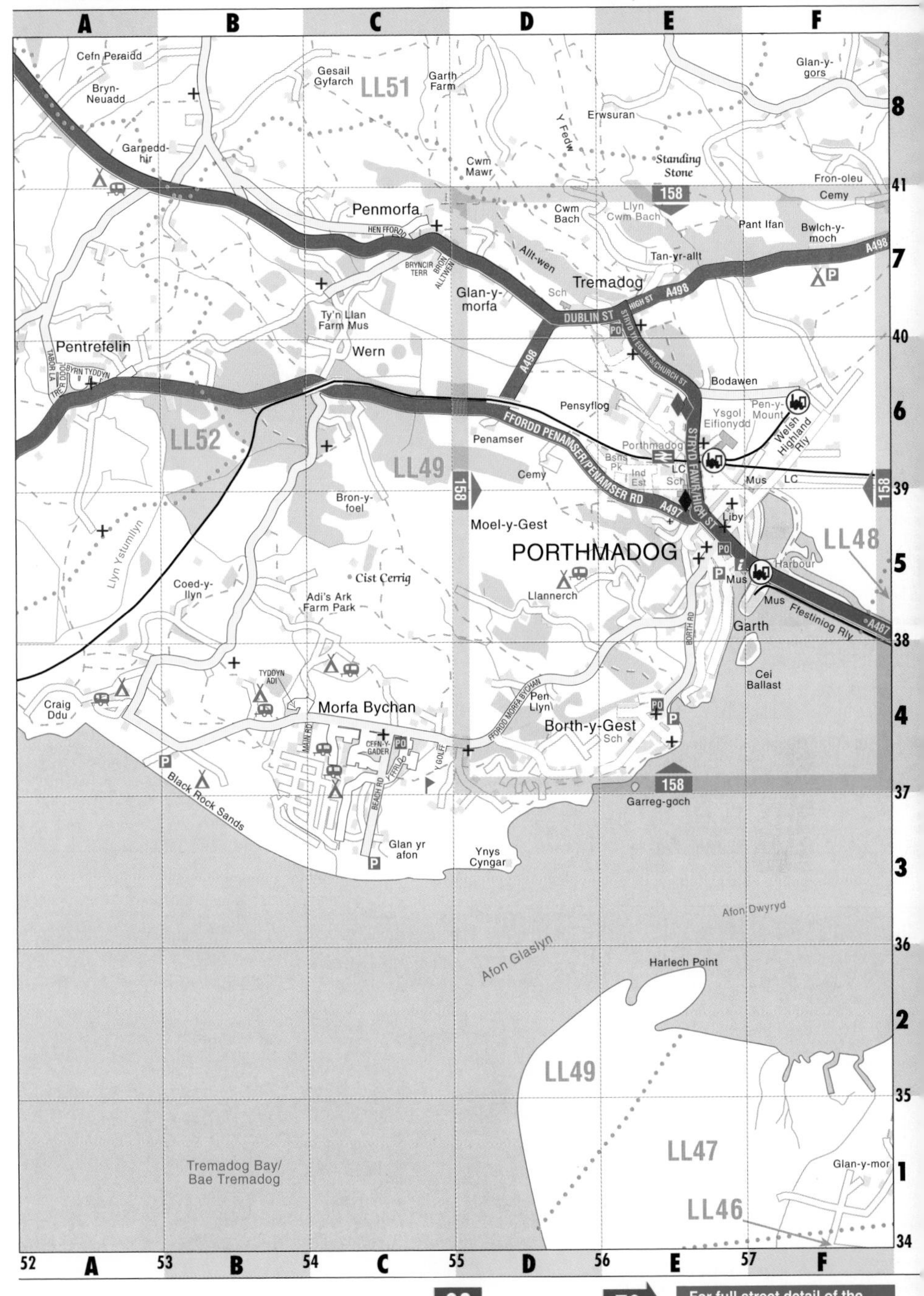

Cefn Peraidd

Bryn-Neuadd

Garpeddl-hir

Pentrefelin

LL52

Llyn Ystumllyn

Craig Ddu

Black Rock Sands

Gesail Gyfarch

LL51

Garth Farm

Penmorfa

HEN FFORDD

BRYNCIR TERR

ALLTWEN

Ty'n Llan Farm Mus

Wern

Glan-y-morfa

LL49

Bron-y-foel

Coed-y-llyn

Cist Cerrig

Adi's Ark Farm Park

TYDDYN ADI

Morfa Bychan

MAIN RD

BEACH RD

CEFN-Y-GADER

Glan yr afon

Ynys Cyngar

Tremadog Bay / Bae Tremadog

Y Fedw

Cwm Mawr

Allt-wen

Cwm Bach

Tremadog

DUBLIN ST

Glan-morfa

Pensyflog

Penamser

Cemy

Moel-y-Gest

Llannerch

Pen Llyn

PORTHMADOG

Borth-y-Gest

Garreg-goch

Erwsuran

Standing Stone

Llyn Cwm Bach

158

Tan-yr-allt

Sch

HIGH ST

A498

CHURCH ST

FFORDD PENAMSER / PENAMSER RD

158

Ysgol Eifionydd

Porthmadog

Bsns Pk

Ind Est

LC Sch

Liby

STRYD FAWR / HIGH ST

A487

Mus

Garth

Cei Ballast

Afon Glaslyn

Afon Dwyryd

Harlech Point

LL49

LL47

LL46

Glan-y-gors

Fron-oleu

Cemy

Pant Ifan

Bwlch-y-moch

A498

Bodawen

Pen-y-Mount

Welsh Highland Rly

LC

158

LL48

Harbour

Festiniog Rly

Mus

A487

Glan-y-mor

For full street detail of the highlighted area see page 158

83

70

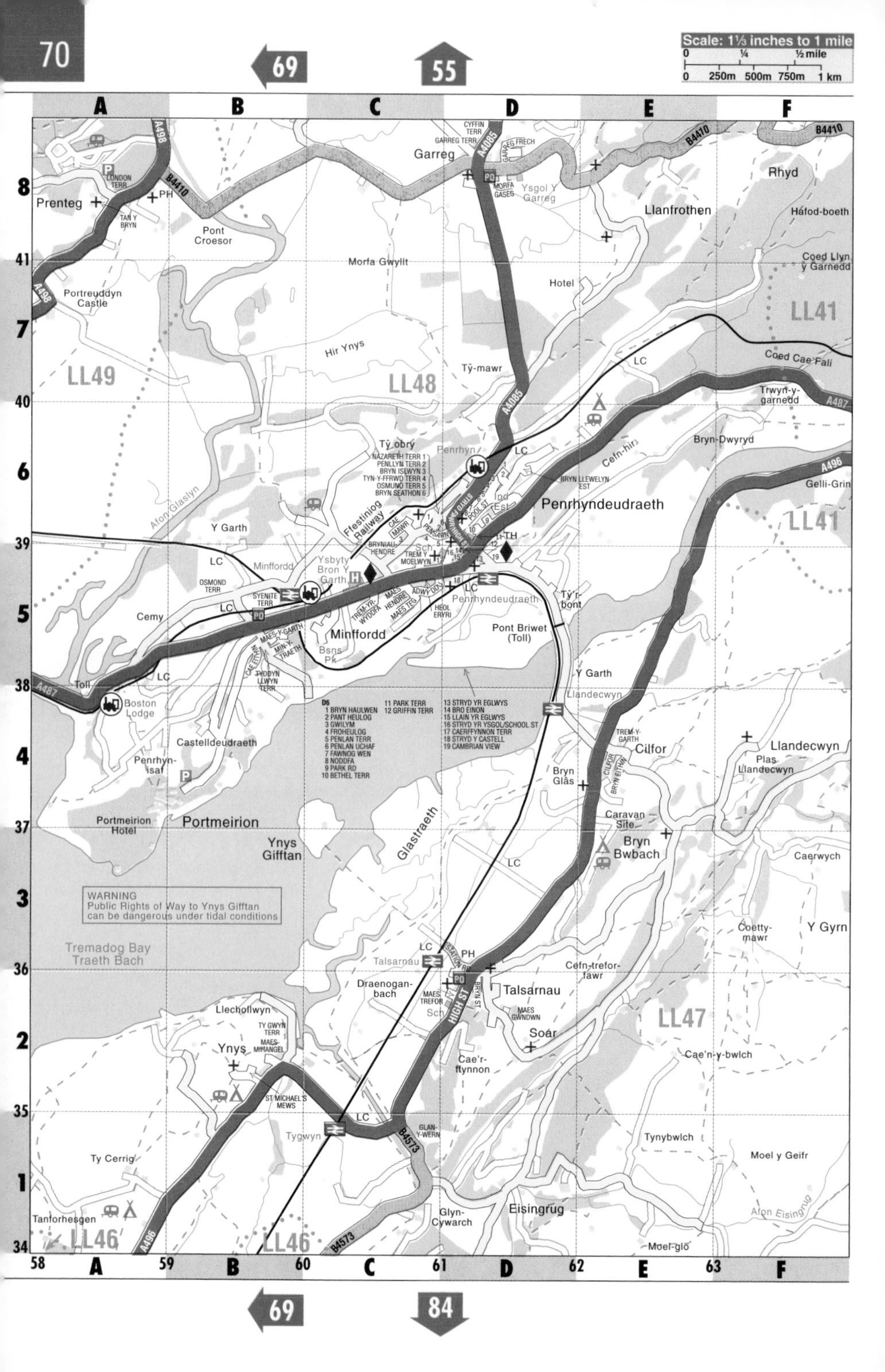

70
69
55
Scale: 1⅓ inches to 1 mile
0 ¼ ½ mile
0 250m 500m 750m 1 km
A B C D E F
8 41 7 40 6 39 5 38 4 37 3 36 2 35 1 34
58 59 60 61 62 63
Prenteg
LONDON TERR
TAN Y BRYN
PH
A498
B4410
Pont Croesor
Portreuddyn Castle
Garreg
CYFFIN TERR
GARREG TERR
GARREG FRECH
A4085
MORFA GASEG
Ysgol Y Garreg
Llanfrothen
Rhyd
Hafod-boeth
Coed Llyn y Garnedd
Morfa Gwyllt
Hotel
LL41
LL49
Hir Ynys
LL48
Tŷ-mawr
LC
Coed Cae Fali
Trwyn-y-garnedd
A487
Bryn-Dwyryd
Tŷ obry
NAZARETH TERR 1
PENLLYN TERR 2
BRYN ISLWYN 3
TYN-Y-FFRWD TERR 4
OSMUND TERR 5
BRYN SEATHON 6
Penrhyn
Cefn-hir
BRYN LLEWELYN EST
A496
Gelli-Grin
Afon Glaslyn
Ffestiniog Railway
Ind Est
Penrhyndeudraeth
Y Garth
TH
Sch
Minffordd
Ysbyty Bron Y Garth
OSMOND TERR
SYENITE TERR
Cemy
TREM-YR-WYDDFA
MAES HENDRE
MAES TEG
ADWY DDU
HEOL ERYRI
MAES-Y-GARTH
MIN-Y-TRAETH
CAE EITHIN
TYDDYN LLWYN TERR
Bsns Pk
Tŷ'r-bont
Pont Briwet (Toll)
Toll
Boston Lodge
Y Garth
Llandecwyn
D6
1 BRYN HAULWEN
2 PANT HEULOG
3 GWILYM
4 FROHEULOG
5 PENLAN TERR
6 PENLAN UCHAF
7 FAWNOG WEN
8 NODDFA
9 PARK RD
10 BETHEL TERR
11 PARK TERR
12 GRIFFIN TERR
13 STRYD YR EGLWYS
14 BRO EINON
15 LLAIN YR EGLWYS
16 STRYD YR YSGOL/SCHOOL ST
17 CAERFFYNNON TERR
18 STRYD Y CASTELL
19 CAMBRIAN VIEW
Castelldeudraeth
Penrhyn-isaf
TREM-Y-GARTH
Cilfor
CILFOR
BRYN EITHIN
Llandecwyn
Plas Llandecwyn
Bryn Glâs
Portmeirion Hotel
Portmeirion
Ynys Gifftan
Glastraeth
Caravan Site
Bryn Bwbach
Caerwych
WARNING
Public Rights of Way to Ynys Gifftan can be dangerous under tidal conditions
Coetty-mawr
Y Gyrn
Tremadog Bay
Traeth Bach
Talsarnau
STATION RD
PH
Cefn-trefor-fawr
Draenogan-bach
MAES TREFOR
HIGH ST
BRYN ST
MAES GWNDWN
LL47
Llechollwyn
TY GWYN TERR
MAES-MIHANGEL
Ynys
Soar
Cae'r-ffynnon
Cae'n-y-bwlch
ST MICHAEL'S MEWS
Tygwyn
GLAN-Y-WERN
B4573
Tynybwlch
Ty Cerrig
Moel y Geifr
Tanforhesgen
LL46
Glyn-Cywarch
Eisingrug
Afon Eisingrug
Moel-glo
84

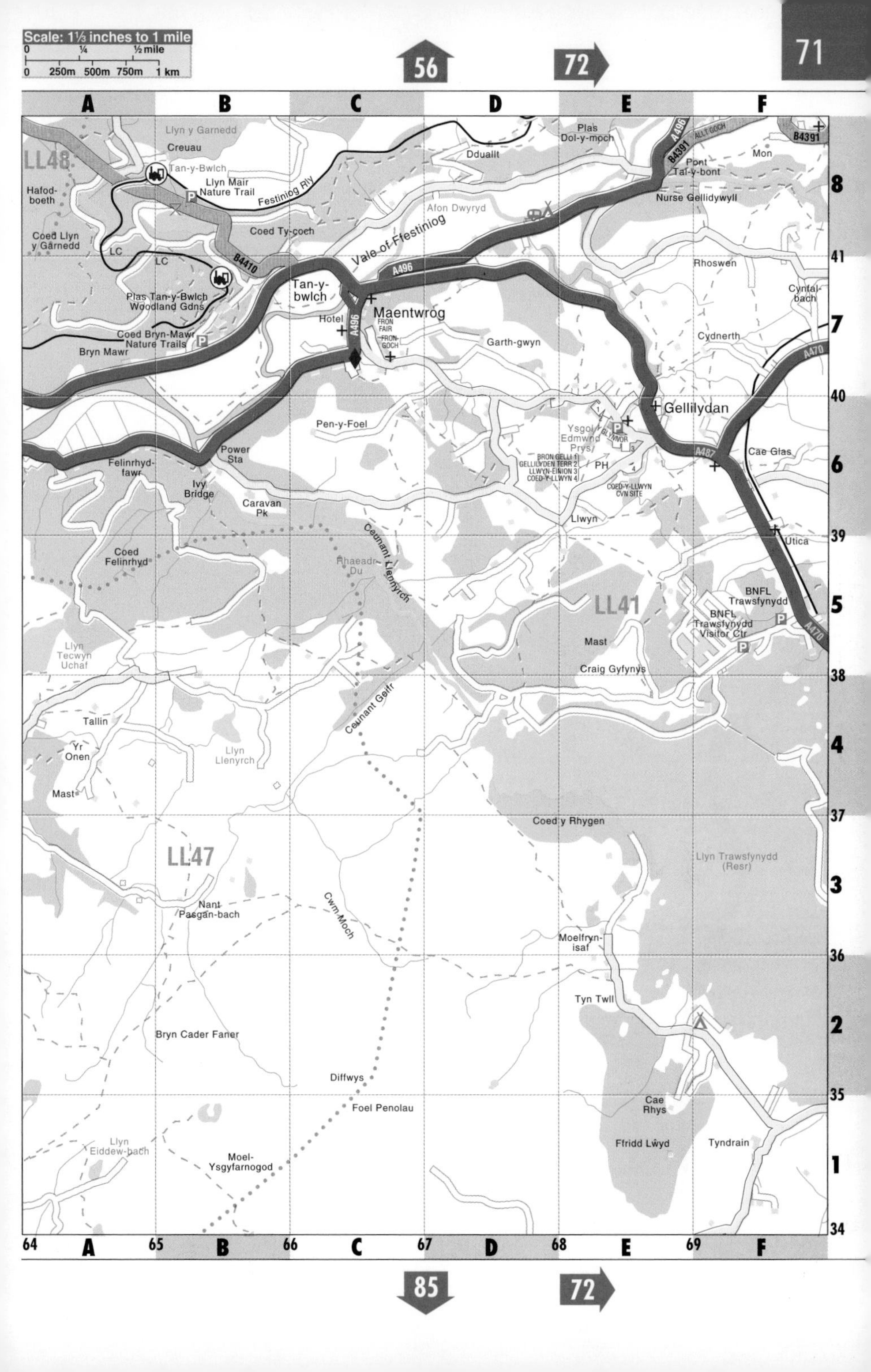
Scale: 1⅓ inches to 1 mile
0 ¼ ½ mile
0 250m 500m 750m 1 km
56
72
A B C D E F
Llyn y Garnedd
Creuau
LL48
Tan-y-Bwlch
Llyn Mair Nature Trail
Festiniog Rly
Hafod-boeth
Coed Llyn y Garnedd
Coed Ty-coch
LC
B4410
Plas Tan-y-Bwlch Woodland Gdns
Coed Bryn-Mawr Nature Trails
Bryn Mawr
Tan-y-bwlch
Hotel
Maentwrog
A496
FRON FAIR
FRON GOCH
Vale of Ffestiniog
Afon Dwyryd
Dduallt
Plas Dol-y-moch
B4391
ALLT GOCH
Pont Tal-y-bont
Mon
Nurse Gellidywyll
Rhoswen
Cynfal-bach
Cydnerth
Garth-gwyn
A470
Gellilydan
Ysgol Edmwnd Prys
GLYNMOR
BRON GELLI 1
GELLILYDEN TERR 2
LLWYN-EINION 3
COED-Y-LLWYN 4
PH
COED-Y-LLWYN CVN SITE
A487
Cae Glas
Pen-y-Foel
Power Sta
Felinrhyd-fawr
Ivy Bridge
Caravan Pk
Llwyn
Utica
Coed Felinrhyd
Rhaeadr Du
Ceunant Llenyrch
LL41
BNFL Trawsfynydd
BNFL Trawsfynydd Visitor Ctr
Mast
Craig Gyfynys
Llyn Tecwyn Uchaf
Ceunant Geifr
Tallin
Yr Onen
Mast
Llyn Llenyrch
Coed y Rhygen
LL47
Llyn Trawsfynydd (Resr)
Nant Pasgan-bach
Cwm Moch
Moelfryn-isaf
Tyn Twll
Bryn Cader Faner
Diffwys
Foel Penolau
Cae Rhys
Llyn Eiddew-bach
Moel-Ysgyfarnogod
Ffridd Lŵyd
Tyndrain
8 41 7 40 6 39 5 38 4 37 3 36 2 35 1 34
64 65 66 67 68 69
85
72

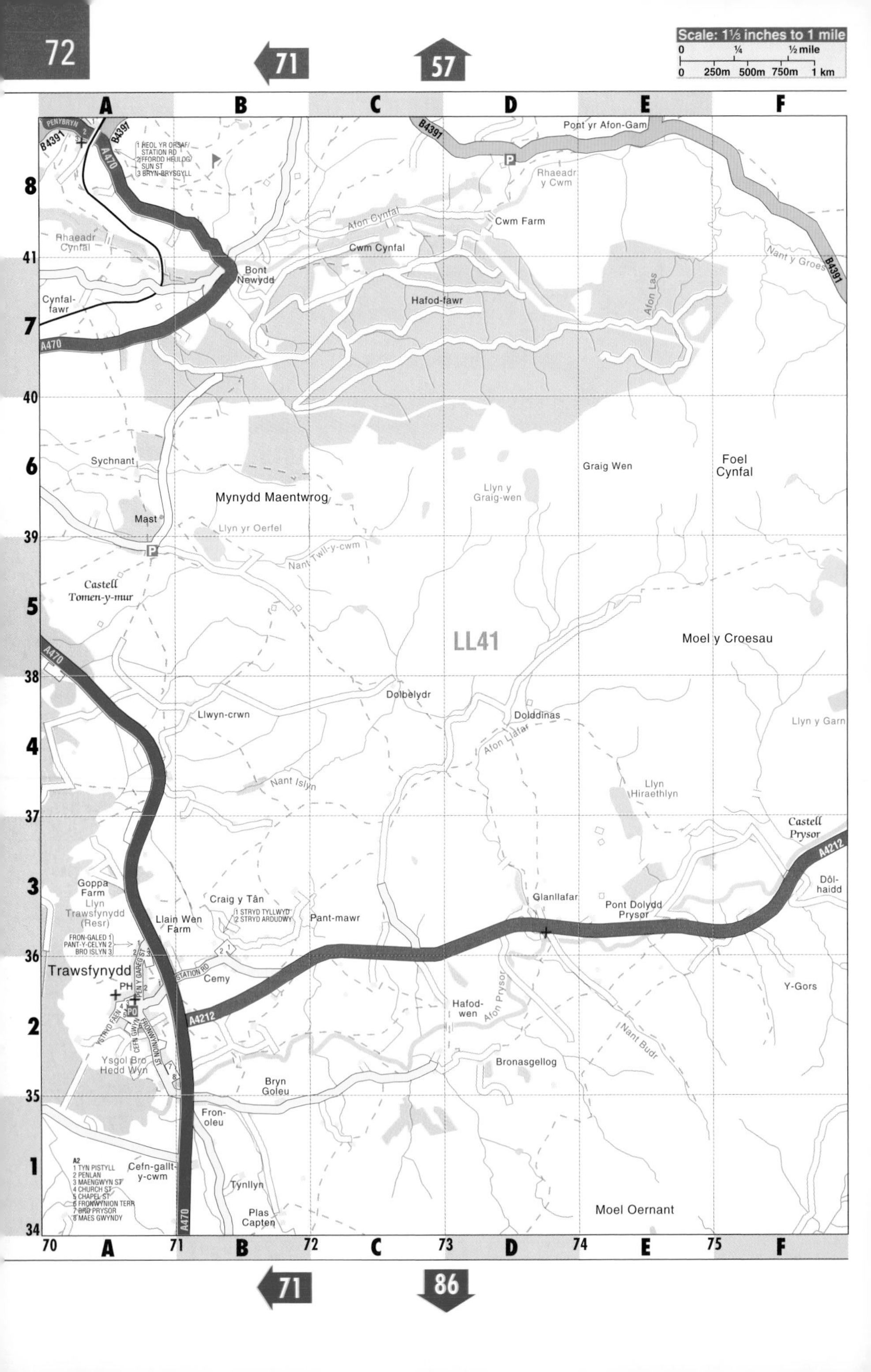
71
57
Scale: 1⅓ inches to 1 mile
0 ¼ ½ mile
0 250m 500m 750m 1 km
A B C D E F
8 41 7 40 6 39 5 38 4 37 3 36 2 35 1 34
PENYBRYN
B4391
B4397
A470
1 HEOL YR ORSAF/ STATION RD
2 FFORDD HEULOG/ SUN ST
3 BRYN-BRYSGYLL
Pont yr Afon-Gam
Rhaeadr y Cwm
Cwm Farm
Afon Cynfal
Cwm Cynfal
Rhaeadr Cynfal
Bont Newydd
Hafod-fawr
Afon Las
Nant y Groes
Cynfal-fawr
Sychnant
Mynydd Maentwrog
Llyn y Graig-wen
Graig Wen
Foel Cynfal
Mast
Llyn yr Oerfel
Nant Twll-y-cwm
Castell Tomen-y-mur
LL41
Moel y Croesau
Dolbelydr
Dolddinas
Llwyn-crwn
Afon Llafar
Llyn y Garn
Nant Islyn
Llyn Hiraethlyn
Castell Prysor
A4212
Dôl-haidd
Goppa Farm
Llyn Trawsfynydd (Resr)
Craig y Tân
1 STRYD TYLLWYD
2 STRYD ARDUDWY
Pant-mawr
Glanllafar
Pont Dolydd Prysor
Llain Wen Farm
FRON-GALED 1
PANT-Y-CELYN 2
BRO ISLYN 3
Trawsfynydd
STATION RD
Cemy
PH
PO
PEN Y GAREG ST
YSTRYD FAEN
CEFN GWYN
FRONWYNION ST
Hafod-wen
Afon Prysor
Y-Gors
Nant Budr
Ysgol Bro Hedd Wyn
Bronasgellog
Bryn Goleu
Fron-oleu
A2
1 TYN PISTYLL
2 PENLAN
3 MAENGWYN ST
4 CHURCH ST
5 CHAPEL ST
6 FRONWYNION TERR
7 BRO PRYSOR
8 MAES GWYNDY
Cefn-gallt-y-cwm
Tynllyn
Plas Capten
Moel Oernant
70 71 72 73 74 75
71
86

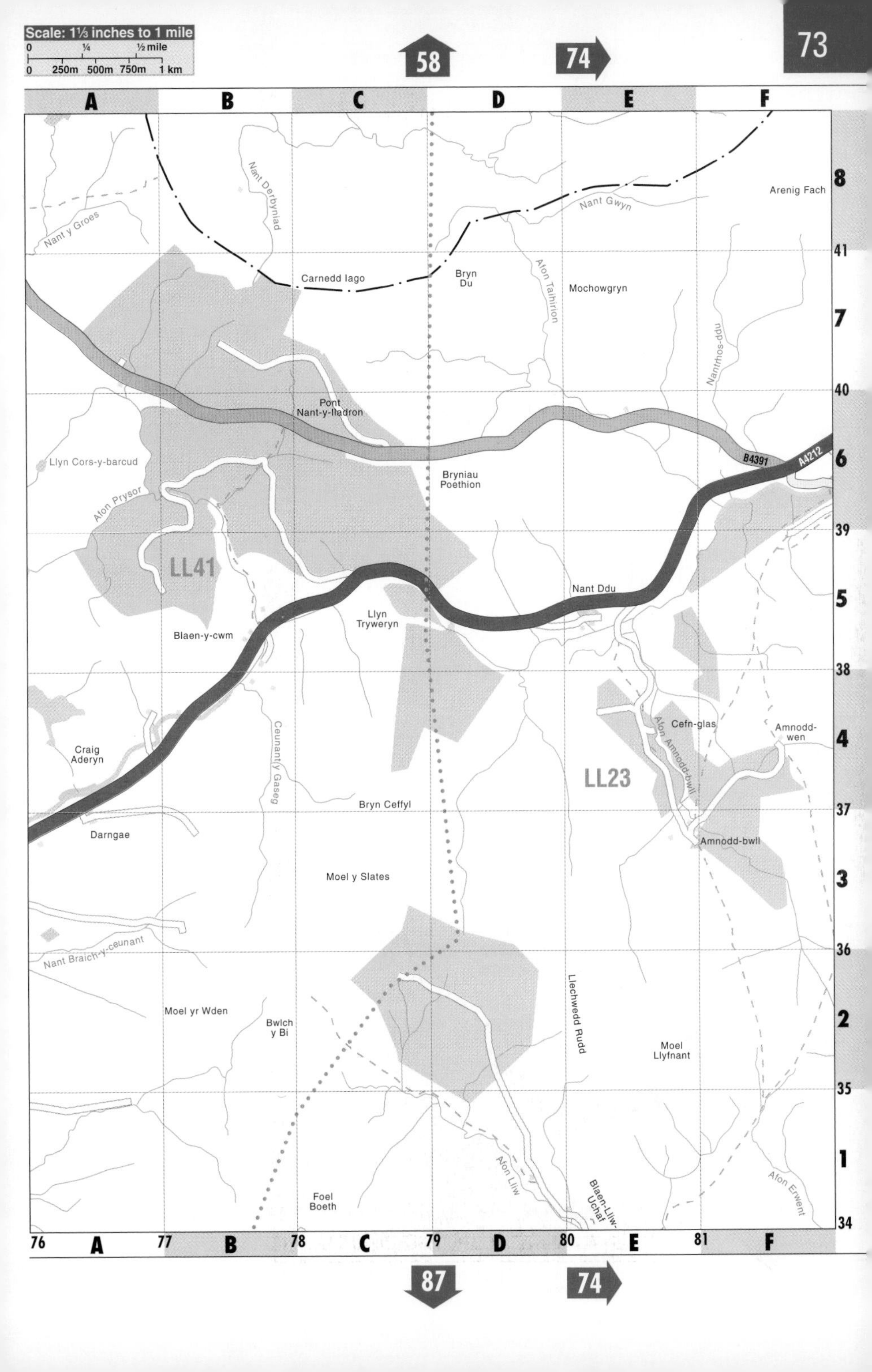
Scale: 1⅓ inches to 1 mile
0 ¼ ½ mile
0 250m 500m 750m 1 km
58
74
A B C D E F
8
7
6
5
4
3
2
1
41
40
39
38
37
36
35
34
Arenig Fach
Nant Derbyniad
Nant Gwyn
Nant y Groes
Carnedd Iago
Bryn Du
Afon Taihirion
Mochowgryn
Nantrhos-ddu
Pont Nant-y-lladron
Llyn Cors-y-barcud
B4391
A4212
Bryniau Poethion
Afon Prysor
LL41
Nant Ddu
Llyn Trywervn
Blaen-y-cwm
Ceunant y Gaseg
Cefn-glas
Afon Amnodd-bwll
Amnodd-wen
Craig Aderyn
LL23
Bryn Ceffyl
Darngae
Amnodd-bwll
Moel y Slates
Nant Braich-y-ceunant
Llechwedd Rudd
Moel yr Wden
Bwlch y Bi
Moel Llyfnant
Afon Liiw
Afon Erwent
Foel Boeth
Blaen-Lliw-Uchaf
76 77 78 79 80 81
87
74

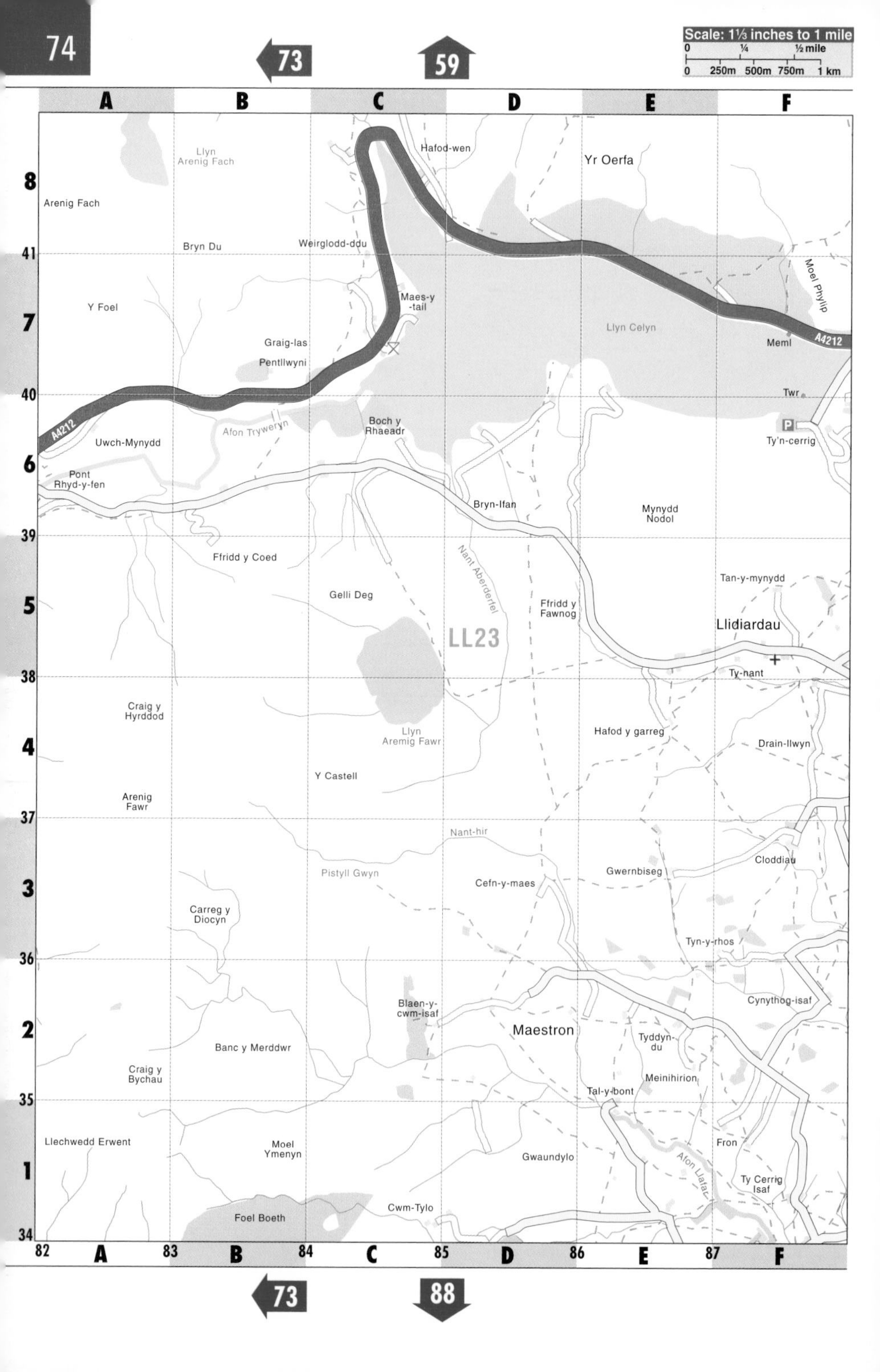

Scale: 1⅓ inches to 1 mile

0   ¼   ½ mile

0   250m   500m   750m   1 km

73

59

A   **B**   **C**   **D**   **E**   **F**

Arenig Fach

Llyn Arenig Fach

Hafod-wen

Yr Oerfa

8

Bryn Du

Weirglodd-ddu

41

Moel Phylip

Y Foel

Maes-y-tail

7

Graig-las

Llyn Celyn

Pentllwyni

Meml

A4212

40

A4212

Twr

Uwch-Mynydd

Boch y Rhaeadr

P

Pont Rhyd-y-fen

Afon Tryweryn

Ty'n-cerrig

6

Bryn-Ifan

Mynydd Nodol

39

Ffridd y Coed

Nant Aberderfel

Tan-y-mynydd

Gelli Deg

5

Ffridd y Fawnog

Llidiardau

LL23

Ty-nant

38

Craig y Hyrddod

Hafod y garreg

Drain-Ilwyn

4

Llyn Aremig Fawr

Arenig Fawr

Y Castell

37

Nant-hir

Pistyll Gwyn

Gwernbiseg

Cloddiau

3

Carreg y Diocyn

Cefn-y-maes

Tyn-y-rhos

36

Cynythog-isaf

Blaen-y-cwm-isaf

2

Banc y Merddwr

Maestron

Tyddyn-du

Meinihirion

Craig y Bychau

Fron

35

Tal-y-bont

Llechwedd Erwent

Moel Ymenyn

Gwaundylo

Afon Llafar

Ty Cerrig Isaf

1

Foel Boeth

Cwm-Tylo

34

82   **A**   83   **B**   84   **C**   85   **D**   86   **E**   87   **F**

73

88

For full street detail of the
highlighted area see page
159.

Cwm Hesgyn
Craig y Garn
Nant Hir
Nant Gau
Maesgadfa
Gorseddau
Llwyn-y-brain
Maespyllan
Foel Tyn-y-ddôl
Pen y Bwlch Gwyn
Glan-yr-afon
Citalgarth
Tyn-y-bont
Afon Hesgyn
Afon Mynach
Llaithgwm
Eglwys-Anne Warren
Ffridd
Moel Emoel
Otter
Trail
Canolfan
Trywderyn
Fedw'r-gog
Tai'r-felin
Wern Fawr
Wern Fawr
Covert
Coed-y-foel-
uchaf
Llyn
Maen Bras
Cae'r-leon
Pen-y-gelli
Ty-llwyd
Y Foel
Maen Bras
Penmaen
Frongoch
Ysgol
Bro Tryweryn
Rhyd-y-
defaid
Afon Tryweryn
Coed-y-foel
Isaf
Ty'n-y-celyn
LL23
Is-mynydd
Ty'n-y-
pant
Nant Aberglasdyn
Ty'n-y-
ffridd
Tyndol
Ty-nant
Llwyn-y-ci
Ty'n-llwyn
Pen-rhyd-
galed
Nant Hafhesp
Tai-draw-
uchaf
Y Gloig
The
Bungalow
Tal-y-bont
CAE GWYM
Rhyd-uchaf
Ty'n-y-
sarn
Waen y Bala
Ty-nant
Gelli-Isaf
Fedw-arian-
isaf
Rhiwlas
Lovers' Wlk
Llanfor
A494
Llanerch Lâs
Pentre-
duldog
Nant Aberdulloog
Fedw-arian-
uchaf
Coleg
159
Streflyn
Ty-hên
Fedw-lwyd
Fron-dderw
Ysgol
Gwern-feistrol
Ffridd-y-foel
CH
159
Penlan
BRO ER
HIGH ST
HEOL PEN-Y-FRON
FFORDD PENLLYN
HEOL CARO
STRYD FAWR
HIGH ST
Tomen y
Bala
Ystad
Ddiwidiannol Bala/
Bala Ind Est
159
Gwastadros
Cvan Pk
Plas Moel-y-
garnedd
Fronfeuno
Eryl-Aran
HEOL PENSARN
Y Plase
Ctr
Ctr
BALA/Y BALA
Pont
Mwnwgl-y-llyn
River Dee/Afon Ddfrdwy
B4391
Llancil
Llancyil
Llyn Tegid/
Bala Lake
Bala
PEN Y BONT
TOURING &
CAMPING PK
Cyffdy
Y Fedw
Rheilffordd Llyn Tegid/Bala Lake Rly
B4403
Bala Lake
Motel
Pont
Llwyn-hîr
Cefn-bodig
Graienyn
159
Wenallt
A494

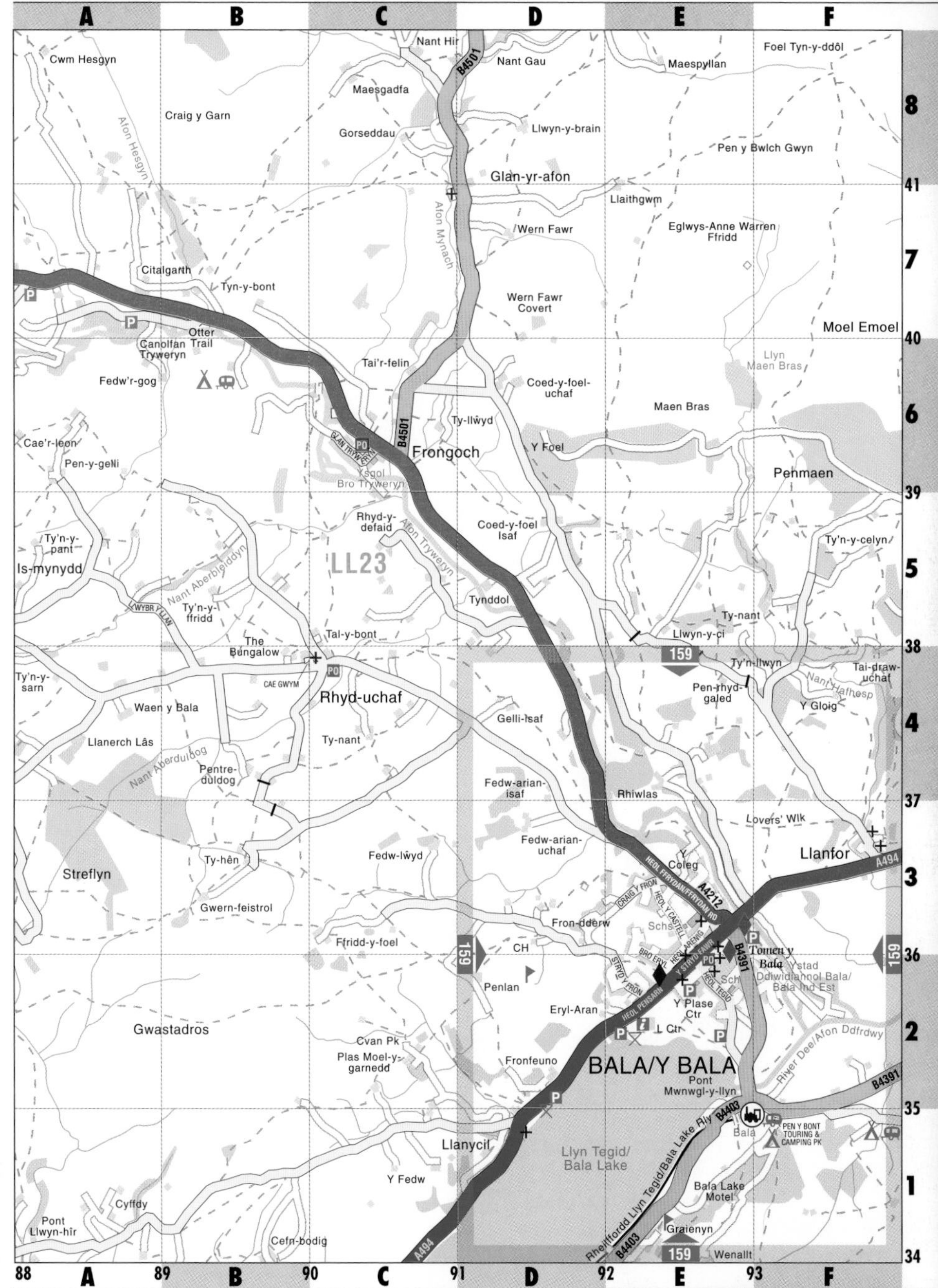

75 61

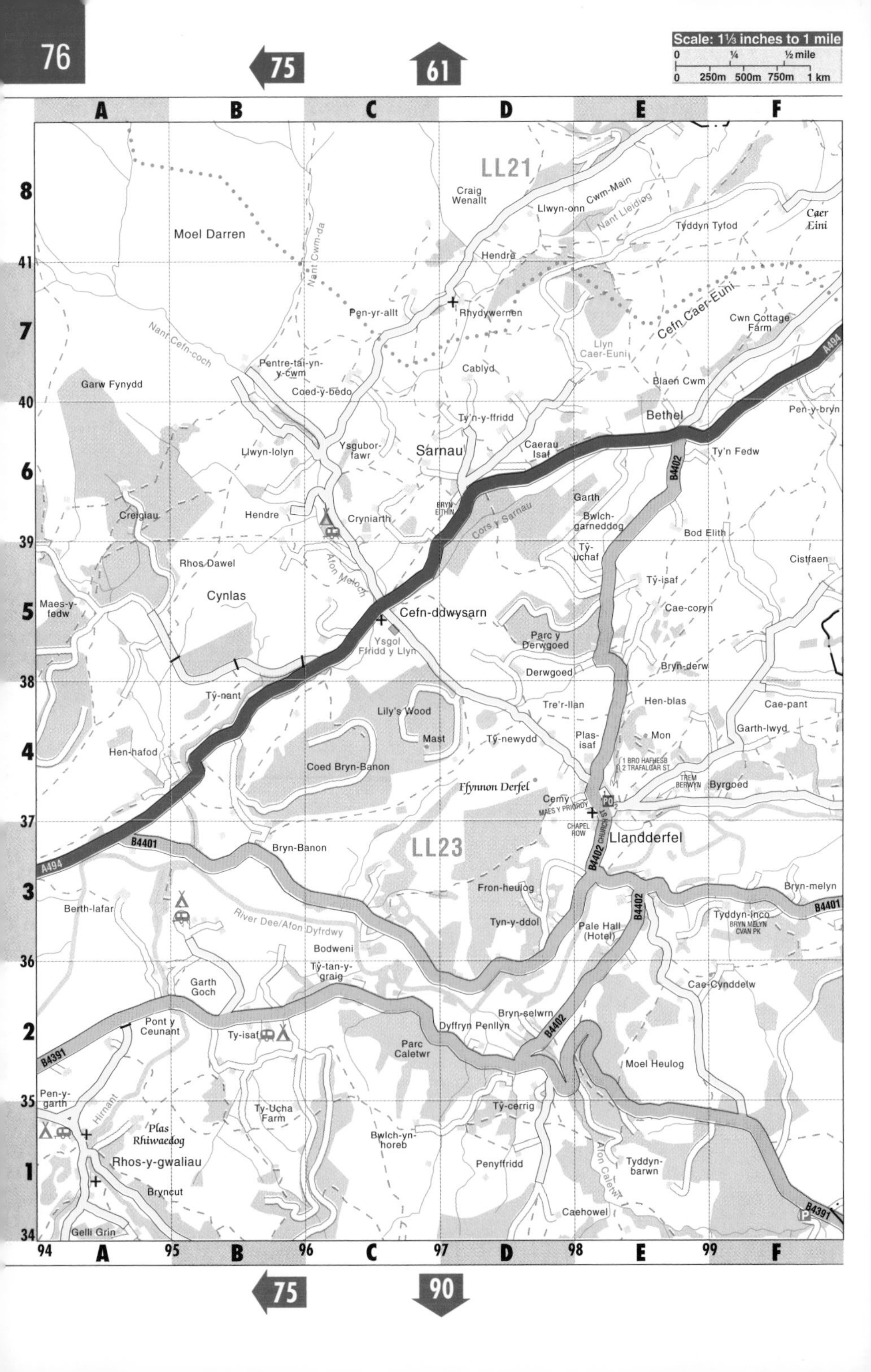
Scale: 1⅓ inches to 1 mile
0 ¼ ½ mile
0 250m 500m 750m 1 km
A B C D E F
LL21
Craig Wenallt
Llwyn-onn
Cwm-Main
Nant Lleidiog
Tyddyn Tyfod
Caer Euni
Moel Darren
Nant Cwm-da
Hendre
Pen-yr-allt
Rhydywernen
Cefn Caer-Euni
Cwn Cottage Farm
Nant Cefn-coch
Llyn Caer-Euni
Pentre-tai-yn-y-cwm
Cablyd
Blaen Cwm
Garw Fynydd
Coed-y-bedo
A494
Bethel
Pen-y-bryn
Ty'n-y-ffridd
Llwyn-lolyn
Ysgubor-fawr
Sarnau
Caerau Isaf
Ty'n Fedw
B4402
Garth
Bryn Eithin
Creigiau
Hendre
Cryniarth
Cors y Sarnau
Bwlch-garneddog
Bod Elith
Tŷ-uchaf
Rhos Dawel
Afon Meloch
Cistfaen
Tŷ-isaf
Cynlas
Maes-y-fedw
Cefn-ddwysarn
Cae-coryn
Ysgol Ffridd y Llyn
Parc y Derwgoed
Bryn-derw
Derwgoed
Tŷ-nant
Tre'r-llan
Hen-blas
Cae-pant
Lily's Wood
Mon
Garth-lwyd
Mast
Tŷ-newydd
Plas-isaf
Hen-hafod
Coed Bryn-Banon
1 Bro Hafhesb
2 Trafalgar St
Trem Berwyn
Byrgoed
Ffynnon Derfel
Cerny
Maes y Priordy
PO
Chapel Row
Church St
B4401
Llandderfel
Bryn-Banon
LL23
A494
B4402
Fron-heulog
Bryn-melyn
Berth-lafar
Tyn-y-ddol
Pale Hall (Hotel)
Tyddyn-inco
Bryn Melyn Cvan Pk
River Dee/Afon Dyfrdwy
Bodweni
Tŷ-tan-y-graig
Garth Goch
Cae-Cynddelw
Bryn-selwrn
Pont y Ceunant
Ty-isaf
Dyffryn Penllyn
Parc Caletwr
B4391
Moel Heulog
Pen-y-garth
Ty-Ucha Farm
Tŷ-cerrig
Hirnant
Plas Rhiwaedog
Bwlch-yn-horeb
Rhos-y-gwaliau
Penyffridd
Tyddyn-barwn
Afon Caletwr
Bryncut
Caehowel
Gelli Grin
P

75 90

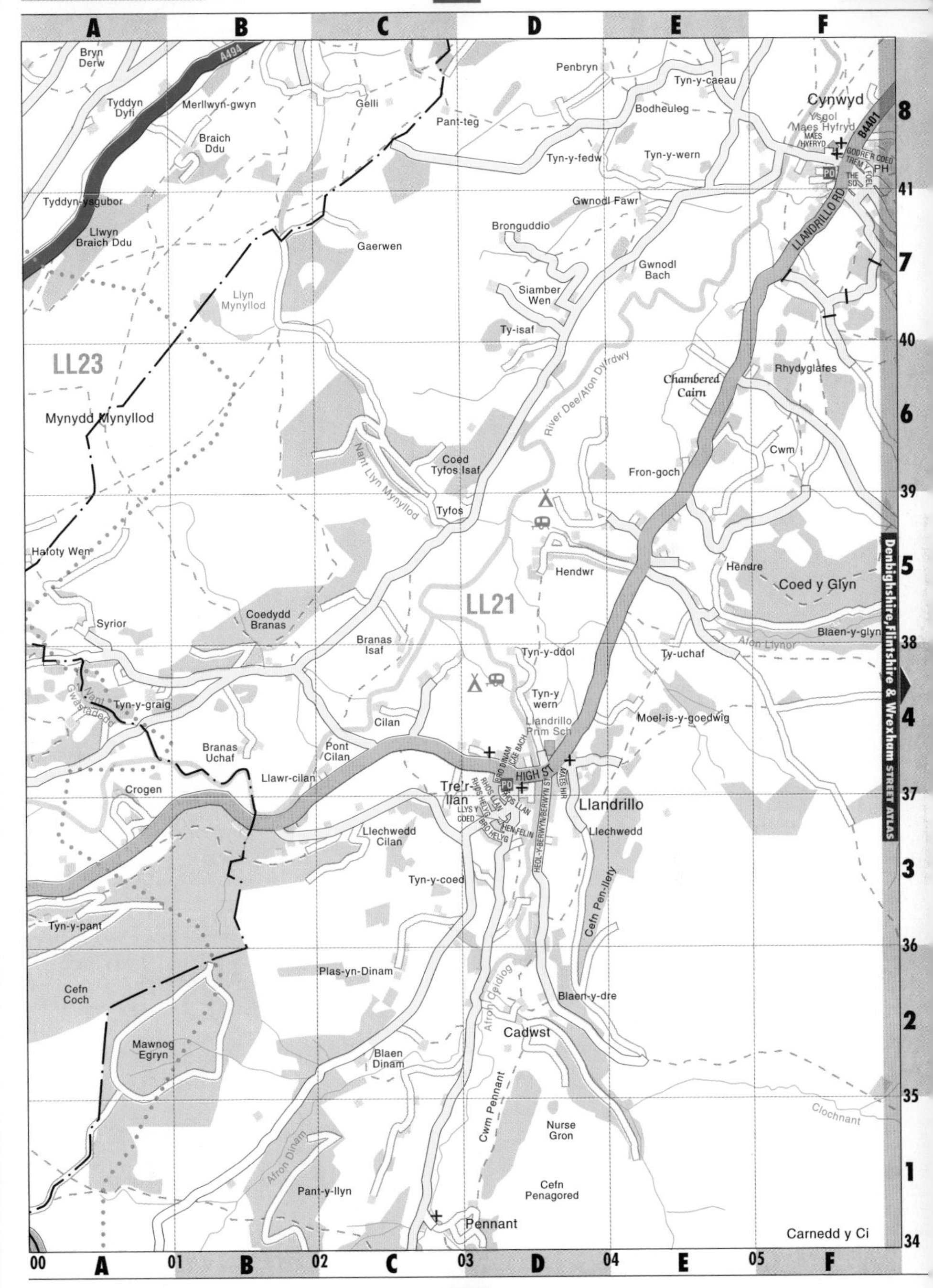

Scale: 1⅓ inches to 1 mile

0   ¼   ½ mile
0 250m 500m 750m 1 km

62

Bryn Derw
Tyddyn Dyfi
A494
Merllwyn-gwyn
Braich Ddu
Gelli
Pant-teg
Penbryn
Tyn-y-caeau
Bodheuleg
Cynwyd
Ysgol Maes Hyfryd
MAES HYFRYD
Tyn-y-fedw
Tyn-y-wern
Gwnodl Fawr
Tyddyn-ysgubor
Llwyn Braich Ddu
Gaerwen
Bronguddio
Siamber Wen
Gwnodl Bach
LLANDRILLO RD
B4401
THE SQ
PO
PH

LL23

Mynydd Mynyllod
Llyn Mynyllod
Ty-isaf
Chambered Cairn
Rhydyglafes
Nant Llyn Mynyllod
Coed Tyfos Isaf
Fron-goch
Cwm
Hafoty Wen
Tyfos
Hendwr
LL21
Hendre
Coed y Glyn
Syrior
Coedydd Branas
Branas Isaf
Tyn-y-ddol
Ty-uchaf
Blaen-y-glyn
Afon Llynor
Tyn-y-graig
Cilan
Tyn-y-wern
Moel-is-y-goedwig
Branas Uchaf
Pont Cilan
Llawr-cilan
Llandrillo Prim Sch
Crogen
Llechwedd Cilan
HIGH ST
Tre'r-llan
Llandrillo
Llechwedd
HEOL Y BACH
LLYS COED
HEN-FELIN
HEOL Y DERWEN
Tyn-y-coed
Cefn Pen-llety
Tyn-y-pant
Plas-yn-Dinam
Afon Ceirig
Blaen-y-dre
Cefn Coch
Cadwst
Mawnog Egryn
Blaen Dinam
Nurse Gron
Afon Dinan
Cwm Pennant
Cefn Penagored
Pant-y-llyn
Pennant
Carnedd y Ci
Clochnant

Denbighshire, Flintshire & Wrexham STREET ATLAS

41
8
7
40
6
39
5
38
4
37
3
36
2
35
1
34

A 00 B 01 C 02 D 03 E 04 F 05

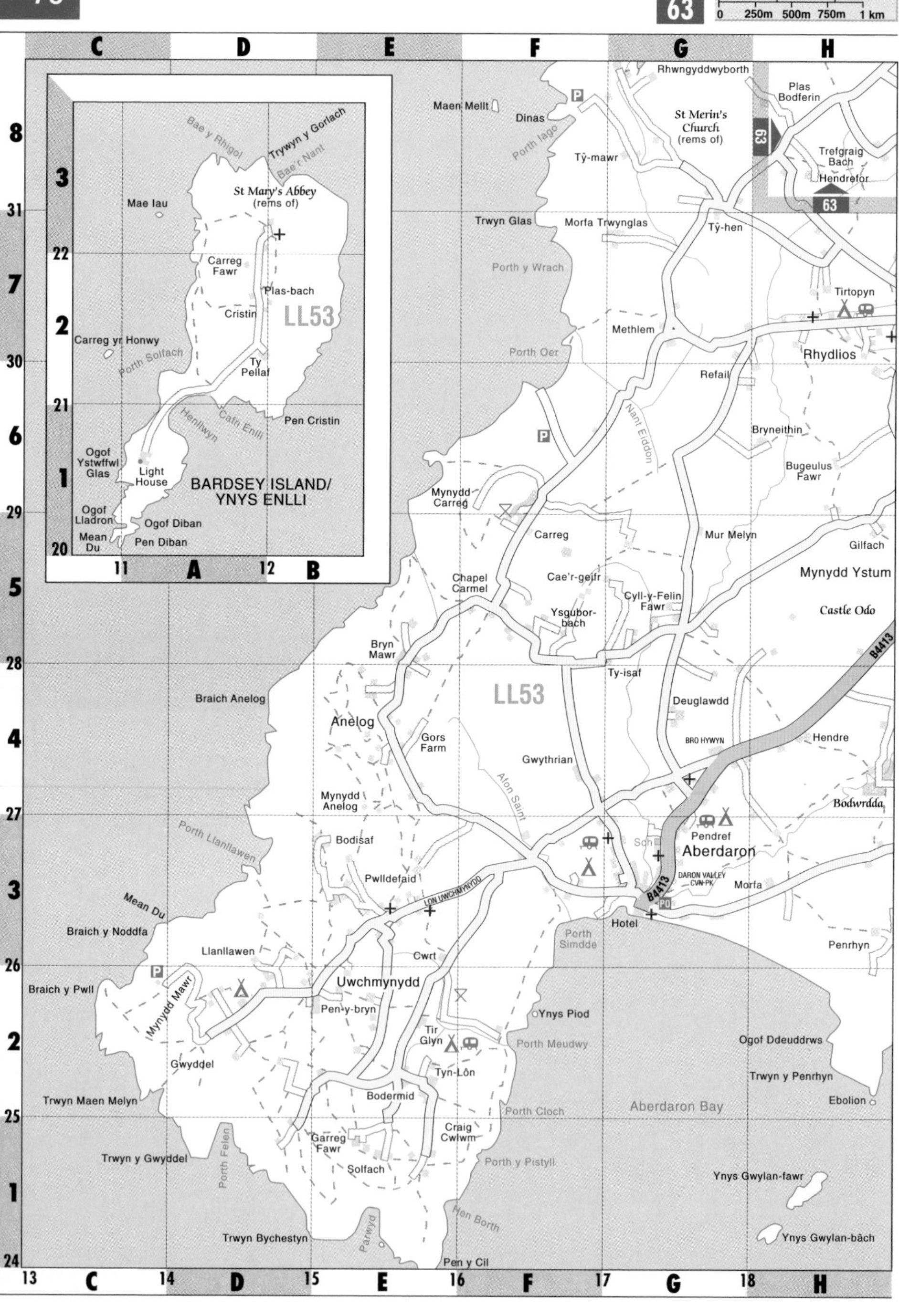

BARDSEY ISLAND/
YNYS ENLLI

LL53

Bae y Rhigol
Trwyn y Gorlach
Bae'r Nant
Trywyn y Gorlach

St Mary's Abbey
(rems of)

Mae Iau

Carreg
Fawr

Plas-bach

Cristin

Carreg yr Honwy

Porth Solfach

Ty
Pellaf

Henllwyn

Cafn Enlli

Pen Cristin

Ogof
Ystwffwl
Glas

Light
House

Ogof
Lladron

Ogof Diban

Mean
Du

Pen Diban

Rhwngyddwyborth

Maen Mellt

Dinas

Porth Iago

 Tŷ-mawr

St Merin's
Church
(rems of)

Plas
Bodferin

Trefgraig
Bach

Hendrefor

Trwyn Glas

Morfa Trwynglas

Tŷ-hen

Porth y Wrach

Tirtopyn

Methlem

Rhydlios

Porth Oer

Refail

Bryneithin

Nant Eirion

Bugeulus
Fawr

Mynydd
Carreg

Carreg

Mur Melyn

Gilfach

Cae'r-geifr

Mynydd Ystum

Chapel
Carmel

Cyll-y-Felin
Fawr

Castle Odo

Ysgubor-
bach

Bryn
Mawr

Ty-isaf

LL53

Braich Anelog

Anelog

Gors
Farm

Deuglawdd

Hendre

Gwythrian

BRO HYWYN

Bodwrdda

Mynydd
Anelog

Bodisaf

Pwlldefaid

Afon Saint

Sch

Pendref

Aberdaron

DARON VALLEY
CVN·PK·

Morfa

Mean Du

Braich y Noddfa

Llanllawen

Porth
Simdde

Hotel

B4413

Penrhyn

Porth Llanllawen

Cwrt

Braich y Pwll

Mynydd Mawr

Uwchmynydd

LÔN UWCHMYNYDD

Pen-y-bryn

Tir
Glyn

Ynys Piod

Ogof Ddeuddrws

Gwyddel

Tyn-Lôn

Porth Meudwy

Trwyn y Penrhyn

Trwyn Maen Melyn

Bodermid

Porth Cloch

Aberdaron Bay

Ebolion

Trwyn y Gwyddel

Porth Felen

Garreg
Fawr

Craig
Cwlwm

Solfach

Porth y Pistyll

Ynys Gwylan-fawr

Trwyn Bychestyn

Parwyd

Hen Borth

Ynys Gwylan-bâch

Pen y Cil

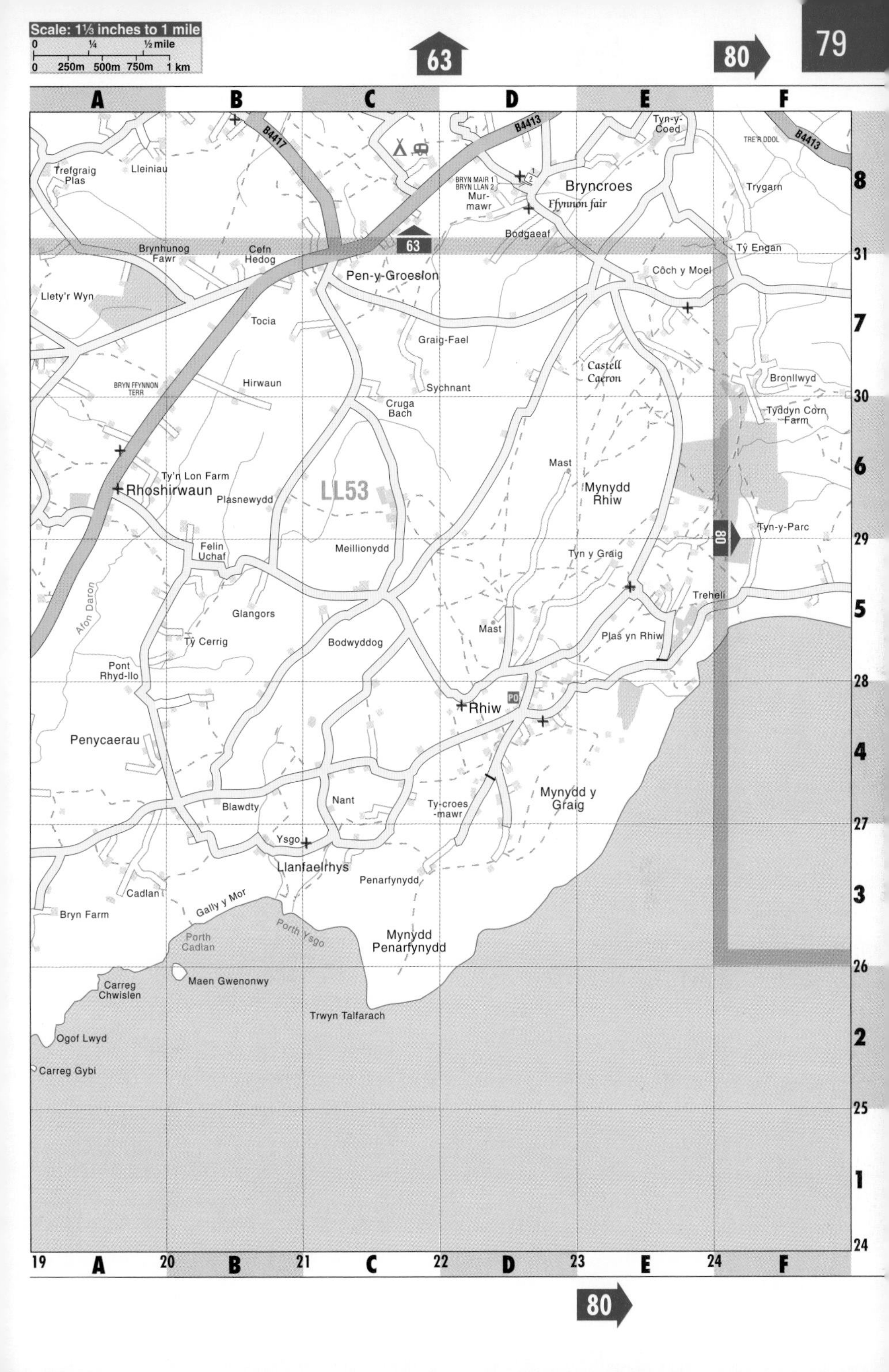
Scale: 1⅓ inches to 1 mile
0 ¼ ½ mile
0 250m 500m 750m 1 km
63
80
A B C D E F
B4417
B4413
Tyn-y-Coed
TRE'R DDOL
Trefgraig Plas
Lleiniau
BRYN MAIR 1
BRYN LLAN 2
Mur-mawr
Bryncroes
Ffynnon fair
Trygarn
Bodgaeaf
Brynhunog Fawr
Cefn Hedog
Tŷ Engan
Pen-y-Groeslon
Côch y Moel
Llety'r Wyn
Tocia
Graig-Fael
Castell Caeron
BRYN FFYNNON TERR
Hirwaun
Sychnant
Bronllwyd
Cruga Bach
Tyddyn Corn Farm
Mast
Ty'n Lon Farm
LL53
Mynydd Rhiw
Rhoshirwaun
Plasnewydd
Tyn-y-Parc
Felin Uchaf
Meillionydd
Tyn y Graig
Treheli
Afon Daron
Glangors
Mast
Tŷ Cerrig
Bodwyddog
Plas yn Rhiw
Pont Rhyd-llo
PO
Rhiw
Penycaerau
Mynydd y Graig
Blawdty
Nant
Ty-croes -mawr
Ysgo
Llanfaelrhys
Penarfynydd
Cadlan
Gally y Mor
Bryn Farm
Porth Ysgo
Porth Cadlan
Mynydd Penarfynydd
Maen Gwenonwy
Carreg Chwislen
Trwyn Talfarach
Ogof Lwyd
Carreg Gybi
8 7 6 5 4 3 2 1
31 30 29 28 27 26 25 24
19 20 21 22 23 24

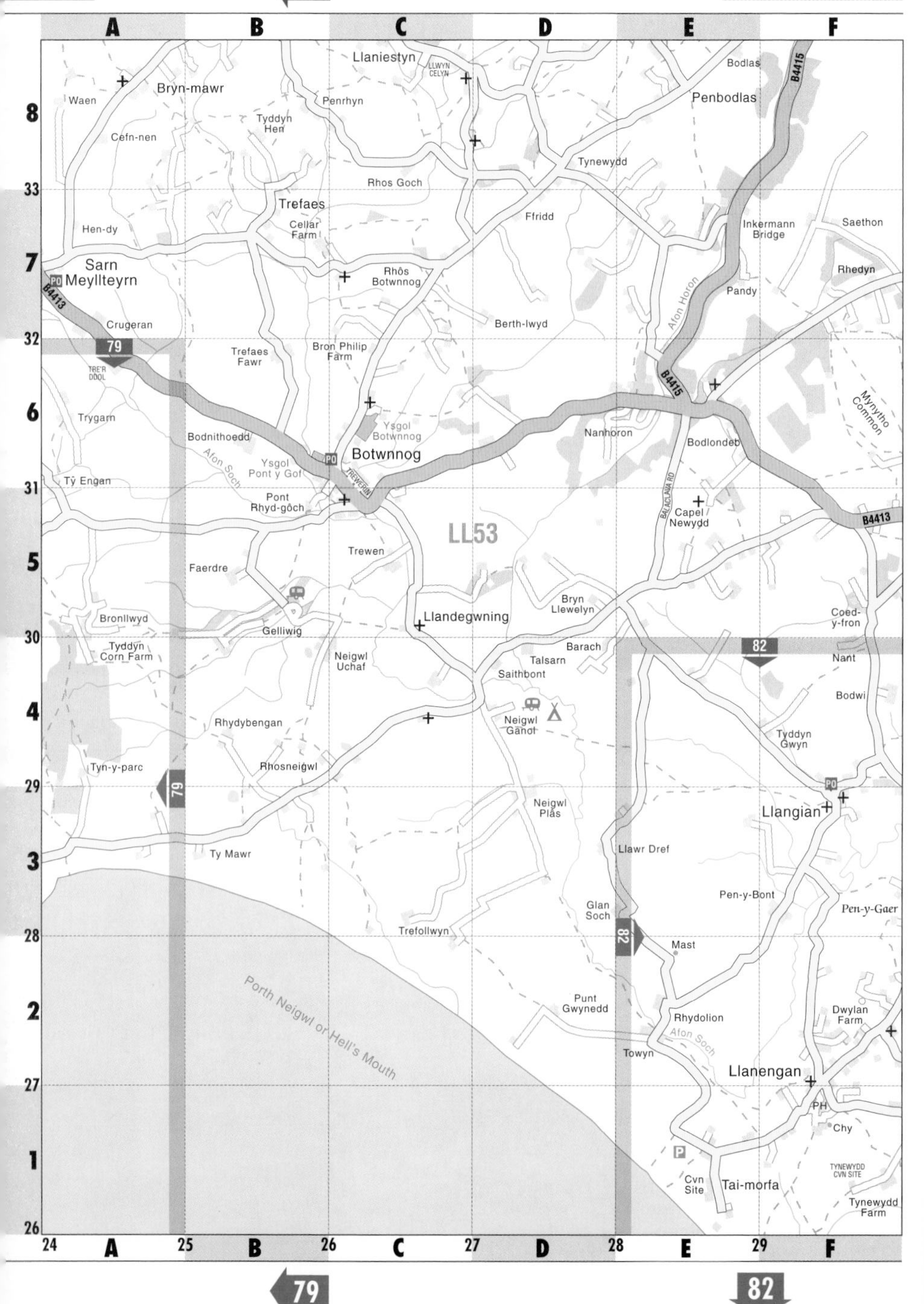

63

Scale: 1⅓ inches to 1 mile

0   ¼   ½ mile
0   250m 500m 750m 1 km

A   B   C   D   E   F

8

Llaniestyn

Waen
Bryn-mawr
LLWYN
CELYN
Penrhyn
Bodlas
B4415
Penbodlas

33
Cefn-nen
Tyddyn
Hen
Rhos Goch
Tynewydd
Inkermann
Bridge
Saethon

Trefaes
Ffridd
Pandy
Rhedyn

7
Hen-dy
Cellar
Farm
Rhôs
Botwnnog
Berth-lwyd

Sarn
Meyllteyrn
P0
Aton Horon
B4415

32
B4413
Crugeran
79
Trefaes
Fawr
Bron Philip
Farm

6
TRE'R
DDOL
Trygarn
Bodnithoedd
Ysgol
Botwnnog
Nanhoron
Bodlondeb
Mynytho
Common

31
Tŷ Engan
Afon Soch
Ysgol
Pont y Gof
P0
Botwnnog
B4413

Pont
Rhyd-gôch
Capel
Newydd
B4413

5
Faerdre
Trewen
LL53
Coed-
y-fron

30
Bronllwyd
Gelliwig
Llandegwning
Bryn
Llewelyn
Barach
82
Nant

Tyddyn
Corn Farm
Neigwl
Uchaf
Talsarn
Saithbont
Bodwi

4
Rhydybengan
Neigwl
Gahot
Tyddyn
Gwyn

29
Tyn-y-parc
79
Rhosneigwl
Neigwl
Plâs
Llangian
P0

3
Ty Mawr
Llawr Dref
Pen-y-Bont
Pen-y-Gaer

28
Trefollwyn
Glan
Soch
82
Mast
Dwylan
Farm

2
Porth Neigwl or Hell's Mouth
Punt
Gwynedd
Rhydolion
Afon Soch
Tynewydd
Farm

27
Towyn
Llanengan

1
P
Cvn
Site
Tai-morfa
PH
Chy
TYNEWYDD
CVN SITE
Tynewydd
Farm

26
24   A   25   B   26   C   27   D   28   E   29   F

79

82

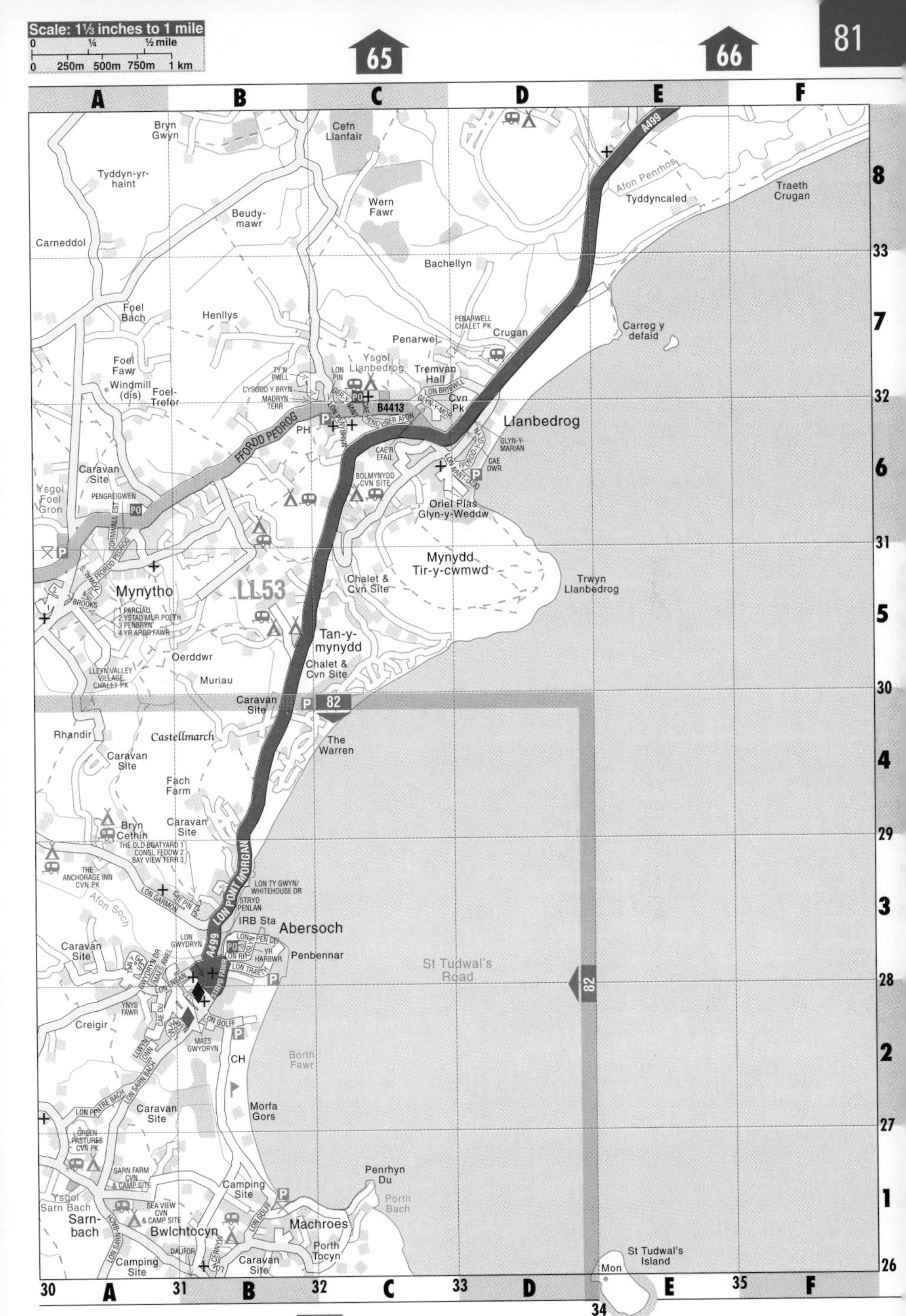

Scale: 1⅓ inches to 1 mile
0
¼
½ mile
0
250m
500m
750m
1 km
65
66
A
B
C
D
E
F
8
7
6
5
4
3
2
1
33
32
31
30
29
28
27
26
34
35
Bryn
Gwyn
Cefn
Llanfair
A499
Tyddyn-yr-
haint
Afon Penrhos
Tyddyncaled
Traeth
Crugan
Wern
Fawr
Beudy-
mawr
Carneddol
Bachellyn
Foel
Bach
Henllys
PENARWELL
CHALET PK
Crugan
Carreg y
defaid
Penarwel
Foel
Fawr
Windmill
(dis)
Foel-
Trefor
Ysgol
Llanbedrog
Tremvan
Hall
Cvn
Pk
TY'N
PWLL
CYSGOD Y BRYN
MADRYN
TERR
LON
PIN
LON BRIBWLL
GER-Y-NANT
B4413
GLYN-Y-MOR
PENDYFFRYN
FFORDD PEDROG
PH
LON PEN-Y-BRYN
Llanbedrog
GLYN-Y-
MARIAN
FFORDD-Y-GLYN
CAE'R
EFAIL
CAE
DWR
LON NANT IAGO
Caravan
Site
BOLMYNYDD
CVN SITE
Ysgol
Foel
Gron
PENGREIGWEN
CORNWALL EST
Oriel Plas
Glyn-y-Weddw
Mynydd
Tir-y-cwmwd
Trwyn
Llanbedrog
FFORDD PEDROG
Chalet &
Cvn Site
Mynytho
LL53
BROOKS
1 PARCIAU
2 YSTAD MUR POETH
3 PENBRYN
4 YR ARDD FAWR
Tan-y-
mynydd
Oerddwr
Chalet &
Cvn Site
LLEYN VALLEY
VILLAGE
CHALET PK
Muriau
Caravan
Site
82
Rhandir
Castellmarch
The
Warren
Caravan
Site
Fach
Farm
Bryn
Cethin
Caravan
Site
THE OLD BOATYARD 1
CONGL FEDDW 2
BAY VIEW TERR 3
THE
ANCHORAGE INN
CVN PK
LON PONT MORGAN
LON TY GWYN/
WHITEHOUSE DR
Afon Soch
LON GARMON
CAE PIN
STRYD
PENLAN
IRB Sta
Abersoch
Caravan
Site
LON
GWYDRYN
LON PEN CEI
YR
HARBWR
Penbennar
LON RH
LON TRAETH
St Tudwal's
Road
STRYD FAWR
LON ENGAN
MAES AWEL
GWYDRYN DR
YNYS
FAWR
CAE DU
LON GOLFF
Creigir
MAES
GWYDRYN
CH
Borth
Fawr
LON SARN BACH
LON PENTRE BACH
Caravan
Site
Morfa
Gors
GREEN
PASTURES
CVN PK
SARN FARM
CVN
& CAMP SITE
Penrhyn
Du
Camping
Site
Porth
Bach
Ysgol
Sarn Bach
Sarn-
bach
SEA VIEW
CVN
& CAMP SITE
Bwlchtocyn
LON GOLFF
Machroes
Porth
Tocyn
LON SARN BACH
DAUFOR
St Tudwal's
Island
Mon
Camping
Site
Caravan
Site
30
31
32
33
82

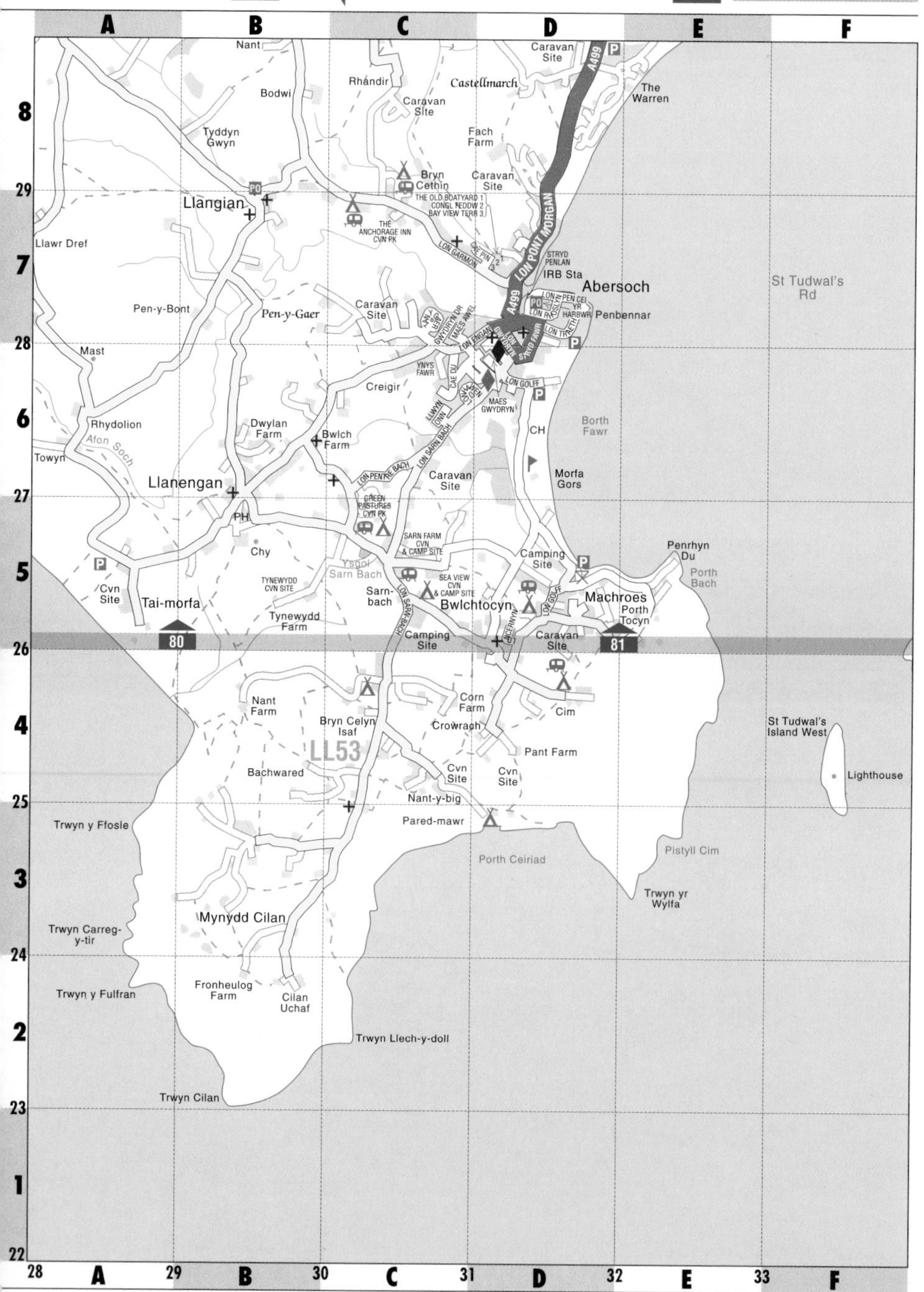

Nant
Rhândir
Castellmarch
Caravan Site
The Warren
Bodwi
Caravan Site
Fach Farm
Caravan Site
Tyddyn Gwyn
Bryn Cethin
29
Llangian
THE OLD BOATYARD
CONEL REDDW 2
BAY VIEW TERR 3
THE ANCHORAGE INN
CVN PK
Llawr Dref
7
STRYD PENLAN
IRB Sta
Abersoch
St Tudwal's Rd
Pen-y-Bont
Pen-y-Gaer
Caravan Site
Penbennar
28
Mast
Creigir
MAES GWYDRYN
6
Rhydolion
Dwylan Farm
Bwlch Farm
CH
Borth Fawr
Afon Soch
Towyn
Caravan Site
Morfa Gors
27
Llanengan
Penrhyn Du
Porth Bach
PH
5
Cvn Site
Chy
TYNEWYDD CVN SITE
Ysgol Sarn Bach
Camping Site
Machroes
Porth Tocyn
Tai-morfa
Tynewydd Farm
Sarn-bach
SARN FARM CVN & CAMP SITE
SEA VIEW CVN & CAMP SITE
Bwlchtocyn
GREEN PASTURES CVN PK
26
80
Camping Site
Caravan Site
81
4
Nant Farm
Bryn Celyn Isaf
Corn Farm
Cim
St Tudwal's Island West
LL53
Crowrach
Pant Farm
Bachwared
Cvn Site
Cvn Site
Lighthouse
25
Trwyn y Ffosle
Nant-y-big
Pared-mawr
Pistyll Cim
3
Porth Ceiriad
Trwyn Carreg-y-tir
Mynydd Cilan
Trwyn yr Wylfa
24
Trwyn y Fulfran
Fronheulog Farm
Cilan Uchaf
2
Trwyn Llech-y-doll
23
Trwyn Cilan
1
22

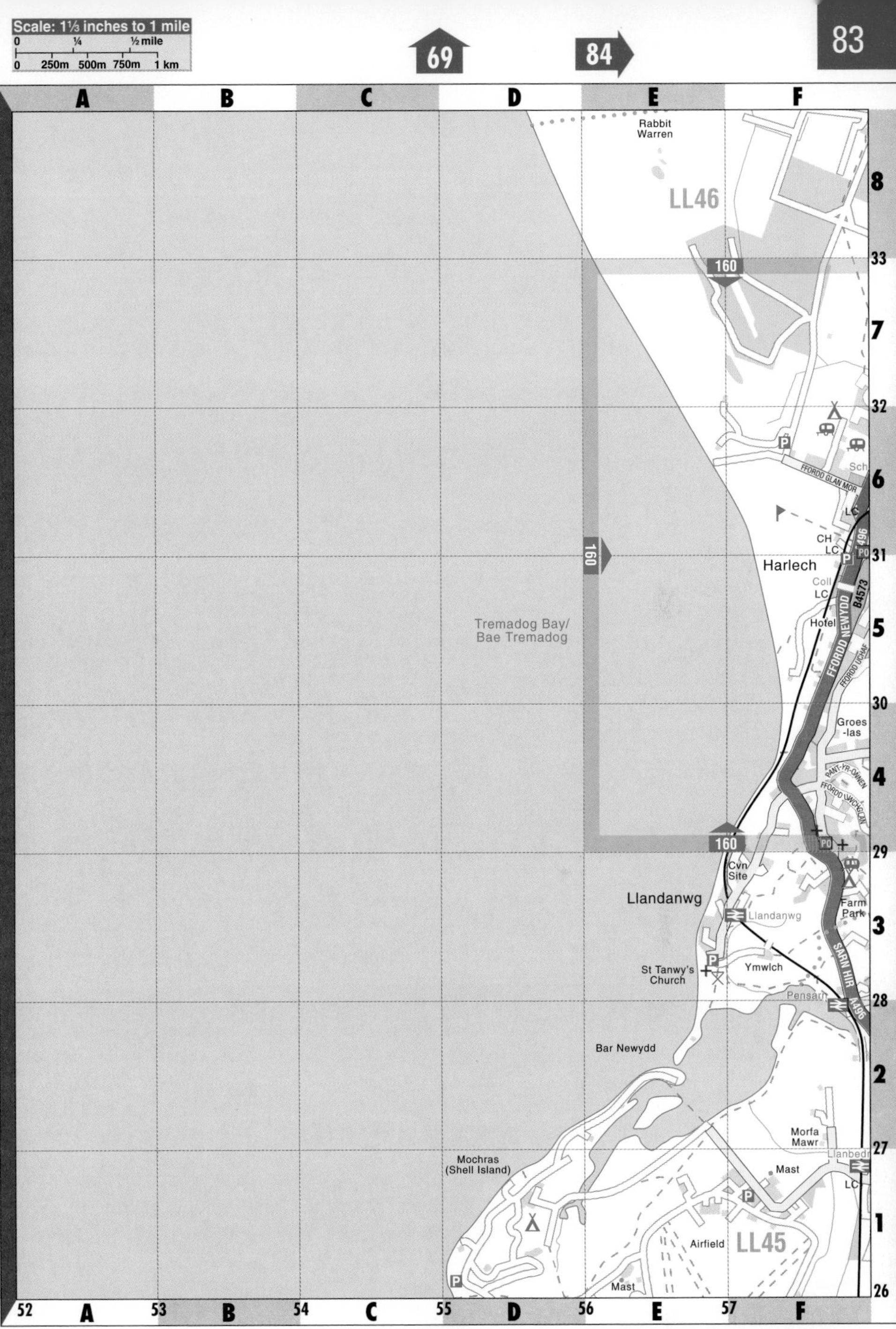

Scale: 1⅓ inches to 1 mile

| 0 | ¼ | ½ mile |
| 0 | 250m 500m 750m | 1 km |

69

84

Rabbit Warren

LL46

160

Tremadog Bay/
Bae Tremadog

160

160

Harlech

CH
LC

Coll
LC

Hotel

Groes-
las

Cvn
Site

Llandanwg

Llandanwg

Farm
Park

St Tanwy's
Church

Ymwlch

Pensarn

Bar Newydd

Morfa
Mawr

Llanbedr
LC

Mochras
(Shell Island)

Mast

Airfield

LL45

Mast

92

84

For full street detail of the
highlighted area see page 160.

52   53   54   55   56   57
A   B   C   D   E   F

8
33
7
32
6
31
5
30
4
29
3
28
2
27
1
26

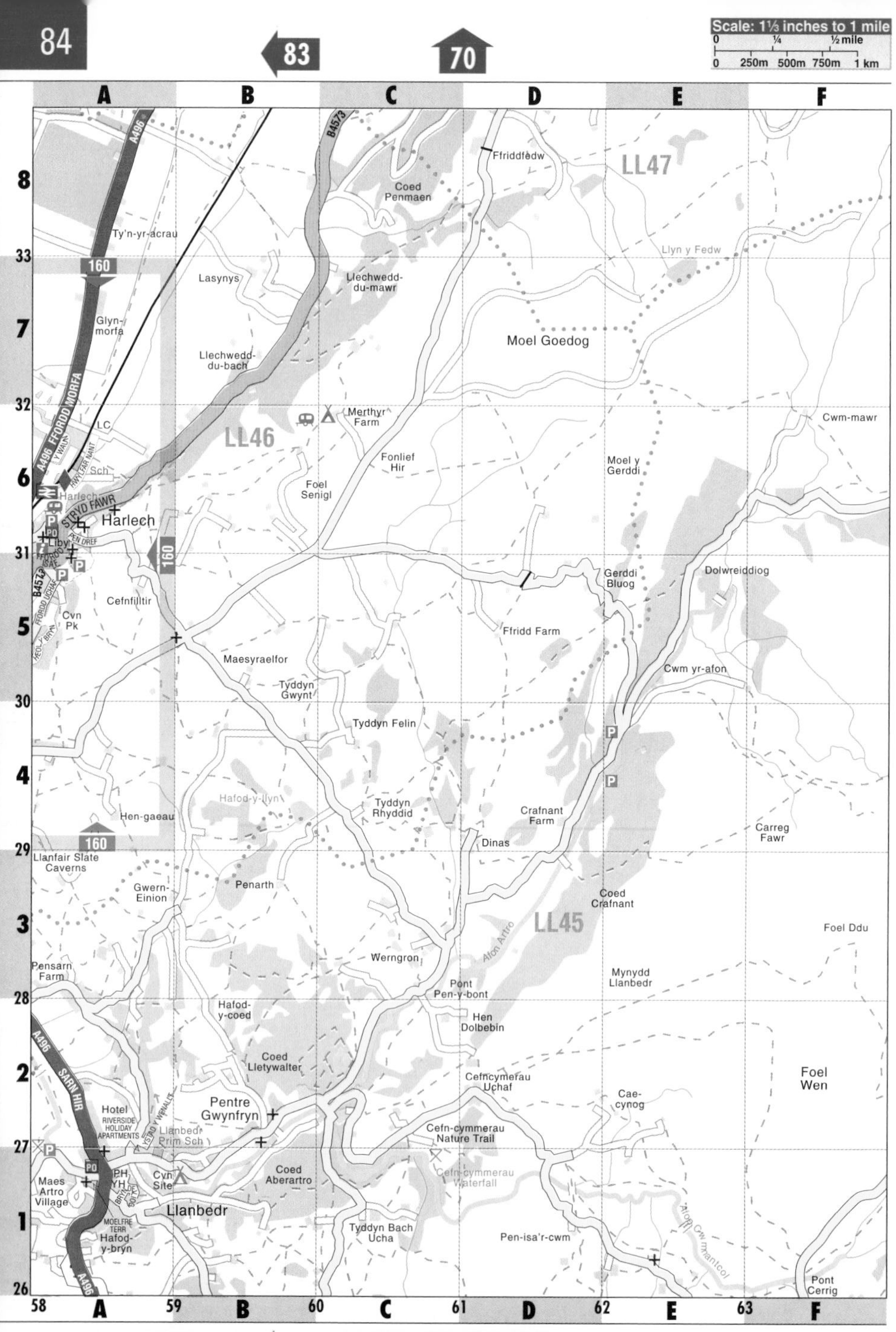

Scale: 1½ inches to 1 mile
0   ¼   ½ mile
0   250m 500m 750m 1 km

A   B   C   D   E   F

8

Ty'n-yr-acrau

Coed Penmaen

Ffriddfedw

LL47

33

160

Lasynys

Llechwedd-du-mawr

Llyn y Fedw

7

Glyn-morfa

Llechwedd-du-bach

Moel Goedog

32

LC

Merthyr Farm

LL46

Fonlief Hir

Moel y Gerddi

Cwm-mawr

6

Harlech Sch

Foel Senigl

Gerddi Bluog

Dolwreiddiog

Harlech

160

31

Cefnfilltir

Ffridd Farm

Cwm yr-afon

5

Cvn Pk

Maesyraelfor

Tyddyn Gwynt

30

Tyddyn Felin

P

4

Hen-gaeau

Hafod-y-llyn

Tyddyn Rhyddid

Crafnant Farm

P

Carreg Fawr

29

Llanfair Slate Caverns

160

Dinas

Coed Crafnant

Foel Ddu

3

Gwern-Einion

Penarth

LL45

Werngron

Mynydd Llanbedr

Foel Wen

Pensarn Farm

28

Hafod-y-coed

Pont Pen-y-bont

Hen Dolbebin

2

Hotel RIVERSIDE HOLIDAY APARTMENTS

Coed Lletywalter

Pentre Gwynfryn

Cefncymerau Uchaf

Cae-cynog

Cefn-cymerau Nature Trail

Maes Artro Village

27

Llanbedr Prim Sch

Cefn-cymerau Waterfall

Coed Aberartro

1

Maes Artro Village

PO
PH
YH

Cvn Site

Llanbedr

Tyddyn Bach Ucha

Pen-isa'r-cwm

Pont Cerrig

MOELFRE TERR Hafod-y-bryn

26

58   A   59   B   60   C   61   D   62   E   63   F

For full street detail of the highlighted area see page 160.

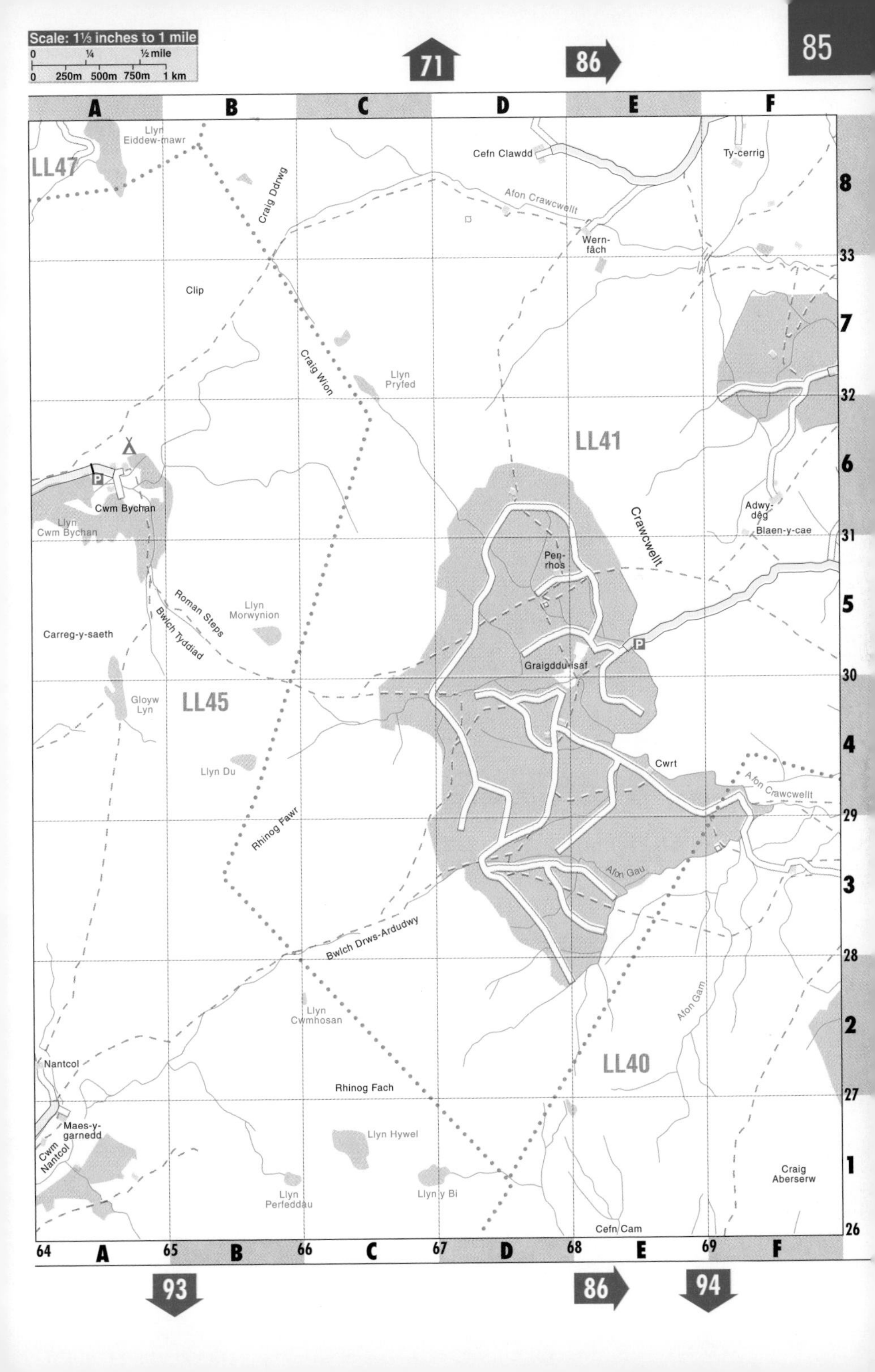

Scale: 1⅓ inches to 1 mile
0 ¼ ½ mile
0 250m 500m 750m 1 km
71
86
A B C D E F
Llyn Eiddew-mawr
LL47
Craig Ddrwg
Cefn Clawdd
Afon Crawcwellt
Ty-cerrig
Wern-fâch
Clip
Craig Wion
Llyn Pryfed
LL41
Cwm Bychan
Llyn Cwm Bychan
Adwy-dêg
Blaen-y-cae
Crawcwellt
Pen-rhos
Roman Steps
Bwlch Tyddiad
Llyn Morwynion
Carreg-y-saeth
Graigddu-isaf
Gloyw Lyn
LL45
Llyn Du
Cwrt
Afon Crawcwellt
Rhinog Fawr
Afon Gau
Bwlch Drws-Ardudwy
Llyn Cwmhosan
Afon Gam
Nantcol
LL40
Rhinog Fach
Maes-y-garnedd
Cwm Nantcol
Llyn Hywel
Craig Aberserw
Llyn Perfeddau
Llyn y Bi
Cefn Cam
8 33 7 32 6 31 5 30 4 29 3 28 2 27 1 26
64 65 66 67 68 69
93
86
94

85
72

Scale: 1⅓ inches to 1 mile

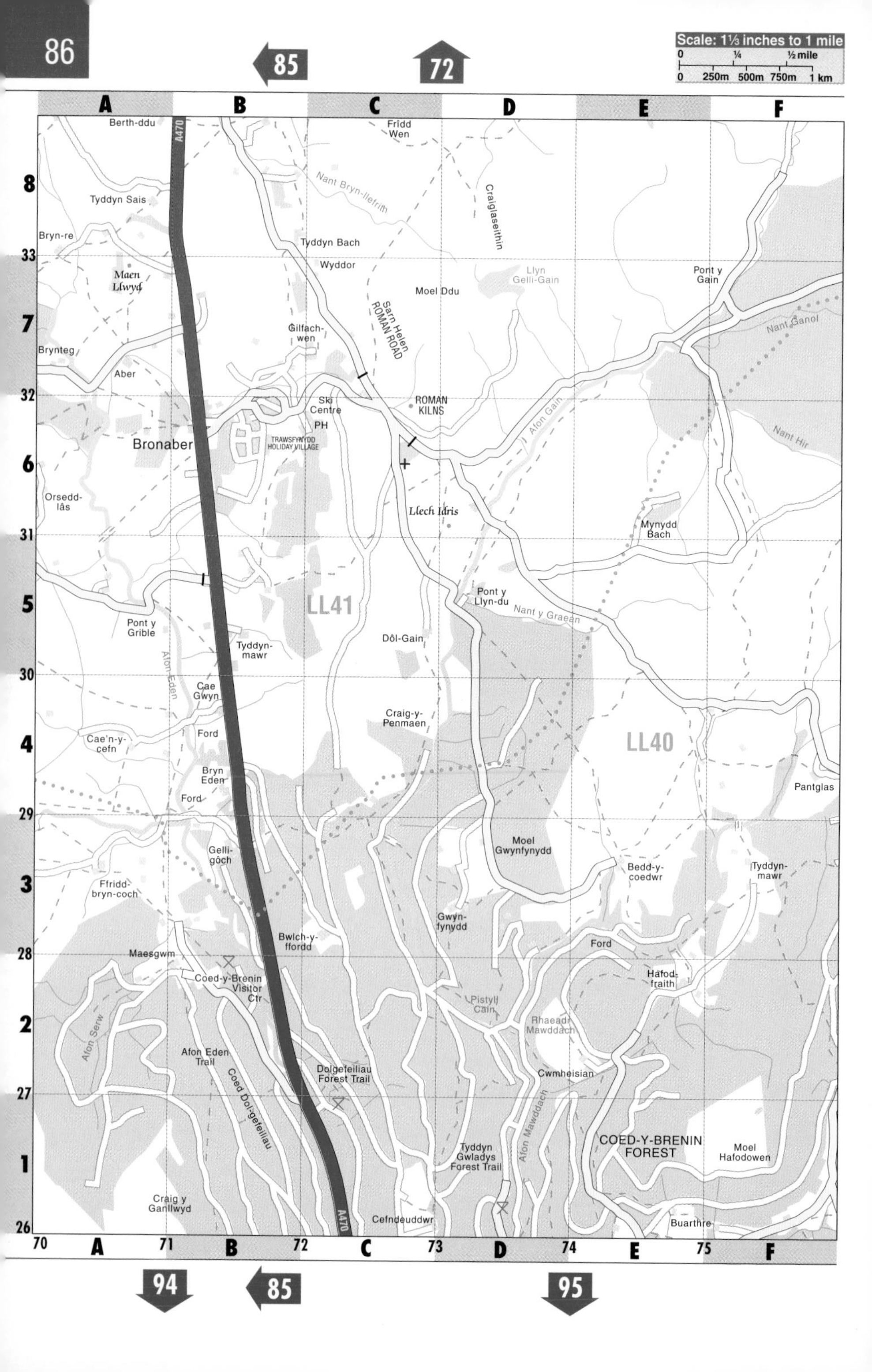
Berth-ddu
A470
Frîdd Wen
Nant Bryn-llefrith
Craiglaseithin
Tyddyn Sais
Bryn-re
Tyddyn Bach
Wyddor
Maen Llwyd
Llyn Gelli-Gain
Pont y Gain
Moel Ddu
Sarn Helen ROMAN ROAD
Gilfach-wen
Brynteg
Nant Ganol
Aber
Ski Centre
ROMAN KILNS
PH
Afon Gain
Bronaber
TRAWSFYNYDD HOLIDAY VILLAGE
Nant Hir
Orsedd-lâs
Llech Idris
Mynydd Bach
Pont y Llyn-du
Nant y Graean
LL41
Pont y Grible
Tyddyn-mawr
Dôl-Gain
Afon Eden
Cae Gwyn
Craig-y-Penmaen
LL40
Cae'n-y-cefn
Ford
Bryn Eden
Pantglas
Ford
Moel Gwynfynydd
Gelli-gôch
Bedd-y-coedwr
Tyddyn-mawr
Ffridd-bryn-coch
Gwyn-fynydd
Bwlch-y-ffordd
Ford
Maesgwm
Hafod-fraith
Coed-y-Brenin Visitor Ctr
Pistyll Cain
Rhaeadr Mawddach
Afon Serw
Afon Eden Trail
Coed Dol-gefeiliau
Cwmheisian
Dolgefeiliau Forest Trail
Afon Mawddach
COED-Y-BRENIN FOREST
Tyddyn Gwladys Forest Trail
Moel Hafodowen
Craig y Ganllwyd
Cefndeuddwr
Buarthre
A B C D E F
8 33 7 32 6 31 5 30 4 29 3 28 2 27 1 26
70 71 72 73 74 75

94
85
95

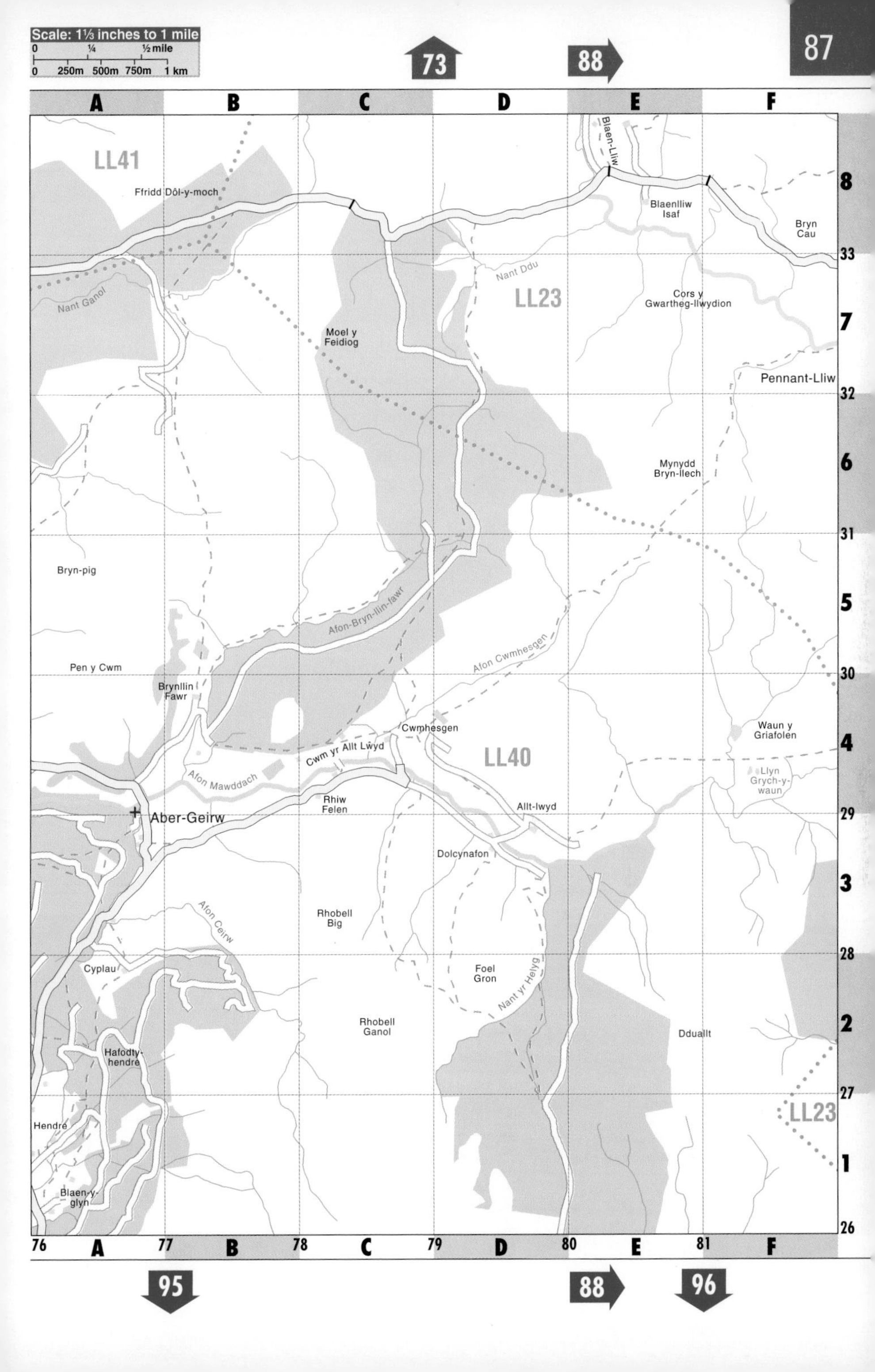
Scale: 1⅓ inches to 1 mile
0 ¼ ½ mile
0 250m 500m 750m 1 km
73
88
A B C D E F
LL41
Ffridd Dôl-y-moch
Blaen-Lliw
Blaenlliw Isaf
Bryn Cau
Nant Ganol
Nant Ddu
LL23
Cors y Gwartheg-llwydion
Moel y Feidiog
Pennant-Lliw
Mynydd Bryn-llech
Bryn-pig
Afon-Bryn-llin-fawr
Afon Cwmhesgen
Pen y Cwm
Brynllin Fawr
Cwmhesgen
Waun y Griafolen
Cwm yr Allt Lwyd
LL40
Llyn Grych-y-waun
Afon Mawddach
Rhiw Felen
Allt-lwyd
Aber-Geirw
Dolcynafon
Afon Ceirw
Rhobell Big
Cyplau
Foel Gron
Nant yr Helyg
Rhobell Ganol
Dduallt
Hafodty-hendre
LL23
Hendre
Blaen-y-glyn
8 33 7 32 6 31 5 30 4 29 3 28 2 27 1 26
76 77 78 79 80 81
95
88
96

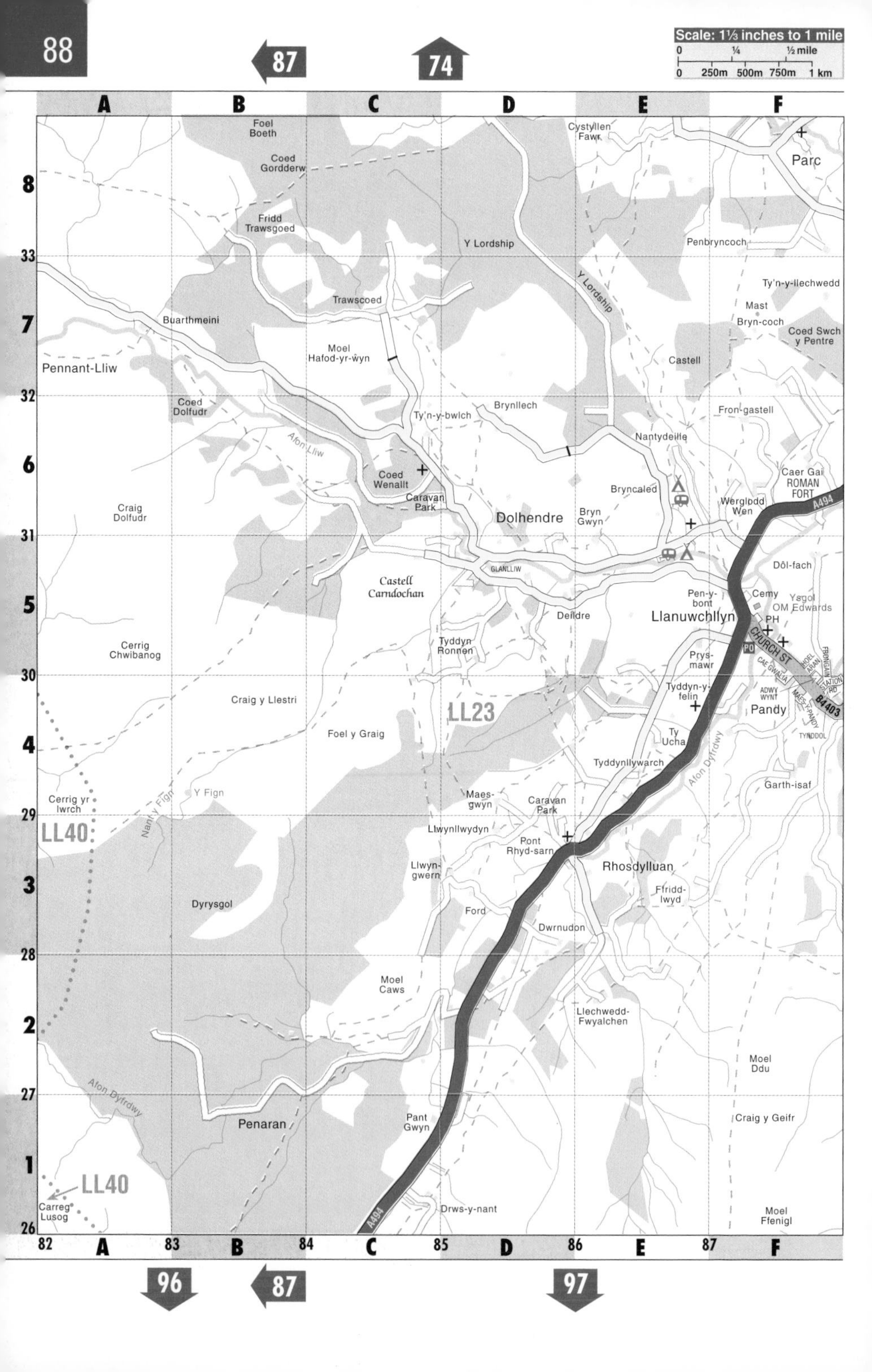

Scale: 1⅓ inches to 1 mile

0 ¼ ½ mile
0 250m 500m 750m 1 km

87
74

Parc

Cystyllen Fawr

Foel Boeth

Coed Gordderw

Ty'n-y-liechwedd

Penbryncoch

Fridd Trawsgoed

Y Lordship

Mast Bryn-coch

Coed Swch y Pentre

Trawscoed

Buarthmeini

Moel Hafod-yr-wyn

Brynllech

Y Lordship

Castell

Fron-gastell

Pennant-Lliw

Coed Dolfudr

Ty'n-y-bwlch

Nantydeille

Caer Gai
ROMAN FORT

A494

Afon Lliw

Coed Wenallt

Caravan Park

Bryncaled

Werglodd Wen

Dolhendre

Bryn Gwyn

Craig Dolfudr

Castell Carndochan

GLANLLIW

Deildre

Pen-y-bont

Cemy

Llanuwchllyn

Dôl-fach

Ysgol OM Edwards

Cerrig Chwibanog

Tyddyn Ronnen

Prys-mawr

CHURCH ST

PH

PO

CAE SWGAI

Craig y Llestri

LL23

Foel y Graig

Tyddyn-y-felin

Pandy

ADWY WYNT

B4403

TYNDDOL

Garth-isaf

Cerrig yr Iwrch

Y Fign

Maesgwyn

Ty Ucha

Tyddynllywarch

LL40

Llanyllwydyn

Caravan Park

Llwyngwern

Pont Rhyd-sarn

Rhosdylluan

Ffridd-lwyd

Dyrysgol

Ford

Dwrnudon

Moel Caws

Llechwedd-Fwyalchen

Moel Ddu

Penaran

Pant Gwyn

Craig y Geifr

LL40

Drws-y-nant

Moel Ffenigl

Carreg Lusog

A4403

82 A 83 B 84 C 85 D 86 E 87 F

96
87
97

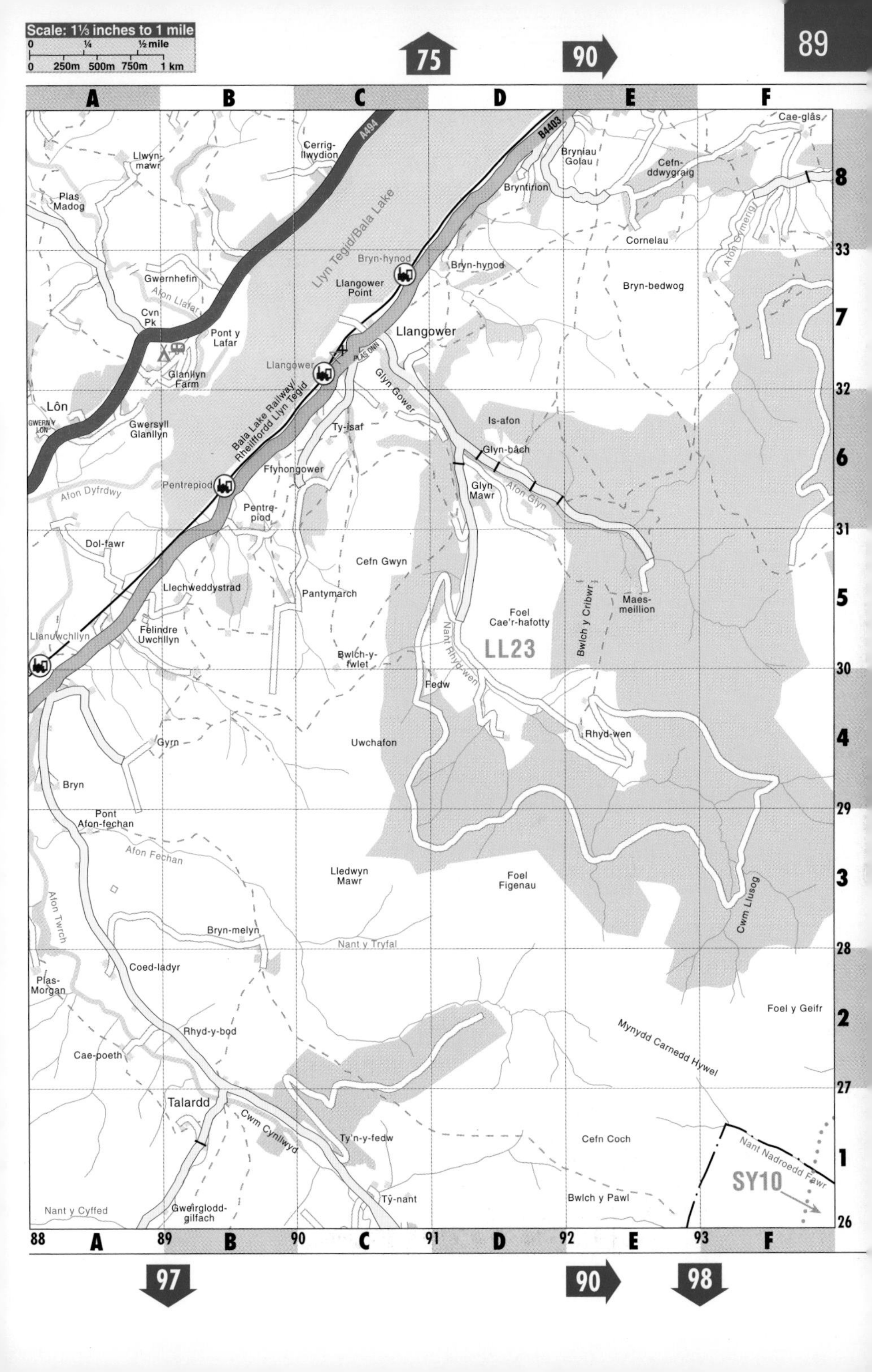
Scale: 1⅓ inches to 1 mile
75
90
Cae-glâs
Llwyn-mawr
Cerrig-llwydion
A494
B4403
Bryniau Golau
Cefn-ddwygraig
Plas Madog
Bryntirion
Llyn Tegid/Bala Lake
Cornelau
Afon Cymerig
Bryn-hynod
Gwernhefin
Llangower Point
Bryn-bedwog
Afon Llafar
Cvn Pk
Pont y Lafar
Llangower
Llangower
Glanllyn Farm
Glyn Gower
Lôn
Bala Lake Railway/ Rheilffordd Llyn Tegid
Gwersyll Glanllyn
Ty-isaf
Is-afon
Glyn-bâch
Ffynongower
Pentrepiod
Afon Dyfrdwy
Glyn Mawr
Afon Glyn
Pentre-piod
Dol-fawr
Cefn Gwyn
Llechweddystrad
Pantymarch
Bwlch y Cribwr
Maes-meillion
Foel Cae'r-hafotty
Llanuwchllyn
Felindre Uwchllyn
Nant Rhyd-wen
LL23
Bwlch-y-fwlet
Fedw
Gyrn
Uwchafon
Rhyd-wen
Bryn
Pont Afon-fechan
Afon Fechan
Lledwyn Mawr
Foel Figenau
Afon Twrch
Cwm Llusog
Bryn-melyn
Nant y Tryfal
Coed-ladyr
Plas-Morgan
Foel y Geifr
Rhyd-y-bod
Mynydd Carnedd Hywel
Cae-poeth
Talardd
Cwm Cynllwyd
Ty'n-y-fedw
Cefn Coch
Nant Nadroedd Fawr
SY10
Tŷ-nant
Bwlch y Pawl
Nant y Cyffed
Gweirglodd-gilfach
97
90
98

89 76

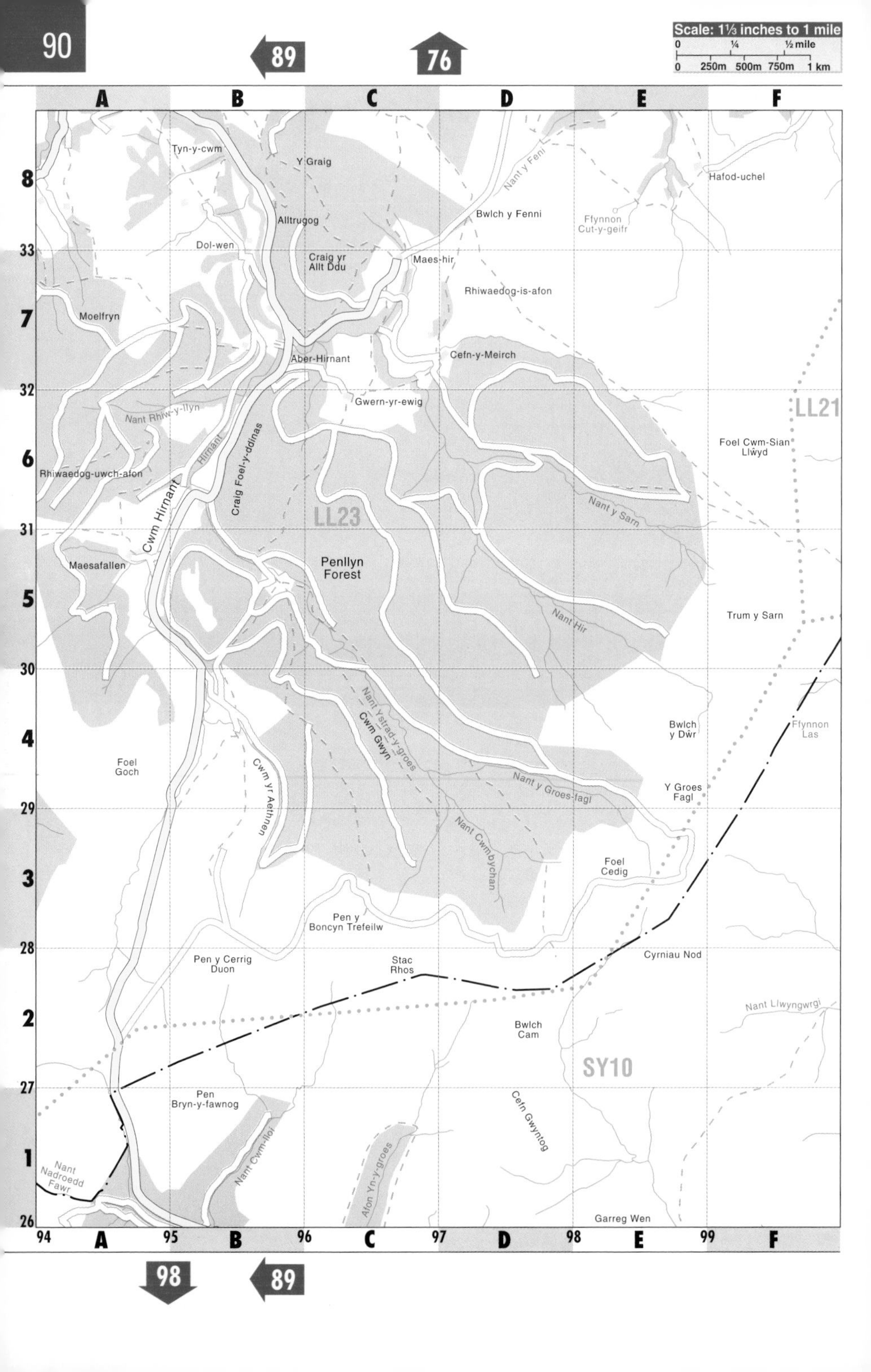
Scale: 1⅓ inches to 1 mile
0 ¼ ½ mile
0 250m 500m 750m 1 km
Tyn-y-cwm
Y Graig
Alltrugog
Dol-wen
Craig yr Allt Ddu
Maes-hir
Nant y Feni
Bwlch y Fenni
Ffynnon Cut-y-geifr
Hafod-uchel
Rhiwaedog-is-afon
Moelfryn
Aber-Hirnant
Cefn-y-Meirch
Gwern-yr-ewig
Nant Rhiw-y-llyn
Hirnant
Craig Foel-y-ddinas
LL21
Foel Cwm-Sian Llŵyd
Rhiwaedog-uwch-afon
Cwm Hirnant
LL23
Nant y Sarn
Maesafallen
Penllyn Forest
Trum y Sarn
Nant Hir
Nant Ystrad-y-groes
Cwm Gwyn
Bwlch y Dŵr
Ffynnon Las
Foel Goch
Cwm yr Aethnen
Nant y Groes-fagl
Y Groes Fagl
Nant Cwm-bychan
Foel Cedig
Pen y Boncyn Trefeilw
Pen y Cerrig Duon
Stac Rhos
Cyrniau Nod
Nant Llwyngwrgi
Bwlch Cam
SY10
Pen Bryn-y-fawnog
Cefn Gwyntog
Nant Nadroedd Fawr
Nant Cwm-lloi
Afon Yn-y-groes
Garreg Wen

98 89

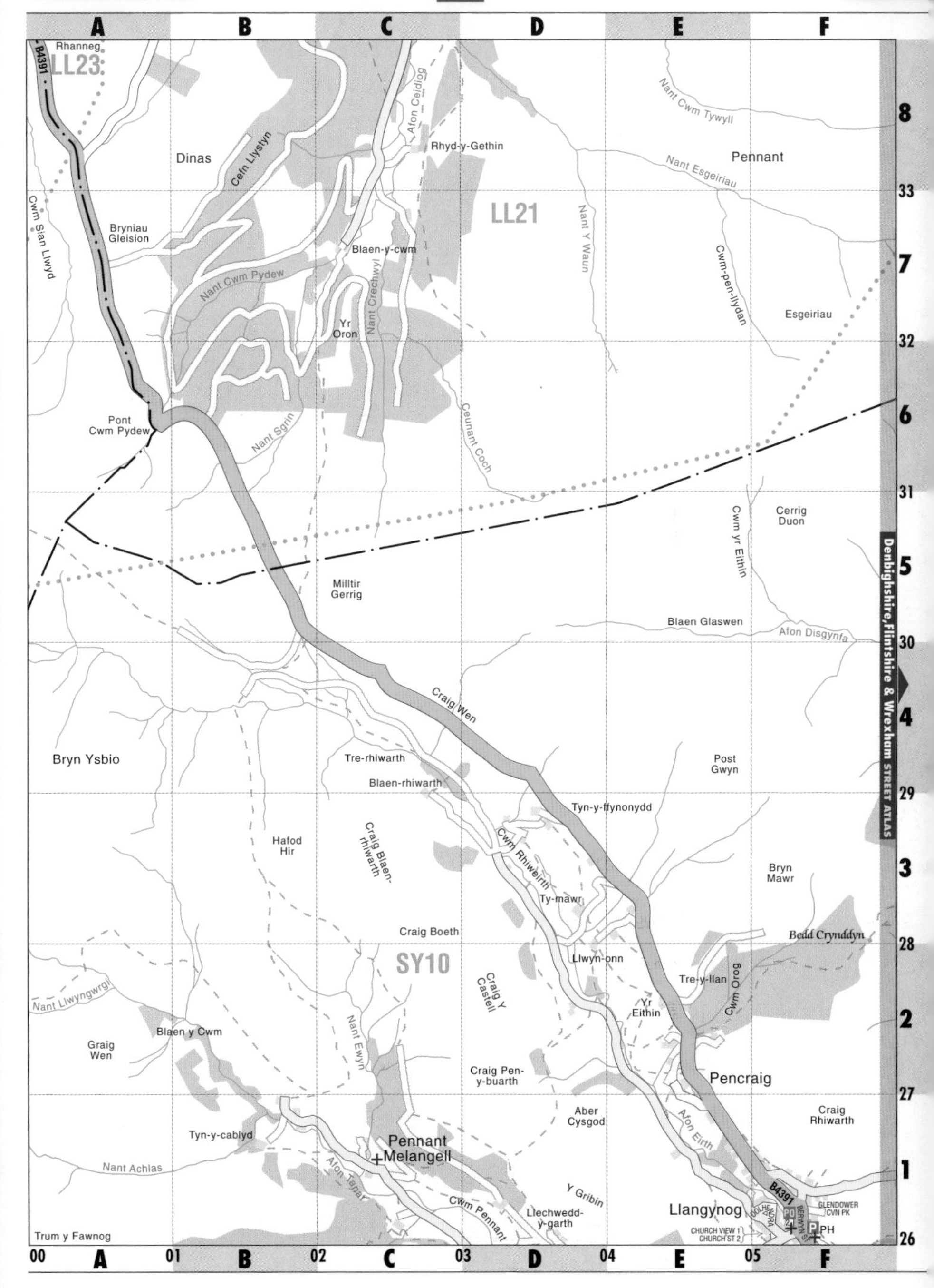

Scale: 1⅓ inches to 1 mile

0   ¼   ½ mile
0   250m   500m   750m   1 km

B4391

LL23

Rhanneg

Dinas

Cefn Llystyn

Bryniau
Gleision

Nant Cwm Pydew

Cwm Sian Llwyd

Afon Ceidiog

Rhyd-y-Gethin

LL21

Blaen-y-cwm

Nant Creubwyl

Yr
Oron

Nant Cwm Tywyll

Pennant

Nant Esgeiriau

Nant Y Waun

Cwm-pen-llydan

Esgeiriau

Pont
Cwm Pydew

Nant Sgrin

Ceunant Coch

Milltir
Gerrig

Cerrig
Duon

Cwm yr Eithin

Blaen Glaswen

Afon Disgynfa

Craig Wen

Bryn Ysbio

Tre-rhiwarth

Blaen-rhiwarth

Craig Blaen-
rhiwarth

Hafod
Hir

Cwm Rhiwiarth

Tyn-y-ffynonydd

Post
Gwyn

Bryn
Mawr

Beili Crynddyn

Craig Boeth

SY10

Ty-mawr

Llwyn-onn

Tre-y-llan

Cwm Oron

Craig y
Castell

Yr
Eithin

Nant Llwyngwrgi

Blaen y Cwm

Graig
Wen

Nant Ewyn

Craig Pen-
y-buarth

Aber
Cysgod

Pencraig

Craig
Rhiwarth

Tyn-y-cablyd

Nant Achlas

Afon Tanat

Pennant
Melangell

Cwm Pennant

Y Gribin

Llechwedd-
y-garth

Afon Eirth

B4391

GLENDOWER
CVN PK

Llangynog

CHURCH VIEW 1
CHURCH ST 2

PH

Trum y Fawnog

00   A   01   B   02   C   03   D   04   E   05   F

8 33 7 32 6 31 5 30 4 29 3 28 2 27 1 26

Scale: 1⅓ inches to 1 mile
0   ¼   ½ mile
0 250m 500m 750m 1 km

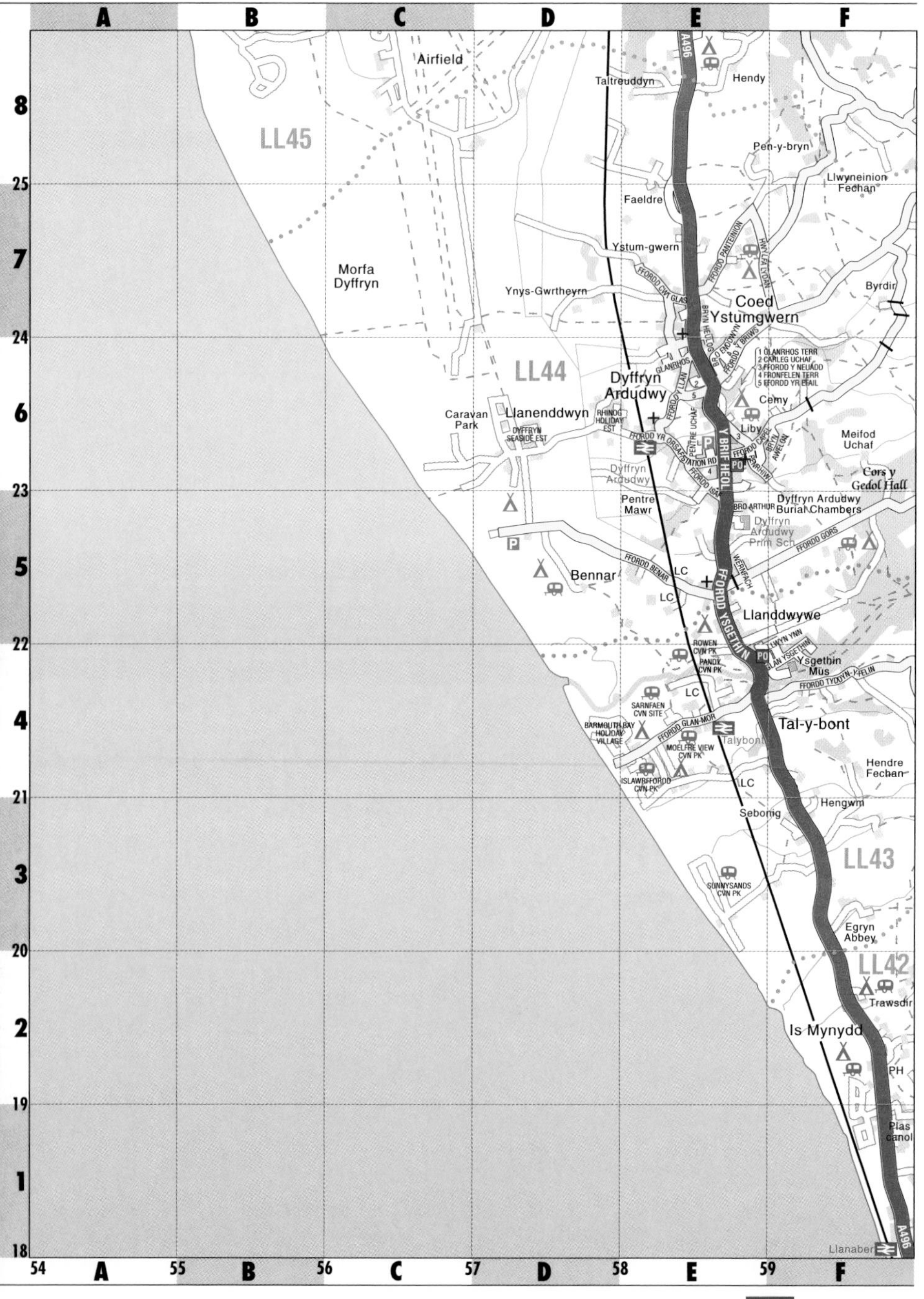

| | A | | B | | C | | D | | E | | F |

8

LL45

Airfield

Taltreuddyn

Hendy

A496

25

Pen-y-bryn

Faeldre

Llwyneinion Fechan

7

Morfa Dyffryn

Ystum-gwern

Ynys-Gwrtheyrn

Byrdir

FFORDD CWN GLAS

FFORDD PATERSTON

BRYN HEILIN

Coed Ystumgwern

24

1 GLANRHOS TERR
2 CARLEG UCHAF
3 FFORDD Y NEUADD
4 FRONFELEN TERR
5 FFORDD YR EBAIL

LL44

Dyffryn Ardudwy

Cemy

6

Caravan Park

Llanenddwyn

RHINOG HOLIDAY EST

Liby

DYFFRYN SEASIDE EST

FFORDD YR DECORATION RD

FFORDD YR BRIF HEOL

Y BRIF HEOL

Meifod Uchaf

Cors y Gedol Hall

Dyffryn Ardudwy

23

Pentre Mawr

BRO ARTHUR

Dyffryn Ardudwy Burial Chambers

Dyffryn Ardudwy Prim Sc

FFORDD GORS

5

P

Bennar

FFORDD BENAR

LC

FFORDD YSGETHIN

Llanddwywe

22

LC

Ysgethin Mus

FFORDD Y YNN

PO

ROWEN CVN PK
PANDY CVN PK

FFORDD TYDDYN-Y-FELIN

4

LC

SARNFAEN CVN SITE

Tal-y-bont

BARMOUTH BAY HOLIDAY VILLAGE

FFORDD GLAN-MOR

MOELFRE VIEW CVN PK

Talybont

Hendre Fechan

21

ISLAWRFFORDD CVN PK

LC

Hengwm

Seborig

LL43

3

SUNNYSANDS CVN PK

20

Egryn Abbey

LL42

2

Is Mynydd

Trawsdir

PH

19

Plas Canol

1

A496

18

Llanaber

| 54 | A | 55 | B | 56 | C | 57 | D | 58 | E | 59 | F |

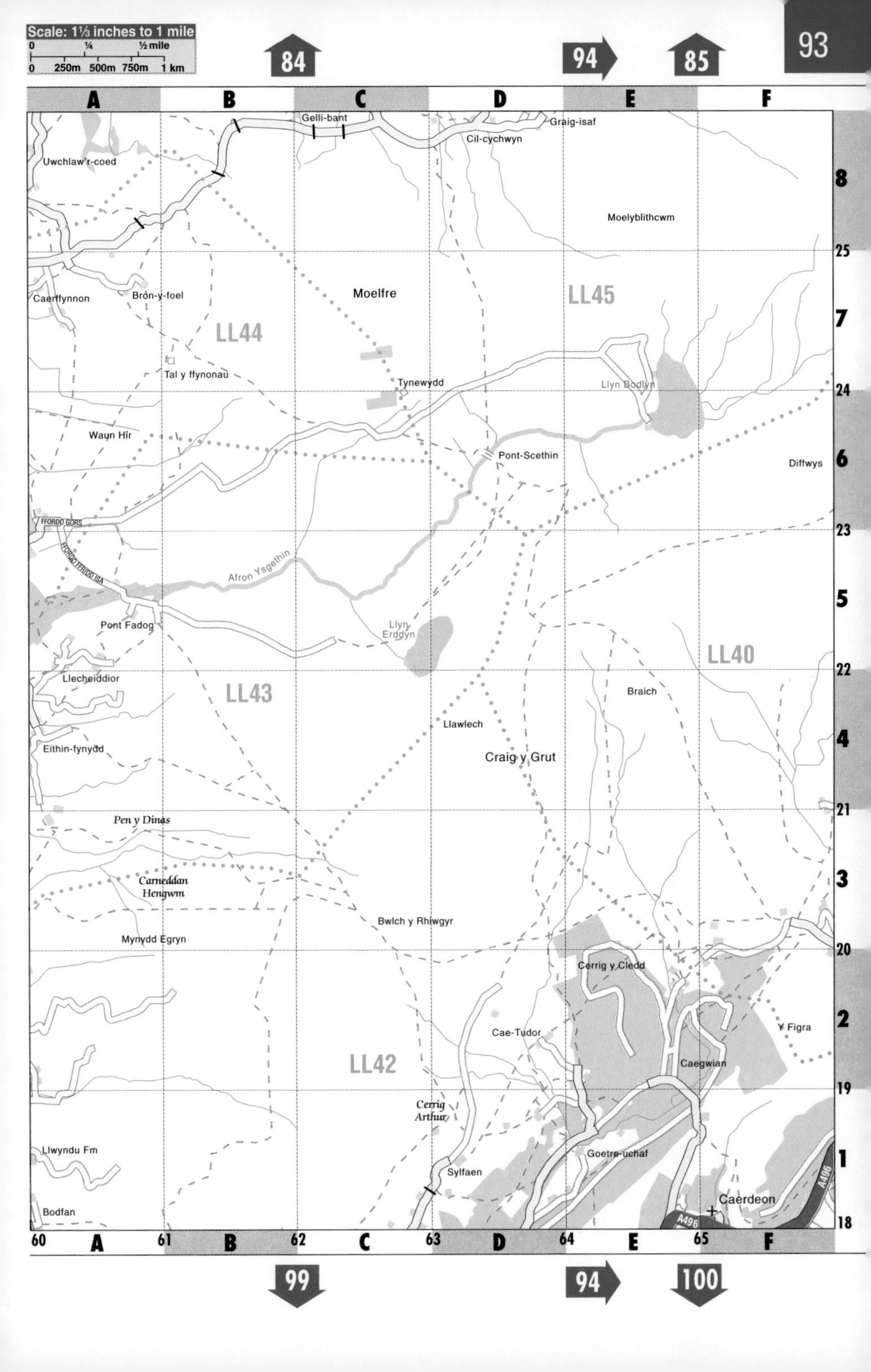
Scale: 1⅓ inches to 1 mile
0 ¼ ½ mile
0 250m 500m 750m 1 km
84
94
85
A B C D E F
Gelli-bant
Graig-isaf
Cil-cychwyn
Uwchlaw'r-coed
Moelyblithcwm
Caerffynnon
Bron-y-foel
Moelfre
LL45
LL44
Tal y ffynonau
Tynewydd
Llyn Bodlyn
Waun Hir
Pont-Scethin
Diffwys
FFORDD GORS
FFORDD FFRIDD ISA
Afon Ysgethin
Llyn Erddyn
Pont Fadog
LL40
Llecheiddior
LL43
Braich
Llawlech
Eithin-fynydd
Craig y Grut
Pen y Dinas
Carneddan Hengwm
Bwlch y Rhiwgyr
Mynydd Egryn
Cerrig y Cledd
Cae-Tudor
Y Figra
LL42
Caegwian
Cerrig Arthur
Llwyndu Fm
Goetre-uchaf
Sylfaen
A496
Bodfan
Caerdeon
A496
8
25
7
24
6
23
5
22
4
21
3
20
2
19
1
18
60 61 62 63 64 65
99
94
100

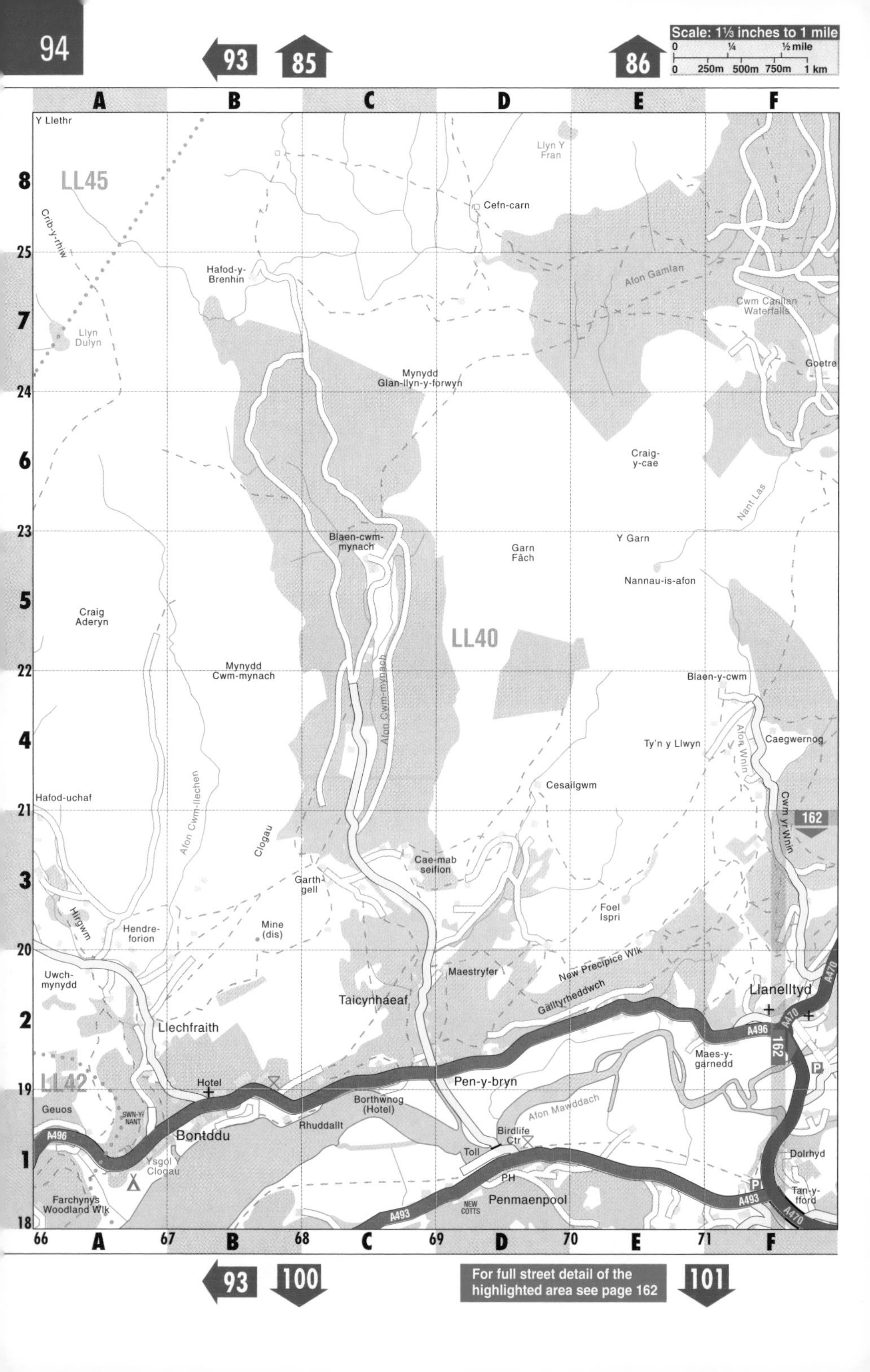
93
85
86
Scale: 1⅓ inches to 1 mile
0 ¼ ½ mile
0 250m 500m 750m 1 km
A B C D E F
Y Llethr
LL45
Crib-y-rhiw
Llyn Y Fran
Cefn-carn
Hafod-y-Brenhin
Afon Gamlan
Cwm Cadlan Waterfalls
Llyn Dulyn
Goetre
Mynydd Glan-llyn-y-forwyn
Craig-y-cae
Nant Las
Blaen-cwm-mynach
Garn Fâch
Y Garn
Nannau-is-afon
Craig Aderyn
LL40
Mynydd Cwm-mynach
Afon Cwm-mynach
Blaen-y-cwm
Ty'n y Llwyn
Caegwernog
Afon Wnin
Cesailgwm
Hafod-uchaf
Cwm yr Wnin
162
Afon Cwm-llechen
Clogau
Cae-mab seifion
Garth-gell
Foel Ispri
Hirgwm
Hendre-forion
Mine (dis)
New Precipice Wlk
Uwch-mynydd
Maestryfer
Llanelltyd
Taicynhaeaf
Galltyrheddwch
A470
Llechfraith
A496
Maes-y-garnedd
LL42
Hotel
Pen-y-bryn
Geuos
Borthwnog (Hotel)
SWN-Y-NANT
Afon Mawddach
Rhuddallt
Bontddu
Birdlife Ctr
Toll
Dolrhyd
Ysgol Y Clogau
PH
Tan-y-fford
Farchynys Woodland Wlk
Penmaenpool
NEW COTTS
A493
66 67 68 69 70 71
8 25 7 24 6 23 5 22 4 21 3 20 2 19 1 18
100
101
For full street detail of the highlighted area see page 162

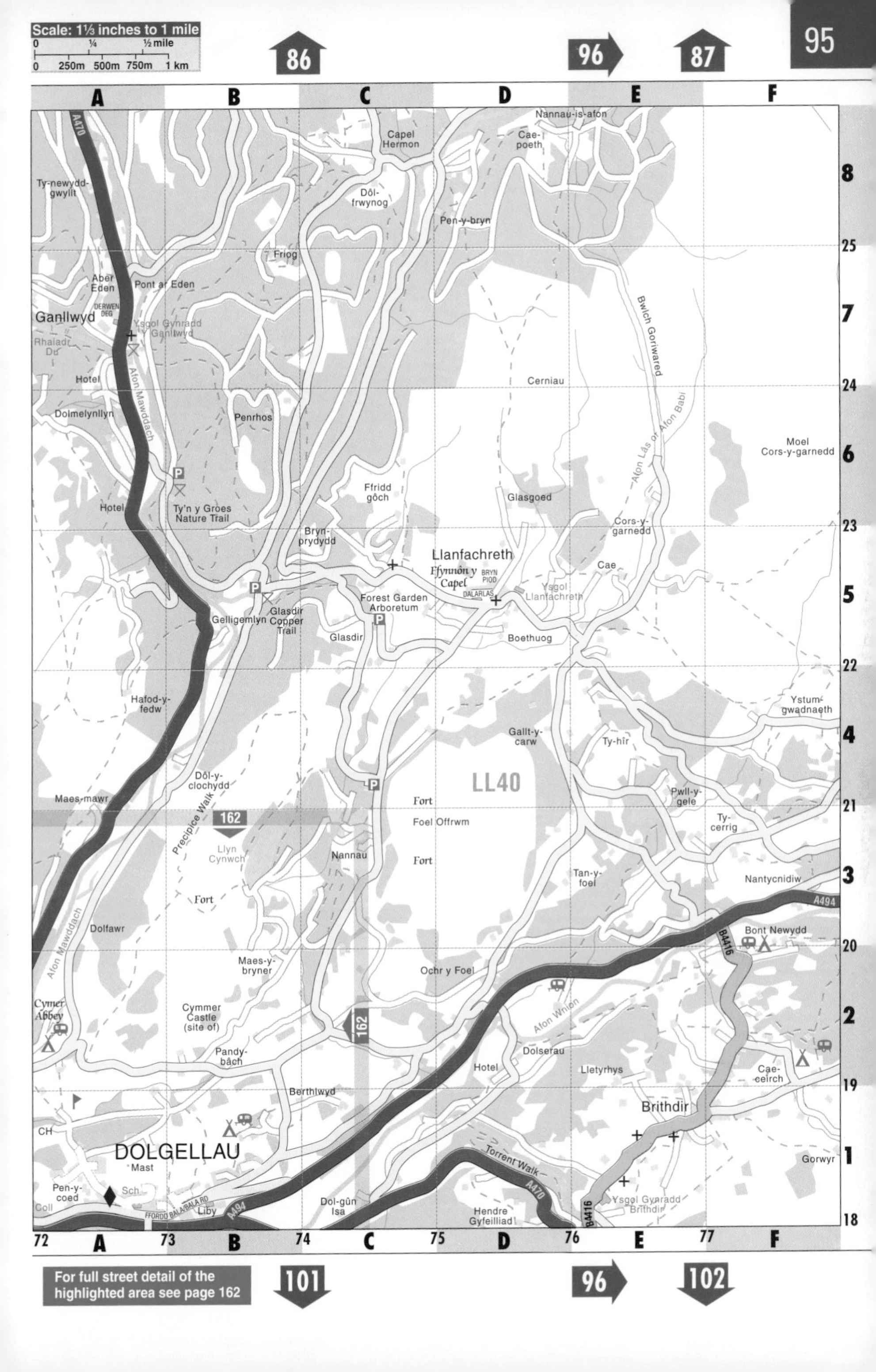

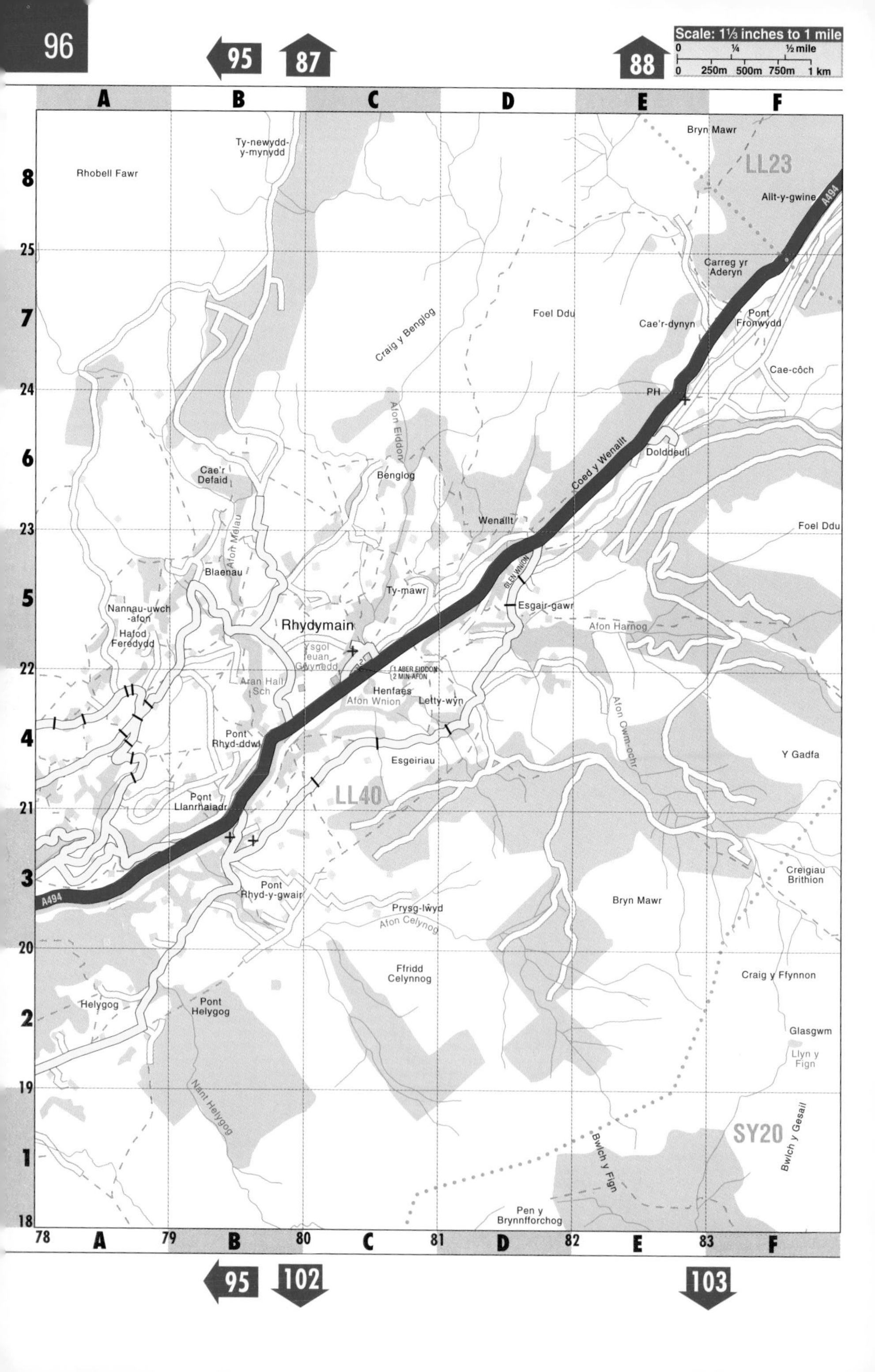
95
87
88
Scale: 1⅓ inches to 1 mile
0 ¼ ½ mile
0 250m 500m 750m 1 km
A B C D E F
8 25 7 24 6 23 5 22 4 21 3 20 2 19 1 18
78 79 80 81 82 83
Ty-newydd-y-mynydd
Rhobell Fawr
Bryn Mawr
LL23
Allt-y-gwine
A494
Carreg yr Aderyn
Foel Ddu
Craig y Benglog
Cae'r-dynyn
Pont Fronwydd
Cae-côch
PH
Afon Eiddon
Dolddeuli
Coed y Wenallt
Cae'r Defaid
Benglog
Wenallt
Foel Ddu
Afon Melau
Blaenau
GLEN WNION
Ty-mawr
Esgair-gawr
Nannau-uwch-afon
Rhydymain
Afon Harnog
Hafod Feredydd
Ysgol Ieuan Gwynedd
1 ABER EIDDON
2 MIN-AFON
Aran Hall Sch
Henfaes
Afon Wnion
Letty-wŷn
Afon Cwm-ochr
Pont Rhyd-ddwl
Esgeiriau
Y Gadfa
LL40
Pont Llanrhaiadr
Creigiau Brithion
Pont Rhyd-y-gwair
Bryn Mawr
A494
Prysg-lŵyd
Afon Celynog
Ffridd Celynnog
Craig y Ffynnon
Helygog
Pont Helygog
Glasgwm
Llyn y Fign
Nant Helygog
SY20
Bwlch y Gesail
Bwlch y Fign
Pen y Brynnfforchog
95
102
103

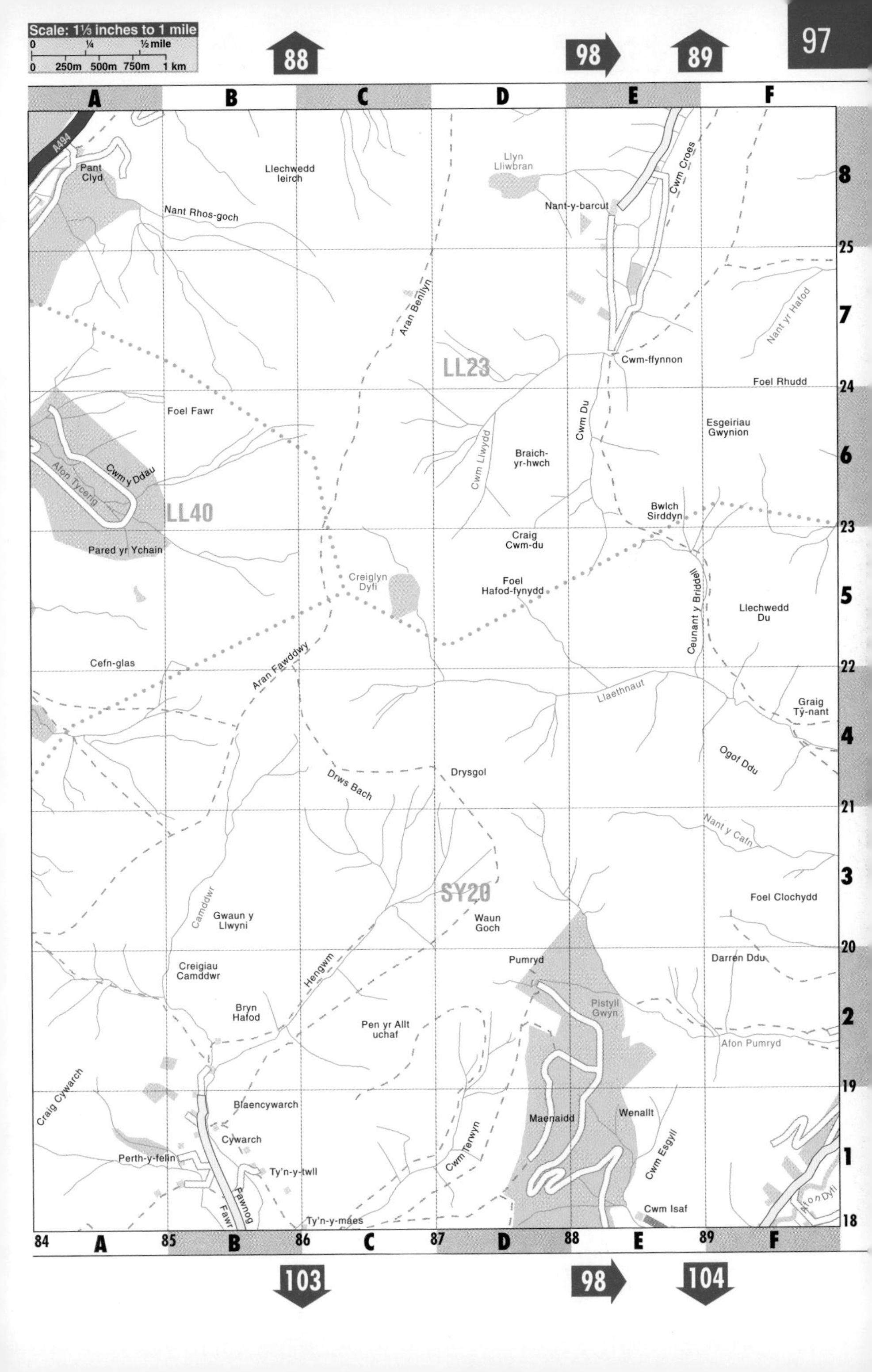
Scale: 1⅓ inches to 1 mile
0 ¼ ½ mile
0 250m 500m 750m 1 km
88
98
89
A B C D E F
8 25 7 24 6 23 5 22 4 21 3 20 2 19 1 18
84 85 86 87 88 89
A494
Pant Clyd
Llechwedd Ieirch
Nant Rhos-goch
Llyn Lliwbran
Nant-y-barcut
Cwm Croes
Aran Benllyn
Nant yr Hafod
LL23
Cwm-ffynnon
Foel Rhudd
Foel Fawr
Cwm Du
Esgeiriau Gwynion
Cwm y Ddau
Afon Tycerig
Cwm Llwydd
Braich-yr-hwch
LL40
Bwlch Sirddyn
Pared yr Ychain
Craig Cwm-du
Creiglyn Dyfi
Foel Hafod-fynydd
Ceunant y Briddell
Llechwedd Du
Cefn-glas
Aran Fawddwy
Llaethnaut
Graig Tŷ-nant
Ogof Ddu
Drysgol
Drws Bach
Nant y Cafn
SY20
Foel Clochydd
Camddwr
Gwaun y Llwyni
Waun Goch
Pumryd
Darren Ddu
Creigiau Camddwr
Hengwm
Pistyll Gwyn
Bryn Hafod
Pen yr Allt uchaf
Afon Pumryd
Craig Cywarch
Blaencywarch
Maenaidd
Wenallt
Cywarch
Cwm Terwyn
Cwm Esgyll
Perth-y-felin
Ty'n-y-twll
Fawnog
Fawr
Afon Dyfi
Cwm Isaf
Ty'n-y-maes
103
98
104

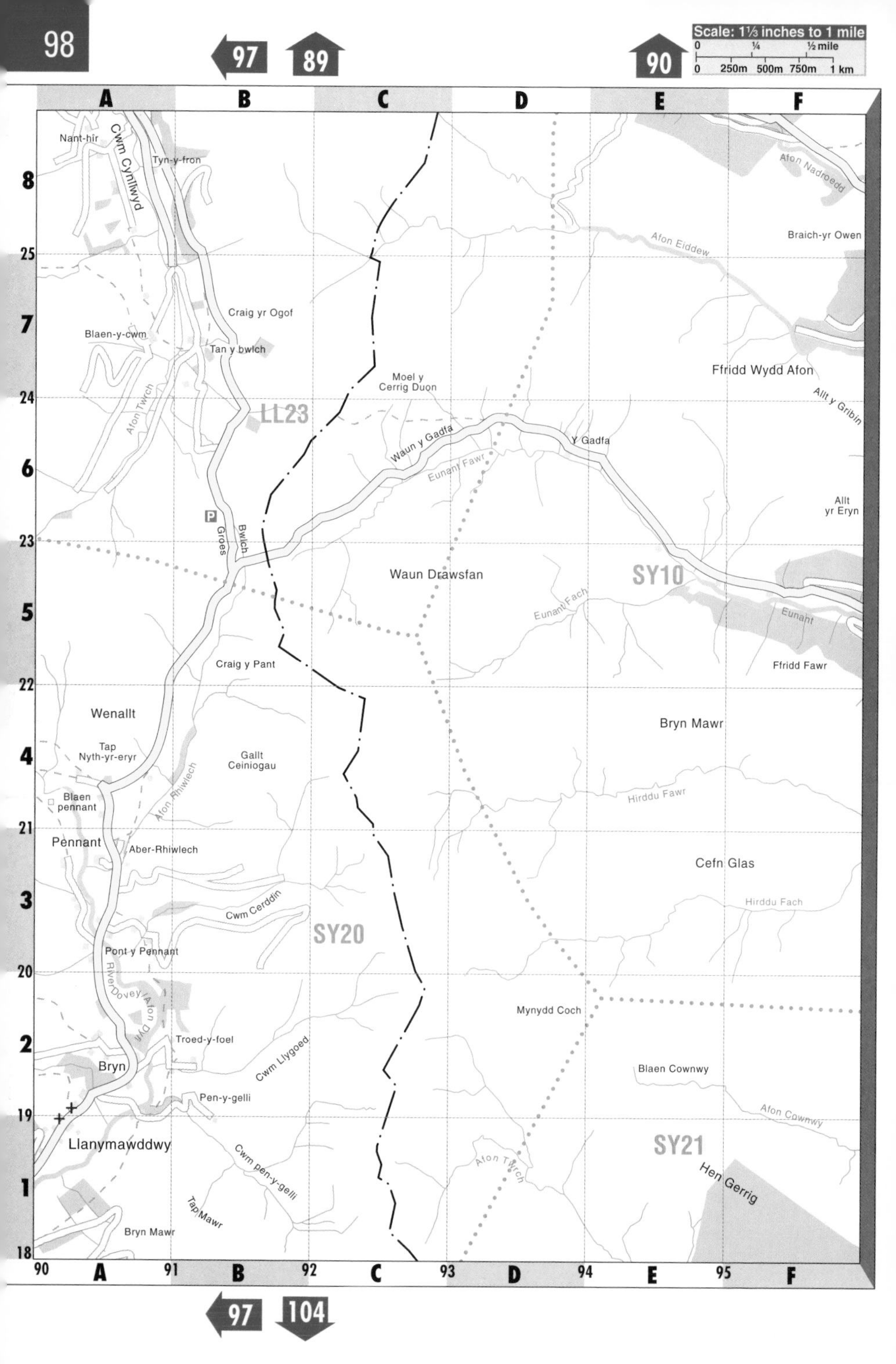

97
89

Scale: 1⅓ inches to 1 mile

0   ¼   ½ mile
0   250m 500m 750m 1 km

90

A   **B**   **C**   **D**   **E**   **F**

Nant-hîr
Cwm Cynllwyd
Tyn-y-fron

8

Afon Nadroedd

Braich-yr Owen

25

Afon Eiddew

Craig yr Ogof

7

Blaen-y-cwm
Tan y bwlch

Ffridd Wydd Afon

Moel y
Cerrig Duon

24

Allt y Gribin

LL23

Afon Twch

Waun y Gadfa

Y Gadfa

6

Eunant Fawr

Allt
yr Eryn

23

P
Groes
Bwlch

Waun Drawsfan

SY10

5

Eunant Fach

Eunant

Craig y Pant

22

Ffridd Fawr

Wenallt

Bryn Mawr

4

Tap
Nyth-yr-eryr

Gallt
Ceiniogau

Afon Rhiwlech

Hirddu Fawr

Blaen
pennant

21

Pennant

Aber-Rhiwlech

Cefn Glas

3

Cwm Cerddin

SY20

Hirddu Fach

Pont y Pennant

20

River Dovey / Afon Dyfi

Mynydd Coch

2

Troed-y-foel

Cwm Llygoed

Blaen Cownwy

Bryn

Pen-y-gelli

Afon Cownwy

19

Llanymawddwy

Cwm pen-y-gelli

SY21

Hen Gerrig

1

Tap Mawr

Afon Twrch

Bryn Mawr

18

90   **A**   **91**   **B**   **92**   **C**   **93**   **D**   **94**   **E**   **95**   **F**

97
104

Scale: 1⅓ inches to 1 mile
0 ¼ ½ mile
0 250m 500m 750m 1 km
92
93
100
A
B
C
D
E
F
Llanaber
161
Llwyn Onn
Bwlch y Llan
Ffridd y Graig
Garth
LL42
Mast
Cutiau
A496
Glandwr
LC
Gellfawr
Llwyn Onn
Plas Mynach
Panorama Walk
Garn
Gorllwyn
KING EDWARD'S ST
Dinas Oleu
Liby
Barmouth
LC
L Ctr
STRYD YR EGLWYS
BARMOUTH/ ABERMAW
IRB Sta
Harbour
LB Sta
Coes-faen
Fegla Fach
RNLI Mus
Ynys y Brawd
Ferry P (Summer only)
Barmouth Bridge
Porth Penrhyn
Foot Bridge (Toll)
MAWDDACH CRES
Cerrig-y-gorllwyn
Fegla Fawr
Morfa Mawddach
A493
South Bank
Mawddach Trail/ Morfa Mawddach
Fairbourne Railway
Ynysgyffylog
1 TREMORFA RD
2 WAVERLEY RD
Ro Wen
Bwlchgwyn
Tyddyn-Siefra
GLASFRYN TERR
FAIRBOURNE HOLIDAY VILLAGE
Outdoor Pursuits Centre
Bron-llety-Ifan
Fairbourne
LC
Fairbourne
Friog
HEOL SEITHENDRE 1
HEOL ROWEN 2
HEOL Y GADER 3
STANLEY RD 4
STATION RD 5
MARINA AVE 6
Ysgol y Friog
LC
Gest Ddu
Rowan Nat Ctr
Hotel
Pant Einion Hall
Caravan Park
Cyfannedd
FFORDD PANTEINION
Caravan Park
Blue Lake
LL38
LL39
Gallt Ffynnon yr Hydd
Morfa
Cefnfeusydd Farm
Pen y Garn
Afon Dyffryn
LL37
Gwastadgoed
Cwm-llwyd
Caravan Park
LL36
Rhydcriw
Parth-y-gwyddwch
A493
8
17
7
16
6
15
5
14
4
13
3
12
2
11
1
10
58
59
60
61
62
63
105
100
106

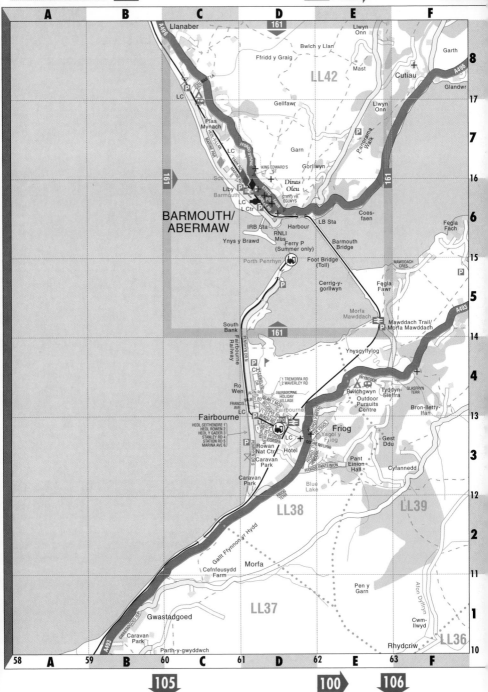

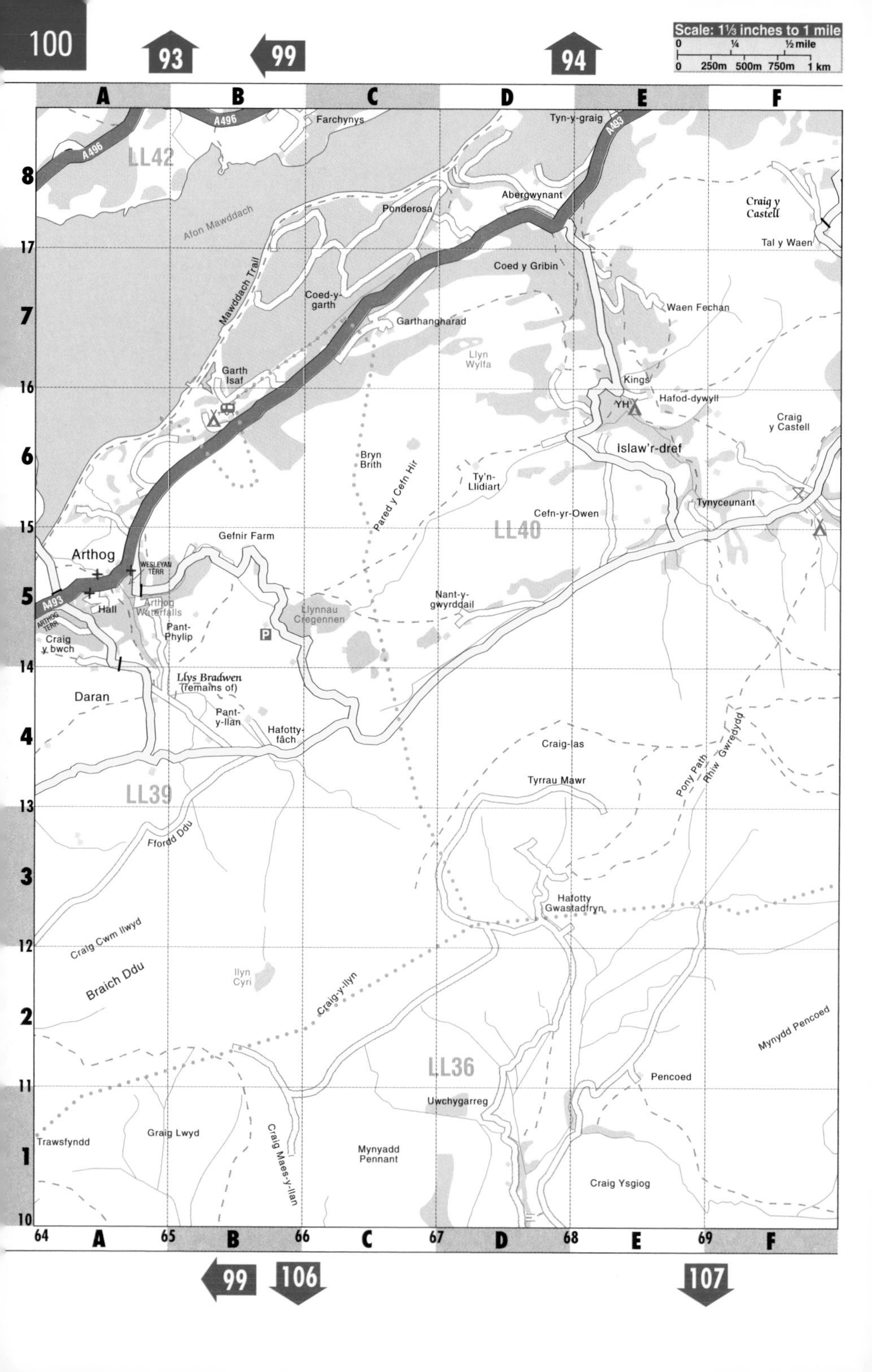
93
99
94
Scale: 1⅓ inches to 1 mile
0 ¼ ½ mile
0 250m 500m 750m 1 km
A B C D E F
8 17 7 16 6 15 5 14 4 13 3 12 2 11 1 10
64 65 66 67 68 69
A496
LL42
Farchynys
Tyn-y-graig
A493
Abergwynant
Craig y Castell
Tal y Waen
Ponderosa
Afon Mawddach
Mawddach Trail
Coed y Gribin
Coed-y-garth
Garthangharad
Waen Fechan
Llyn Wylfa
Garth Isaf
Kings
YH
Hafod-dywyll
Craig y Castell
Islaw'r-dref
Bryn Brith
Pared y Cefn Hir
Ty'n-Llidiart
Tynyceunant
Cefn-yr-Owen
LL40
Gefnir Farm
Arthog
WESLEYAN TERR
Nant-y-gwyrddail
Hall
Arthog Waterfalls
Llynnau Cregennen
ARTHOG TERR
Craig y bwch
Pant-Phylip
P
Llys Bradwen (remains of)
Daran
Pant-y-llan
Hafotty-fâch
Craig-las
Pony Path
Rhiw Gwredydd
Tyrrau Mawr
LL39
Ffordd Ddu
Hafotty Gwastadfryn
Craig Cwm llwyd
Braich Ddu
llyn Cyri
Craig-y-llyn
Mynydd Pencoed
LL36
Pencoed
Uwchygarreg
Trawsfyndd
Graig Lwyd
Craig Maes-y-llan
Mynyadd Pennant
Craig Ysgiog
A B C D E F
99
106
107

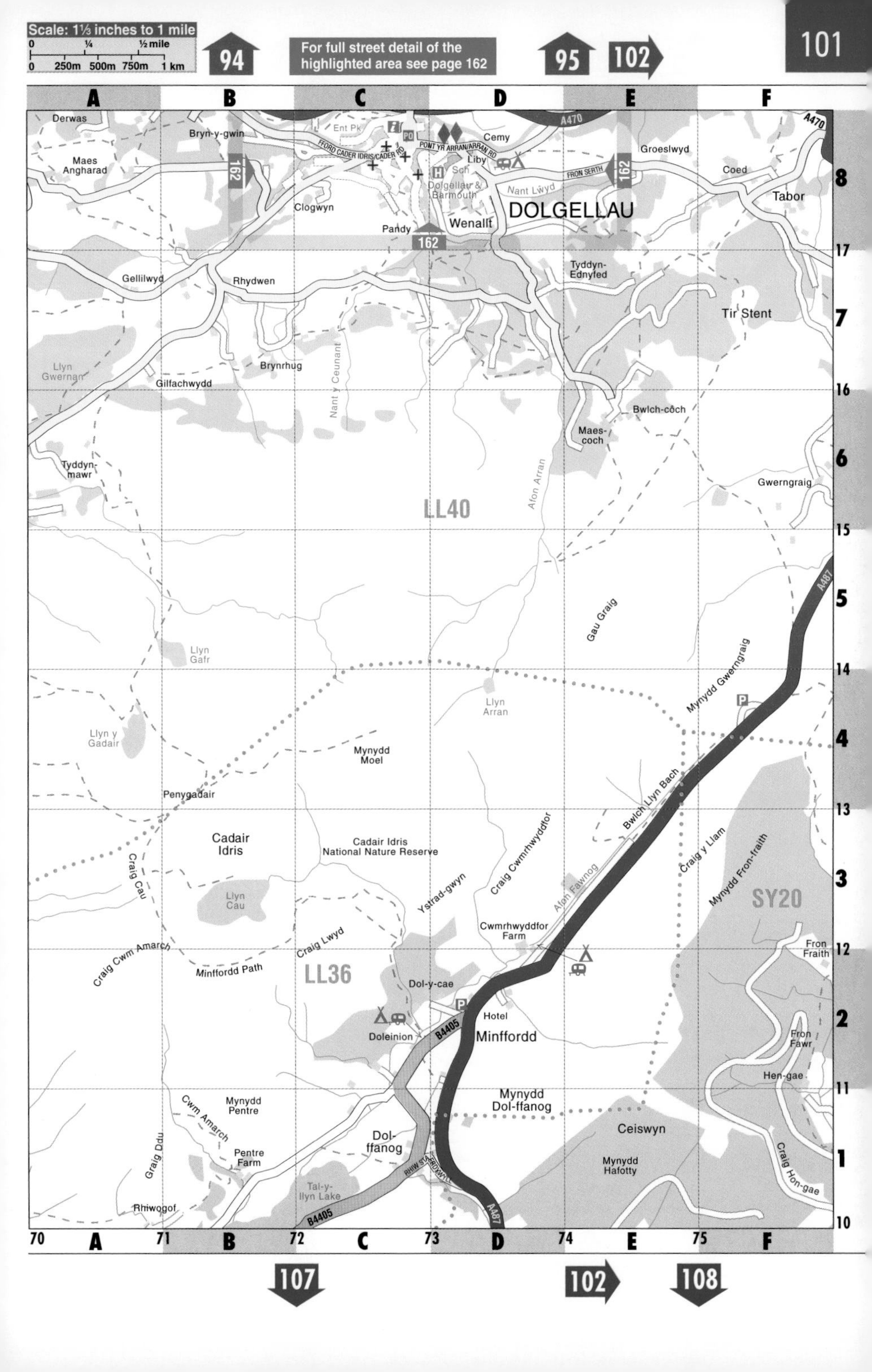
Scale: 1⅓ inches to 1 mile
0 ¼ ½ mile
0 250m 500m 750m 1 km
94
For full street detail of the highlighted area see page 162
95
102
A B C D E F
Derwas
Bryn-y-gwin
Maes Angharad
Ent Pk
PO
Cemy
A470
Groeslwyd
Coed
Tabor
FFORD CADER IDRIS/CADER RD
PONT YR ARRAN/ARRAN RD
Liby
Sch
Dolgellau & Barmouth
Nant Lŵyd
FRON SERTH
162
Clogwyn
Pandy
Wenallt
DOLGELLAU
Gellilwyd
Rhydwen
Tyddyn-Ednyfed
Tir Stent
Llyn Gwernan
Gilfachwydd
Brynrhug
Nant y Ceunant
Bwlch-côch
Maes-coch
Tyddyn-mawr
Afon Arran
LL40
Gwerngraig
Gau Graig
A487
Llyn Gafr
Llyn Arran
Mynydd Gwerngraig
Llyn y Gadair
Mynydd Moel
Penygadair
Bwlch Llyn Bach
Cadair Idris
Cadair Idris National Nature Reserve
Craig Cwmrhwyddfor
Craig y Llam
Mynydd Fron-fraith
Craig Cau
Llyn Cau
Ystrad-gwyn
Afon Fawnog
SY20
Cwmrhwyddfor Farm
Fron Fraith
Craig Cwm Amarch
Minffordd Path
Craig Lwyd
LL36
Dol-y-cae
Hotel
Doleinion
B4405
Minfford
Fron Fawr
Hen-gae
Cwm Amarch
Mynydd Pentre
Mynydd Dol-ffanog
Ceiswyn
Dol-ffanog
Pentre Farm
Craig Ddu
Mynydd Hafotty
Craig Hon-gae
Tal-y-llyn Lake
RHIW STAFFORDWYLL
Rhiwogof
8 17 7 16 6 15 5 14 4 13 3 12 2 11 1 10
70 71 72 73 74 75
107
102
108

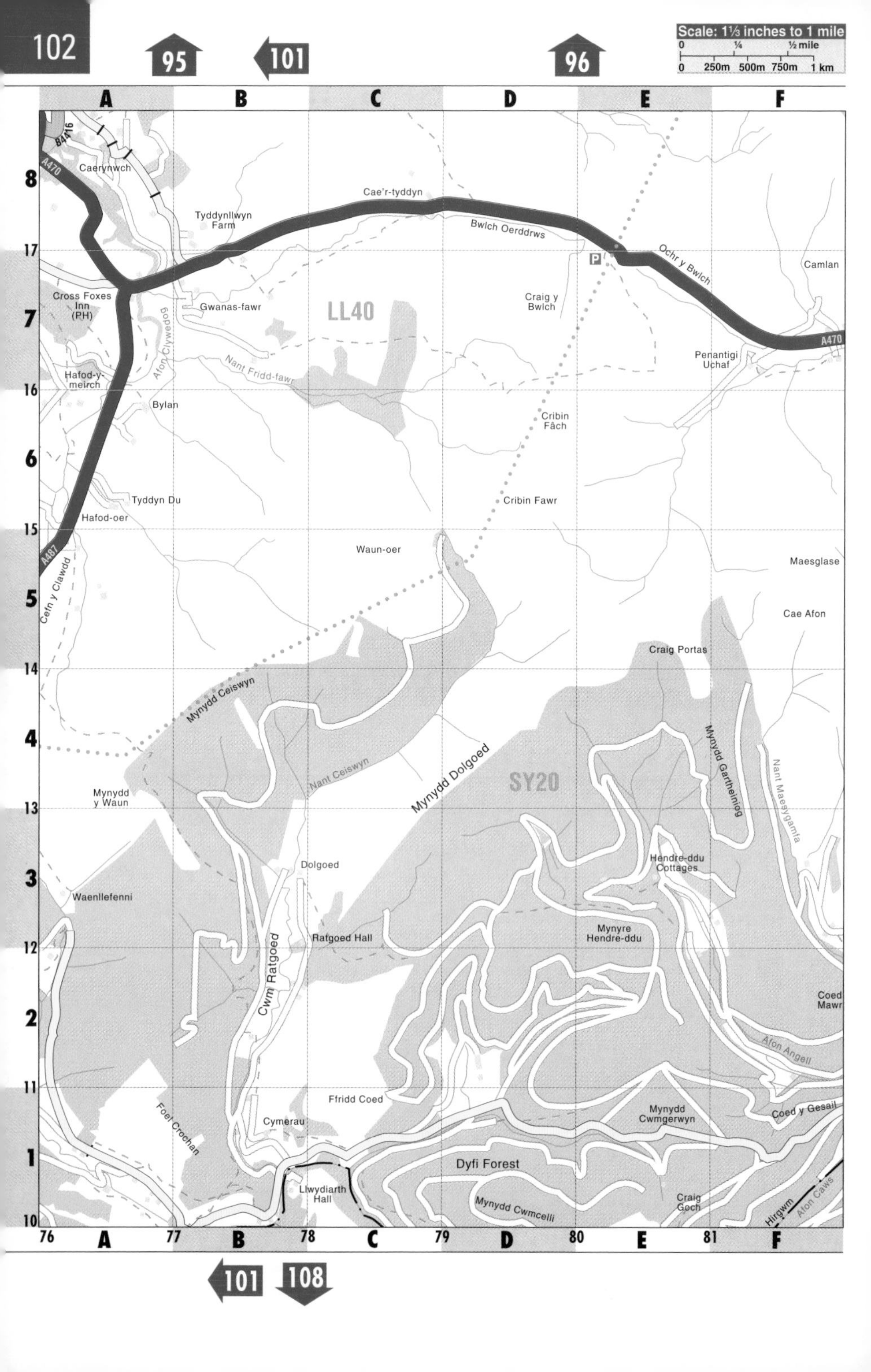

Caerynwch

B4416
A470

Tyddynllwyn Farm

Cae'r-tyddyn

Bwlch Oerddrws

Ochr y Bwlch

Camlan

Cross Foxes Inn (PH)

Gwanas-fawr

LL40

Craig y Bwlch

P

Penantigi Uchaf

A470

Hafod-y-meirch

Afon Clywedog

Nant Fridd-fawr

Cribin Fâch

Bylan

Cribin Fawr

Tyddyn Du

Hafod-oer

Waun-oer

Maesglase

A487

Cefn y Clawdd

Cae Afon

Craig Portas

Mynydd Ceiswyn

Mynydd Dolgoed

SY20

Mynydd Gartheiniog

Nant Maesygamfa

Mynydd y Waun

Nant Ceiswyn

Waenllefenni

Dolgoed

Hendre-ddu Cottages

Cwm Ratgoed

Rafgoed Hall

Mynyre Hendre-ddu

Coed Mawr

Afon Angell

Foel Crochan

Ffridd Coed

Cymerau

Mynydd Cwmgerwyn

Coed y Gesail

Dyfi Forest

Craig Goch

Llwydiarth Hall

Mynydd Cwmcelli

Hirgwm

Afon Cledy

76   A   77   B   78   C   79   D   80   E   81   F

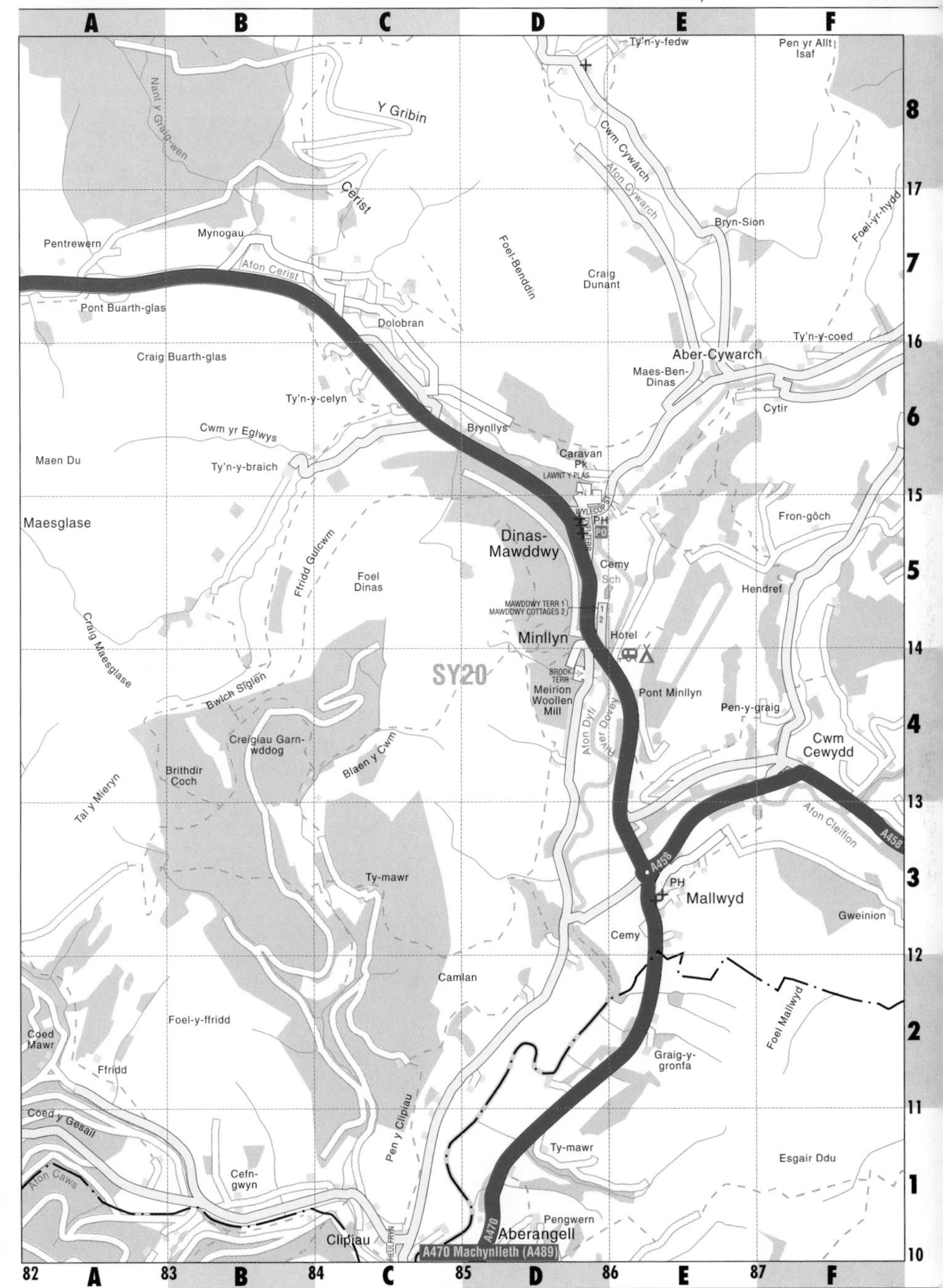

Pen yr Allt⸗
Isaf

Ty'n-y-fedw

Cwm Cywarch

Afon Cywarch

Y Gribin

Cerist

Foel-y-hydd

Bryn-Sion

Pentrewern

Mynogau

Foel-Benddin

Craig
Dunant

Ty'n-y-coed

Afon Cerist

Pont Buarth-glas

Dolobran

Aber-Cywarch

Craig Buarth-glas

Maes-Ben-
Dinas

Ty'n-y-celyn

Cytir

Cwm yr Eglwys

Brynllys

Maen Du

Fron-gôch

Ty'n-y-braich

Caravan
PK

LAWNT Y PLAS

Maesglase

PH
PO

Dinas-
Mawddwy

Ffridd Gulcwm

Cemy
Sch

Hendref

Foel
Dinas

Craig Maesglase

MAWDDWY TERR 1
MAWDDWY COTTAGES 2

1
2

Minllyn

Hotel

SY20

Pen-y-graig

BROOK
TERR

Afon Dyfi

River Dovey

Pont Minllyn

Meirion
Woollen
Mill

Cwm
Cewydd

Bwlch Siglen

Afon Clefrion

A458

Creigiau Garn-
wddog

Blaen y Cwm

Brithdir
Coch

A456

Tal y Mieryn

PH

Ty-mawr

Mallwyd

Gweinion

Cemy

Camlan

Foel-y-ffridd

Graig-y-
gronfa

Foel Mallwyd

Coed
Mawr

Esgair Ddu

Ffridd

Afon Caws

Coed y Gesail

Ty-mawr

Cefn-
gwyn

Pen y Clipiau

AFON FAWR

Pengwern

Aberangell

Clipiau

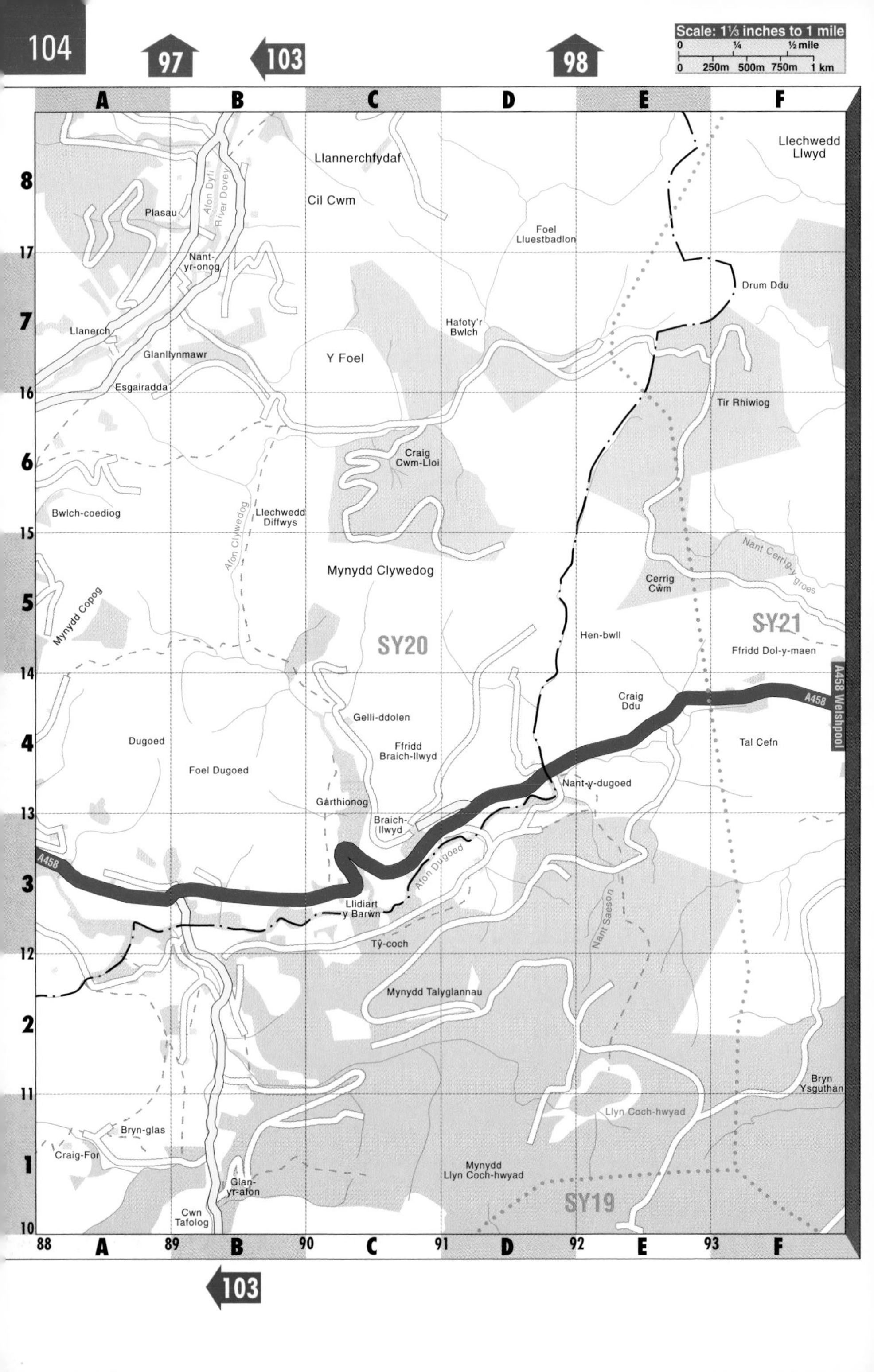

97
103
98

Scale: 1⅓ inches to 1 mile

0   ¼   ½ mile
0   250m 500m 750m 1 km

A   B   C   D   E   F

Llechwedd
Llwyd

8

Llannerchfydaf

Cil Cwm

Plasau

Afon Dyfi

River Dovey

Nant-
yr-ongg

17

Foel
Lluestbadlon

Drum Ddu

7

Llanerch

Hafoty'r
Bwlch

Y Foel

Glanllynmawr

Esgairadda

16

Tir Rhiwiog

6

Craig
Cwm-Lloi

Bwlch-coediog

Afon Clywedog

Llechwedd
Diffwys

15

Nant Cerrig y broes

Cerrig
Cwm

5

Mynydd Clywedog

Mynydd Copog

SY21

Hen-bwll

Ffridd Dol-y-maen

SY20

14

Craig
Ddu

A458 Welshpool

4

Dugoed

Gelli-ddolen

Ffridd
Braich-llwyd

Tal Cefn

Foel Dugoed

Nant-y-dugoed

13

Garthionog

Braich-
llwyd

A458

3

Afon Dugoed

Llidiart
y Barwn

Nant Saeson

Tŷ-coch

12

Mynydd Talyglannau

2

Bryn
Ysguthan

11

Llyn Coch-hwyad

Bryn-glas

1

Craig-For

Glan-
yr-afon

Mynydd
Llyn Coch-hwyad

SY19

Cwn
Tafolog

10

88   **A**   89   **B**   90   **C**   91   **D**   92   **E**   93   **F**

103

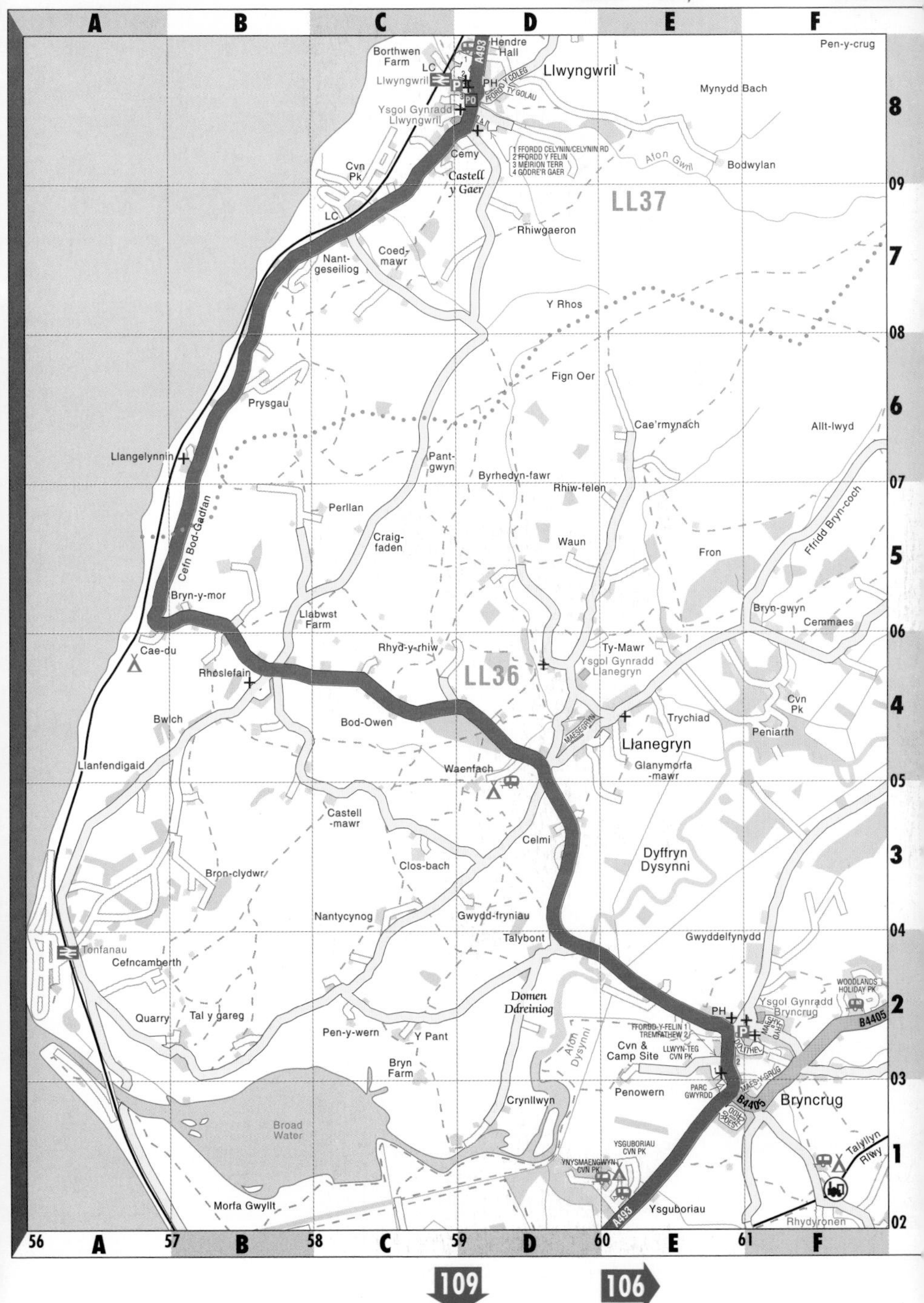

Pen-y-crug

Borthwen Farm
Hendre Hall
Llwyngwril

Mynydd Bach

Llwyngwril
LC
PO
Ysgol Gynradd
Llwyngwril

Cemy

Afon Gwril

Bodwylan

Cvn Pk

Castell y Gaer

LL37

1 FFORDD CELYNIN/CELYNIN RD
2 FFORDD Y FELIN
3 MEIRION TERR
4 GODRE'R GAER

LC

Rhiwgaeron

Nant-geseiliog

Coed-mawr

Y Rhos

Fign Oer

Prysgau

Pant-gwyn

Cae'rmynach

Allt-lwyd

Llangelynnin

Perllan

Byrhedyn-fawr

Rhiw-felen

Fron

Ffridd Bryn-coch

Craig-faden

Waun

Cefn Bod-Gadfan

Bryn-y-mor

Llabwst Farm

Rhyd-y-rhiw

Ty-Mawr
Ysgol Gynradd
Llanegryn

Bryn-gwyn

Cemmaes

Cae-du

Rhoslefain

LL36

Bod-Owen

Trychiad

Cvn Pk

Peniarth

Bwlch

Waenfach

Llanegryn

Glanymorfa -mawr

Llanfendigaid

Castell -mawr

Celmi

Dyffryn Dysynni

Bryn-clydwr

Clos-bach

Nantycynog

Gwydd-fryniau

Talybont

Gwyddelfynydd

Tonfanau

Cefncamberth

Domen Ddreiniog

WOODLANDS HOLIDAY PK

Quarry

Tal y gareg

Pen-y-wern

Y Pant

FFORDD-Y-FELIN 1
TREMPATHEW 2

PH
Ysgol Gynradd
Bryncrug

B4405

Bryn Farm

Cvn & Camp Site

LLWYN-TEG
CVN PK

Crynllwyn

Penowern

PARC GWYRDD

B4405

Bryncrug

Broad Water

Afon Dysynni

YSGUBORIAU
CVN PK

Talyllyn
Rlwy

YNYSMAENGWYN
CVN PK

Ysguboriau

Rhydyronen

Morfa Gwyllt

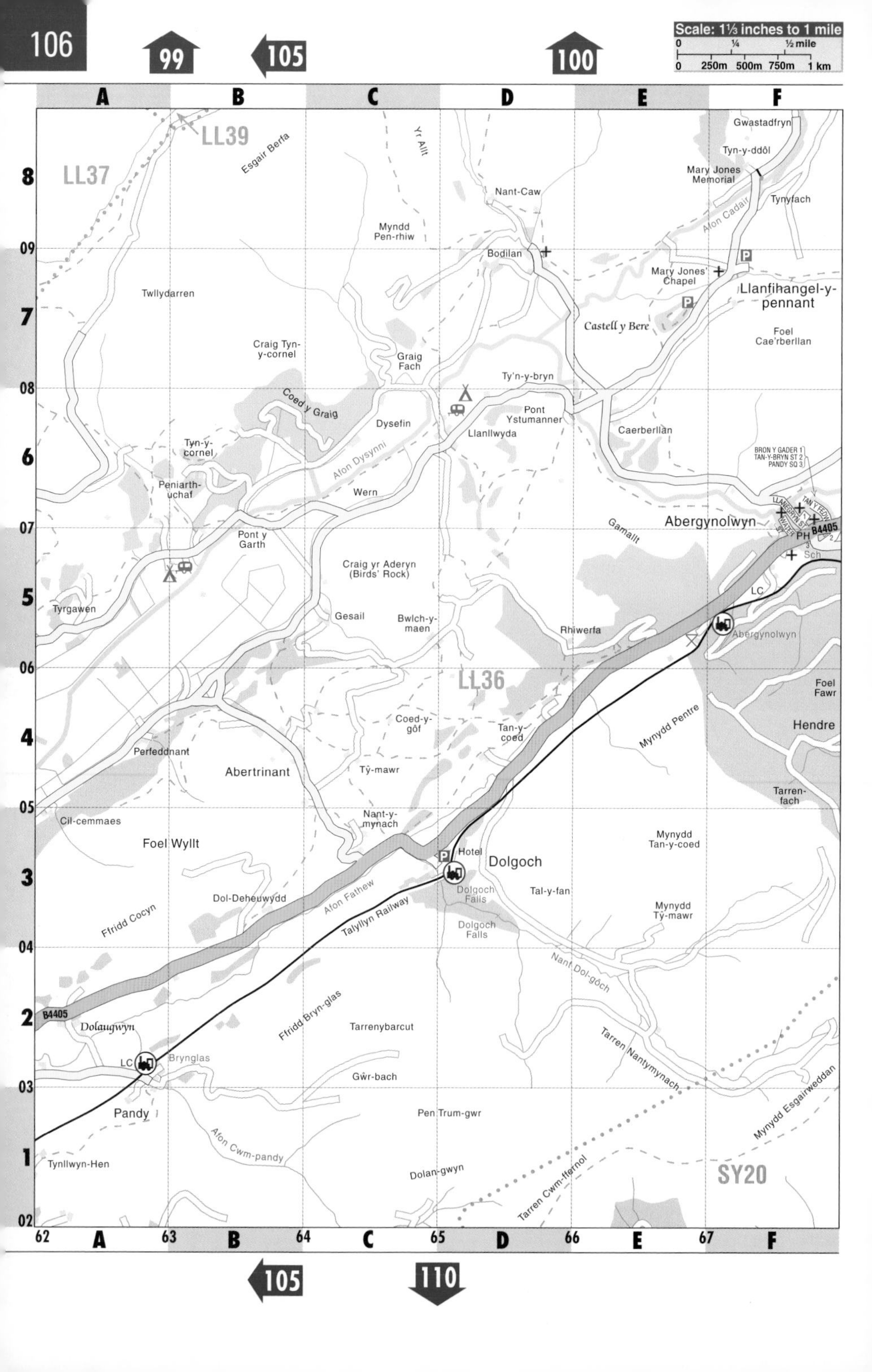
99
105
100
Scale: 1⅓ inches to 1 mile
0
¼
½ mile
0
250m
500m
750m
1 km
A
B
C
D
E
F
8
09
7
08
6
07
5
06
4
05
3
04
2
03
1
02
62
63
64
65
66
67
LL39
LL37
Esgair Berfa
Yr Allt
Gwastadfryn
Tyn-y-ddôl
Mary Jones
Memorial
Tynyfach
Afon Cadair
Nant-Caw
Myndd
Pen-rhiw
Bodilan
Mary Jones'
Chapel
Llanfihangel-y-
pennant
Twllydarren
Castell y Bere
Foel
Cae'rberllan
Craig Tyn-
y-cornel
Graig
Fach
Ty'n-y-bryn
Coed y Graig
Dysefin
Pont
Ystumanner
Llanllwyda
Caerberllan
Tyn-y-
cornel
Afon Dysynni
BRON Y GADER 1
TAN-Y-BRYN ST 2
PANDY SQ 3
Peniarth-
uchaf
Wern
Gamallt
Abergynolwyn
B4405
PH
Sch
Pont y
Garth
Craig yr Aderyn
(Birds' Rock)
Tyrgawen
LC
Gesail
Bwlch-y-
maen
Rhiwerfa
Abergynolwyn
LL36
Foel
Fawr
Coed-y-
gôf
Tan-y-
coed
Mynydd Pentre
Hendre
Perfeddnant
Abertrinant
Tŷ-mawr
Tarren-
fach
Cil-cemmaes
Nant-y-
mynach
Mynydd
Tan-y-coed
Foel Wyllt
Hotel
Dolgoch
Dol-Deheuwydd
Afon Fathew
Dolgoch
Falls
Tal-y-fan
Ffridd Cocyn
Talyllyn Railway
Dolgoch
Falls
Mynydd
Tŷ-mawr
Nant Dol-gôch
B4405
Ffridd Bryn-glas
Dolaugwyn
Tarrenybarcut
Tarren Nantymynach
LC
Brynglas
Gŵr-bach
Pandy
Pen Trum-gwr
Mynydd Esgairweddan
Afon Cwm-pandy
Tynllwyn-Hen
Dolan-gwyn
SY20
Tarren Cwm-ffernol
105
110

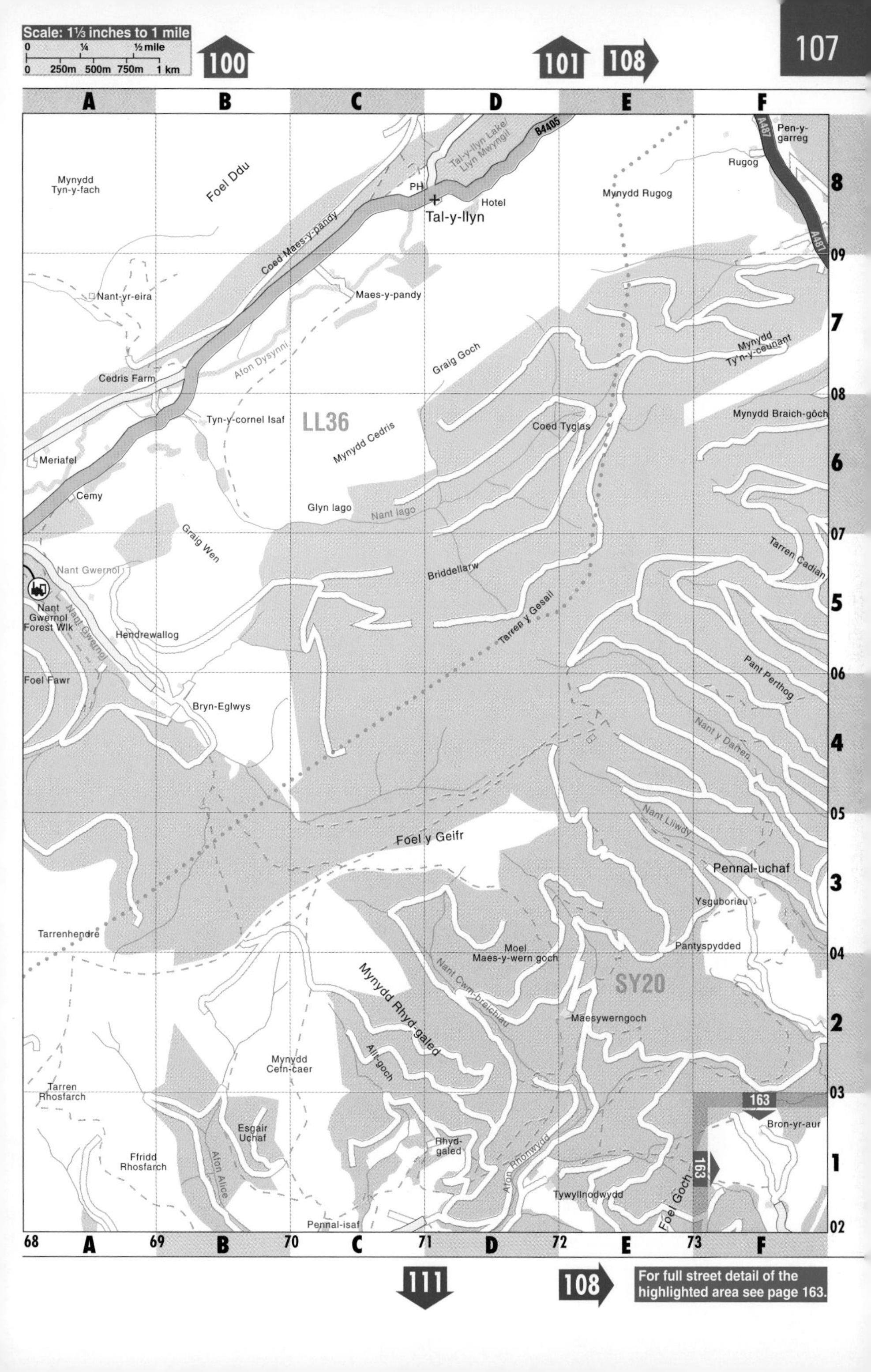

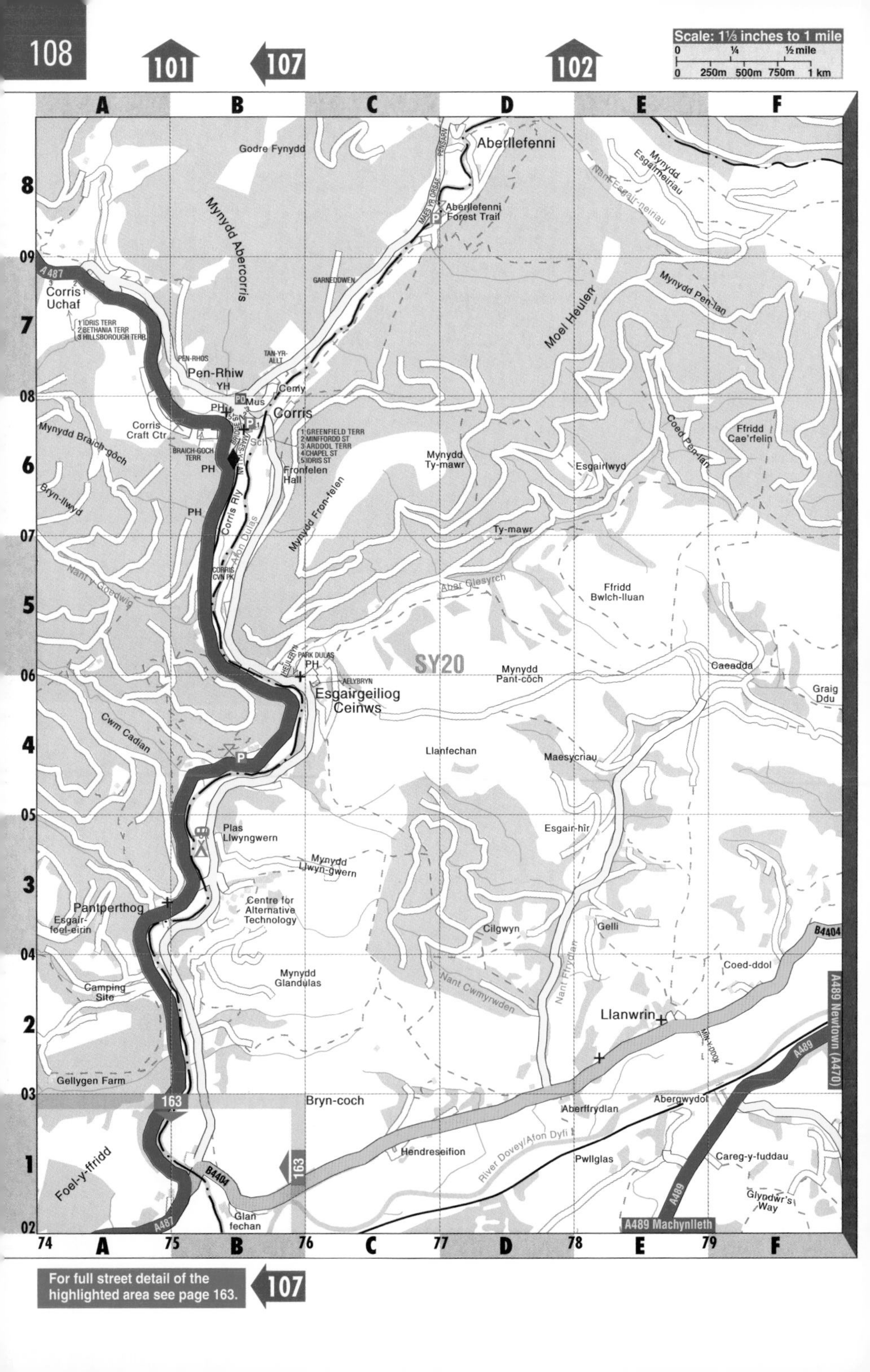

Scale: 1½ inches to 1 mile

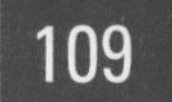

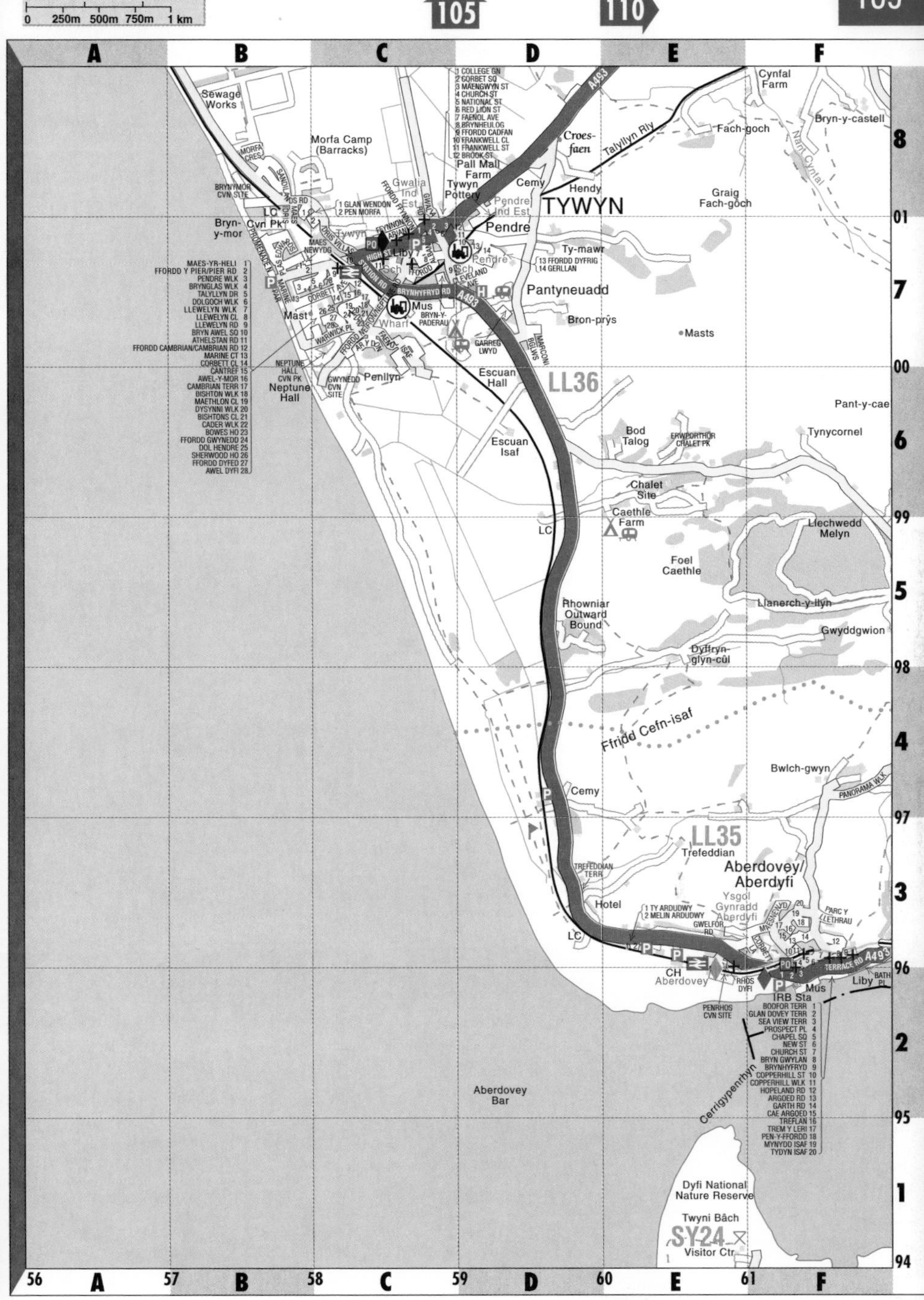

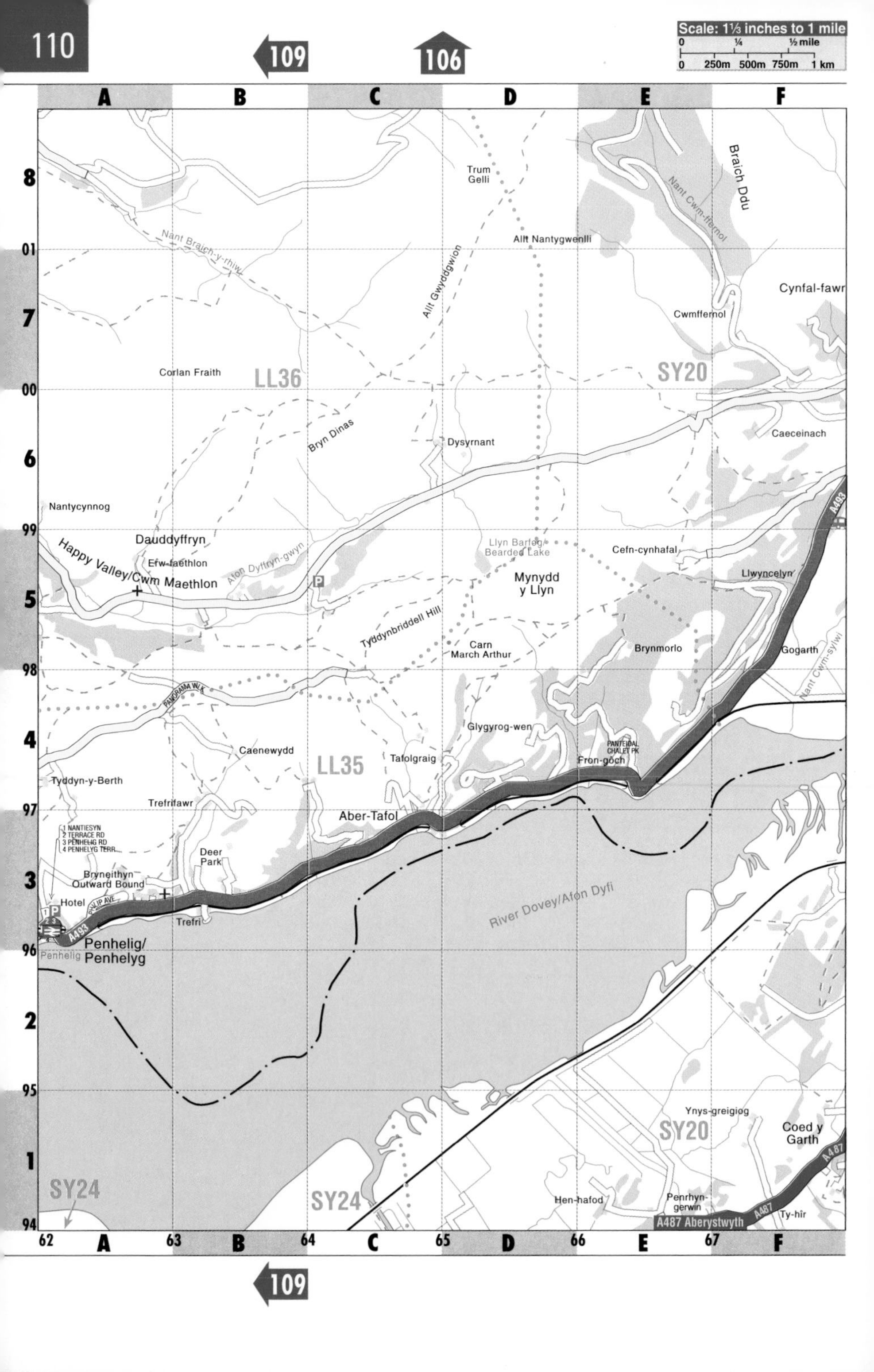

109
106

Scale: 1⅓ inches to 1 mile

| 0 | | ¼ | | ½ mile |
| 0 | 250m | 500m | 750m | 1 km |

8

01

7

00

6

99

5

98

4

97

3

96

2

95

1

94

Trum Gelli

Allt Nantygwenlli

Braich Ddu

Nant Cwm-ffernol

Cynfal-fawr

Cwmffernol

Nant Braich-y-rhiw

Corlan Fraith

LL36

SY20

Caeceinach

Bryn Dinas

Dysyrnant

Nantycynnog

Llyn Barfog
Bearded Lake

Cefn-cynhafal

Llwyncelyn

Dauddyffryn

Efw-faethlon

Happy Valley/Cwm Maethlon

Afon Dyffryn-gwyn

Mynydd y Llyn

Gogarth

Nant Cwm-sylw

Tyddynbriddell Hill

Carn March Arthur

Brynmorlo

PROGRAM W.K.

Caenewydd

LL35

Tafolgraig

Glygyrog-wen

PANTEIDAL CHALET PK

Fron-goch

Tyddyn-y-Berth

Trefrifawr

Aber-Tafol

1 NANTIESYN
2 TERRACE RD
3 PENHELIG RD
4 PENHELYG TERR

Deer Park

Bryneithyn Outward Bound

Trefri

River Dovey/Afon Dyfi

Hotel

IP AVE

Penhelig/ Penhelyg

Penhelig

Ynys-greigiog

SY20

Coed y Garth

Hen-hafod

Penrhyn-gerwin

A487 Aberystwyth

Ty-hir

SY24

SY24

| A | B | C | D | E | F |
| 62 | 63 | 64 | 65 | 66 | 67 |

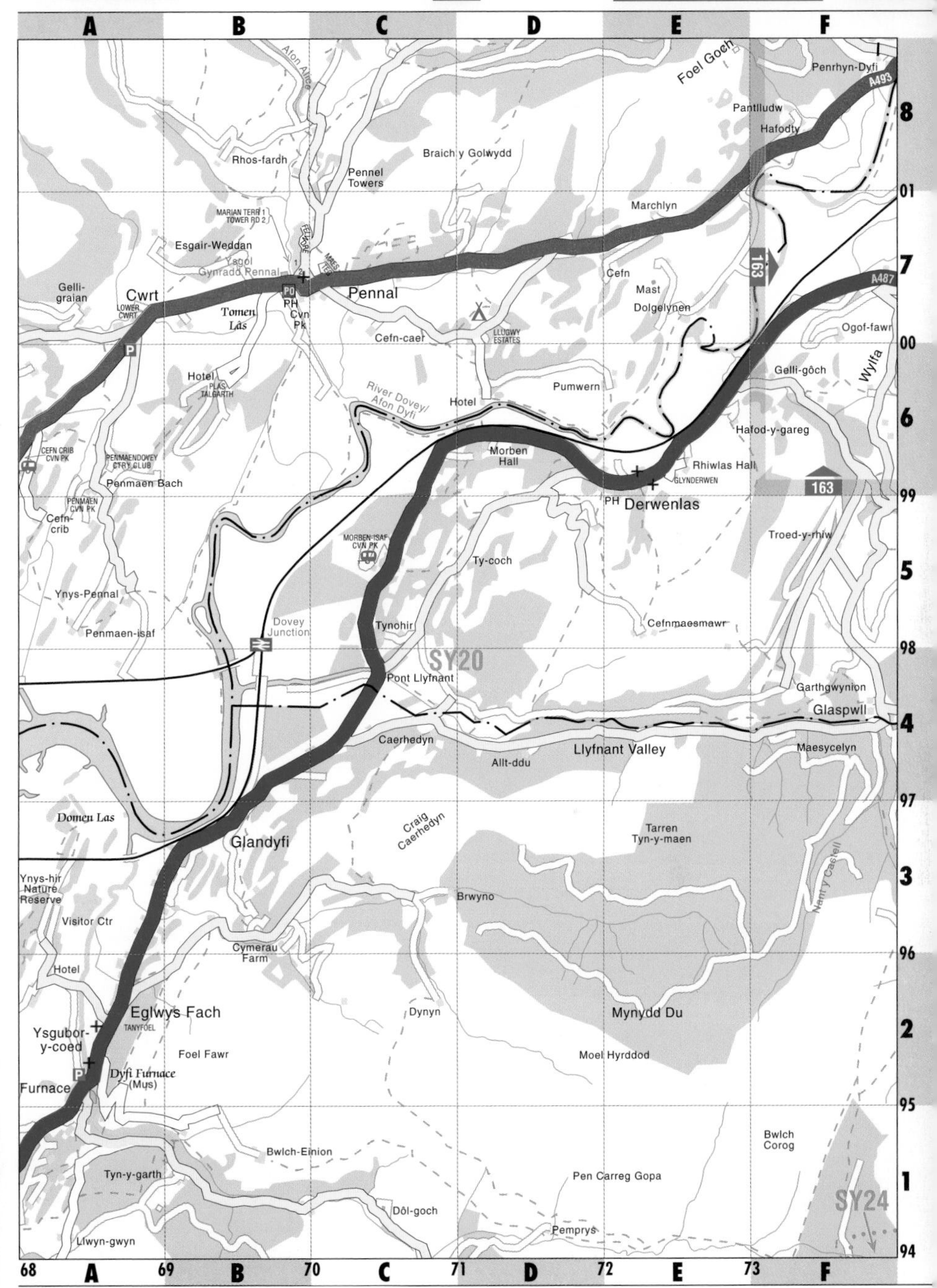

Scale: 1⅓ inches to 1 mile

0 ¼ ½ mile
0 250m 500m 750m 1 km

107

For full street detail of the highlighted area see page 163.

111

A B C D E F

8

01

7

00

6

99

5

98

4

97

3

96

2

95

1

94

Foel Goch
Penrhyn-Dyfi
A493
Pantlludw
Hafodty
Rhos-fardh
Braich y Golwydd
Pennel Towers
Marchlyn
MARIAN TERR 1
TOWER RD 2
163
Esgair-Weddan
Ysgol Gynradd Rennal
Cefn
A487
Gelli-graian
Cwrt
LOWER CWRT
P0 RH Cvn Pk
Pennal
Mast
Dolgelynen
Ogof-fawr
Wylfa
Tomen Las
Gelli-gôch
P
Cefn-caer
LLUOWY ESTATES
Pumwern
Hafod-y-gareg
Hotel
PLAS TALBARTH
River Dovey/
Afon Dyfi
Hotel
Morben Hall
Rhiwlas Hall
GLYNDERWEN
163
CEFN CRIB CVN PK
PENMAENDOVEY CMRY CLUB
Penmaen Bach
MORBEN ISAF CVN PK
PH Derwenlas
Troed-y-rhiw
PENMAEN CVN PK
Cefn-crib
Ty-coch
Ynys-Pennal
Cefnmaesmawr
Penmaen-isaf
Dovey Junction
Tynohir
SY20
Garthgwynion
Pont Llyfnant
Glaspwll
Caerhedyn
Llyfnant Valley
Maesycelyn
Allt-ddu
Domen Las
Craig Caerhedyn
Tarren Tyn-y-maen
Glandyfi
Brwyno
Ynys-hir
Nature Reserve
Visitor Ctr
Mynydd Du
Cymerau Farm
Hotel
Eglwys Fach
TANYFOEL
Dynyn
Ysgubor-y-coed
Foel Fawr
Moel Hyrddod
P
Dyfi Furnace
(Mus)
Furnace
Bwlch Corog
Tyn-y-garth
Bwlch-Einion
Pen Carreg Gopa
SY24
Dôl-goch
Llwyn-gwyn
Pemprys

68 A 69 B 70 C 71 D 72 E 73 F

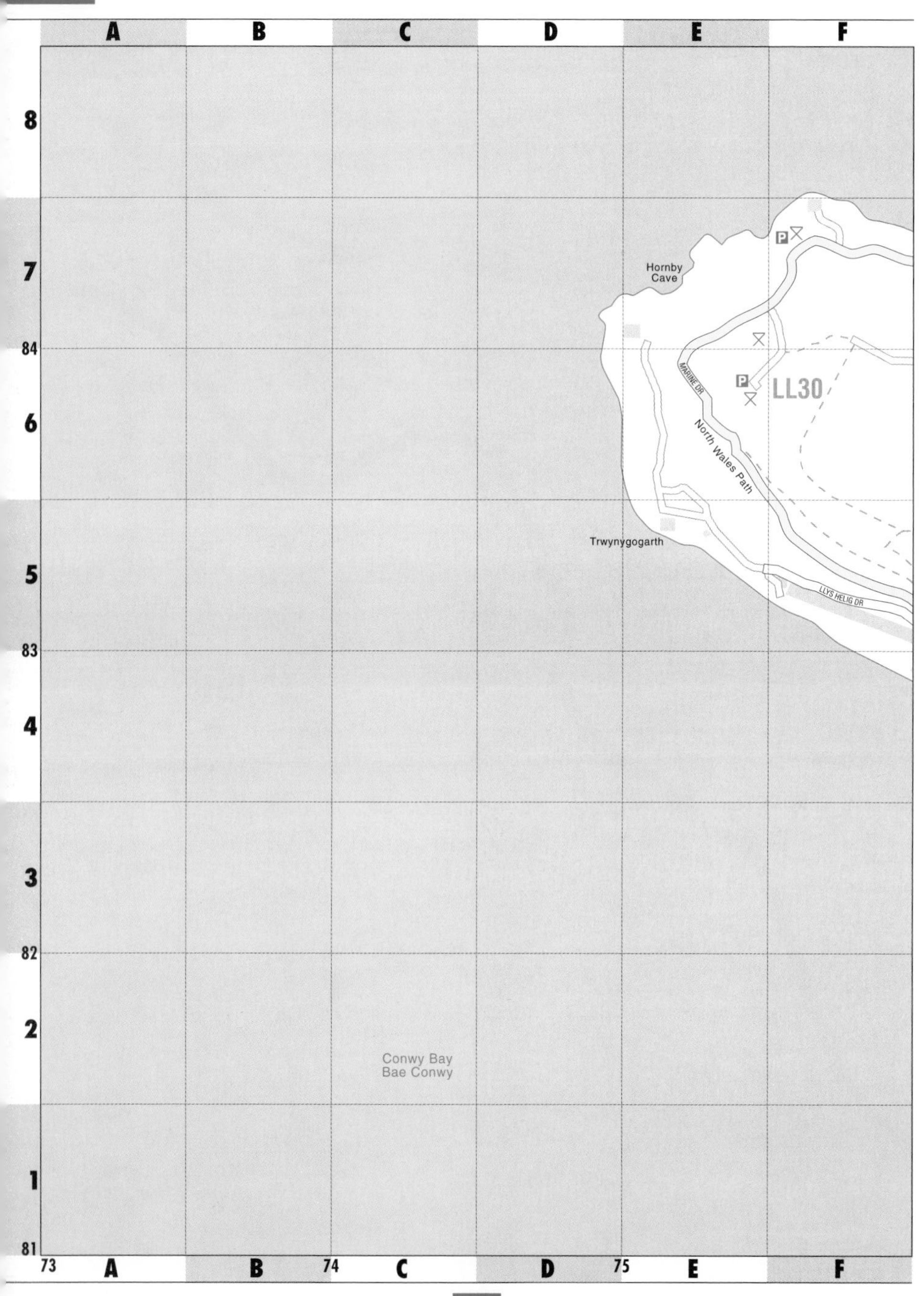

8

7

84

6

5

83

4

3

82

2

1

81

A   B   C   D   E   F

Hornby
Cave

P ✕

✕

P ✕ LL30

North Wales Path

Trwynygogarth

LLYS HELIG DR

Conwy Bay
Bae Conwy

73   A   74   C   D   75   E   F
B

116

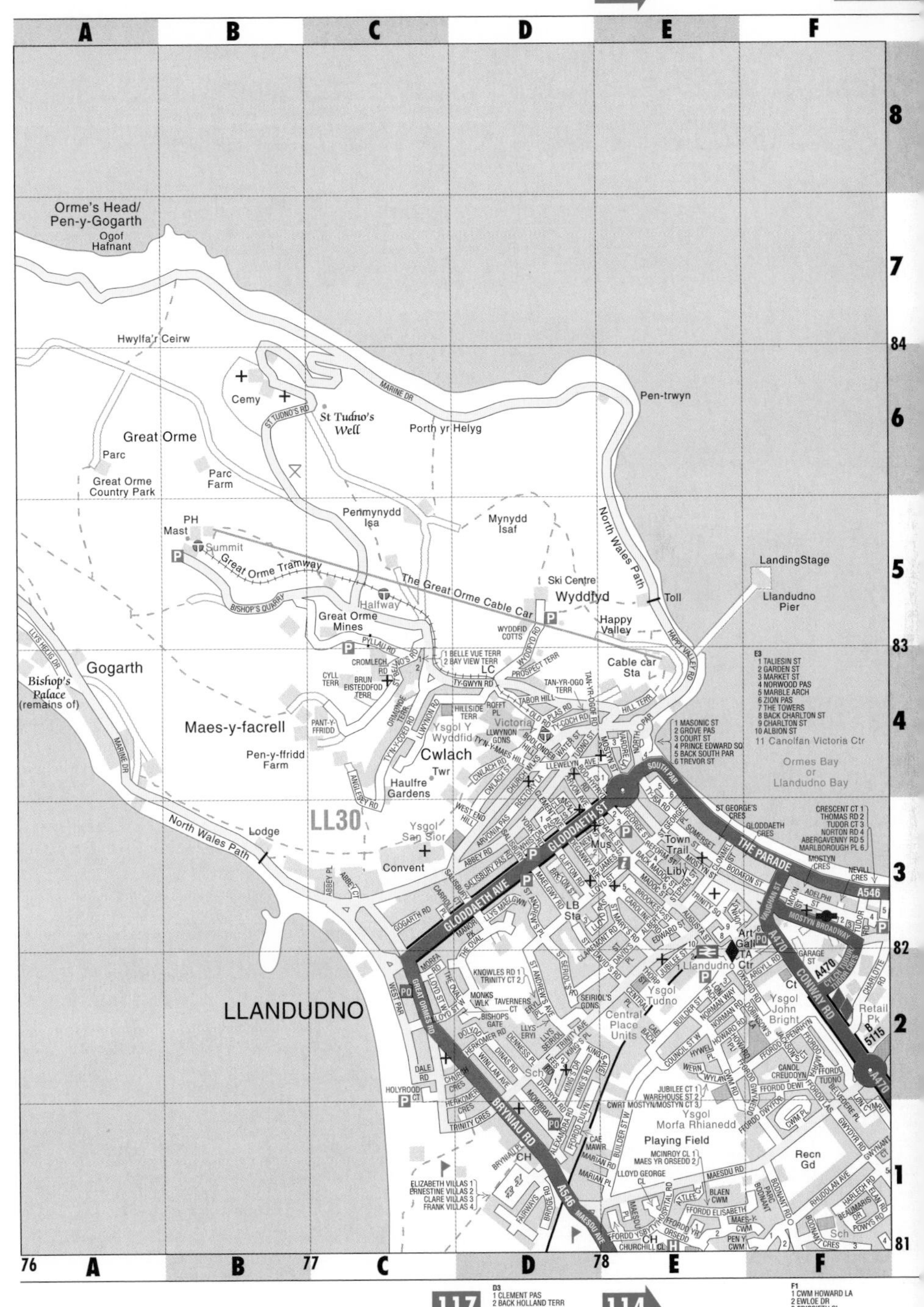

Orme's Head/
Pen-y-Gogarth
Ogof
Hafnant

Hwylfa'r Ceirw

Great Orme

Parc

Great Orme
Country Park

Gogarth

Bishop's
Palace
(remains of)

Maes-y-facrell

Pen-y-ffridd
Farm

LL30

Lodge

North Wales Path

LLANDUDNO

Cemy

St Tudno's
Well

Parc Farm

PH
Mast

Summit

Great Orme Tramway

BISHOP'S QUARRY

Great Orme
Mines

CYLL
TERR

BRUN
EISTEDDFOD
TERR

PANT-Y-
FFRIDD

Cwlach

Twr

Haulfre
Gardens

Ysgol
San Sior

Convent

Penmynydd
Isa

The Great Orme Cable Car

Halfway

HILLSIDE
TERR

Ysgol Y
Wyddfid

Victoria

Mynydd
Isaf

Ski Centre
Wyddfyd

WYDDFID
COTTS

1 BELLE VUE TERR
2 BAY VIEW TERR
LC

TY-GWYN RD

TABOR HILL

Porth yr Helyg

Pen-trwyn

North Wales Path

LandingStage

Llandudno
Pier

Happy
Valley

Toll

Cable car
Sta

E3
1 TALIESIN ST
2 GARDEN ST
3 MARKET ST
4 NORWOOD PAS
5 MARBLE ARCH
6 ZION PAS
7 THE TOWERS
8 BACK CHARLTON ST
9 CHARLTON ST
10 ALBION ST
11 Canolfan Victoria Ctr

Ormes Bay
or
Llandudno Bay

ST GEORGE'S
CRES

GLODDAETH
CRES

CRESCENT CT 1
THOMAS RD 2
TUDOR CT 3
NORTON RD 4
ABERGAVENNY RD 5
MARLBOROUGH PL 6

LLWYNON
GDNS

Town
Trail

Mus

Liby

LB
Sta

Art
Gall

Llandudno Ctr

Ysgol
Tudno

Central
Place
Units

Seirol's
GDNS

A546

NEVILL
CRES

LLYSTYN
CRES

Retail
Pk

A470

Ysgol
John
Bright

Recn
Gd

Ysgol
Morfa Rhianedd

Playing Field

CWRT MOSTYN/MOSTYN CT 1
JUBILEE CT 1
WAREHOUSE ST 2

MCINROY CL 1
MAES YR ORSEDD 2

LLOYD GEORGE

BLAEN
CWM

ELIZABETH VILLAS 1
ERNESTINE VILLAS 2
CLARE VILLAS 3
FRANK VILLAS 4

D3
1 CLEMENT PAS
2 BACK HOLLAND TERR
3 RATHBONE PAS

F1
1 CWM HOWARD LA
2 EWLOE DR
3 CRICCIETH CL
4 MENAN RD
5 PENNANT CT

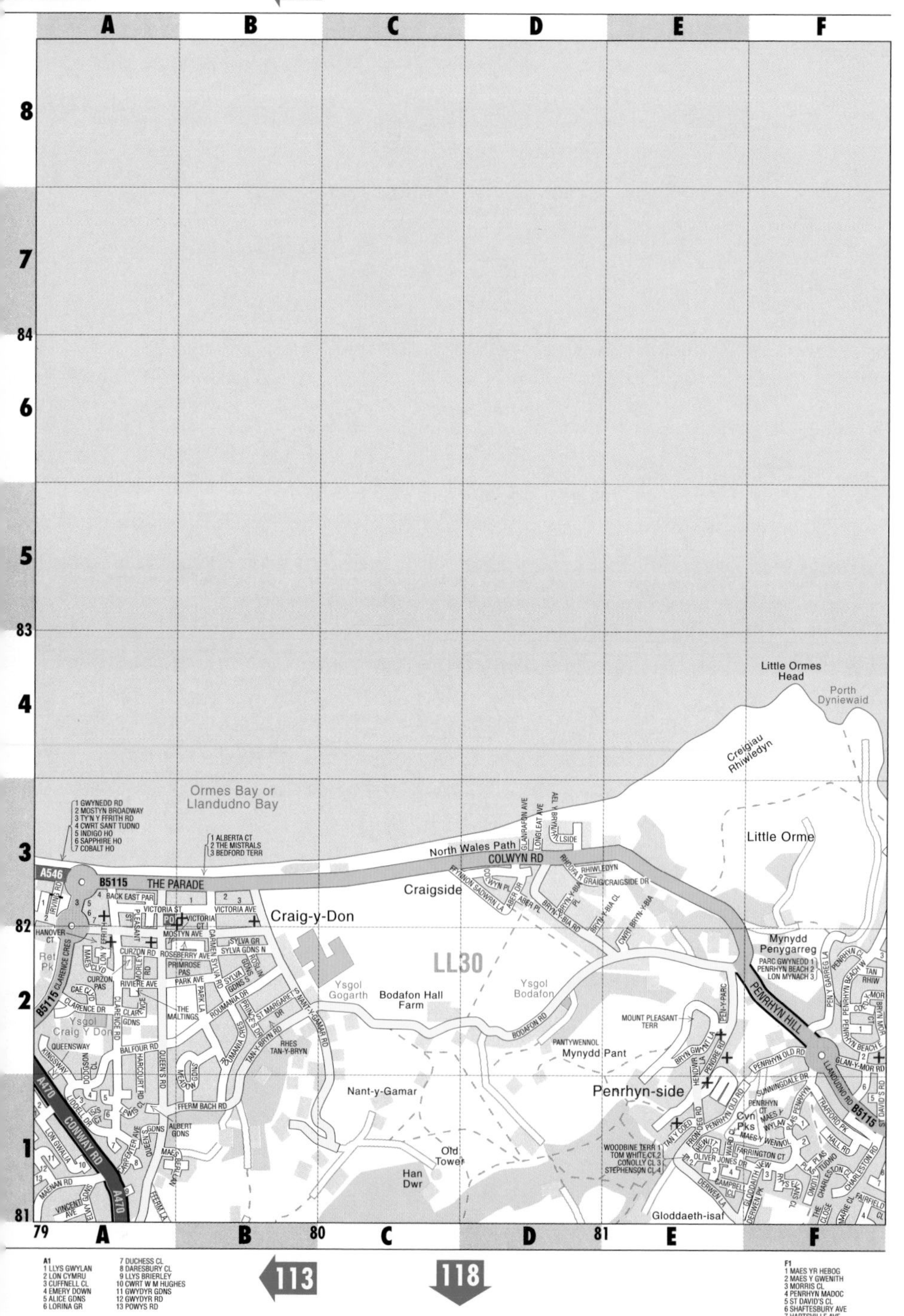

A1
1 LLYS GWYLAN
2 LON CYMRU
3 CUFFNELL CL
4 EMERY DOWN
5 ALICE GDNS
6 LORINA GR

7 DUCHESS CL
8 DARESBURY CL
9 LLYS BRIERLEY
10 CWRT W M HUGHES
11 GWYDYR GDNS
12 GWYDYR RD
13 POWYS RD

F1
1 MAES YR HEBOG
2 MAES Y GWENITH
3 MORRIS CL
4 PENRHYN MADOC
5 ST DAVID'S CL
6 SHAFTESBURY AVE
7 HARTSVILLE AVE
8 MOSSLEY MOUNT

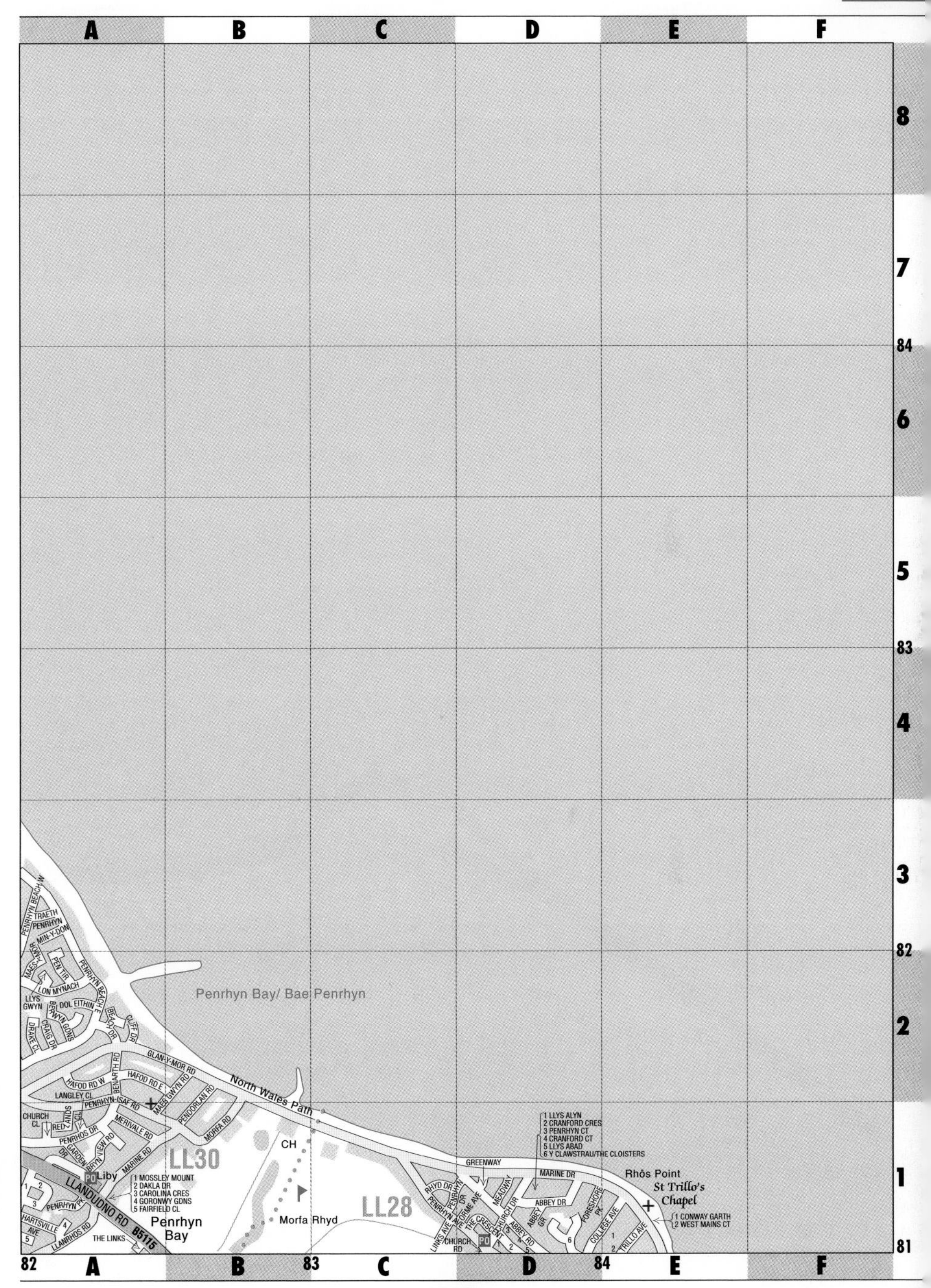

A B C D E F

8
7
84
6
5
83
4
3
82
2
1
81

Penrhyn Bay/ Bae Penrhyn

St Trillo's
Chapel
Rhôs Point

North Wales Path

1 LLYS ALYN
2 CRANFORD CRES
3 PENRHYN CT
4 CRANFORD CT
5 LLYS ABAD
6 Y CLAWSTRAU/THE CLOISTERS

GREENWAY

MARINE DR

ABBEY DR

1 CONWAY GARTH
2 WEST MAINS CT

LL30

Liby

1 MOSSLEY MOUNT
2 DAKLA DR
3 CAROLINA CRES
4 GORONWY GDNS
5 FAIRFIELD CL

LLANDUDNO RD B5115

Penrhyn
Bay

Morfa Rhyd

LL28

CH

THE LINKS

HARTSVILLE
AVE

PENRHYN

CHURCH
RD

MARINE RD

HAFOD RD W

LANGLEY CL

MERIVALE RD

GLAN-Y-MOR RD

PENDORLAN RD

HAFOD RD E

82 A B 83 C D 84 E F

112

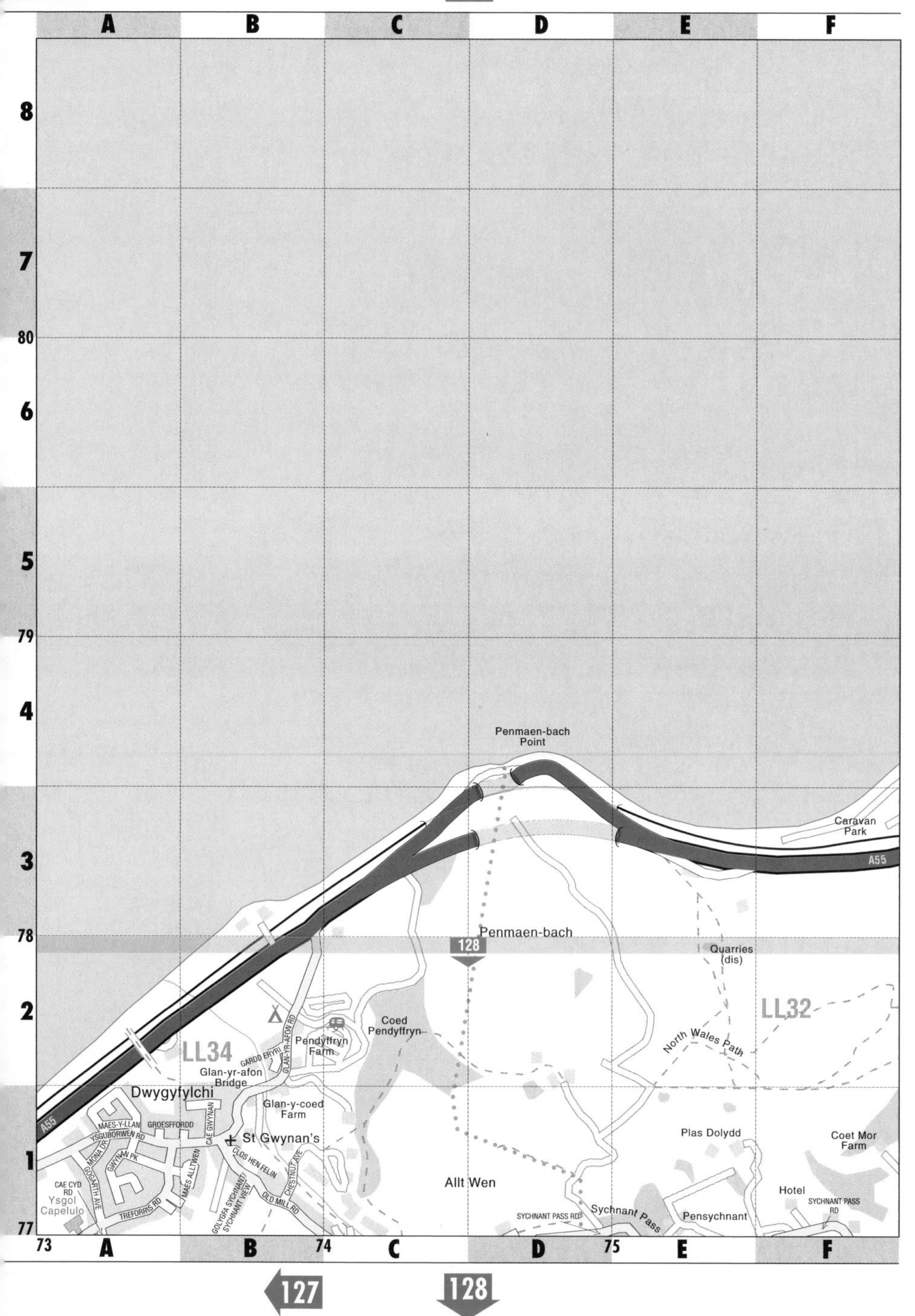

A
B
C
D
E
F
8
7
80
6
5
79
4
78
2
1
77
Penmaen-bach Point
Caravan Park
A55
Penmaen-bach
128
Quarries (dis)
LL32
North Wales Path
Coed Pendyffryn
Pendyffryn Farm
LL34
GARDD ERYRI
GLAN-YR-AFON RD
Glan-yr-afon Bridge
Dwygyfylchi
Glan-y-coed Farm
MAES-Y-LLAN
GROESFFORDD
CAE GWYNAN
YSGUBORWEN RD
St Gwynan's
MONA DR
GWYNAN PK
CLOS HEN FELIN
CHESTNUT AVE
MAES ALLTWEN
CAE CYD RD
GOGARTH AVE
Ysgol Capelulo
TREFORRIS RD
GOLYGFA SYCHNANT/ SYCHNANT VIEW
OLD MILL RD
Plas Dolydd
Coet Mor Farm
Allt Wen
Sychnant Pass
SYCHNANT PASS RD
Pensychnant
Hotel
SYCHNANT PASS RD
73
74
75

127

128

113
118

A
B
C
D
E
F
8
7
80
6
5
79
4
3
78
2
1
77
76
77
78
Ysbyty Llandudno
Cwm Howard
Bryniau
Bryniau Farm
Tower
LL30
Llanrhos
Maes Dolau Farm
Cvn Pk
The Vardre
Deganwy
Deganwy Castle (rems of)
LL31
Cerrig Duon
Conwy Sands
North Wales Path
Traeth Melyn
MAESDU AVE
DEGANWY RD
DEGANWY BEACH EST 1
RIVERSIDE CT 2
MARINE CT 3
GARDD Y MOR/MARINE GDNS 4
HERON WAY 1
MAES CREUDDYN 2
BELGREVIS CT 3
PROMENADE
HAWES DR
ROCKFIELD DR
DEGANWY RD
BRYN LUPUS RD
STATION RD
LC
Deganwy
Liby
RATHBONE TERR
1 BRYN CREGYN
2 TUDOR CT
TROED-Y-BWLCH 1
VARDRE CL 2
BWLCH FARM CVN PK
DEGANWY QUAY CROSSING
DEGANWY QUAY MARINA
Ysgol Deganwy
Tywyn
PENTYWYN RD
B5115
GLAN-Y-MOR RD
E2
1 PORTH FFORDD FANGOR
2 ERSKINE TERR
3 SEAVIEW TERR
4 HAVEN VILLAS
5 CASTLE QUAY MEWS
6 CHAPEL ST
7 YORK PL
8 CROWN LA
9 LLEWELYN ST
10 TY GWYRDD TERR
11 LANCASTER SQ
12 CHURCH ST
13 PORTH BACH
STAMFORD ST 1
ALLERTON CT 2
BROOKLAND TERR 3
PARK TERR 4
GLANRAFON TERR 5
VARDRE VIEW TERR 6
The Beacons
Conwy Morfa
1 GWYNT Y MOR
2 MERION DR
3 STEPHENSON CL
CH
Marina
MEIRION DR
ELLIS WAY
Cvn Pk
A547
LL32
BANGOR RD
PENMAEN RD
MONA RD
BRYN MORFA CVN PK
Mynydd y Dref or Conwy Mountain
Ysbyty Conwy
Ysgol Aberconwy
1 MORFA VIEW TERR
2 WAEN TERR
Bodlondeb Wood
Afon Conwy/ River Conwy
FFORDD NEWYDD/NEW RD 1
ST GEORGE'S DR 2
FERRY FARM RD 3
A546
A55
129
Coed Ffridd
Butterfly Jungle
Bodlondeb
North Wales Path
MOUNTAIN RD
CONWY
BRYN HYFRYD TERR 1
STRYD-Y-GWYNT/WIND ST 2
WATKIN ST 3
NEWBORO TERR 4
POOL LA 5
Art Gall
Mus
Liby
IRB Sta
Conwy Bridge/ Pont Conwy
CONWY RD
BERRY ST
CASTLE ST
ROSE HILL ST
Tubular Bridge
Pinewood Farm
Cadnant Pk
ROSE PLACE CT 1
RAILWAY TERR 2
Conwy
Conwy Castle
Ysgol Porth Y Felin
RHOS COTTS
LLANRWST RD (WOODLANDS)
SYCHNANT PASS RD
YH
Mount Pleasant
Bryn Rhedyn
Cemy
BRYN EITHIN
Coed Benarth
B5106

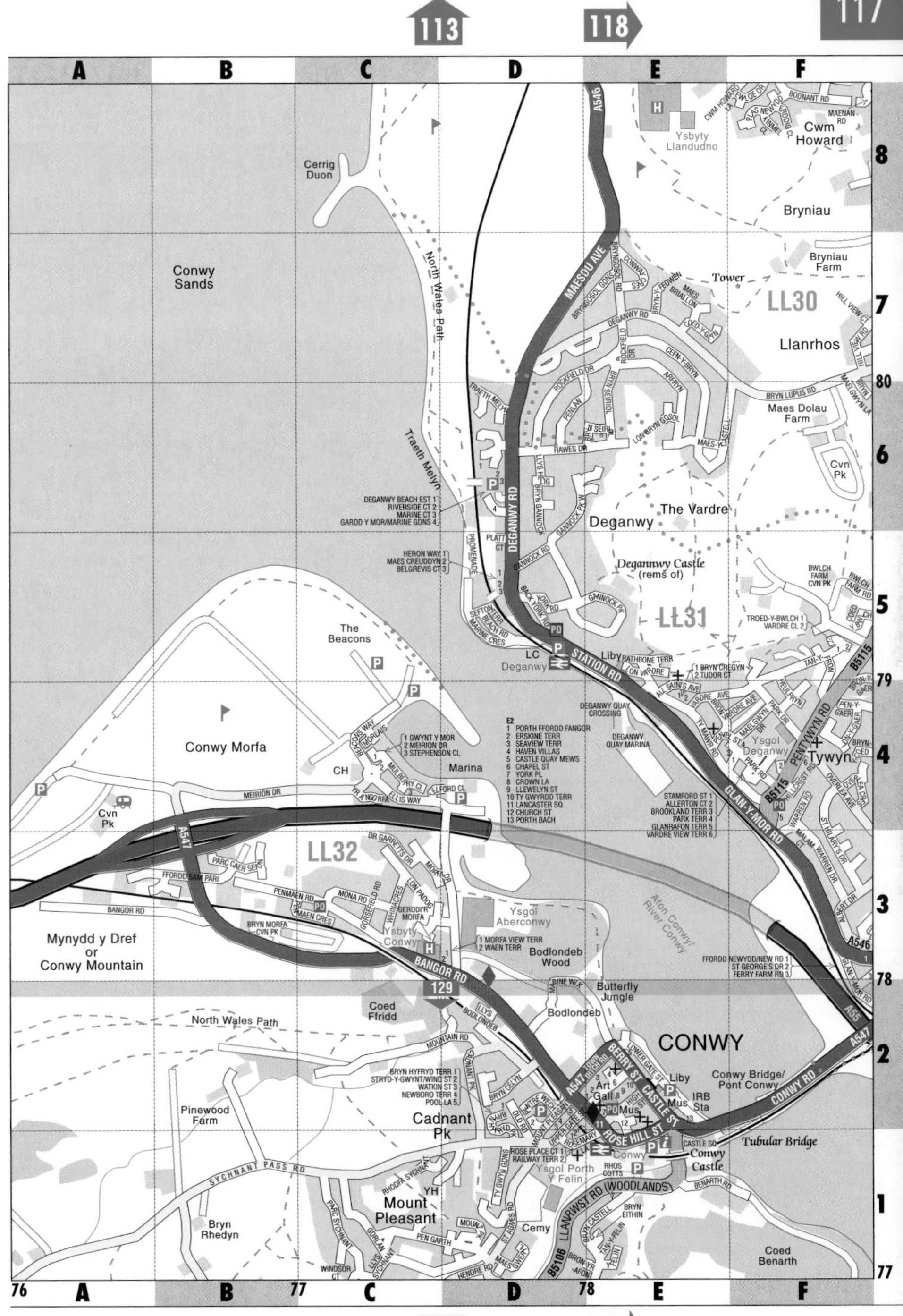

129
118

117
114

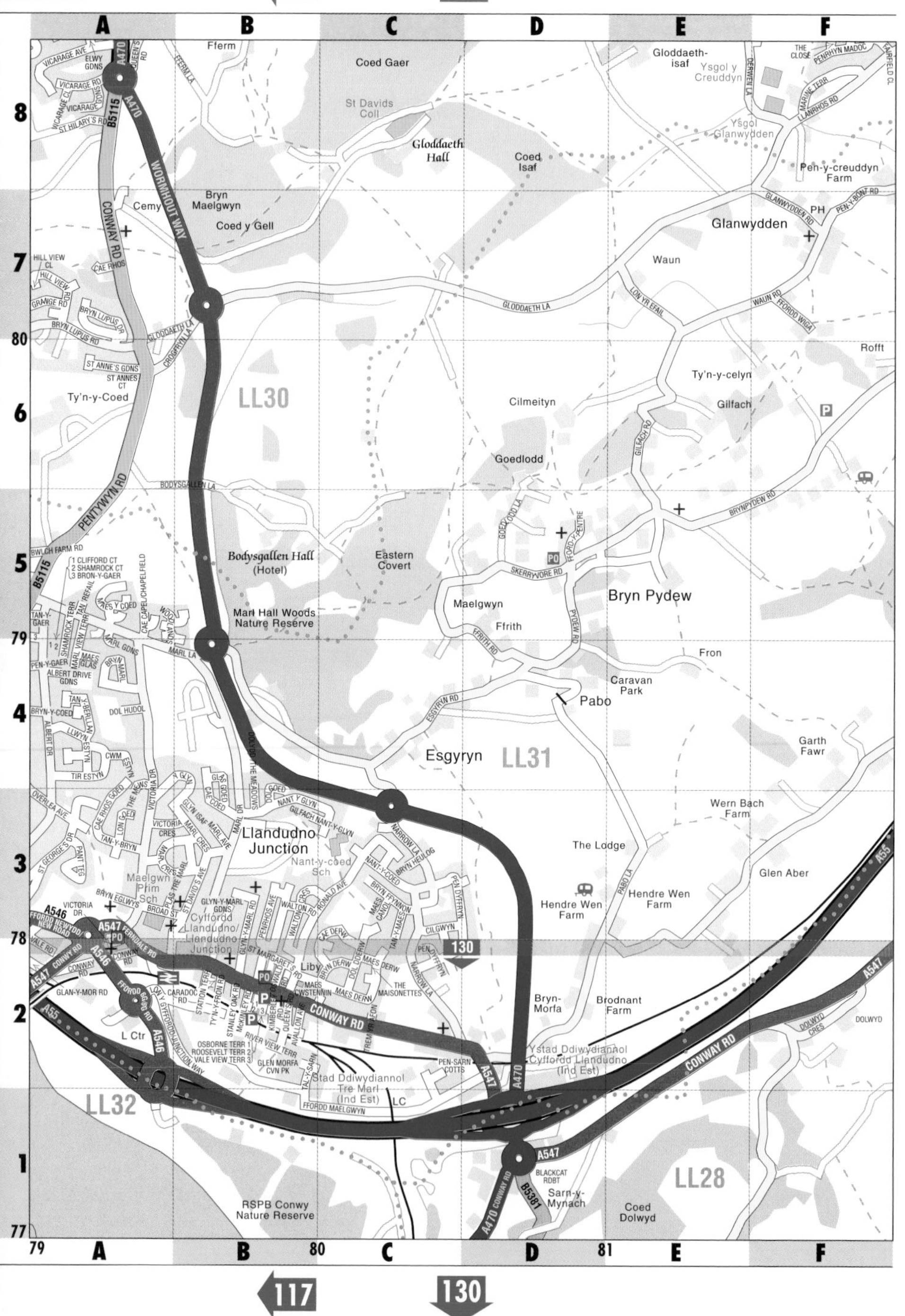
Gloddaeth Hall
Bodysgallen Hall
(Hotel)
Marl Hall Woods
Nature Reserve
Llandudno
Junction
Bryn Pydew
Glanwydden
Esgyryn
LL30
LL31
LL32
LL28
Coed Gaer
St Davids
Coll
Coed
Isaf
Bryn
Maelgwyn
Coed y Gell
Cemy
Ty'n-y-Coed
Eastern
Covert
Goedlodd
Cilmeityn
Maelgwyn
Ffrith
Pabo
Fron
Caravan
Park
Garth
Fawr
Wern Bach
Farm
The Lodge
Glen Aber
Hendre Wen
Farm
Bryn-
Morfa
Brodnant
Farm
Ystad Ddiwydiannol
Cyffordd Llandudno
(Ind Est)
Stad Ddiwydiannol
Tre Marl
(Ind Est)
RSPB Conwy
Nature Reserve
Sarn-y-
Mynach
Coed
Dolwyd
Gloddaeth-
isaf
Ysgol y
Creuddyn
Ysgol
Glanwydden
Pen-y-creuddyn
Farm
Waun
Rofft
Ty'n-y-celyn
Gilfach
Maelgwn
Prim
Sch
Nant-y-coed
Sch
Cyffordd
Llandudno/
Llandudno
Junction
L Ctr
WORMHOUT WAY
CONWAY RD
PENTYWYN RD
GLODDAETH LA
BODYSGALLEN LA
SKERRYWORE RD
BRYNPYDEW RD
ESGYRYN RD
MARL LA
A470
A55
A546
A547
B5115
B5381
130

117
130

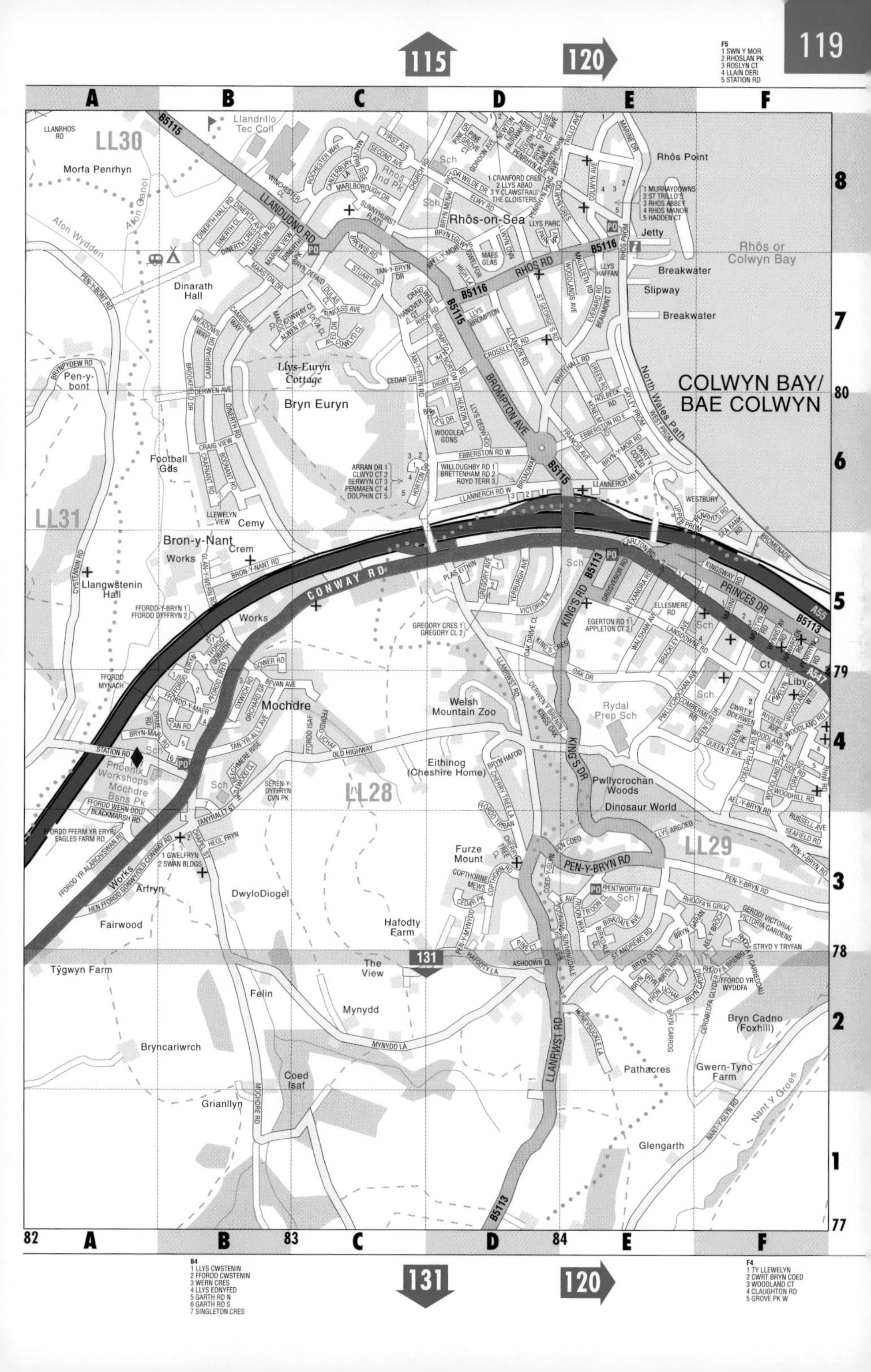

B4
1 LLYS CWSTENIN
2 FFORDD CWSTENIN
3 WERN CRES
4 LLYS EDNYFED
5 GARTH RD N
6 GARTH RD S
7 SINGLETON CRES
131
120
F4
1 TY LLEWELYN
2 CWRT BRYN COED
3 WOODLAND CT
4 CLAUGHTON RD
5 GROVE PK W

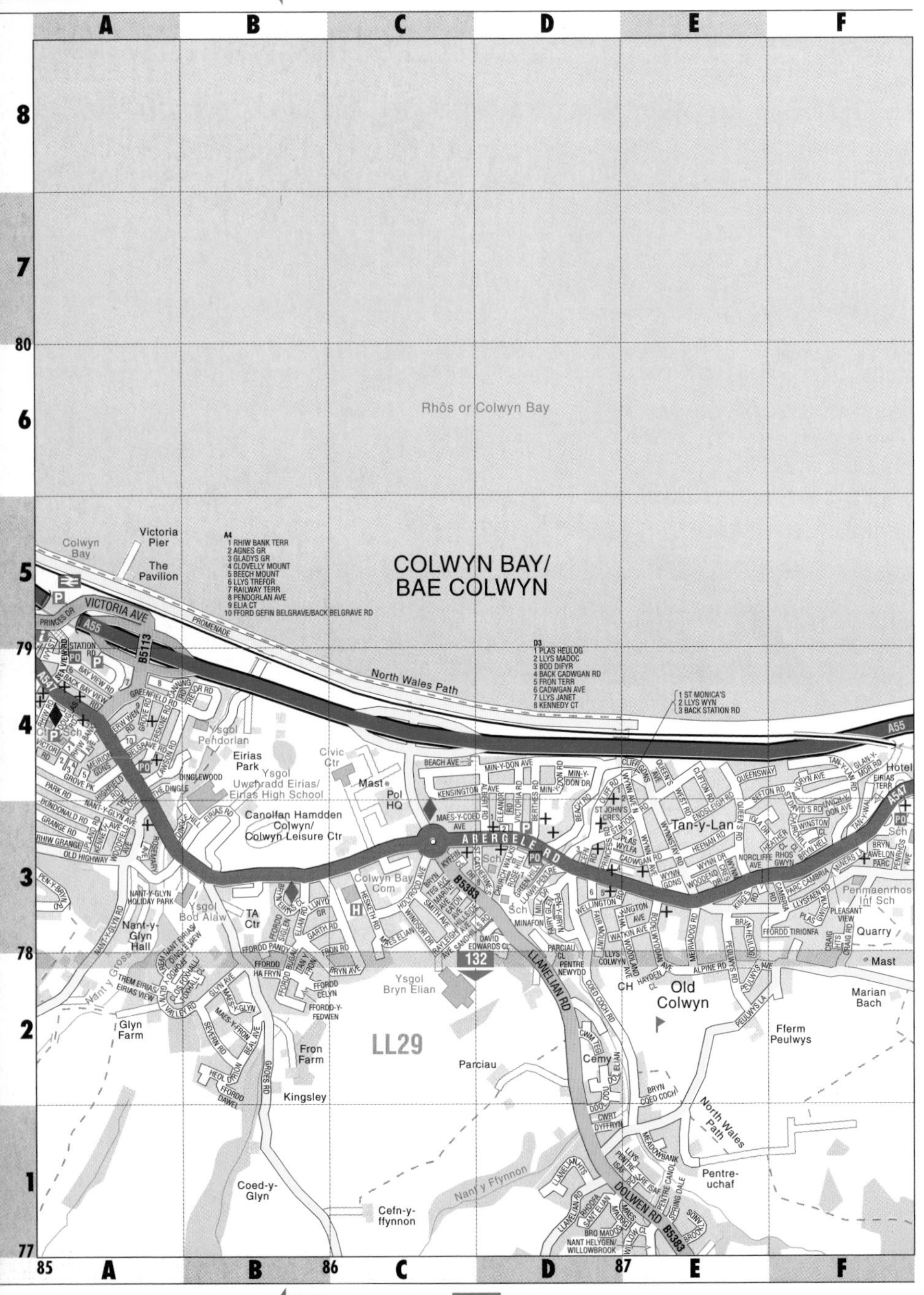

	A	B	C	D	E	F

**COLWYN BAY/
BAE COLWYN**

Rhôs or Colwyn Bay

Victoria
Pier
Colwyn
Bay
The
Pavilion

A4
1 RHIW BANK TERR
2 AGNES GR
3 GLADYS GR
4 CLOVELLY MOUNT
5 BEECH MOUNT
6 LLYS TREFOR
7 RAILWAY TERR
8 PENDORLAN AVE
9 ELIA CT
10 FFORD GEFIN BELGRAVE/BACK BELGRAVE RD

D3
1 PLAS HEULOG
2 LLYS MADOC
3 BOD DIFYR
4 BACK CADWGAN RD
5 FRON TERR
6 CADWGAN AVE
7 LLYS JANET
8 KENNEDY CT

1 ST MONICA'S
2 LLYS WYN
3 BACK STATION RD

VICTORIA AVE
PROMENADE
North Wales Path
A55

Eirias
Park
Ysgol
Pendorlan
Civic
Ctr
Ysgol
Uwchradd Eirias/
Eirias High School
Canolfan Hamdden
Colwyn/
Colwyn Leisure Ctr
Mast
Pol
HQ
Beach Ave
MIN-Y-DON AVE
MIN-Y-
DON DR
KENSINGTON
MAES-Y-COED
AVE
ST JOHN'S
Tan-y-Lan
QUEENSWAY
Hotel
ABERGELE RD
Colwyn Bay
Com
Sch
Ysgol
Bod Alaw
TA
Ctr
Pentre
Newydd
Nant-y-
Glyn Hall
Nant-y-Glyn
Holiday Park
MINAFON
Ysgol
Bryn Elian
DAVID
EDWARDS CL
Old
Colwyn
Penmaenrhos
Inf Sch
Quarry
Mast
Marian
Bach
Fferm
Peulwys

LL29

Glyn Farm
Fron
Farm
Kingsley
Parciau
Cemy
Parciau
Bryn
Coed Coch
North Wales
Path
Pentre-
uchaf

Coed-y-
Glyn
Cefn-y-
ffynnon
Nant y Ffynnon
DOLWEN RD
BRO MADO
NANT HELYDEN/
WILLOWBROOK

	A		B	86	C		D	87	E		F

122
A
B
C
D
E
F
8
7
80
6
5
79
4
3
78
2
1
77
Jetty
Jetty
LL22
Hotel
Penmaen Rhôs
Sch
Raynes Quarry
STATION TERR
LLYSFAEN STATION RD
ABERGELE RD
Works
Llysfaen Quarry
A55
A547
MILL ST
Llanddulas
Ysgol Llanddulas
BRON-Y-WENDON CVN PK
RENDEZVOUS CVN PK
BRYN SIRIOL
133
LL29
Mynydd Marian
Ffynnon Cynfran
WESTWOOD CVN PK
PH
Ysgol Tan y Marian
Ty Mawr
Ty-ucha Farm
Llysfaen
North Wales Path
Ysgol Gynradd Cynfran
Plas Farm
LL22
Llanddulas Quarry
BRYN GOLAU
Bryndulas House
River Dulas
Craig y Forwyn
PENTREGWYDDEL RD
PENTREGWYDDEL TERR
CYNFRAN RD
BRON-Y-LLAN
PARK ROAD COTTS
MOUNT PLEASANT
TAN-Y-GRAIG RD
GEULAN RD
FFORDD-Y-LLAN
BODRYFEDD TERR
PEULWYS LA
BERTH-Y-GLYD RD
HIGHLANDS RD
LLYSFAEN RD
CLOBRYN RD
BEULAH AVE
BRYNDULAS RD
LLINDIR RD
CWYMP RD
STATION RD
BEACH RD
88
89
90
A
B
C
D
E
F

133
122

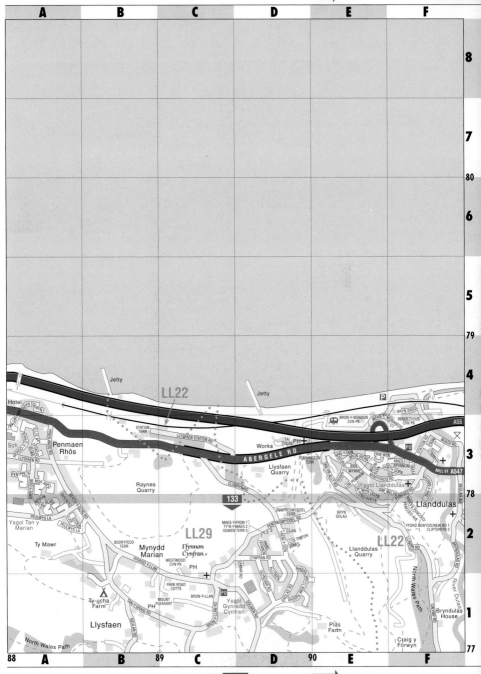

121

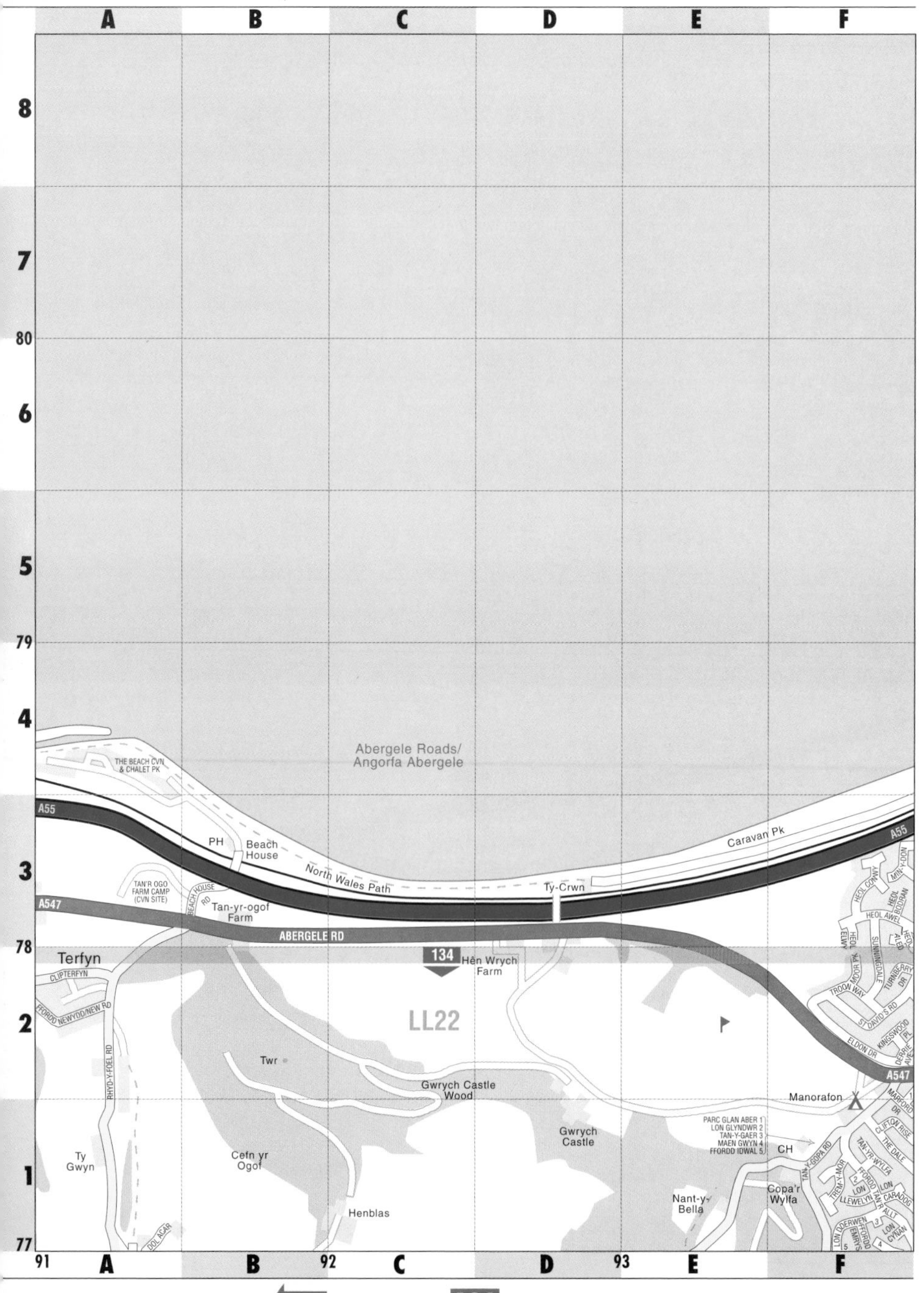
Abergele Roads/
Angorfa Abergele
THE BEACH CVN & CHALET PK
A55
PH
Beach House
North Wales Path
Caravan Pk
Ty-Crwn
TAN'R OGO FARM CAMP (CVN SITE)
BEACH HOUSE RD
Tan-yr-ogof Farm
A547
ABERGELE RD
Terfyn
CLIPTERFYN
FFORDD NEWYDD/NEW RD
134
Hên Wrych Farm
LL22
RHYD-Y-FOEL RD
Twr
Gwrych Castle Wood
Manorafon
Gwrych Castle
Ty Gwyn
Cefn yr Ogof
Henblas
DOL ACAR
PARC GLAN ABER 1
LON GLYNDWR 2
TAN-Y-GAER 3
MAEN GWYN 4
FFORDD IDWAL 5
CH
Nant-y-Bella
Copa'r Wylfa
TAN-Y-GOPA RD
HEOL AWEL
SUNNINGDALE
TURNBERRY DR
MOOR PK
TROON WAY
ST DAVID'S RD
KINGSWOOD
ELDON DR
MARFORD DR
CLIFTON RISE
THE DALE
TAN-YR-WYLFA
TREM-Y-MOR
LON CARADOG
LLEWELYN
LON DDERWEN
LON CYNAN
A B C D E F
8 7 80 6 5 79 4 3 78 2 1 77
91 92 93

121
134

124

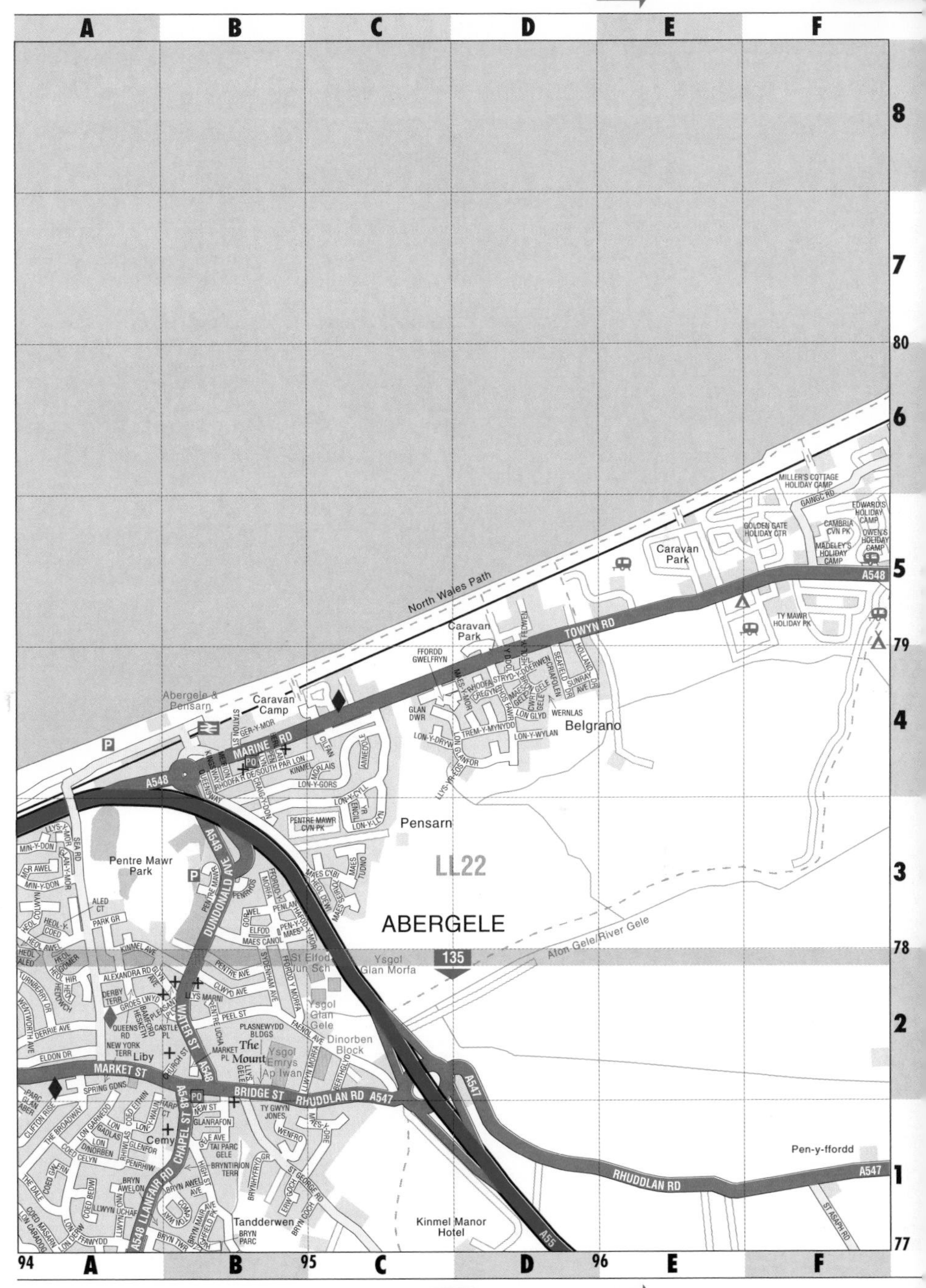
A
B
C
D
E
F
8
7
80
6
5
79
4
3
78
2
1
77
94
95
96
North Wales Path
Caravan Park
MILLER'S COTTAGE HOLIDAY CAMP
GAINGC RD
EDWARD'S HOLIDAY CAMP
GOLDEN GATE HOLIDAY CTR
CAMBRIA CVN PK
OWEN'S HOLIDAY CAMP
MADELEY'S HOLIDAY CAMP
A548
TY MAWR HOLIDAY PK
TOWYN RD
HOLLAND DR
SUNRAY AVE
SEAFIELD DR
CRIAFOLEN
FFORDD GWELFRYN
MAES-Y-MOR
RHODFA
CREGYN
RHOS FAWR
STRYD-Y-DDERWEN
HEOL-Y-FEDWEN
GLAN DWR
LON GLYD
WERNLAS
TREM-Y-MYNYDD
LON-Y-WYLAN
Belgrano
LON-Y-DRYW
LON GLANFOR
LLYS-YR-EOS
Abergele & Pensarn
Caravan Camp
GER-Y-MOR
STATION ST
MARINE RD
PO
KIMMEL
MORLAIS
CILFAN
ANNEDDLE
LON-Y-GORS
RHODFA'R DE/SOUTH PAR
QUEENSWAY
PENTRE MAWR CVN PK
LON-Y-LLYN
Pensarn
LL22
Pentre Mawr Park
DUNDONALD AVE
SEA RD
MIN-Y-DON
MOR AWEL
ALED CT
PARK GR
HEOL-Y-COED
HEOL AWEL
KINMEL AVE
ELFOD
MAES CANOL
PEN-Y-MAES
MAES CYBI
MAES TUDNO
ABERGELE
SYDENHAM AVE
FFORDD Y MORFA
Afon Gele/River Gele
135
St Elfod Jun Sch
Ysgol Glan Morfa
PENTRE AVE
CLWYD AVE
ALEXANDRA RD
DERBY TERR
GROES LWYD
LLYS MARNI
PEEL ST
PLASNEWYDD BLDGS
Ysgol Glan Gele
FAENOL AVE
Dinorben Block
TURNBERRY DR
WENTWORTH AVE
DERRIE AVE
QUEENS RD
CASTLE PL
NEW YORK TERR
ELDON DR
Liby
WATER ST
MARKET PL
The Mount
Ysgol Emrys Ap Iwan
MARKET ST
SPRING GDNS
CHURCH ST
BRIDGE ST
RHUDDLAN RD
A547
TY GWYN JONES
MAES-Y-DRE
WENFRO
GLANRAFON
THE BROADWAY
CLIFTON RISE
LON GARNEDD
GADLAS
LON DINORBEN
GLENFOR
Cemy
PENRHIW
COED CELYN
TAI PARC GELE
BRYNTIRION TERR
CHAPEL ST
A548 LLANFAIR RD
BRYN AWELON
LLWYN UCHAF
THE DALE
COED BEDW
COED MASARN
LON DERW
FFAWYDD
BRYN AWEL AVE
BRYNHYFRYD GR
ST GEORGE RD
BRYN GOCH
Tandderwen
BRYN PARC
BRYN TWR
Kinmel Manor Hotel
A55
Pen-y-ffordd
ST ASAPH RD

135
136

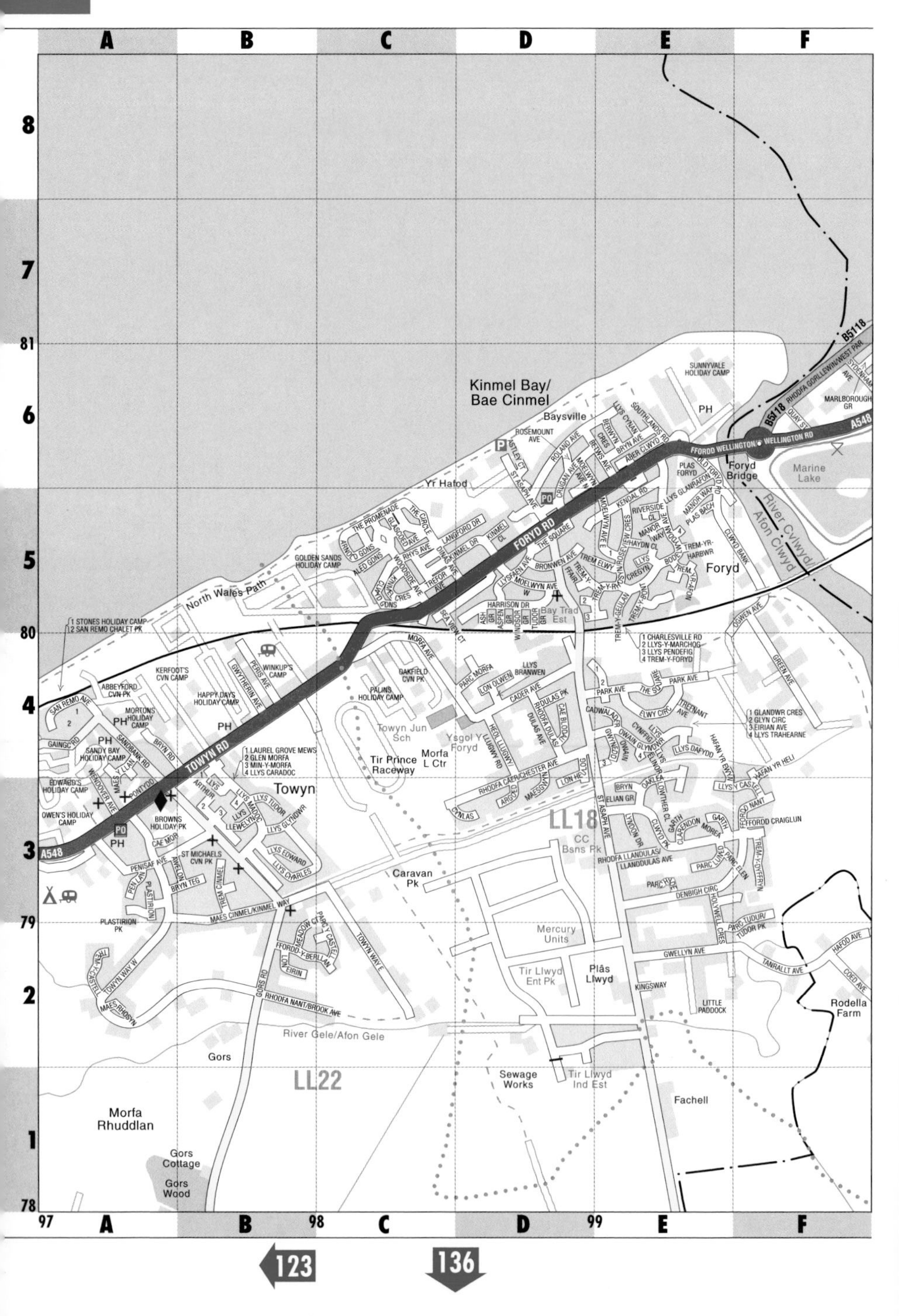

8
7
81
6

Kinmel Bay/
Bae Cinmel

SUNNYVALE
HOLIDAY CAMP

MARLBOROUGH
GR

PH

A548

Baysville

ROSEMOUNT
AVE

P

YY Hafod

FFORD WELLINGTON ♦ Wellington Rd

PLAS
FORYD

Foryd
Bridge

Marine
Lake

PO

FORYD RD

River Clwyd/
Afon Clwyd

RIVERSIDE

THE PROMENADE

5

GOLDEN SANDS
HOLIDAY CAMP

North Wales Path

Foryd

1 CHARLESVILLE RD
2 LLYS-Y-MARCHOG
3 LLYS PENDEFIG
4 TREM-Y-FORYD

80
1 STONES HOLIDAY CAMP
2 SAN REMO CHALET PK

HARRISON DR

Bay Trad
Est

GREEN AVE

KERFOOT'S
CVN CAMP

OAKFIELD
CVN PK

LLYS
BRANWEN

PARK AVE

4

ABBEYFORD
CVN PK

WINKUP'S
CAMP

LON OLWEN

PARK AVE

1 GLANDWR CRES
2 GLYN CIRC
3 EIRIAN AVE
4 LLYS TRAHEARNE

PH

MORFANS
HOLIDAY
CAMP

HAPPY DAYS
HOLIDAY CAMP

PALINS
HOLIDAY CAMP

Towyn Jun
Sch

Ysgol Y
Foryd

Morfa
L Ctr

BRYN

SANDY BAY
HOLIDAY CAMP

TOWYN RD

1 LAUREL GROVE MEWS
2 GLEN MORFA
3 MIN-Y-MORFA
4 LLYS CARADOC

Tir Prince
Raceway

PH

EDWARD'S
HOLIDAY CAMP

Towyn

LLYS CAS

LL18

EFFORDD CRAIGLUN

OWEN'S HOLIDAY
CAMP

PO

BROWNS
HOLIDAY PK

CC
Bans Pk

3

A548

PH

CAE MOR

ST MICHAELS
CVN PK

Caravan
Pk

RHODFA LLANDULAS
LLANDULAS AVE

PARC YCA

PLASTIRION
PK

MAES CINMEL/KINMEL WAY

79

Mercury
Units

GWELLYN AVE

TANRALLT AVE

HAFOD AVE

Tir Llwyd
Ent Pk

Plâs
Llwyd

KINGSWAY

LITTLE
PADDOCK

Rodella
Farm

2

River Gele/Afon Gele

Gors

LL22

Sewage
Works

Tir Llwyd
Ind Est

Fachell

1

Morfa
Rhuddlan

Gors
Cottage

Gors
Wood

78

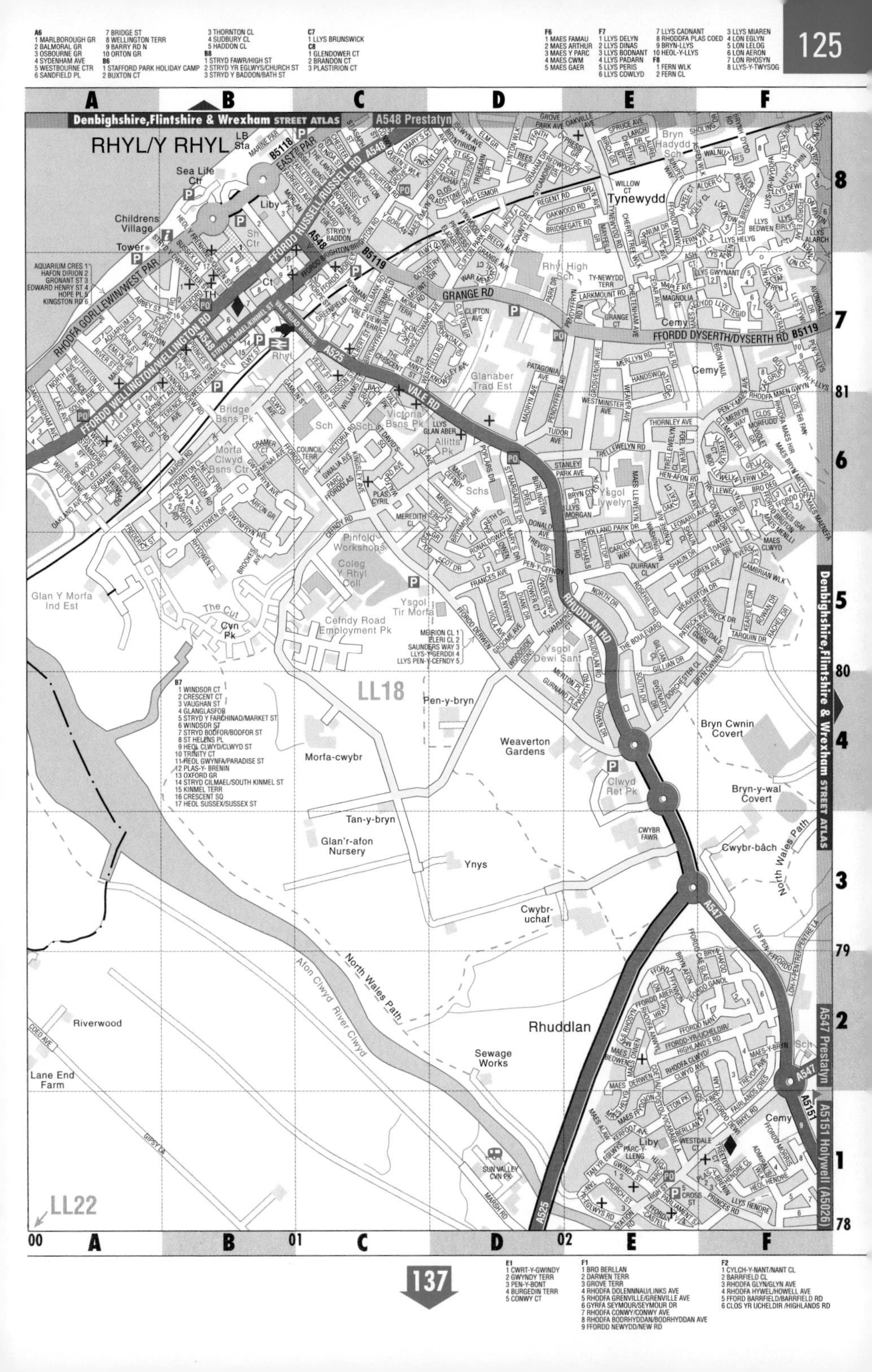

RHYL/Y RHYL

Denbighshire, Flintshire & Wrexham STREET ATLAS

LL18

LL22

137

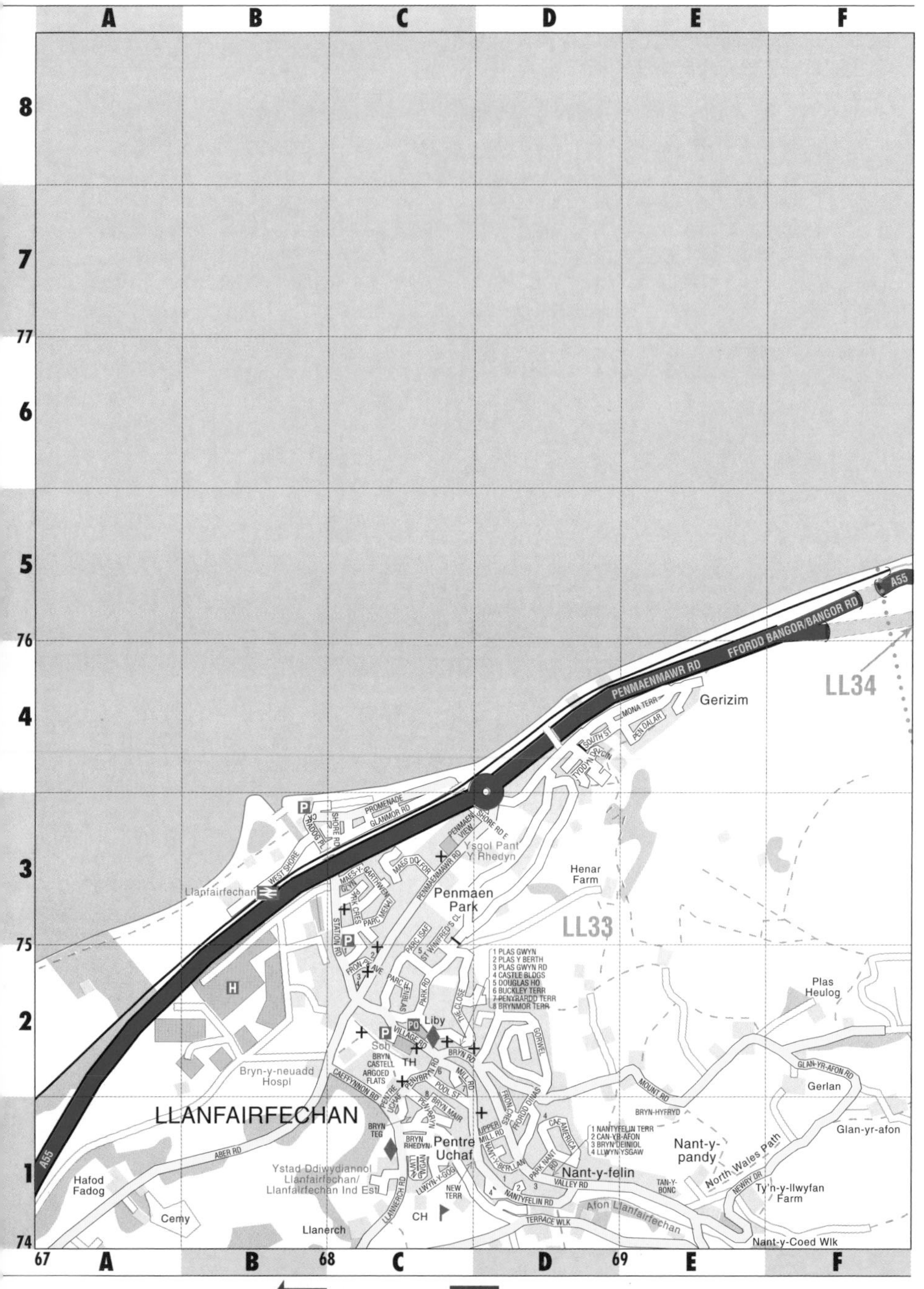

LL34

LL33

LLANFAIRFECHAN

Penmaen Park

Gerizim

Henar Farm

Plas Heulog

Gerlan

Glan-yr-afon

Nant-y-pandy

Nant-y-felin

Pentre Uchaf

Nant-y-coed Wlk

Ty'n-y-llwyfan Farm

Hafod Fadog

Cemy

Llanerch

Ystad Ddiwydiannol Llanfairfechan/ Llanfairfechan Ind Est

Bryn-y-neuadd Hospl

Ysgol Pant Y Rhedyn

Llanfairfechan

1 PLAS GWYN
2 PLAS Y BERTH
3 PLAS GWYN RD
4 CASTLE BLDGS
5 DOUGLAS HO
6 BUCKLEY TERR
7 HENGWRTD TERR
8 BRYNMOR TERR

PENMAENMAWR RD

FFORDD BANGOR/BANGOR RD

A55

128

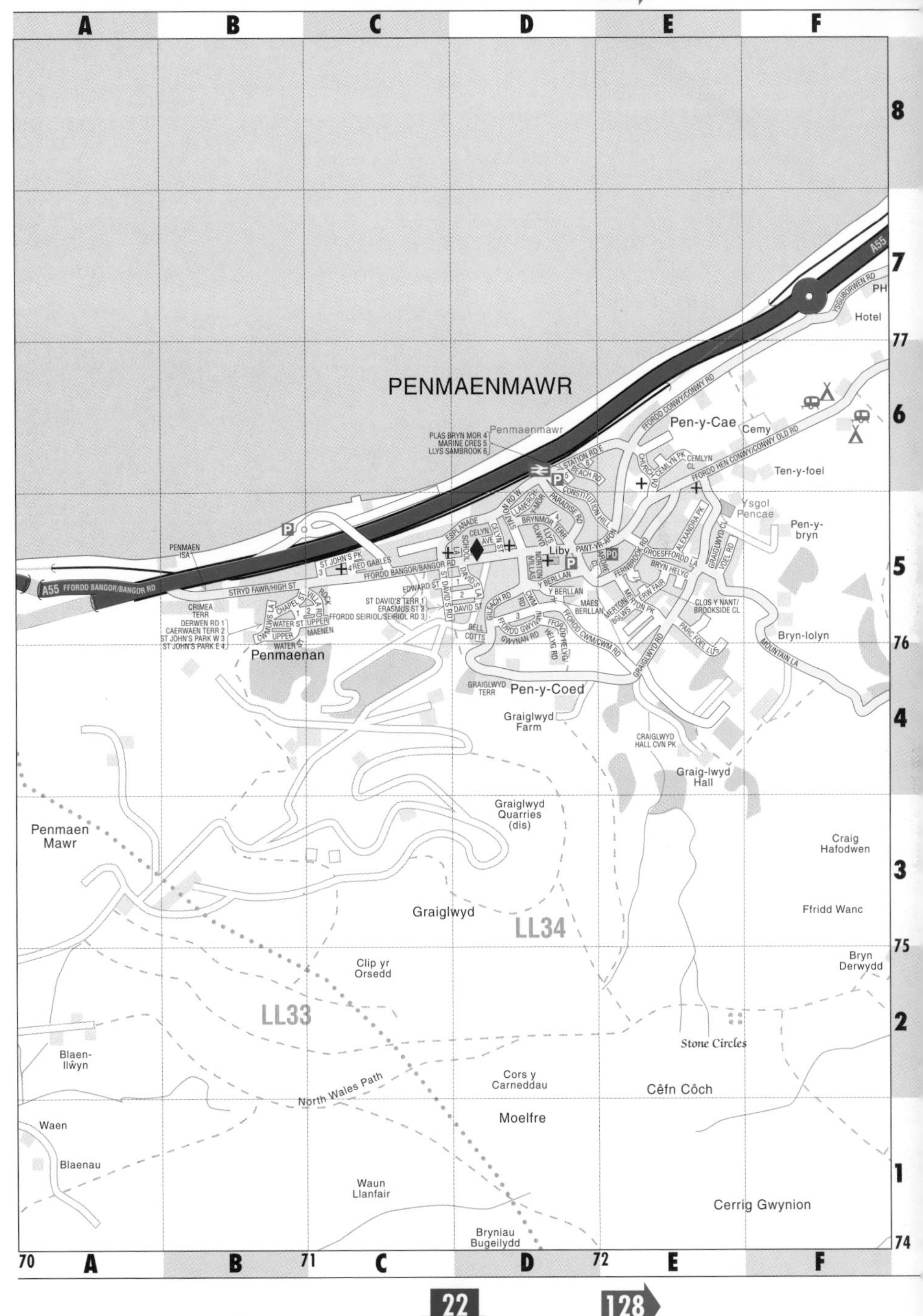
A
B
C
D
E
F
8
7
77
6
5
76
4
3
75
2
1
74
70
71
72
PENMAENMAWR
A55
YSGUBORWEN RD
PH
Hotel
FFORDD CONWY/CONWY RD
Pen-y-Cae
Cemy
PLAS BRYN MOR 4
MARINE CRES 5
LLYS SAMBROOK 6
Penmaenmawr
STATION RD E
BEACH RD
CHURCH RD
CEMLYN PK
CEMLYN CL
FFORDD HEN CONWY/CONWY OLD RD
Ten-y-foel
CONSTITUTION HILL
PARADISE RD
Ysgol Pencae
Pen-y-bryn
ESPLANADE
CELYN AVE
CELYN ST
BRYNMOR TERR
PANT-YR-AFON
ALEXANDRA PK
GRAIGLWYD CL
VOEL RD
GROESFFORDD LA
BRYN HELYG
Liby
PO
PENMAEN ISA
ST JOHN'S PK
RED GABLES
FFORDD BANGOR/BANGOR RD
A55 FFORDD BANGOR/BANGOR RD
STRYD FAWR/HIGH ST
EDWARD ST
SCHOOL LA
DAVID'S LA
DAVID ST
ST DAVID'S RD
NORTON VILLAS
Y BERLLAN
MAES BERLLAN
FERNBROOK RD
MERTON PK
ERW FAIR
CLOS Y NANT/ BROOKSIDE CL
CRIMEA TERR
DERWEN RD 1
CAERWAEN TERR 2
ST JOHN'S PARK W 3
ST JOHN'S PARK E 4
CHAPEL ST
VILLA RD
ROCK
WATER ST
UPPER
MAENEN
ST DAVID'S TERR 1
ERASMUS ST 2
FFORDD SEIRIOL/SEIRIOL RD 3
BELL COTTS
GILFACH RD
FFORDD GWYNAN
GWYNAN RD
FFORDD HELYG/ HELYG RD
FFORDD CWM/CWM RD
GRAIGLWYD RD
PARC FOEL
Bryn-lolyn
MOUNTAIN LA
Penmaenan
GRAIGLWYD TERR
Pen-y-Coed
Graiglwyd Farm
CRAIGLWYD HALL CVN PK
Graig-lwyd Hall
Graiglwyd Quarries (dis)
Penmaen Mawr
Craig Hafodwen
Graiglwyd
LL34
Ffridd Wanc
Bryn Derwydd
Clip yr Orsedd
LL33
Stone Circles
Blaen-llŵyn
Cors y Carneddau
Cêfn Côch
North Wales Path
Waen
Moelfre
Blaenau
Waun Llanfair
Cerrig Gwynion
Bryniau Bugeilydd

22
128

127
116

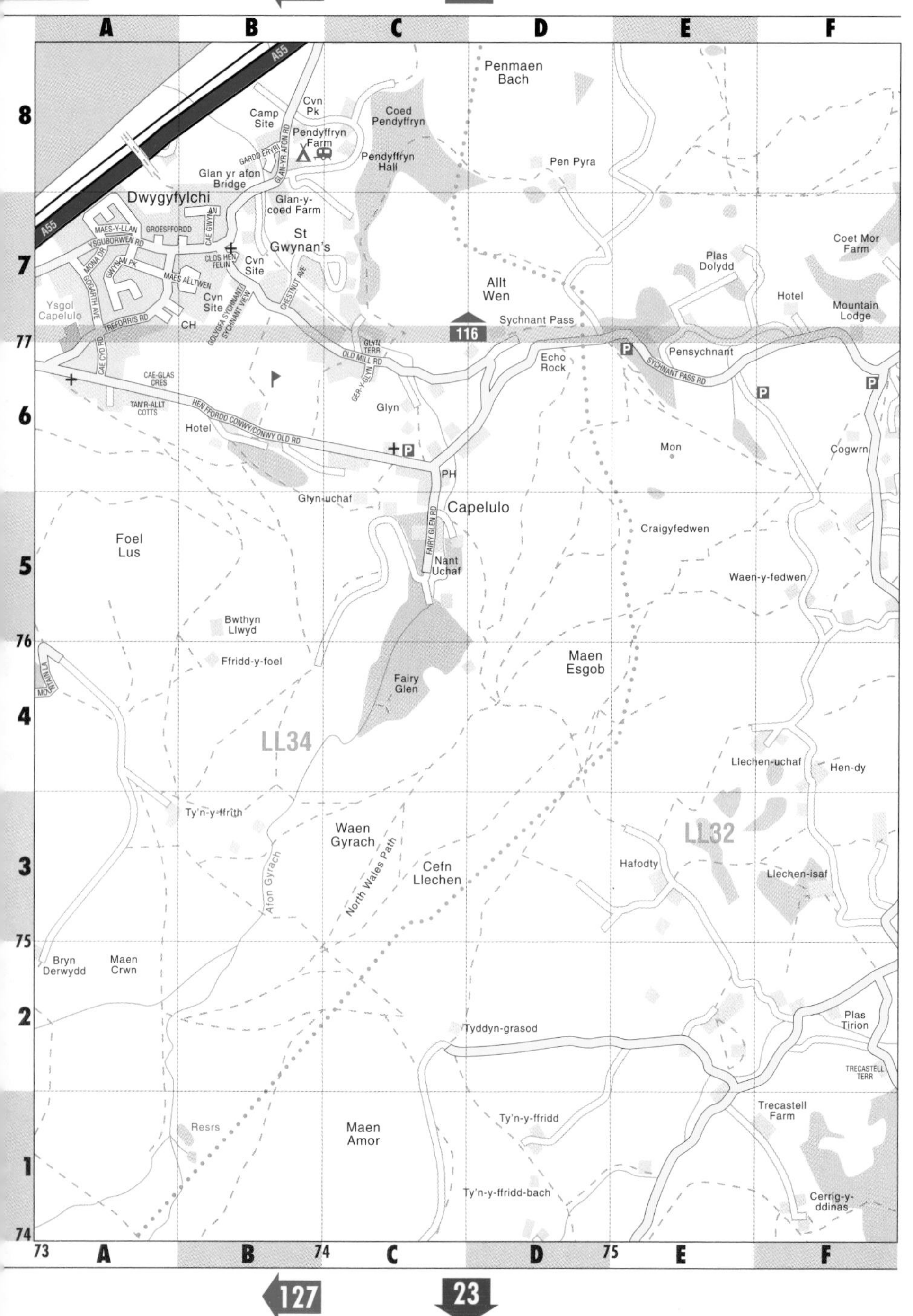
A55
Penmaen Bach
Camp Site
Cvn Pk
Pendyffryn Farm
Coed Pendyffryn
Pendyffryn Hall
Pen Pyra
Glan yr afon Bridge
Dwygyfylchi
Glan-y-coed Farm
St Gwynan's
Cvn Site
Allt Wen
Plas Dolydd
Coet Mor Farm
Hotel
Mountain Lodge
Ysgol Capelulo
CH
Sychnant Pass
Echo Rock
Pensychnant
SYCHNANT PASS RD
CAE-GLAS CRES
TAN'R-ALLT COTTS
HEN FFORDD CONWY/CONWY OLD RD
Hotel
Glyn
Mon
Cogwrn
PH
Glyn-uchaf
Capelulo
Craigyfedwen
Foel Lus
FAIRY GLEN RD
Nant Uchaf
Waen-y-fedwen
Bwthyn Llwyd
Ffridd-y-foel
Maen Esgob
Fairy Glen
LL34
Llechen-uchaf
Hen-dy
Ty'n-y-ffrith
Waen Gyrach
LL32
Afon Gyrach
North Wales Path
Cefn Llechen
Hafodty
Llechen-isaf
Bryn Derwydd
Maen Crwn
Plas Tirion
Tyddyn-grasod
TRECASTELL TERR
Trecastell Farm
Resrs
Maen Amor
Ty'n-y-ffridd
Ty'n-y-ffridd-bach
Cerrig-y-ddinas
A B C D E F
8 7 6 5 4 3 2 1
77 76 75 74
73 74 75

127
23

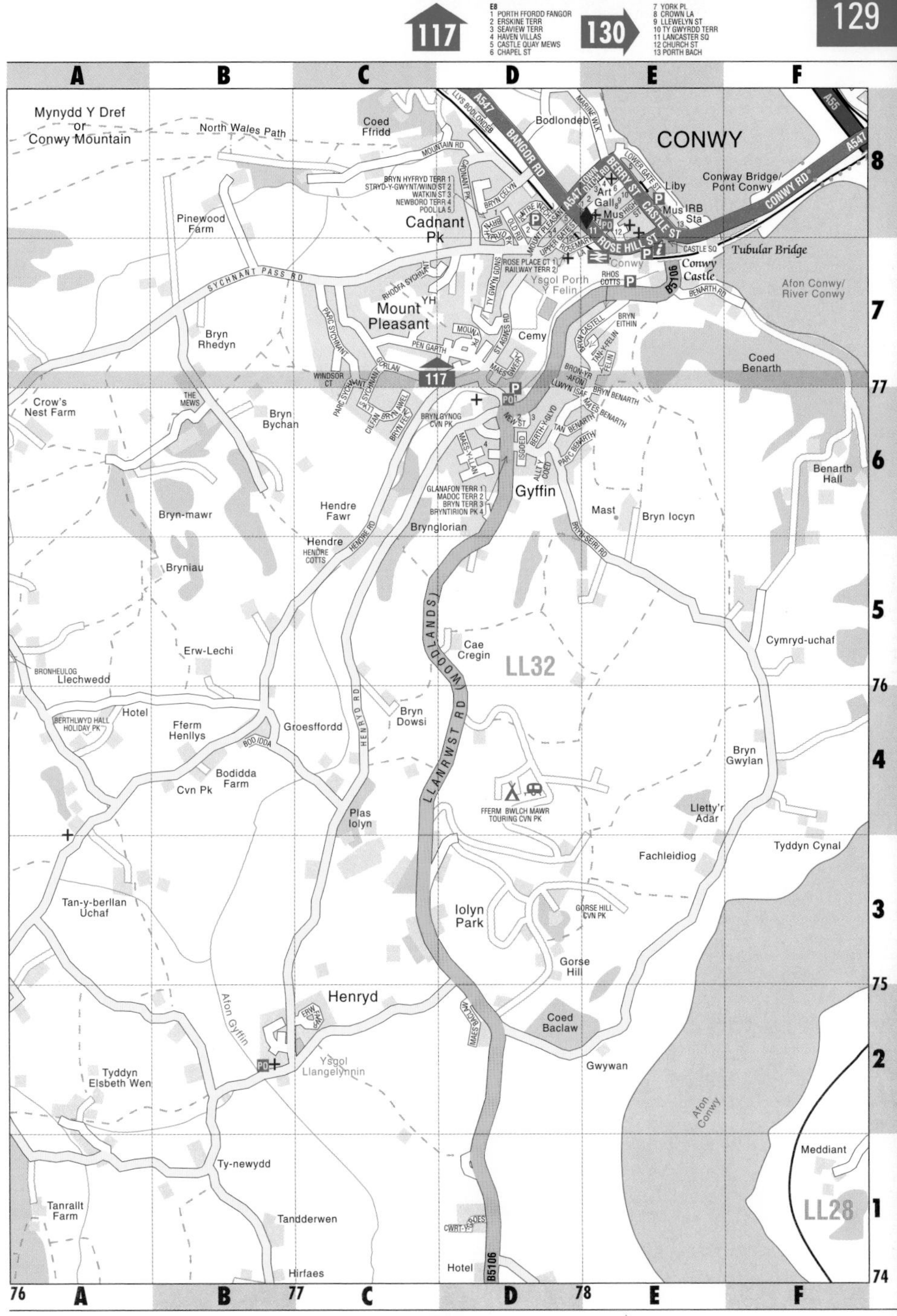

117
E8
1 PORTH FFORDD FANGOR
2 ERSKINE TERR
3 SEAVIEW TERR
4 HAVEN VILLAS
5 CASTLE QUAY MEWS
6 CHAPEL ST
130
7 YORK PL
8 CROWN LA
9 LLEWELYN ST
10 TY GWYRDD TERR
11 LANCASTER SQ
12 CHURCH ST
13 PORTH BACH
Mynydd Y Dref or Conwy Mountain
North Wales Path
Coed Ffridd
Bodlondeb
CONWY
Conway Bridge/ Pont Conwy
Pinewood Farm
Cadnant Pk
Tubular Bridge
Conwy Castle
Mount Pleasant
Afon Conwy/ River Conwy
Bryn Rhedyn
Cemy
Coed Benarth
Crow's Nest Farm
Bryn Bychan
Benarth Hall
Gyffin
Bryn-mawr
Hendre Fawr
Mast
Bryn Iocyn
Brynglorian
Hendre
Bryniau
Cae Cregin
Cymryd-uchaf
Erw-Lechi
LL32
Llechwedd
Hotel
Bryn Dowsi
Fferm Henllys
Groesffordd
Bryn Gwylan
Bodidda Farm
Cvn Pk
Plas Iolyn
FFERM BWLCH MAWR TOURING CVN PK
Lletty'r Adar
Fachleidiog
Tyddyn Cynal
Tan-y-berllan Uchaf
Iolyn Park
Gorse Hill
Henryd
Coed Baclaw
Afon Gyffin
Ysgol Llangelynnin
Gwywan
Tyddyn Elsbeth Wen
Afon Conwy
Meddiant
Ty-newydd
Tanrallt Farm
Tandderwen
LL28
Hirfaes
Hotel
A B C D E F
76 77 78
8 7 77 6 5 76 4 3 75 2 1 74
23
130

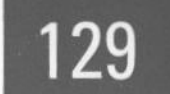

129
118

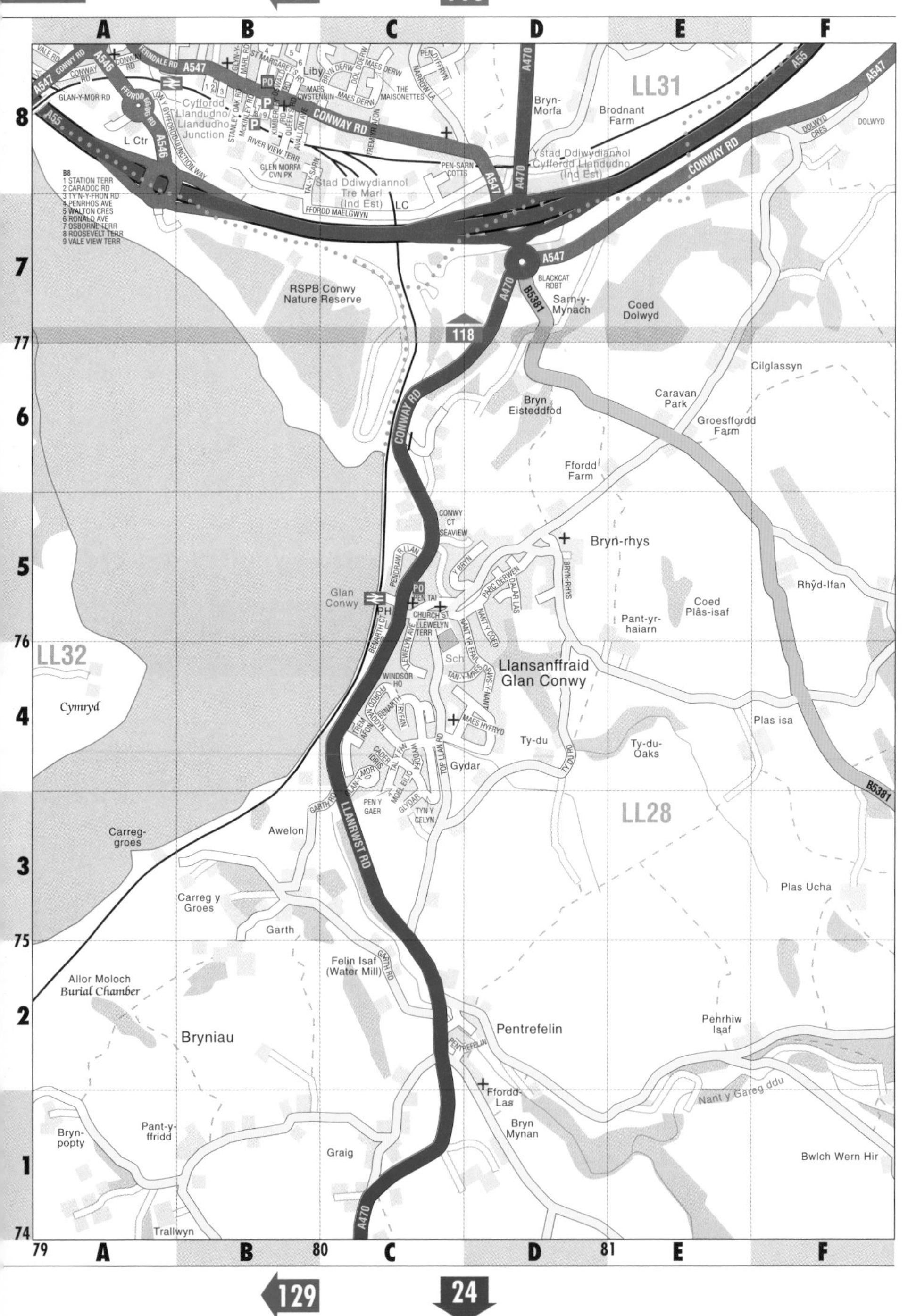
A
B
C
D
E
F
8
7
77
6
5
76
4
3
75
2
1
74
79
80
81
LL31
LL32
LL28
A547
A546
A55
A470
B5381
CONWAY RD
FERNDALE RD
GLAN-Y-MOR RD
ST MARGARET'S RD
BRYN DERW
DOL DDERW
MAES DERW
MAES CWSTENNIN
MAES DERN
THE MAISONETTES
NARROW LA
PEN DYFFRYN
Liby
PO
Cyffordd Llandudno/ Llandudno Junction
L Ctr
RIVER VIEW TERR
GLEN MORFA CVN PK
TAL-Y-SARN
TREMYR AFON
Stad Ddiwydiannol Tre Marl (Ind Est)
LC
FFORDD MAELGWYN
PEN-SARN COTTS
Bryn-Morfa
Brodnant Farm
Ystad Ddiwydiannol Cyffordd Llandudno (Ind Est)
DOLWYD CRES
DOLWYD
B8
1 STATION TERR
2 CARADOC RD
3 TY'N-Y-FRON RD
4 PENRHOS AVE
5 WALTON CRES
6 RONALD AVE
7 OSBORNE TERR
8 ROOSEVELT TERR
9 VALE VIEW TERR
RSPB Conwy Nature Reserve
BLACKCAT RDBT
Sarn-y-Mynach
Coed Dolwyd
118
Cilglassyn
Caravan Park
Bryn Eisteddfod
Groesffordd Farm
Ffordd Farm
CONWY CT
SEAVIEW
Bryn-rhys
BRYN-RHYS
Y BRYN
PARC DERWEN
DALAR LAS
PENDRAW R LLAN
Glan Conwy
PH
PEN TAI
CHURCH ST
LLEWELYN TERR
LLEWELYN AVE
NANT Y COED
BENARTH CT
Sch
Llansanffraid Glan Conwy
Coed Plâs-isaf
Pant-yr-haiarn
Rhŷd-Ifan
Cymryd
WINDSOR HO
TAN-Y-MAES
MAES HYFRYD
Ty-du
Ty-du-Oaks
Plas isa
TY DU RD
Gydar
TOP LLAN RD
PEN Y GAER
TYN Y CELYN
GLYDAR
GARTH RD
LLANRWST RD
Awelon
Carreg-groes
Carreg y Groes
Garth
Plas Ucha
Felin Isaf (Water Mill)
Allor Moloch Burial Chamber
Bryniau
Pentrefelin
PENTREFELIN
Penrhiw Isaf
Ffordd-Las
Nant y Gareg ddu
Bryn Mynan
Bryn-popty
Pant-y-ffridd
Graig
Bwlch Wern Hir
Trallwyn

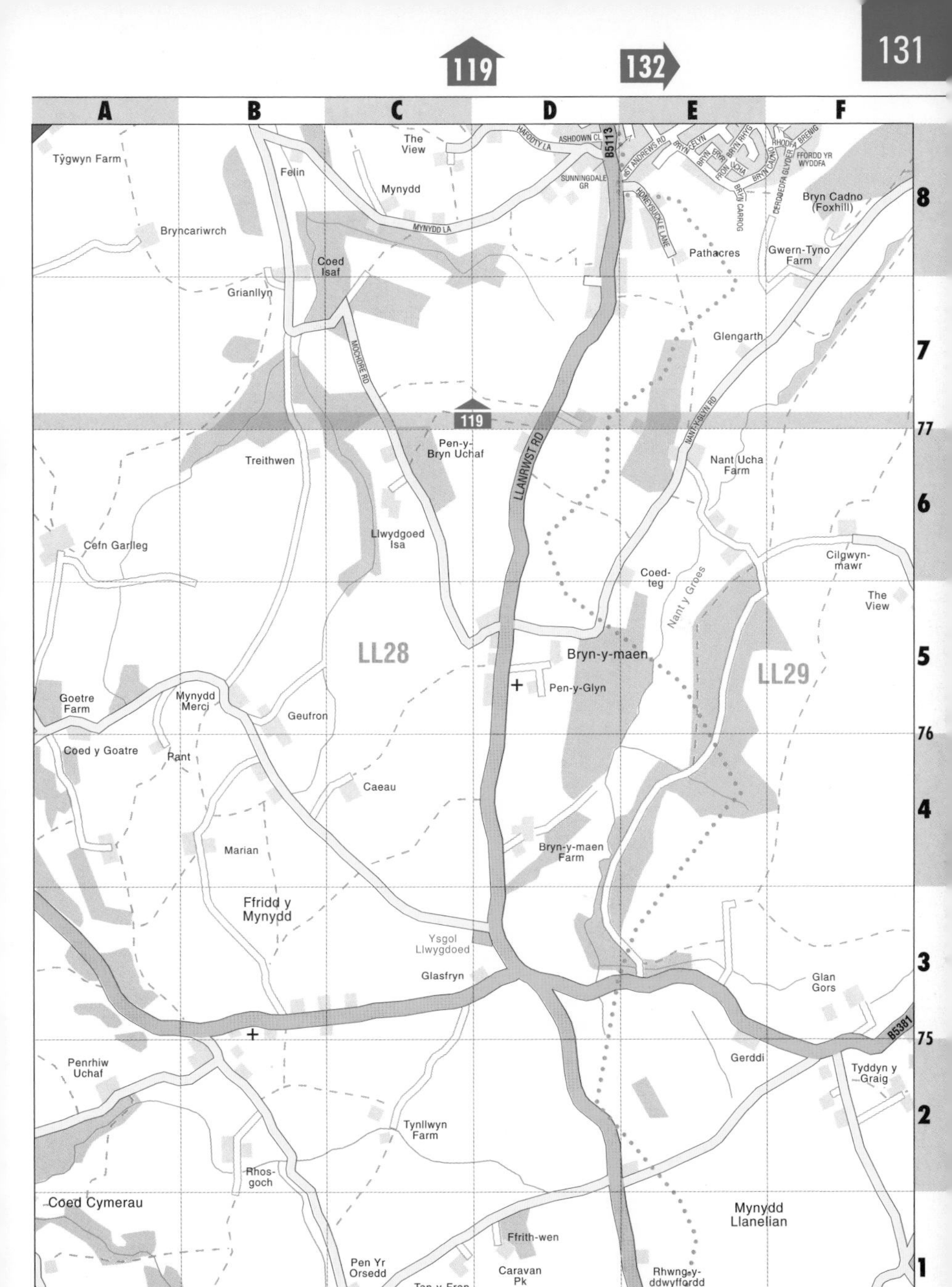

Tŷgwyn Farm

The View

Ashdown Cl

Felin

Mynydd

Sunningdale Gr

Bryn Cadno (Foxhill)

Bryncariwrch

Mynydd La

Pathacres

Gwern-Tyno Farm

Coed Isaf

Grianllyn

Glengarth

Moor Rd

Pen-y-Bryn Uchaf

119

Nant Ucha Farm

Treithwen

77

Llwydgoed Isa

Cefn Garlleg

Coed-teg

Cilgwyn-mawr

The View

LL28

Bryn-y-maen

LL29

5

Goetre Farm

Mynydd Merci

Geufron

Pen-y-Glyn

Coed y Goatre

Pant

76

Caeau

4

Marian

Bryn-y-maen Farm

Ffridd y Mynydd

Ysgol Llwygdoed

Glasfryn

Glan Gors

3

B5381

75

Penrhiw Uchaf

Gerddi

Tyddyn y Graig

2

Tynllwyn Farm

Rhos-goch

Coed Cymerau

Mynydd Llanelian

Ffrith-wen

Caravan Pk

1

Pen Yr Orsedd

Tan-y-Fron

Rhwng-y-ddwyffordd

B5113

74

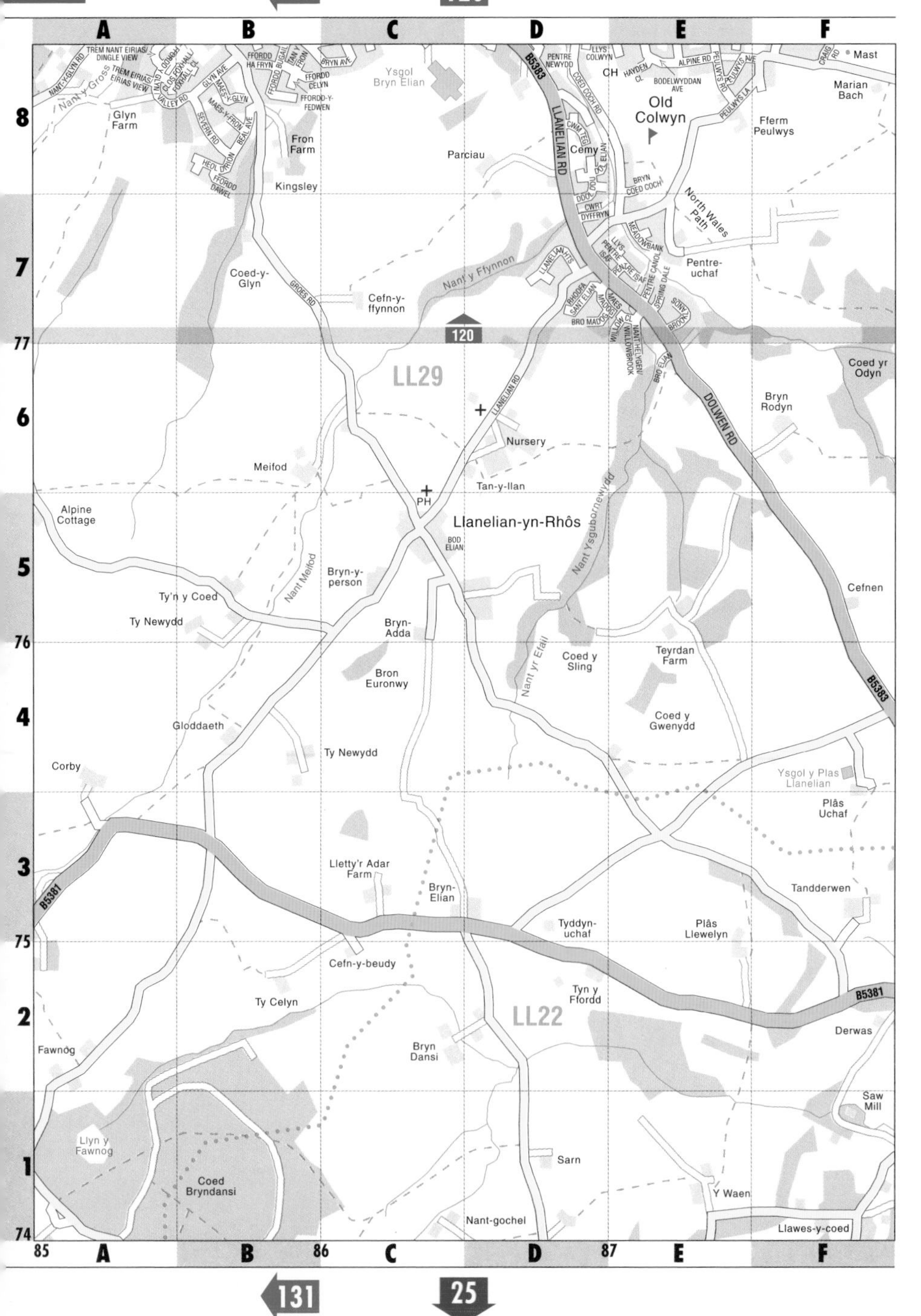
131
120
A B C D E F
8
7
77
6
5
76
4
3
75
2
1
74
85
86
87
Glyn Farm
Fron Farm
Kingsley
Ysgol Bryn Elian
Parciau
Cemy
Old Colwyn
Marian Bach
Mast
Fferm Peulwys
North Wales Path
Pentre-uchaf
Coed-y-Glyn
Cefn-y-ffynnon
Nant y Ffynnon
Nant y Gross
LL29
Coed yr Odyn
Bryn Rodyn
Nursery
Tan-y-llan
PH
Meifod
Alpine Cottage
Llanelian-yn-Rhôs
Nant Ysgubornewydd
Nant Meifod
Bryn-y-person
Ty'n y Coed
Ty Newydd
Bryn-Adda
Cefnen
Coed y Sling
Nant yr Efail
Teyrdan Farm
Bron Euronwy
Coed y Gwenydd
Gloddaeth
Ty Newydd
Corby
Ysgol y Plas Llanelian
Plâs Uchaf
Lletty'r Adar Farm
Bryn-Elian
Tandderwen
Tyddyn-uchaf
Plâs Llewelyn
Cefn-y-beudy
Tyn y Ffordd
LL22
Ty Celyn
Derwas
Fawnog
Bryn Dansi
Saw Mill
Llyn y Fawnog
Coed Bryndansi
Sarn
Y Waen
Nant-gochel
Llawes-y-coed
B5383
B5381
LLANELIAN RD
DOLWEN RD
GROES RD
LLANELIAN RD
TREM NANT EIRIAS
DINGLE VIEW
TREM EIRIAS
EIRIAS VIEW
NANT-Y-GLYN RD
VALLEY RD
GLYN AVE
MAES-Y-GLYN
MAES-Y-FRON
SEVERN RD
BEAL AVE
HEOL ORION
FFORDD DAWEL
FFORDD HA FRYN
FFORDD BUGAIL
TAN Y FRON
FFORDD CELYN
FFORDD-Y-FEDWEN
BRYN AVE
PENTRE NEWYDD
LLYS COLWYN
CH
HAYDEN CL
ALPINE RD
BODELWYDDAN AVE
PEULWYS RD
PEULWYS AVE
PEULWYS LA
CRAIG RD
COED COCH RD
CWM TEG
BRYN COED COCH
CWRT DYFFRYN
MEADOWBANK
LLANELIAN HTS
LLYS PENTRE ISAF
PENTRE ISAF
PENTRE CANOL
SPRING DALE
RHODFA SANT ELIAN
MAES MADOG
BRO MADOG
WILLOW CL
WILLOWBROOK
NANT-Y-GEN
BRO ELIAN
SUNNY BROOK
BOD ELIAN
120
131
25

121
134

A
B
C
D
E
F
Llanddulas
Ysgol Tan y Marian
Ty Mawr
PEULWYS LA
BERTH-Y-GLYD RD
BODRYFEDD TERR
Mynydd Marian
Ffynnon Cynfran
WESTWOOD CVN PK
PH
FFORDD-Y-LLAN
PARK ROAD COTTS
MOUNT PLEASANT
BRON-Y-LLAN
Ysgol Gynradd Cynfran
Ty-ucha Farm
Llysfaen
GEULAN RD
TAN-Y-GRAIG RD
CLOBRYN RD
PENTREGWYDDEL TERR
PENTREGWYDDEL RD
MAES-Y-FFRON 1
TY'N-Y-MAES 2
OGWEN TERR 3
Y GILAN
TREM-Y-DON
LLYS TREFOR JONES
CYNFRAN RD
GAMAR RD
GLYNDWR RD
ALLTWEN
GADLAS RD
RHODFA WEN
BRYN GOLAU
TAN-YR-ALLT RD
LON PENDYFFRYN
PENCOED RD
PENCOED AVE
TAN-Y-MARIAN
FFORD NEWYDD/NEW RD 1
CLIPTERFYN 2
LLINDIR RD
BRYNDULAS RD
Llanddulas Quarry
North Wales Path
Bryndulas House
Plas Farm
Craig y Forwyn
CWYMP RD
121
DOLWEN CL
Bwlch-y-gwynt
BWLCH-Y-GWYNT RD
HWYLFA TERR
Trawscoed
TRAWSCOED RD
Tan-yr-ywen Cottage
Pentre-du
LL29
Pendared
DOLWEN RD
Tyddyn Elidir
Caravan Park
Isallt
ISALLT RD
llecha
Bryn-morfydd Farm
Plas-newydd
Caravan Park
Nant-glyd
Plas Helyg
Bryn Gwyn
Twnan Uchaf
Bryn-lechyd
Pen-y-cefn
Cefn Castell
Ffernant
Llety-du
Cefn-Fran
Cefn Isaf
Nant Ddu
LL22
River Dulas/Afon Dulas
Brynffanigl Isaf
Llwydfaen
Orchard Cottage
Dolfran
Dafarn-y-Pwll
Glanyrafon
B5383
PO
Dolwen
Dolwen Bridge
Garnedd Uchaf
Garnedd-isa
Plas-yn-Betws
Peniarth Fawr
B5381
8
7
77
6
5
76
4
3
75
2
1
74
88
89
90

25
134

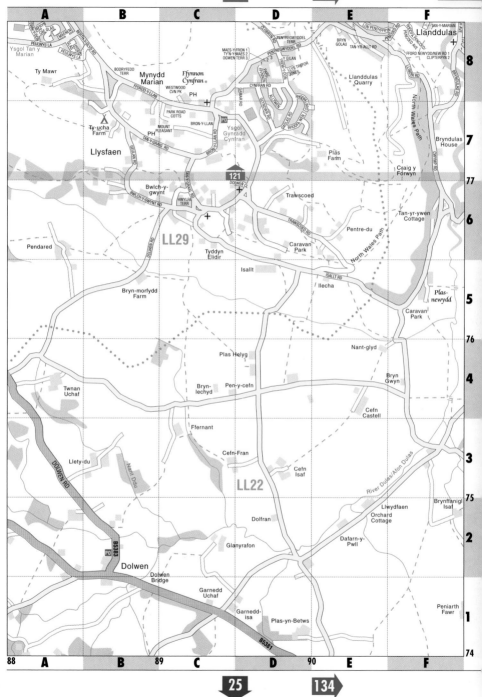

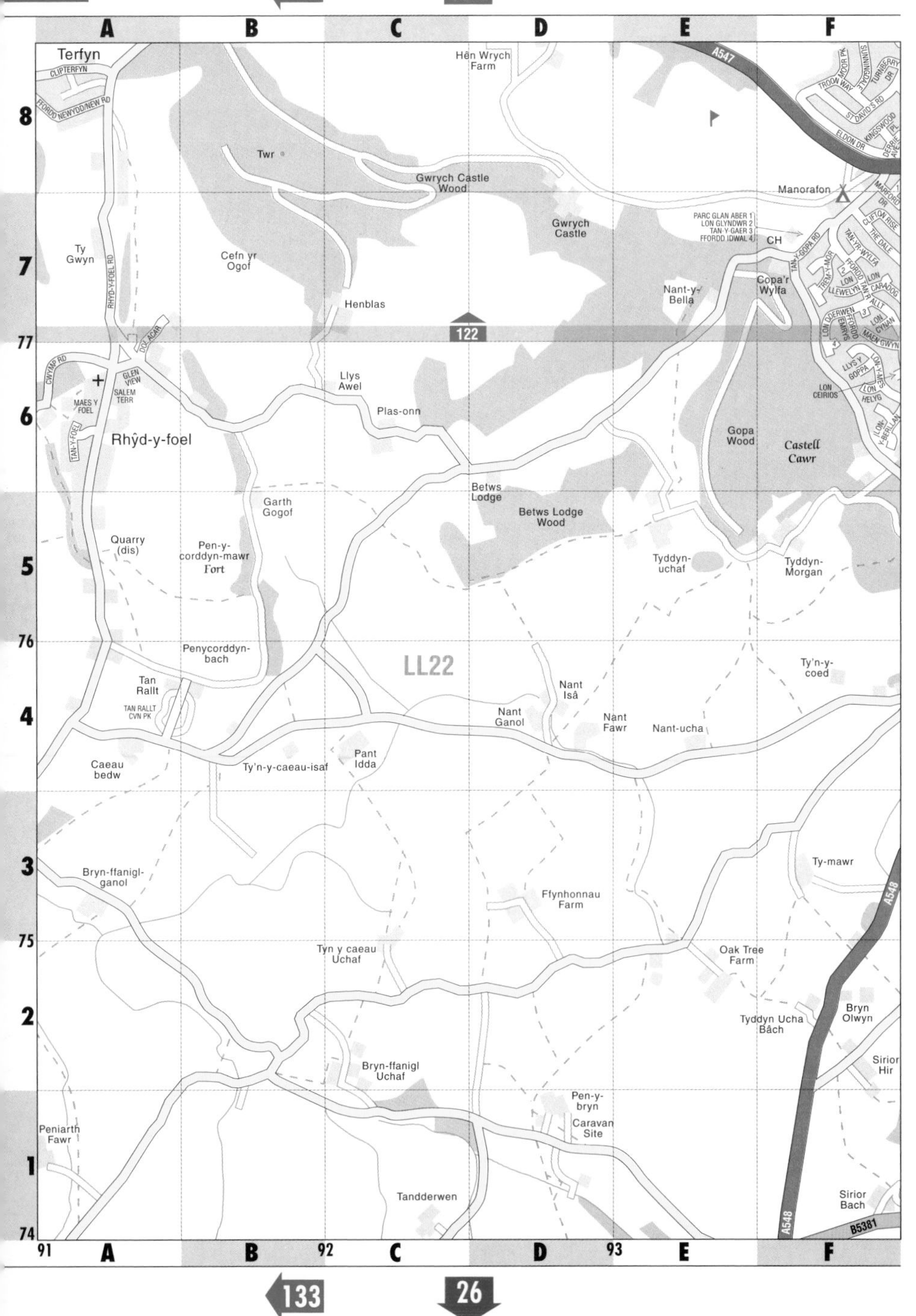

A547

Terfyn
CLIPTERFYN
FFORDD NEWYDD/NEW RD

8

Hên Wrych
Farm

Twr

Gwrych Castle
Wood

Manorafon

Ty
Gwyn

Cefn yr
Ogof

Gwrych
Castle

7

PARC GLAN ABER 1
LON GLYNNOWR 2
TAN-Y-GAER 3
FFORDD IDWAL 4

CH

Henblas

Nant-y-
Bella

Copa'r
Wylfa

77

122

Llys
Awel

GLEN
VIEW
SALEM
TERR

Plas-onn

6

MAES Y
FOEL
TAN-Y-FOEL

Rhŷd-y-foel

Gopa
Wood

Castell
Cawr

Betws
Lodge

Garth
Gogof

Betws Lodge
Wood

Quarry
(dis)

Pen-y-
corddyn-mawr
Fort

Tyddyn-
uchaf

Tyddyn-
Morgan

5

Penycorddyn-
bach

76

Ty'n-y-
coed

Tan
Rallt
TAN RALLT
CVN PK

LL22

Nant
Isâ

Nant
Ganol

Nant
Fawr

Nant-ucha

4

Caeau
bedw

Ty'n-y-caeau-isaf

Pant
Idda

Bryn-ffanigl-
ganol

Ty-mawr

3

Ffynhonnau
Farm

75

Tyn y caeau
Uchaf

Oak Tree
Farm

2

Tyddyn Ucha
Bâch

Bryn
Olwyn

Bryn-ffanigl
Uchaf

Sirior
Hir

Peniarth
Fawr

Pen-y-
bryn
Caravan
Site

1

Tandderwen

Sirior
Bâch

74

91 A   B   92   C   D   93   E   F

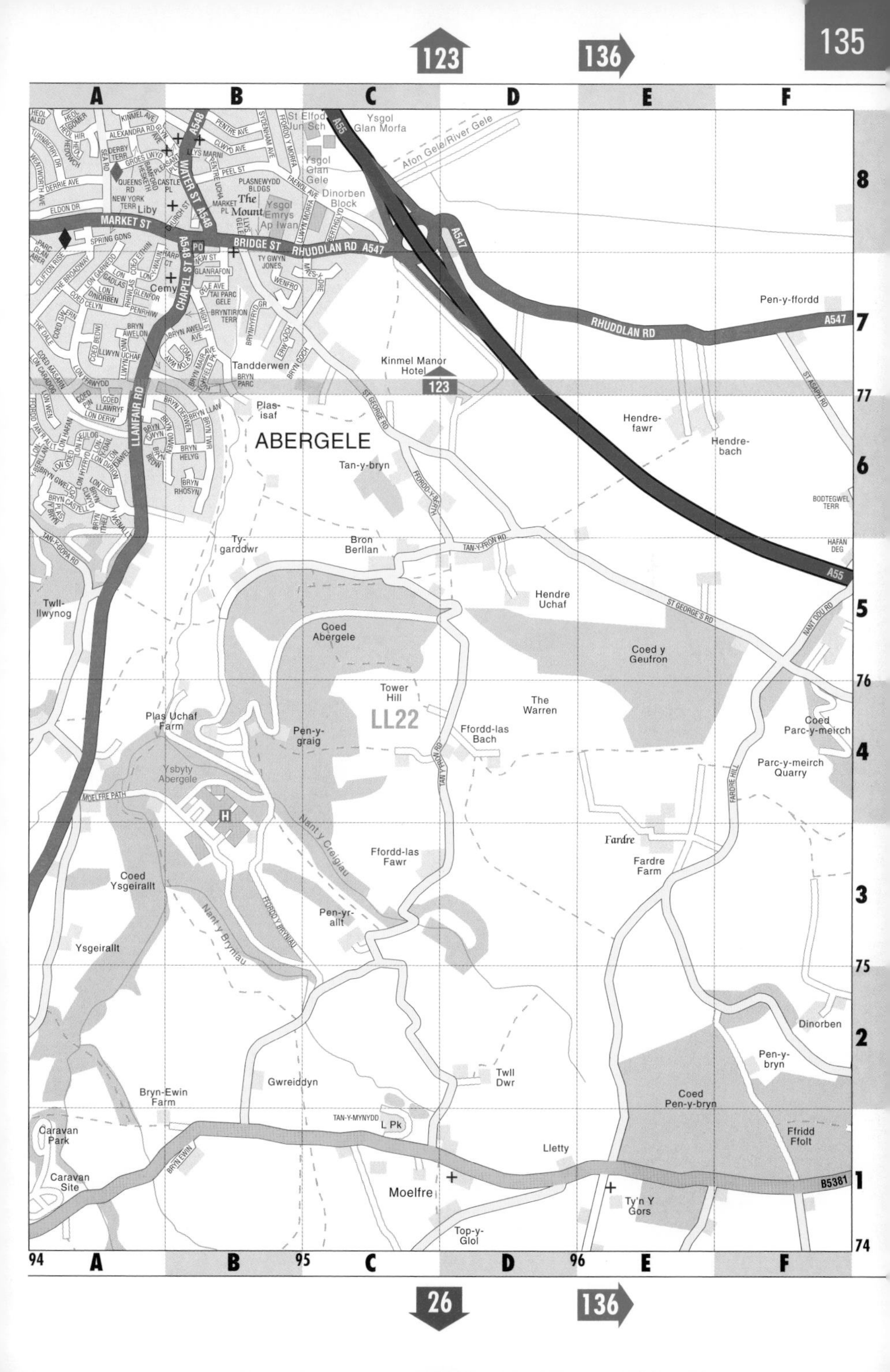

123
136
A
B
C
D
E
F
8
7
77
6
5
76
4
3
75
2
1
74
94
95
96
ABERGELE
LL22
MARKET ST
BRIDGE ST
RHUDDLAN RD
A547
A548
A55
WATER ST
CHAPEL ST
LLANFAIR RD
The Mount
Liby
Cemy
St Elfod Jun Sch
Ysgol Glan Morfa
Ysgol Glan Gele
Dinorben Block
Ysgol Emrys Ap Iwan
Afon Gele/River Gele
Tandderwen
Kinmel Manor Hotel
Plas-isaf
Tan-y-bryn
Pen-y-ffordd
Hendre-fawr
Hendre-bach
BODTEGWEL TERR
HAFAN DEG
Ty-garddwr
Bron Berllan
TAN-Y-FRON RD
Hendre Uchaf
ST GEORGE'S RD
ST GEORGE RD
NANT DDU RD
ST ASAPH RD
Twll-llwynog
Coed Abergele
Coed y Geufron
Tower Hill
The Warren
Coed Parc-y-meirch
Plas Uchaf Farm
Pen-y-graig
Ffordd-las Bach
Parc-y-meirch Quarry
FARDRE HILL
TAN FRON RD
Ysbyty Abergele
MOELFRE PATH
Nant y Creigiau
Fardre
Fardre Farm
Ffordd-las Fawr
Coed Ysgeirallt
Pen-yr-allt
Nant y Brynlau
FFORDD Y BRYNIAU
Ysgeirallt
Dinorben
Pen-y-bryn
Gwreiddyn
Twll Dwr
Bryn-Ewin Farm
Coed Pen-y-bryn
Caravan Park
TAN-Y-MYNYDD
L Pk
Lletty
Ffridd Ffolt
Caravan Site
BRYN EWIN
Moelfre
Ty'n Y Gors
B5381
Top-y-Glol
26

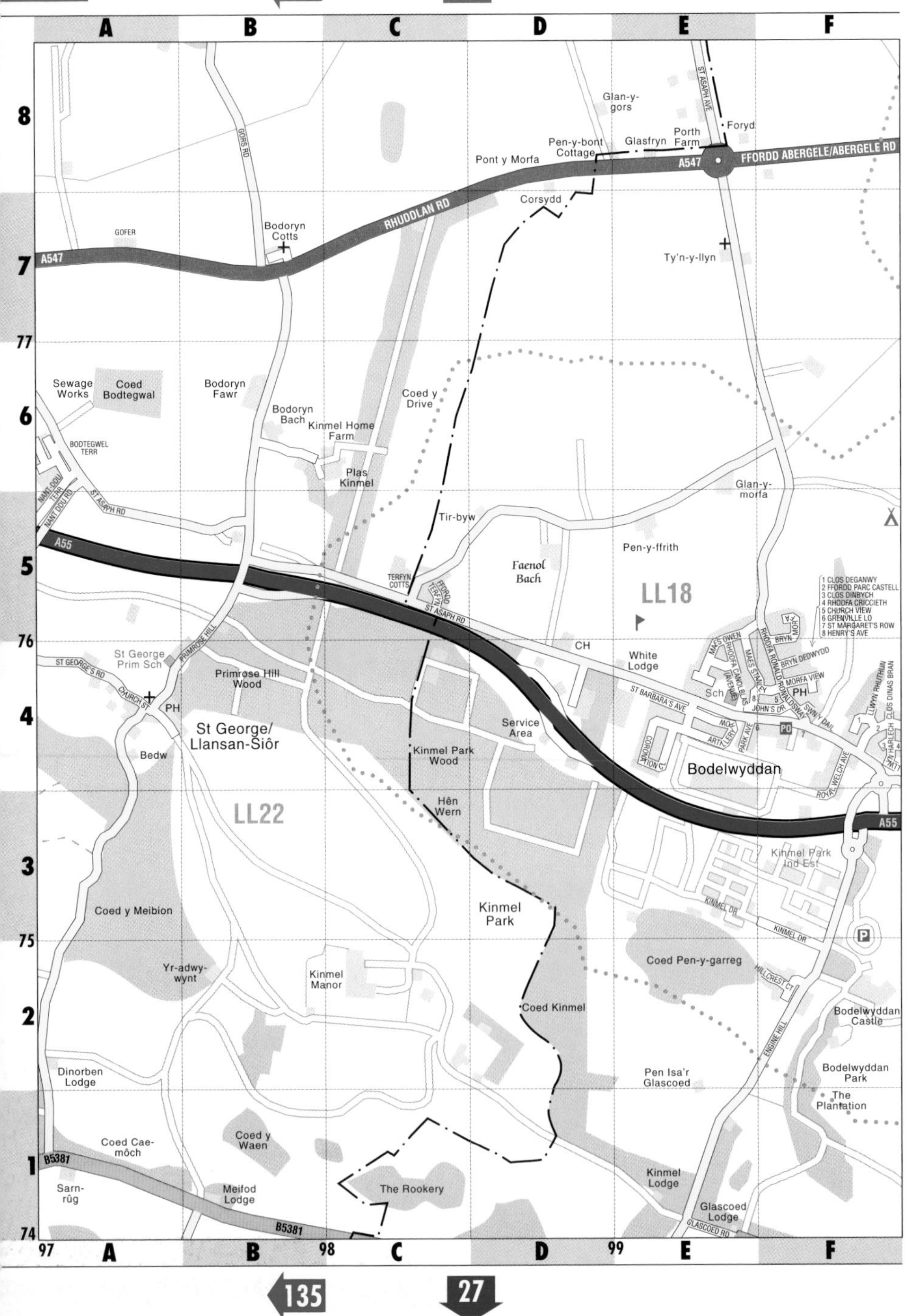
A
B
C
D
E
F
8
7
77
6
5
76
4
3
75
2
1
74
97
98
99
Glan-y-gors
ST ASAPH AVE
Foryd
Porth Farm
Glasfryn
Pen-y-bont Cottage
Pont y Morfa
A547
FFORDD ABERGELE/ABERGELE RD
GORS RD
Corsydd
RHUDDLAN RD
Bodoryn Cotts
GOFER
A547
Ty'n-y-llyn
Sewage Works
Coed Bodtegwal
Bodoryn Fawr
Bodoryn Bach
Kinmel Home Farm
Coed y Drive
BODTEGWEL TERR
Plas Kinmel
Glan-y-morfa
NANT-DDU TERR
NANT DDU RD
ST ASAPH RD
Tir-byw
Pen-y-ffrith
A55
Faenol Bach
TERFYN COTTS
FFORDD TERFYN
LL18
ST ASAPH RD
1 CLOS DEGANWY
2 FFORDD PARC CASTELL
3 CLOS DINBYCH
4 RHODFA CRICCIETH
5 CHURCH VIEW
6 GRENVILLE LO
7 ST MARGARET'S ROW
8 HENRY'S AVE
PRIMROSE HILL
St George Prim Sch
CH
White Lodge
MAES OWEN
BRYN
BRYN DEDWYDD
MORFA VIEW
ST GEORGE'S RD
Primrose Hill Wood
ST BARBARA'S AVE
Sch
PH
CHURCH ST
PH
JOHN'S DR
SWN Y DAIL
St George/ Llansan-Siôr
Service Area
ARTILLERY
PARK AVE
PO
CORONATION CT
Bedw
Kinmel Park Wood
Bodelwyddan
ROYAL WELCH AVE
Hên Wern
LL22
A55
Kinmel Park Ind Est
KINMEL DR
Coed y Meibion
Kinmel Park
KINMEL DR
Coed Pen-y-garreg
HILLCREST CT
Yr-adwy-wynt
Kinmel Manor
Coed Kinmel
Bodelwyddan Castle
ENGINE HILL
Dinorben Lodge
Pen Isa'r Glascoed
Bodelwyddan Park
The Plantation
Coed Cae-môch
Coed y Waen
B5381
Sarn-rûg
Meifod Lodge
The Rookery
Kinmel Lodge
Glascoed Lodge
B5381
GLASCOED RD

125

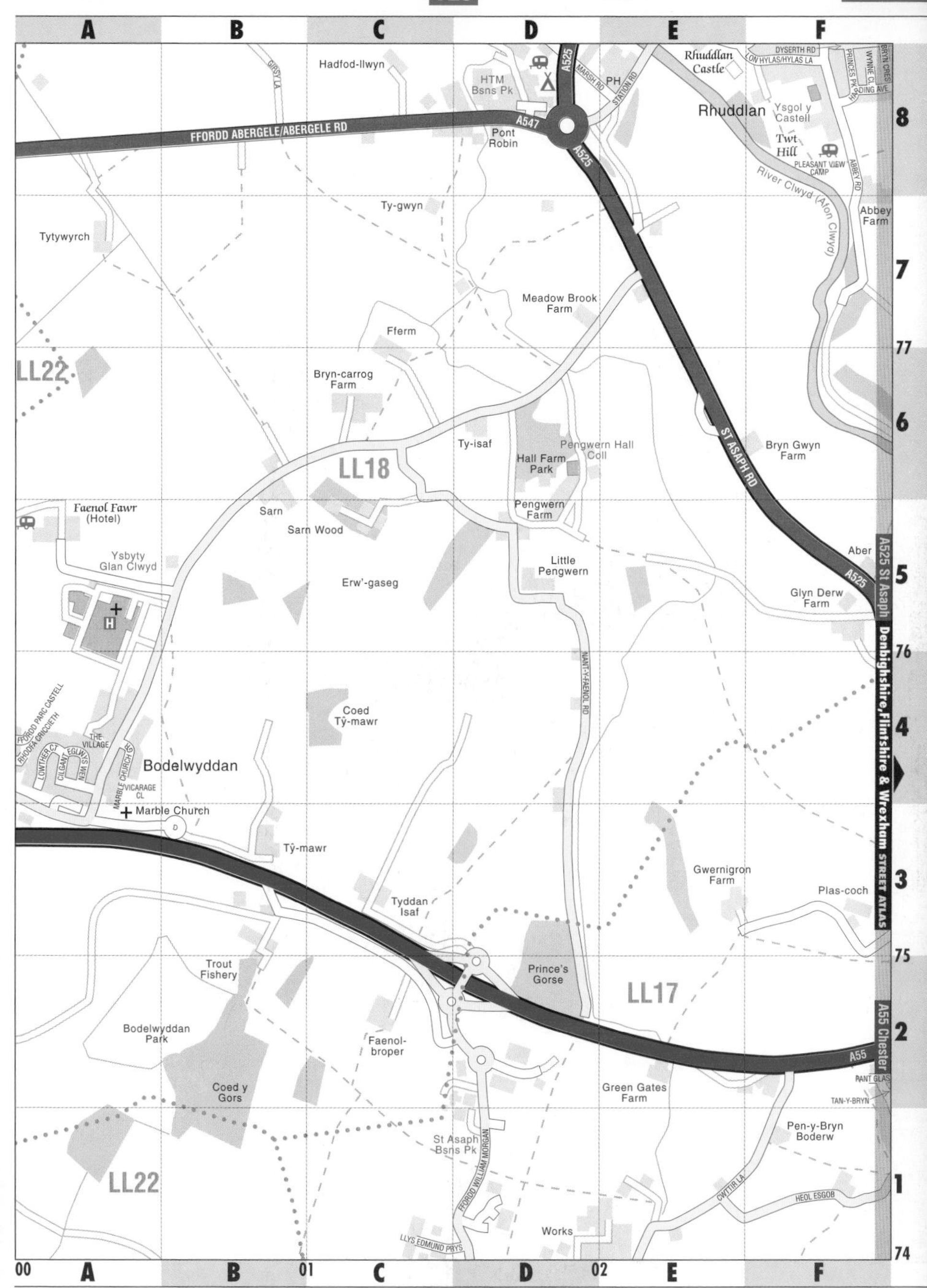
A
B
C
D
E
F
Hadfod-llwyn
GIRSY LA
HTM
Bsns Pk
A525
MARSH RD
PH
STATION RD
Rhuddlan
Castle
DYSERTH RD
LON HYLAS/HYLAS LA
PRINCES PK
WYNNE CL
BRYN CRES
HARDING AVE
Rhuddlan
Ysgol y
Castell
Twt
Hill
PLEASANT VIEW
CAMP
ABBEY RD
River Clwyd (Afon Clwyd)
FFORDD ABERGELE/ABERGELE RD
A547
Pont
Robin
8
Ty-gwyn
Tytywyrch
Abbey
Farm
7
Meadow Brook
Farm
Fferm
77
LL22
Bryn-carrog
Farm
6
Ty-isaf
Pengwern Hall
Coll
Hall Farm
Park
LL18
ST ASAPH RD
Bryn Gwyn
Farm
Faenol Fawr
(Hotel)
Sarn
Sarn Wood
Pengwern
Farm
Ysbyty
Glan Clwyd
Little
Pengwern
Aber
Erw'-gaseg
A525
5
Glyn Derw
Farm
A525 St Asaph
76
NANT-Y-FAENOL RD
FFORDD PARC CASTELL
RHODFA CRICCIETH
Coed
Tŷ-mawr
4
THE
VILLAGE
LOWTHER CT
CILGANT EGLWYS WEN
MARBLE CHURCH GR
Bodelwyddan
VICARAGE
CL
Marble Church
Tŷ-mawr
Gwernigron
Farm
3
Plas-coch
Tyddan
Isaf
Denbighshire, Flintshire & Wrexham STREET ATLAS
75
Trout
Fishery
Prince's
Gorse
LL17
Bodelwyddan
Park
Faenol-
broper
A55
2
A55 Chester
Coed y
Gors
Green Gates
Farm
PANT GLAS
TAN-Y-BRYN
Pen-y-Bryn
Boderw
St Asaph
Bsns Pk
FFORDD WILLIAM MORGAN
LL22
CWTTIR LA
HEOL ESGOB
1
Works
LLYS EDMUND PRYS
74
00
01
02

27

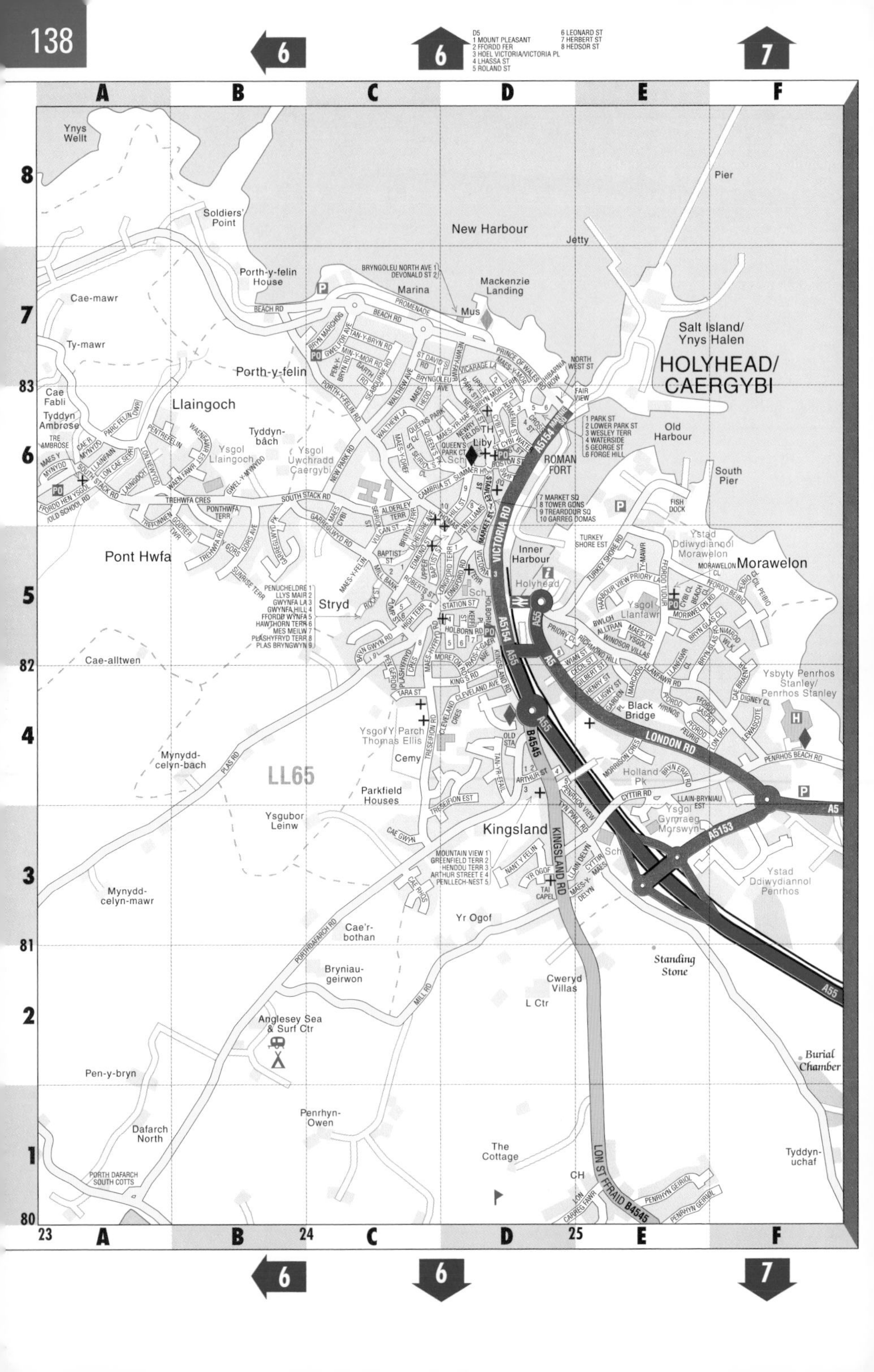

6
6
7
D5
1 MOUNT PLEASANT
2 FFORDD FER
3 HOEL VICTORIA/VICTORIA PL
4 LHASSA ST
5 ROLAND ST
6 LEONARD ST
7 HERBERT ST
8 HEDSOR ST
Ynys Wellt
Soldiers' Point
New Harbour
Pier
Jetty
Porth-y-felin House
Marina
Mackenzie Landing
Cae-mawr
Ty-mawr
Porth-y-felin
Salt Island/ Ynys Halen
HOLYHEAD/ CAERGYBI
Cae Fabli
Tyddyn Ambrose
Llaingoch
Tyddyn-bâch
Ysgol Llaingoch
Ysgol Uwchradd Caergybi
Old Harbour
ROMAN FORT
South Pier
Pont Hwfa
Inner Harbour
Holyhead
Morawelon
Ysgol Llanfawr
Stryd
Cae-alltwen
Ysbyty Penrhos Stanley/ Penrhos Stanley
Black Bridge
Ysgol Y Parch Thomas Ellis
Cemy
Mynydd-celyn-bach
LL65
Parkfield Houses
Holland Pk
Ysgol Gymraeg Morswyn
Ysgubor Leinw
Kingsland
Mynydd-celyn-mawr
Ystad Ddiwydiannol Penrhos
Yr Ogof
Cae'r-bothan
Bryniau-geirwon
Cweryd Villas
L Ctr
Standing Stone
Anglesey Sea & Surf Ctr
Burial Chamber
Pen-y-bryn
Penrhyn-Owen
Dafarch North
The Cottage
Tyddyn-uchaf
CH
PORTH DAFARCH SOUTH COTTS
VICTORIA RD
KINGSLAND RD
LONDON RD
LON ST FFRAID B4545
A5154
A55
A5
A5153
B4545

15

15

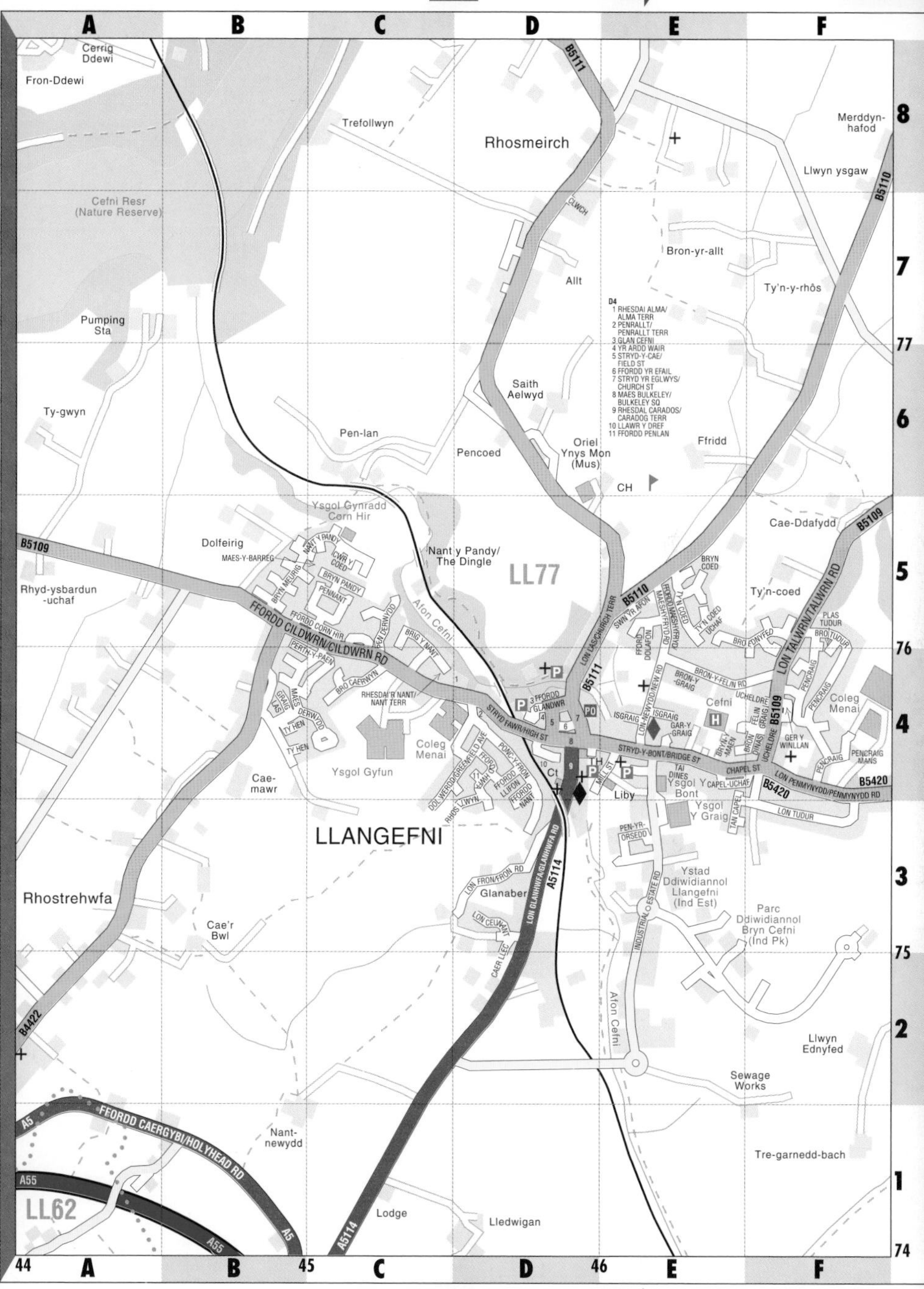

A
B
C
D
E
F
8
7
77
6
5
76
4
3
75
2
1
74
44
45
46
Cerrig Ddewi
Fron-Ddewi
Trefollwyn
Rhosmeirch
B5111
Merddyn-hafod
Llwyn ysgaw
B5110
Cefni Resr (Nature Reserve)
CLWCH
Bron-yr-allt
Allt
Ty'n-y-rhôs
Pumping Sta
D4
1 RHESDAI ALMA/ ALMA TERR
2 PENRALLT/ PENRALLT TERR
3 GLAN CEFNI
4 YR ARDD WAIR
5 STRYD-Y-CAE/ FIELD ST
6 FFORDD YR EFAIL
7 STRYD YR EGLWYS/ CHURCH ST
8 MAES BULKELEY/ BULKELEY SQ
9 RHESDAL CARADOS/ CARADOG TERR
10 LLAWR Y DREF
11 FFORDD PENLAN
Saith Aelwyd
Ty-gwyn
Pen-lan
Pencoed
Oriel Ynys Mon (Mus)
Ffridd
CH
Ysgol Gynradd Corn Hir
Cae-Ddafydd
B5109
Dolfeirig
MAES-Y-BARREG
NANT Y PANDY
CWR Y COED
Nant y Pandy/ The Dingle
LL77
BRYN COED
Rhyd-ysbardun -uchaf
BRYN MEURIG
BRYN PANDY
PENNANT
B5110
SWN YR AFON
LON LAS/CHURCH TERR
Ty'n-coed
LON TALWRN/TALWRN RD
PLAS TUDUR
BRO TUDUR
FFORDD CORN HIR
PEN DERWYDD
Afon Cefni
FFORDD CILDWRN/CILDWRN RD
BRIG Y NANT
BRO EDNYFED
PERTH-Y-PAEN
BRO CAERWYN
FFORDD DOLAFON
BRON-Y-FELIN RD
GRAIG LAS
MAES DERWYDD
RHESDAI'R NANT/ NANT TERR
3 FFORDD GLANDWR
B5111
PO
UCHELDRE
Cefni
Coleg Menai
TY HEN
STRYD FAWR/HIGH ST
ISGRAIG
LON-NEWYDD/NEW RD
GAR-Y GRAIG
B5109
PENCRAIG
Coleg Menai
Ysgol Gyfun
PONC-Y-FRON
STRYD-Y-BONT/BRIDGE ST
GER Y WINLLAN
PENCRAIG MANS
Cae-mawr
Ct
TH
MILL ST
TAI DINES
CHAPEL ST
Ysgol Y Bont
CAPEL-UCHAF
LON PENMYNYDD/PENMYNYDD RD
B5420
Liby
Ysgol Y Graig
LON TUDUR
TAN CAPEL
LLANGEFNI
PEN-YR-ORSEDD
LON FRON/FRON RD
Glanaber
A5114
LON GLANHWFA/GLANHWFA RD
Ystad Ddiwidiannol Llangefni (Ind Est)
INDUSTRIAL ESTATE RD
Rhostrehwfa
Cae'r Bwl
LON CEUNANT
Parc Ddiwidiannol Bryn Cefni (Ind Pk)
CAER LLEC
Afon Cefni
B4422
Llwyn Ednyfed
Sewage Works
A5
FFORDD CAERGYBI/HOLYHEAD RD
Nant-newydd
Tre-garnedd-bach
A55
LL62
Lodge
Lledwigan
A5114
A5
A55

21
15

21
16

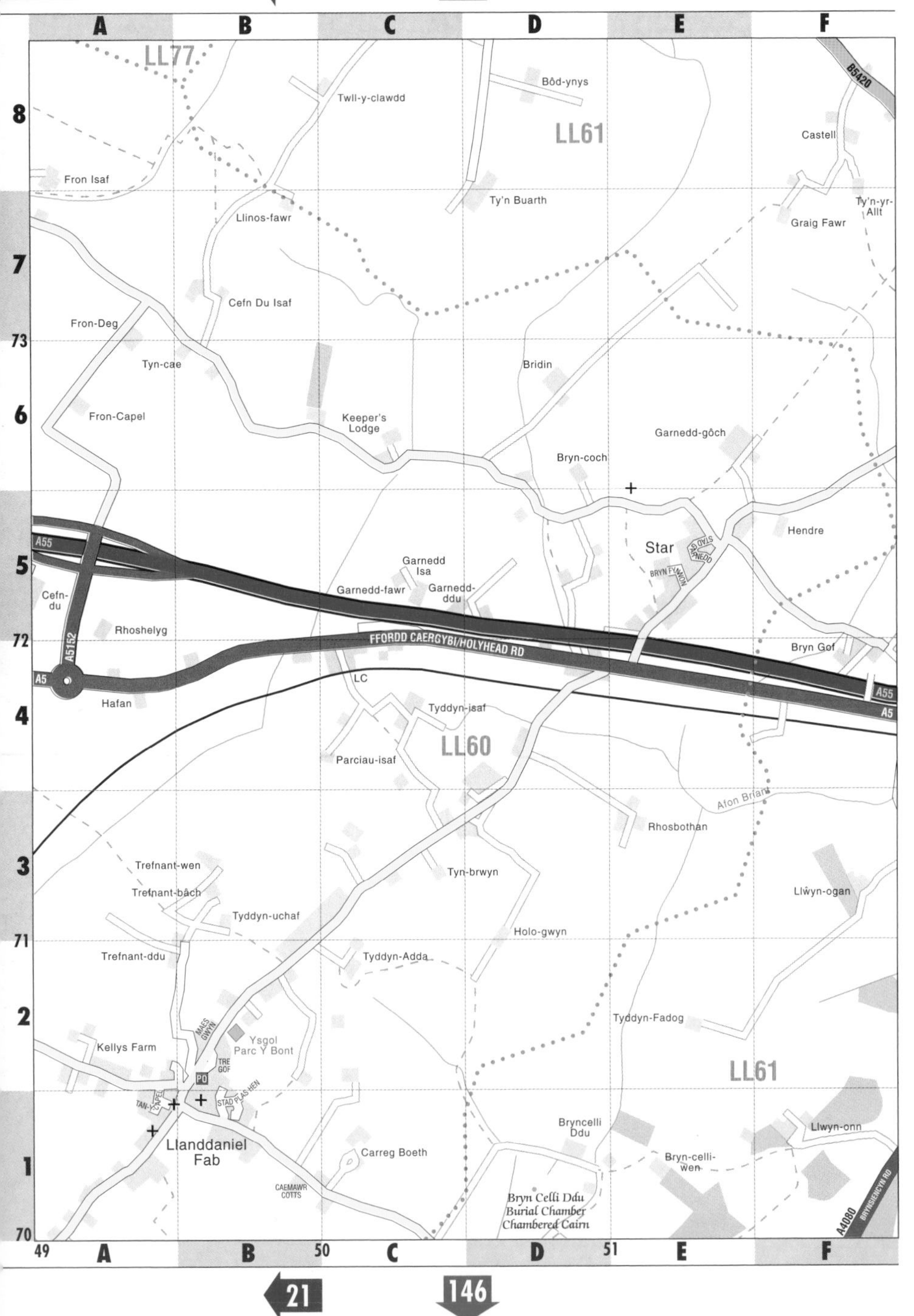
A
B
C
D
E
F
LL77
Twll-y-clawdd
Bôd-ynys
B5420
LL61
Castell
Fron Isaf
Ty'n Buarth
Ty'n-yr-Allt
Graig Fawr
Llinos-fawr
Cefn Du Isaf
Fron-Deg
Tyn-cae
Bridin
Fron-Capel
Keeper's Lodge
Garnedd-gôch
Bryn-coch
Hendre
Star
STAD GARNEDD
BRYN FYNNON
A55
Garnedd Isa
Garnedd-fawr
Garnedd-ddu
Cefn-du
Rhoshelyg
A5152
FFORDD CAERGYBI/HOLYHEAD RD
Bryn Gof
A5
LC
Hafan
Tyddyn-isaf
LL60
Parciau-isaf
Afon Braint
Rhosbothan
Trefnant-wen
Tyn-brwyn
Trefnant-bâch
Llŵyn-ogan
Tyddyn-uchaf
Holo-gwyn
Trefnant-ddu
Tyddyn-Adda
Tyddyn-Fadog
MAES GWYN
Ysgol Parc Y Bont
Kellys Farm
TRE GOF
PO
LL61
TAN-Y-CAPEL
STAD PLAS HEN
Bryncelli Ddu
Llwyn-onn
Llanddaniel Fab
Carreg Boeth
Bryn-celli-wen
CAEMAWR COTTS
Bryn Celli Ddu Burial Chamber Chambered Cairn
A4080 BRYNSIENCYN RD
8
7
73
6
5
72
4
3
71
2
1
70
49
50
51

21
146

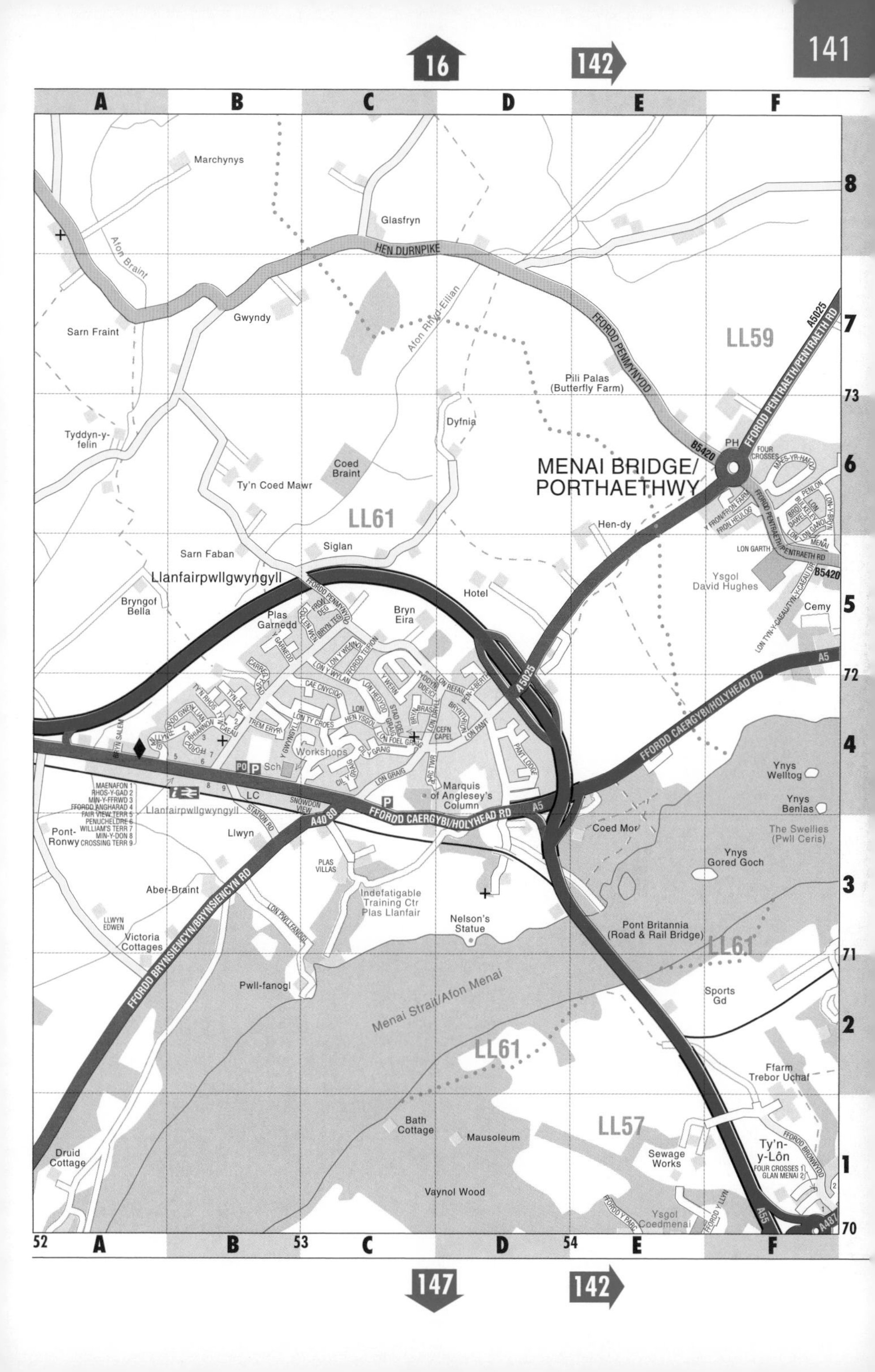
16
142
A
B
C
D
E
F
Marchynys
Glasfryn
HEN DURNPIKE
Afon Braint
Gwyndy
Sarn Fraint
Afon Rhyd-Eilian
FFORDD PENMYNYDD
LL59
A5025
FFORDD PENTRAETH/PENTRAETH RD
Pili Palas
(Butterfly Farm)
Tyddyn-y-
felin
Dyfnia
B5420
PH
FOUR CROSSES
MAES-YR-HAFOD
Coed
Braint
MENAI BRIDGE/
PORTHAETHWY
Ty'n Coed Mawr
LL61
Hen-dy
FRON HEULOG
LON GARTH
Siglan
Sarn Faban
Ysgol
David Hughes
B5420
Llanfairpwllgwyngyll
Hotel
Bryngof
Bella
Plas
Garnedd
Bryn
Eira
Cemy
A5
FFORDD CAERGYBI/HOLYHEAD RD
A5025
Workshops
Sch
PO
P
Ynys
Welltog
Ynys
Benlas
Marquis
of Anglesey's
Column
MAENAFON 1
RHOS-Y-GAD 2
MIN-Y-FFRWD 3
FFORDD ANGHARAD 4
FAIR VIEW TERR 5
PENUCHELDRE 6
WILLIAM'S TERR 7
MIN-Y-DON 8
CROSSING TERR 9
LC
Llanfairpwllgwyngyll
SNOWDON VIEW
STATION RD
FFORDD CAERGYBI/HOLYHEAD RD
A5
A4080
Coed Mor
The Swellies
(Pwll Ceris)
Pont-
Ronwy
Llwyn
PLAS
VILLAS
Ynys
Gored Goch
Aber-Braint
FFORDD BRYNSIENCYN/BRYNSIENCYN RD
Indefatigable
Training Ctr
Plas Llanfair
Nelson's
Statue
Pont Britannia
(Road & Rail Bridge)
LLWYN
EDWEN
Victoria
Cottages
LON PWLLFANOGL
LL61
Pwll-fanogl
Menai Strait/Afon Menai
Sports
Gd
LL61
Ffarm
Trebor Uchaf
Bath
Cottage
Mausoleum
LL57
Ty'n-
y-Lôn
FOUR CROSSES 1
GLAN MENAI 2
Druid
Cottage
Sewage
Works
FFORDD BRONWYDD
Vaynol Wood
Ysgol
Coedmenai
FFORDD Y PARC
FFORDD Y LLYN
A55
A487
8
7
73
6
5
72
4
3
71
2
1
70
52
53
54
147
142

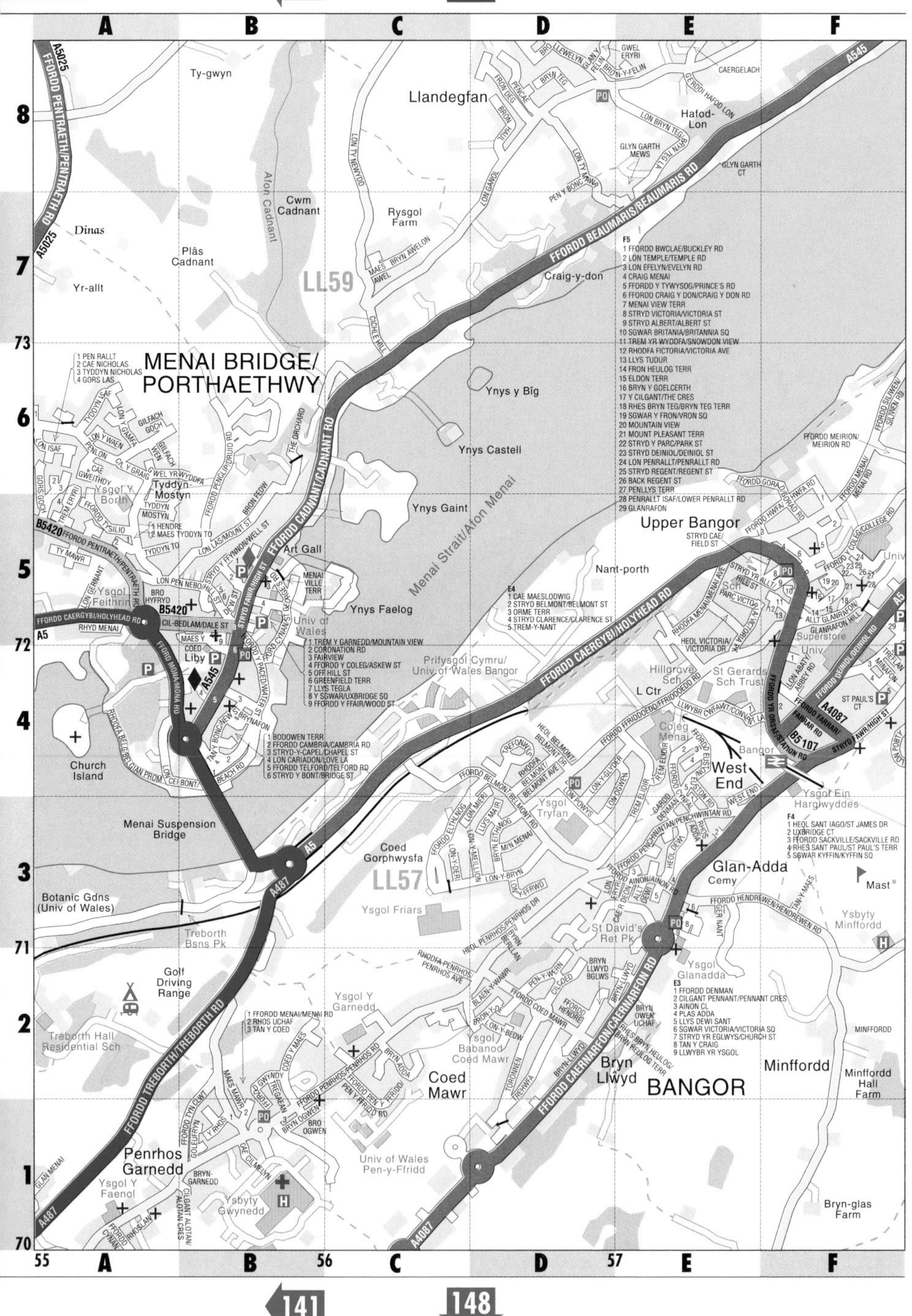

	A	B	C	D	E	F

8

Ty-gwyn

Llandegfan

Gwel Eryri

Caergelach

7

Dinas

Plâs Cadnant

Cwm Cadnant

Ysgol Farm

Craig-y-don

LL59

Glyn Garth Mews

Hafod-Lon

Glyn Garth Ct

Yr-allt

73

Ynys y Big

MENAI BRIDGE/ PORTHAETHWY

Ynys Castell

Upper Bangor

6

Ynys Gaint

Tyddyn Mostyn

Art Gall

Ynys Faelog

Nant-porth

5

Univ of Wales

Prifysgol Cymru/ Univ of Wales Bangor

West End

72

Menai Strait/Afon Menai

Coed Menai

4

Church Island

Bangor

Ysgol Ein Hargwyddes

Menai Suspension Bridge

Coed Gorphwysfa

LL57

Glan-Adda

3

Botanic Gdns (Univ of Wales)

Treborth Bsns Pk

Ysgol Friars

St David's Ret Pk

Ysgol Glanadda

Ysbyty Minffordd

71

Golf Driving Range

Coed Mawr

Bryn Llwyd

BANGOR

Minffordd

2

Treborth Hall Residential Sch

Ysgol Y Garnedd

Ysgol Babanod Coed Mawr

Minffordd Hall Farm

Penrhos Garnedd

Univ of Wales Pen-y-Ffridd

1

Ysgol Y Faenol

Ysbyty Gwynedd

Bryn-glas Farm

70

55		56		57	
A	B	C	D	E	F

17
144

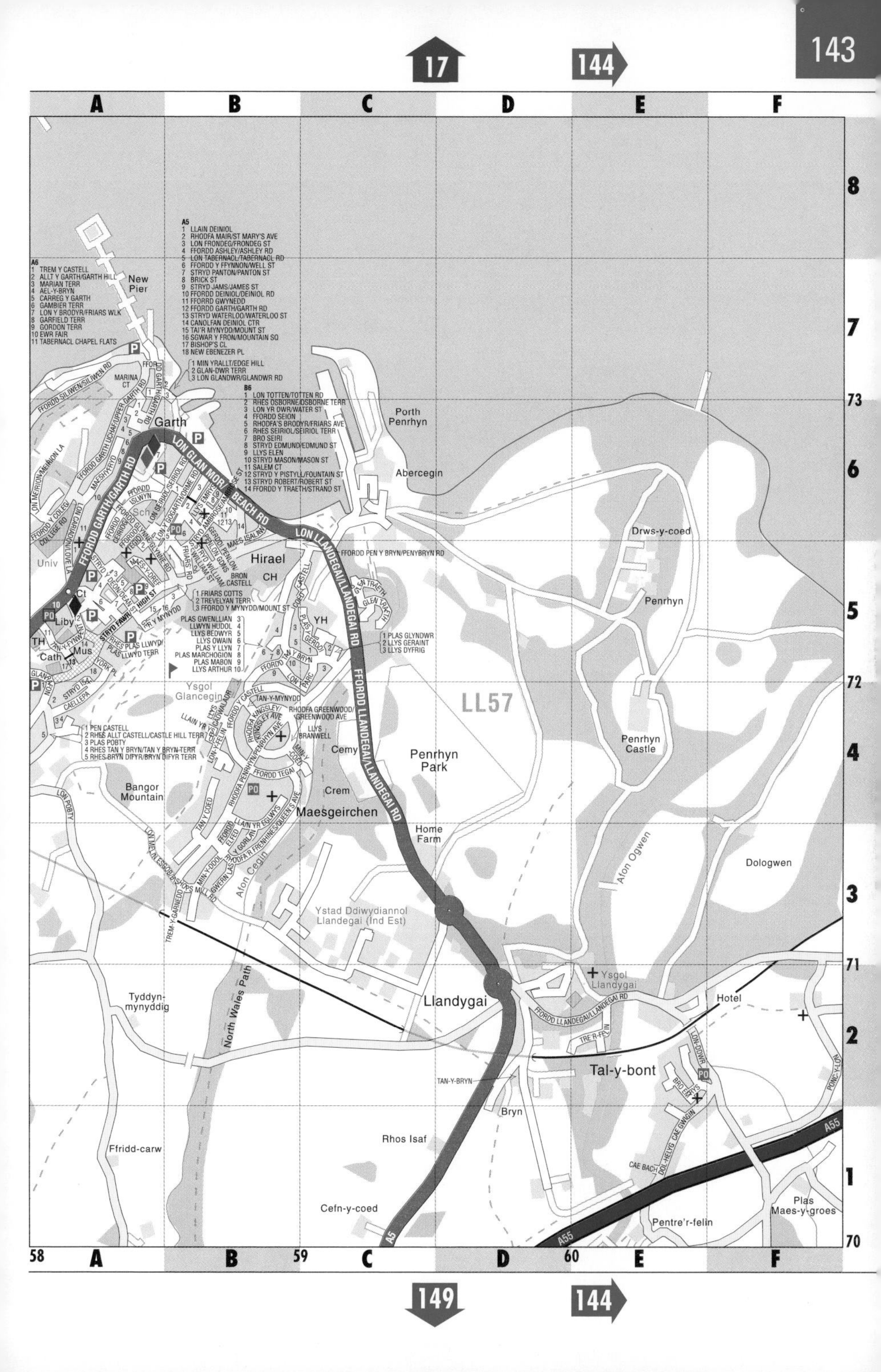
A
B
C
D
E
F
8
7
73
6
5
72
4
3
71
2
1
70
58
59
60
A5
1 LLAIN DEINIOL
2 RHODFA MAIR/ST MARY'S AVE
3 LON FRONDEG/FRONDEG ST
4 FFORDD ASHLEY/ASHLEY RD
5 LON TABERNACL/TABERNACL RD
6 FFORDD Y FFYNNON/WELL ST
7 STRYD PANTON/PANTON ST
8 BRICK ST
9 STRYD JAMS/JAMES ST
10 FFORDD DEINIOL/DEINIOL RD
11 FFORDD GWYNEDD
12 FFORDD GARTH/GARTH RD
13 STRYD WATERLOO/WATERLOO ST
14 CANOLFAN DEINIOL CTR
15 TAI'R MYNYDD/MOUNT ST
16 SGWAR Y FRON/MOUNTAIN SQ
17 BISHOP'S CL
18 NEW EBENEZER PL
A6
1 TREM Y CASTELL
2 ALLT Y GARTH/GARTH HILL
3 MARIAN TERR
4 AEL-Y-BRYN
5 CARREG Y GARTH
6 GAMBIER TERR
7 LON Y BRODYR/FRIARS WLK
8 GARFIELD TERR
9 GORDON TERR
10 EWR FAIR
11 TABERNACL CHAPEL FLATS
1 MIN YRALLT/EDGE HILL
2 GLAN-DWR TERR
3 LON GLANDWR/GLANDWR RD
B6
1 LON TOTTEN/TOTTEN RD
2 RHES OSBORNE/OSBORNE TERR
3 LON YR DWR/WATER ST
4 FFORDD SEION
5 RHODFA'S BRODYR/FRIARS AVE
6 RHES SEIRIOL/SEIRIOL TERR
7 BRO SEIRI
8 STRYD EDMUND/EDMUND ST
9 LLYS ELEN
10 STRYD MASON/MASON ST
11 SALEM CT
12 STRYD Y PISTYLL/FOUNTAIN ST
13 STRYD ROBERT/ROBERT ST
14 FFORDD Y TRAETH/STRAND ST
New Pier
MARINA CT
Garth
LON GLAN MOR/BEACH RD
FFORDD GARTH/GARTH RD
LON LLANDEGAI/LLANDEGAI RD
Porth Penrhyn
Abercegin
Drws-y-coed
Hirael
CH
BRON CASTELL
FFORDD PEN Y BRYN/PENYBRYN RD
Penrhyn
Univ
Ct
Liby
TH
Cath
Mus
HIGH ST
STRYD FAWR
1 FRIARS COTTS
2 TREVELYAN TERR
3 FFORDD Y MYNYDD/MOUNT ST
PLAS GWENLLIAN 3
LLWYN HUDOL 4
LLYS BEDWYR 5
LLYS OWAIN 6
PLAS Y LLYN 7
PLAS MARCHOGION 8
PLAS MABON 9
LLYS ARTHUR 10
YH
1 PLAS GLYNDWR
2 LLYS GERAINT
3 LLYS DYFRIG
Ysgol Glancegin
TAN-Y-MYNYDD
RHODFA GREENWOOD/GREENWOOD AVE
LLYS BRANWELL
LL57
FFORDD LLANDEGAI/LLANDEGAI RD
1 PEN CASTELL
2 RHES ALLT CASTELL/CASTLE HILL TERR
3 PLAS POBTY
4 RHES TAN Y BRYN/TAN Y BRYN TERR
5 RHES BRYN DIFYR/BRYN DIFYR TERR
Cemy
Penrhyn Park
Penrhyn Castle
Crem
FFORDD TEGAI
Bangor Mountain
Maesgeirchen
Home Farm
Afon Cegin
Afon Ogwen
Dologwen
Ystad Ddiwydiannol Llandegai (Ind Est)
Ysgol Llandygai
Hotel
Tyddyn-mynyddig
Llandygai
FFORDD LLANDEGAI/LLANDEGAI RD
North Wales Path
TRE'R-FELIN
Tal-y-bont
TAN-Y-BRYN
Bryn
LON-DDWR
Rhos Isaf
Ffridd-carw
CAE BACH
A55
A5
Cefn-y-coed
Pentre'r-felin
Plas Maes-y-groes

149
144

143
18

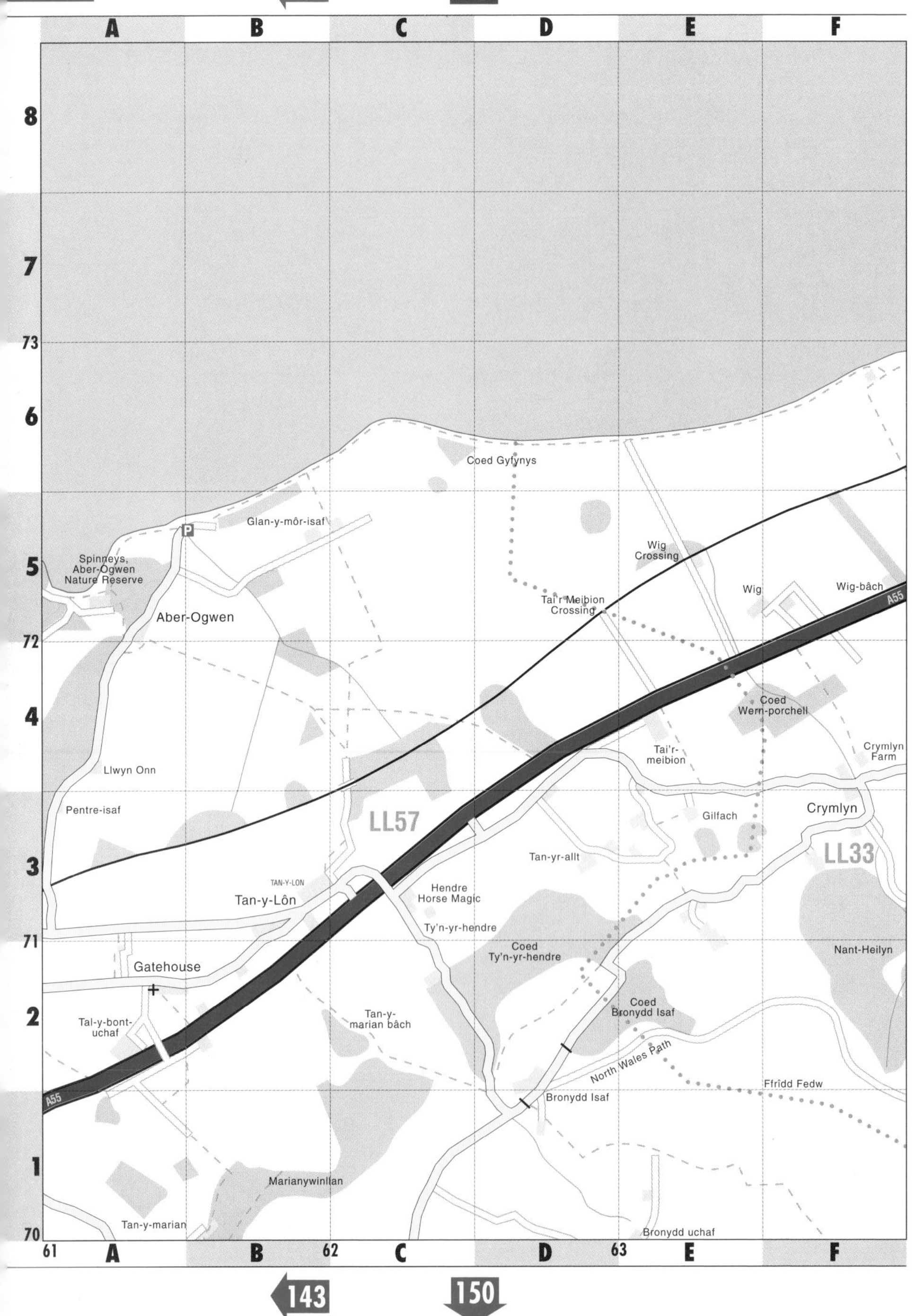
A
B
C
D
E
F
8
7
73
6
5
72
4
3
71
2
1
70
61
62
63
Coed Gyfynys
Glan-y-môr-isaf
P
Spinneys, Aber-Ogwen Nature Reserve
Aber-Ogwen
Wig Crossing
Tai'r Meibion Crossing
Wig
Wig-bâch
A55
Coed Wern-porchell
Tai'r-meibion
Crymlyn Farm
Llwyn Onn
Pentre-isaf
LL57
Gilfach
Crymlyn
LL33
Tan-yr-allt
TAN-Y-LON
Tan-y-Lôn
Hendre Horse Magic
Ty'n-yr-hendre
Coed Ty'n-yr-hendre
Nant-Heilyn
Gatehouse
Coed Bronydd Isaf
Tal-y-bont-uchaf
Tan-y-marian bâch
North Wales Path
Ffrîdd Fedw
Bronydd Isaf
Marianywinllan
Tan-y-marian
Bronydd uchaf

143
150

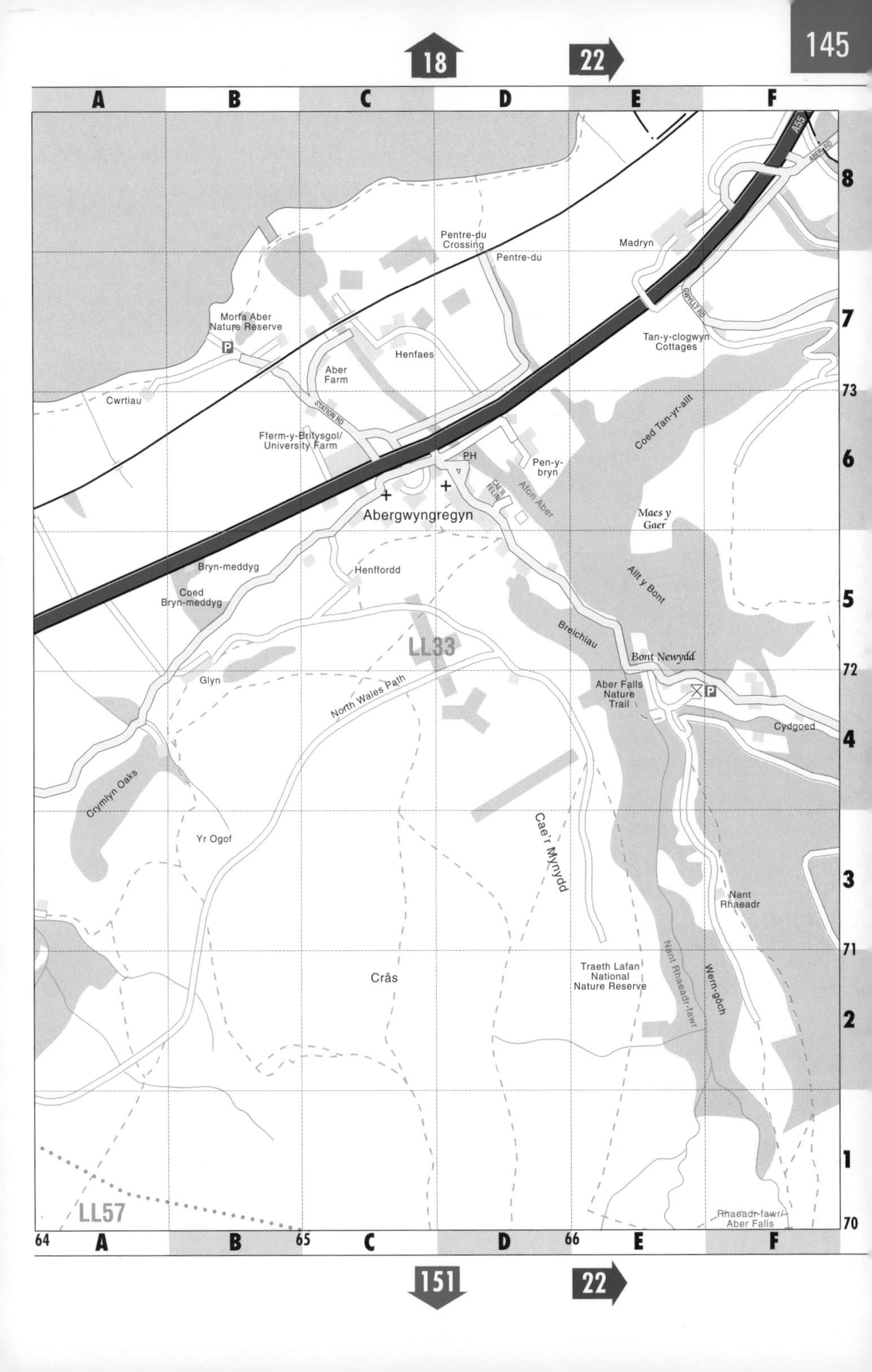

A B C D E F

8
7
73
6
5
72
4
3
71
2
1
70

A55

A55 RD

Pentre-du
Crossing
Pentre-du
Madryn

Morfa Aber
Nature Reserve
P
Tan-y-clogwyn
Cottages

Cwrtiau
Aber
Farm
Henfaes
Coed Tan-yr-allt

Fferm-y-Brifysgol/
University Farm
STATION RD

PH
Pen-y-
bryn

Afon Aber

CAE'R
FELIN

Abergwyngregyn
Maes y
Gaer

Bryn-meddyg
Henffordd
Allt y Bont

Coed
Bryn-meddyg
Breichiau

LL33
Bont Newydd

Glyn
North Wales Path
Aber Falls
Nature
Trail
P
Cydgoed

Crymlyn Oaks

Yr Ogof
Cae'r Mynydd
Nant
Rhaeadr

Nant Rhaeadr-fawr
Wern-goch

Crâs
Traeth Lafan
National
Nature Reserve

LL57
Rhaeadr-fawr/
Aber Falls

21
140

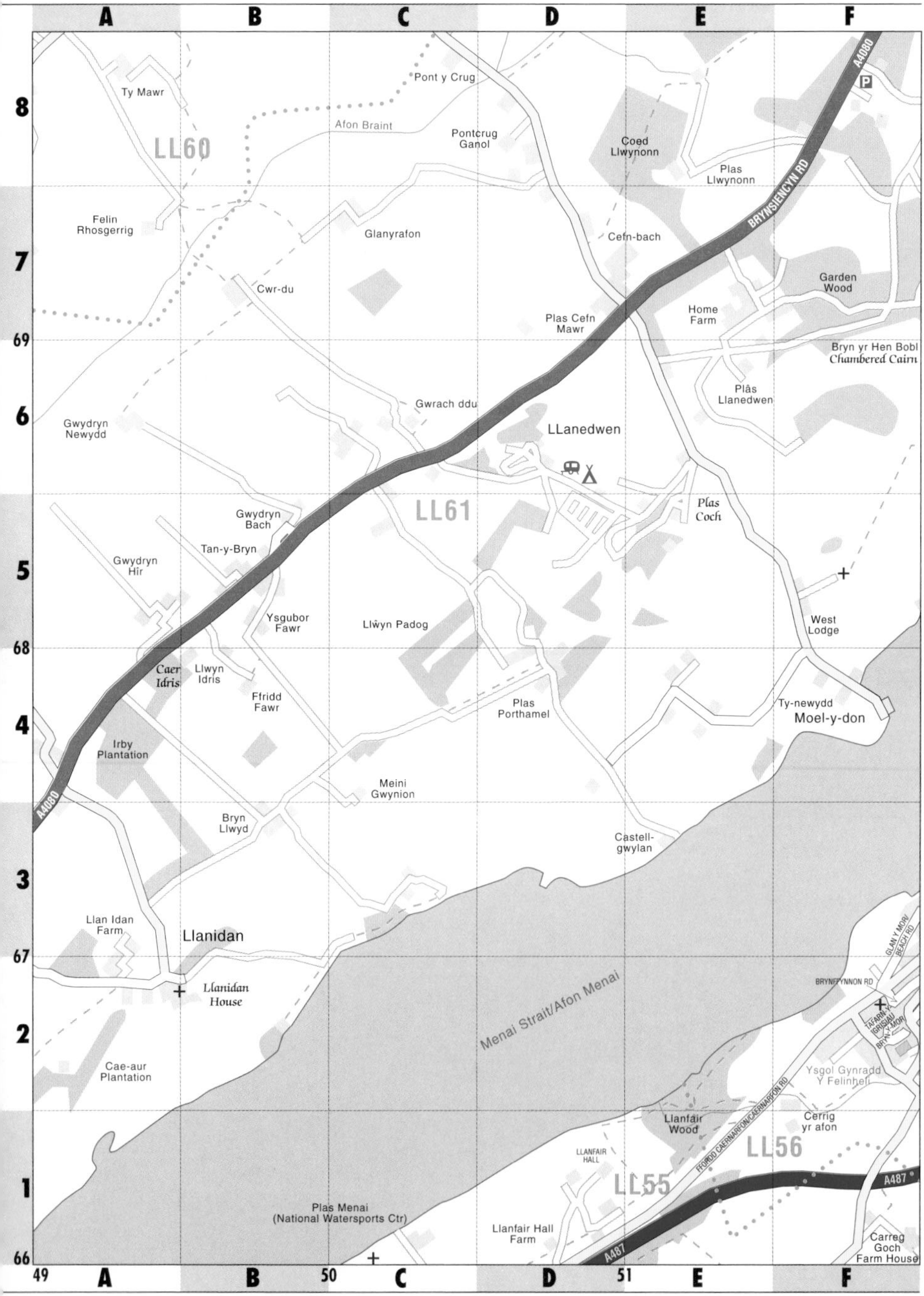

8

7

69

6

5

68

4

3

67

2

1

66

A B C D E F

Ty Mawr

LL60

Afon Braint

Pont y Crug

Pontcrug Ganol

Coed Llwynonn

Plas Llwynonn

BRYNSIENCYN RD

A4080

P

Felin Rhosgerrig

Glanyrafon

Cefn-bach

Garden Wood

Cwr-du

Plas Cefn Mawr

Home Farm

Bryn yr Hen Bobl
Chambered Cairn

Gwrach ddu

Plâs Llanedwen

Gwydryn Newydd

LLanedwen

Gwydryn Bach

LL61

Plas Coch

Gwydryn Hir

Tan-y-Bryn

West Lodge

Gwydryn Hîr

Ysgubor Fawr

Llwyn Padog

Caer Idris

Llwyn Idris

Ffridd Fawr

Plas Porthamel

Ty-newydd
Moel-y-don

A4080

Irby Plantation

Meini Gwynion

Bryn Llwyd

Castell-gwylan

Llan Idan Farm

Llanidan

Menai Strait/Afon Menai

BRYN PYNNON RD

GLAN MÔR

Llanidan House

Cae-aur Plantation

Ysgol Gynradd Y Felinheli

Cerrig yr afon

Llanfair Wood

LL56

LLANFAIR HALL

LL55

A487

Plas Menai
(National Watersports Ctr)

Llanfair Hall Farm

A487

Carreg Goch Farm House

49 A B 50 C D 51 E F

21
30

141
148

A
B
C
D
E
F
Pen-lan Covert
Gelli Morgan
LLYS Y FEDWEN
FFORDD GELLI MORGAN
FFORDD PENLAN
Parc Menai
Coll
A55
A487
Plas Newydd
Boathouse Covert
Old Hall
Warren Covert
Motel
Dock
Dock
Vaynol Park
Cefn-gwyn Covert
Vaynol Hall
Capel-y-graig
NANT-Y-MOUNT
A4087
LL57
Lodge Covert
Coed Twr
Menai Strait/Afon Menai
LL61
Hendre-lâs Covert
Bryntirion
Wern-gogas
B4547
A487
Vodol-isaf
LL56
Limekiln Covert
Brynadda
FFORDD FODOLYDD/FODOLYDD LA
Fodol
Standing Stone
Park Wood
TYN LON
Coed nant-y-garth
Pont Ladi-wen
Garth Fawr
ELIM COTTAGES
Plâs Dinorwic
STRYD BANGOR/BANGOR ST
PENDERLAN
HEN GEI LLECHI
Dock
TERFYN TERR
Cefn
Coed Ty'n-y-coed
B4547
MIN Y DON/JUBILEE TERR
BRYN-Y-WAEN
Mast
Parc Nant-y-garth
PEN CEUNANT/1
SNOWDON ST
STRYD MENAI/2
MENAI ST
UWCH MENAI/3
AUGUSTA PL
CWRT MENAI/4
MENAI CT
Pen-Rallt
Tan-yr-wylfa
Coed y Cefn
Nant Cefn
Coed pen-y-graig
Tan -yr-wylfa
TAI CAE RHOS/
CAE-RHOS TERR
Pant-yr-afallen
LON LLWYN/BUSH RD
Y Felinheli
RHYD Y FENAI
The Greenwood Centre
Llys Gwynt
Seion
SEION TERR
1 FFORDD HELEN/HELEN TERR
2 TAI GWELFOR/SEA VIEW TERR
Y WERN
Bodandreg
Cefn Gwyn
LL55
Ty'n Rhos
TAN-Y-MAES
Tan-y-maes
Wern
Wern-isaf
Gwyndy
Parciau-rhos
Fachell
B4366
Carreg Goch
Tyddyn-bâch
Cefn Llan
PH
Llanddeiniolen
B4366
8
7
69
6
5
68
4
3
67
2
1
66
52
53
54

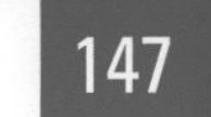

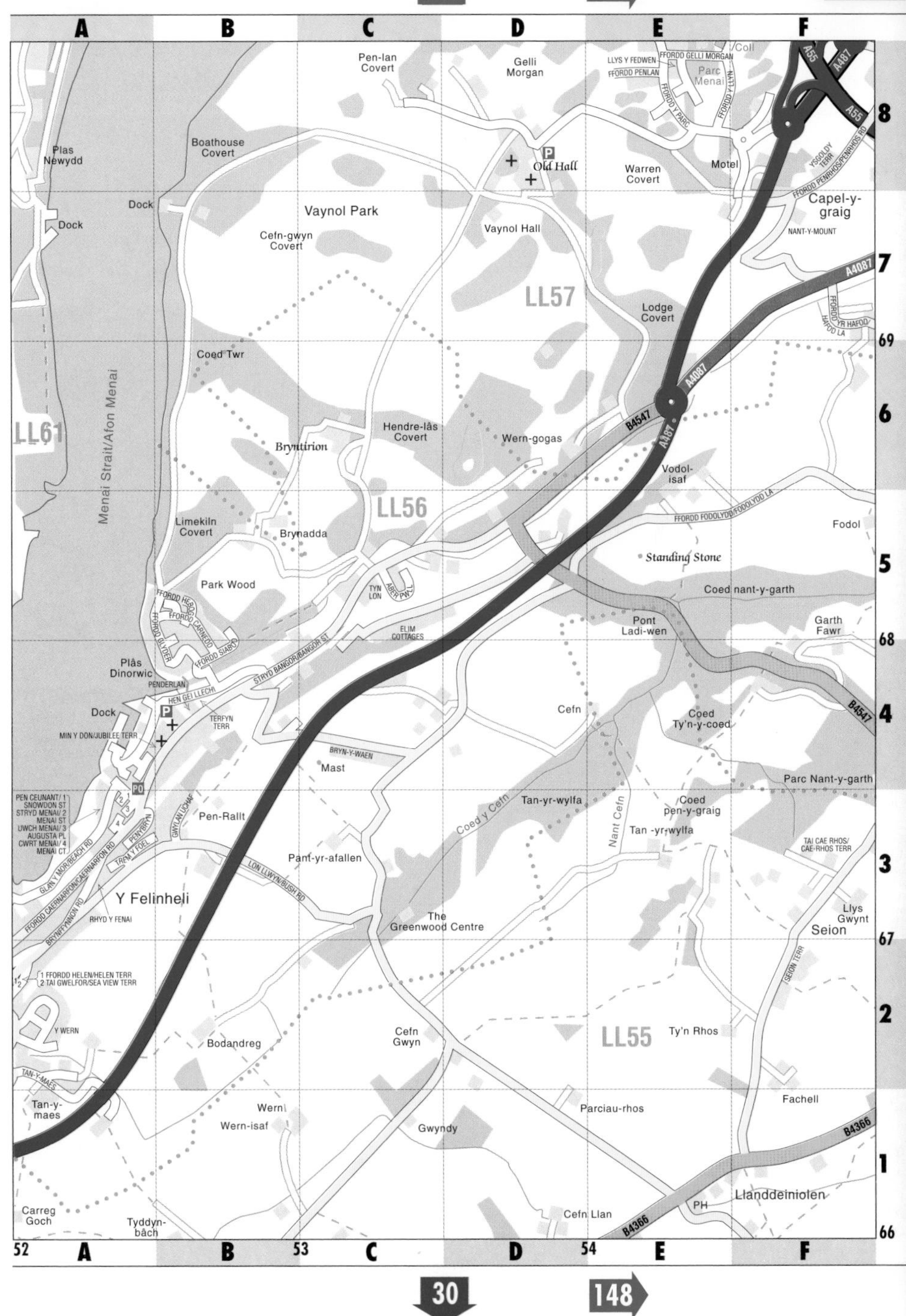

30
148

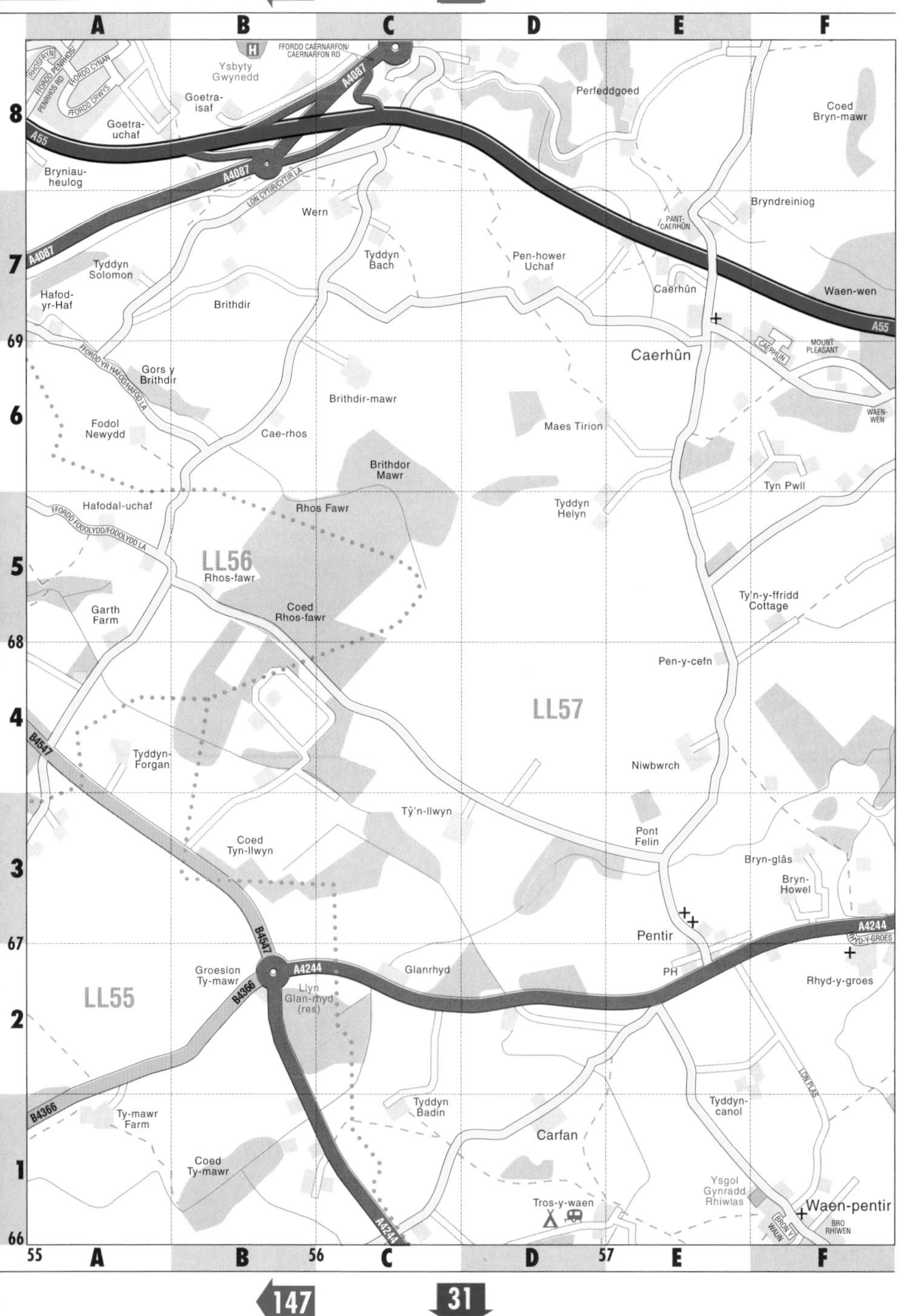

147
142

8

FFORDDY)
FFORDD PARWS
PARWS RD
FFORDD CYNAN
Ysbyty
Gwynedd
H
FFORDD CAERNARFON/
CAERNARFON RD
Goetra-
isaf
Perleddgoed
Coed
Bryn-mawr
Goetra-
uchaf
A4087
A55
Bryniau-
heulog
A4087
LON DYBR-GYTIR LA
Wern
Pant-
CAERHÛN
Bryndreiniog

7

A4087
Tyddyn
Solomon
Tyddyn
Bach
Pen-hower
Uchaf
Caerhûn
Waen-wen
A55

Hafod-
yr-Haf
Brithdir
Caerhûn
CAER HÛN
MOUNT
PLEASANT

69

FFORDD YR HAFOD/HAFOD LA
Gors y
Brithdir
WAEN-
WEN

6

Fodol
Newydd
Brithdir-mawr
Maes Tirion
Cae-rhos

Hafodal-uchaf
FFORDD FODOLYDD/FODOLYDD LA
Brithdor
Mawr
Tyn Pwll

Rhos Fawr
Tyddyn
Helyn

5

LL56
Rhos-fawr
Ty'n-y-ffridd
Cottage

Garth
Farm
Coed
Rhos-fawr
Pen-y-cefn

68

4

B4547
LL57
Tyddyn-
Forgan
Niwbwrch

Coed
Tyn-llwyn
Tŷ'n-llwyn
Pont
Felin

3

Bryn-glâs
Bryn-
Howel
A4244

67

B4547
Groeslon
Ty-mawr
A4244
Pentir
RHYD-Y-GROES
Rhyd-y-groes
PH

2

LL55
B4366
Llyn
Glan-rhyd
(res)
Glanrhyd
PH

B4366
Tyddyn-
canol

1

Ty-mawr
Farm
Tyddyn
Badin
Carfan
Ysgol
Gynradd
Rhiwlas
Waen-pentir
BRO
RHIWEN
Coed
Ty-mawr
Tros-y-waen
A4244

66

147
31

143
150
A
B
C
D
E
F
8
7
6
5
4
3
2
1
69
68
67
66
58
59
60
Rhos Uchaf
Ffridd
Felin Cochwillan (Corn)
North Wales Path
Ty-côch
Afon Ogwen
Cochwillan
Llys-y-gwynt Services
Motel
Lôn Isaf
Glasynfryn Farm
Coed Hywel
Llys-y-Gwynt
Parc Lôn-isaf
Coed Cochwillan
Halfways Bridge
Glasinfryn
Tyddyn Dicwm
Llyn Cororion
Waen-wen
HIGH ST
HOWE ST
FELIN HEN RD
LON Y WERN
Penbronydd
Afon Cegin
Caeherfyn Farm
TAL GAE
Cororion Rough
Cororion
Tynyffridd
Coed Wern-ty-gwyn
ERW FAEN
FFORDD TANRHIW
BRO SYR IFOR
Bryn-twrw
B4409
CERRIG-LLWYDION
Felin-hên
Tyn Ion
Tregarth
Ysgol Tregarth
MAES OGWEN
FFORD PENDINAS
BRO DERFEL
P
PO
PH
FFRWD GALED
PEN-Y-GROES
Rhydau Duon
Moelyci
LL57
Pandy
Dob
Hendurnpike Cottage
Pant-y-Cyff
CRAIG Y PANDY
Briach-talog
LON HAFOTY
Pen-y-bryn
WAEN Y PANDY
Parc y dob
Ty'n y Caeau
Tan-y-foel
Chwarel-goch
GODRE'R PARC
CROSS TERR
RHYD-Y-GROES
Sling
PEN-Y-FFRIDDOEDD
LON LLANNERCH
LON RALLT
LON TAN-Y-GRISIAU
Ffynnon-bach
Tai-isaf
Waen Hir Uchaf
Y Parc
CLWT RHYMBOD
Ysgol Bodfeurig
Rallt Uchaf
Tan-y-graig
Bwlchdefeity
Bryniau Eithinog
Parc y Bwlch
Cefn Bryniau
BRYN EGLWYS
Bryn Eglwys
BRYNIAU TERR
A5
A55
A4244

31

150

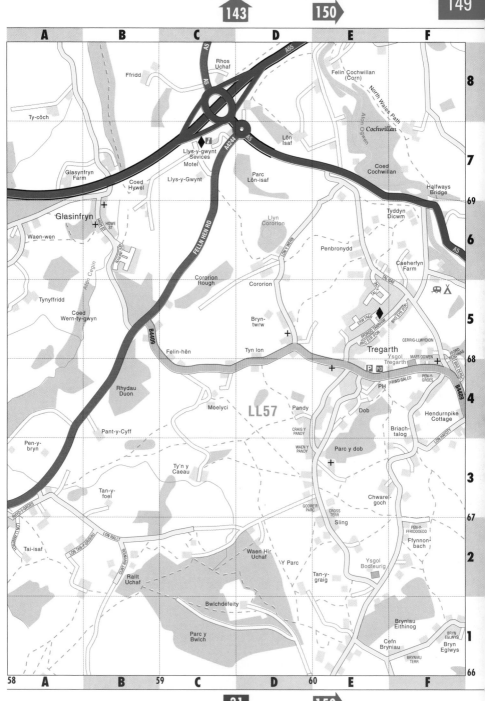

149
144

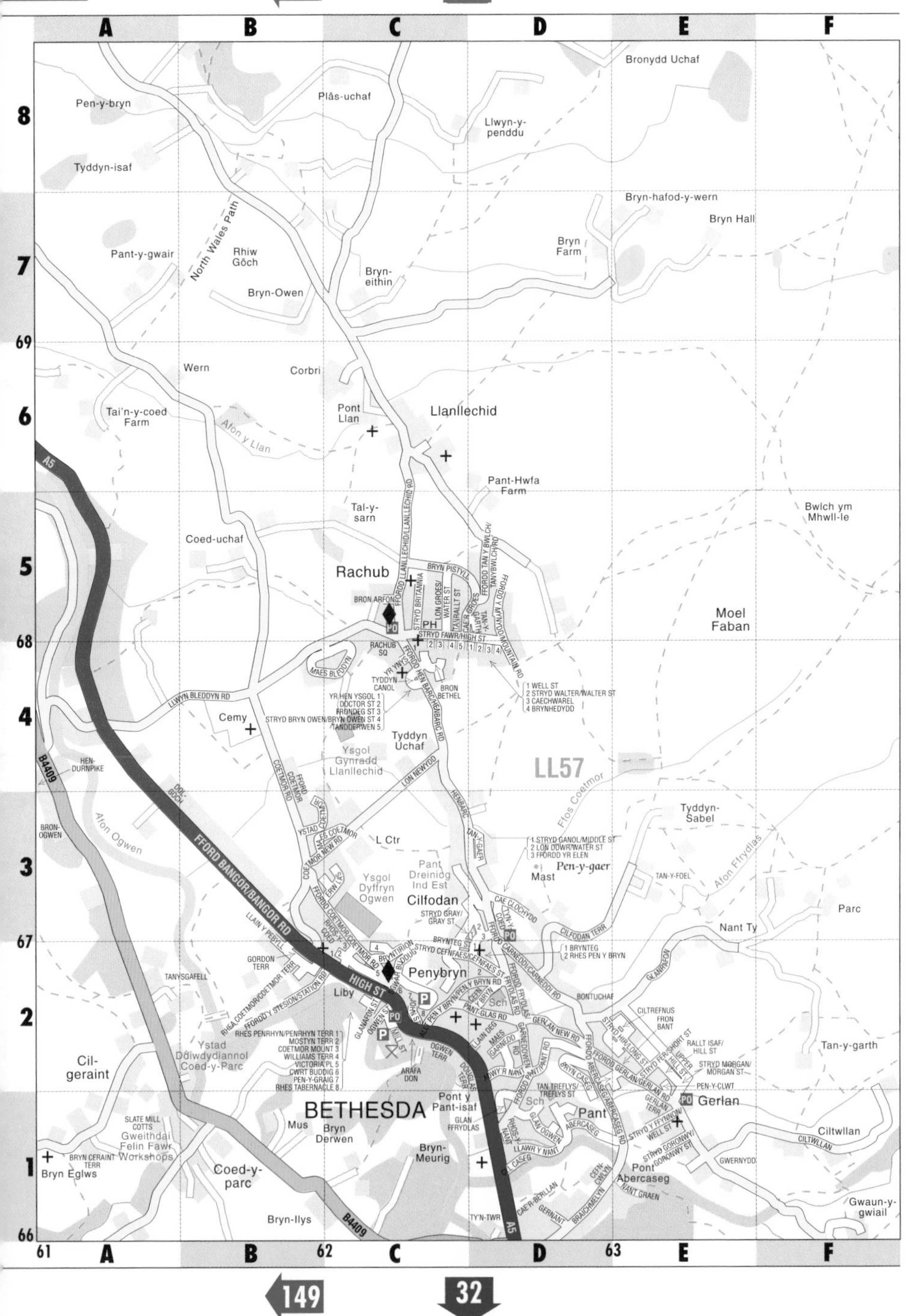
Bronydd Uchaf
Pen-y-bryn
Plâs-uchaf
Llwyn-y-penddu
Tyddyn-isaf
Bryn-hafod-y-wern
Bryn Hall
North Wales Path
Pant-y-gwair
Rhiw Gôch
Bryn-eithin
Bryn Farm
Bryn-Owen
Wern
Corbri
Tai'n-y-coed Farm
Pont Llan
Llanllechid
Afon y Llan
Pant-Hwfa Farm
Tal-y-sarn
Bwlch ym Mhwll-le
Coed-uchaf
Rachub
Moel Faban
Cemy
LLWYN BLEDDYN RD
Tyddyn Uchaf
Ysgol Gynradd Llanllechid
LL57
Ffos Coetmor
Tyddyn-Sabel
Afon Ogwen
L Ctr
Pen-y-gaer
Mast
Afon Ffrydlas
Ysgol Dyffryn Ogwen
Pant Dreiniog Ind Est
Cilfodan
Parc
Nant Ty
FFORDD BANGOR/BANGOR RD
Penybryn
HIGH ST
Liby
Ystad Ddiwydiannol Coed-y-Parc
Cil-geraint
Tan-y-garth
BETHESDA
Pont y Pant-isaf
Gerlan
Pant
Ciltwllan
Gweithdai Felin Fawr Workshops
Mus
Bryn Derwen
Bryn-Meurig
Bryn Eglws
Coed-y-parc
Pont Abercaseg
Bryn-llys
Gwaun-y-gwiail
A5
B4409
1 WELL ST
2 STRYD WALTER/WALTER ST
3 CAECHWAREL
4 BRYNHEDYDD
YR HEN YSGOL 1
DOCTOR ST 2
FRONDEG ST 3
STRYD BRYN OWEN/BRYN OWEN ST 4
TANDDERWEN 5
1 STRYD GANOL/MIDDLE ST
2 LON DDWR/WATER ST
3 FFORDD YR ELEN
1 BRYNTEG
2 RHES PEN Y BRYN
RHES PENRHYN/PENRHYN TERR 1
MOSTYN TERR 2
COETMOR MOUNT 3
WILLIAMS TERR 4
VICTORIA PL 5
CWRT BUDDIG 6
PEN-Y-GRAIG 7
RHES TABERNACLE 8
A B C D E F
1 2 3 4 5 6 7 8
61 62 63
66 67 68 69

149
32

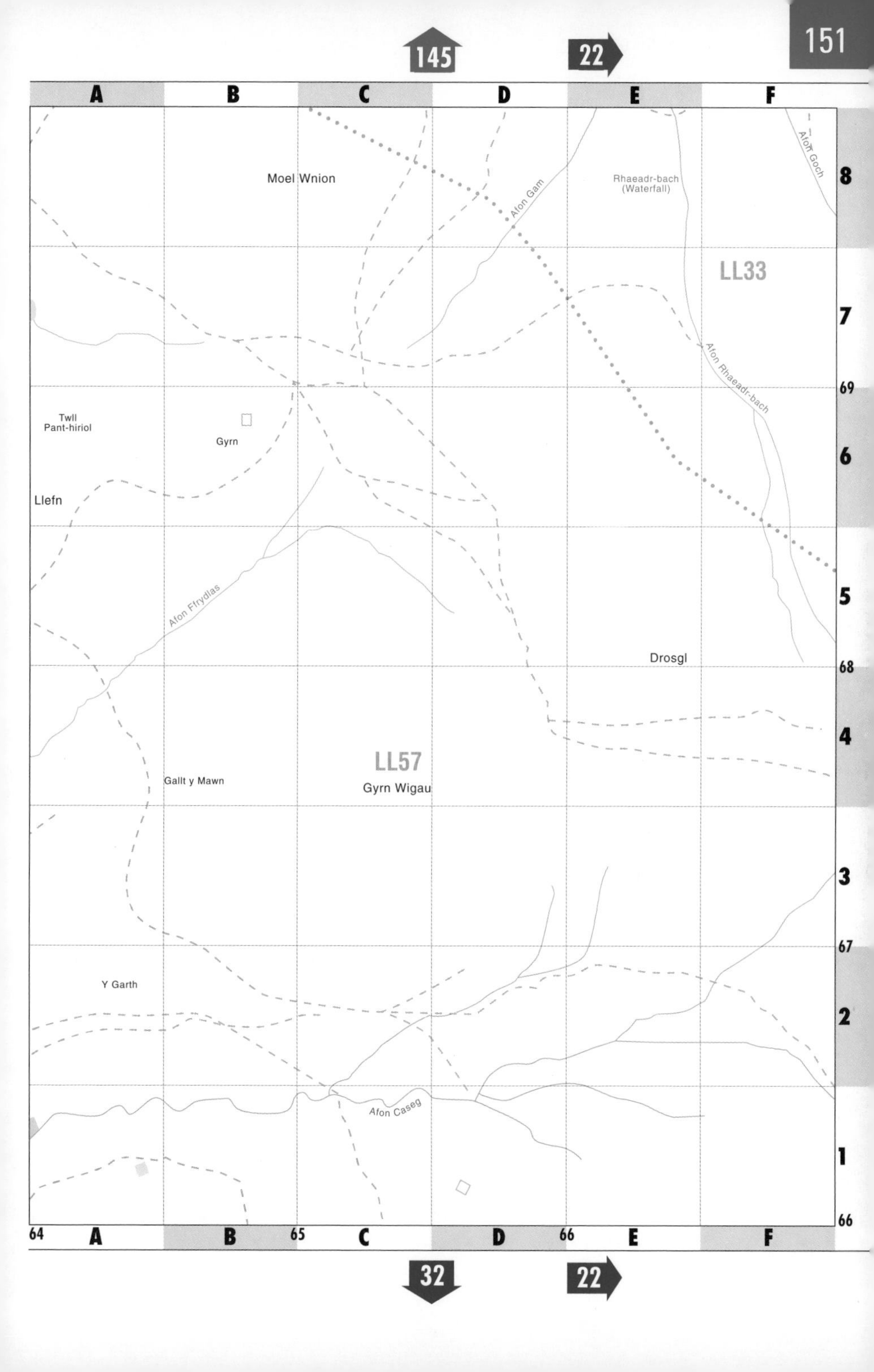

145
22

Moel Wnion

Afon Gam

Rhaeadr-bach
(Waterfall)

Afon Goch

LL33

Afon Rhaeadr-bach

Twll
Pant-hiriol

Gyrn

Llefn

Afon Ffrydlas

Drosgl

LL57

Gallt y Mawn

Gyrn Wigau

Y Garth

Afon Caseg

32
22

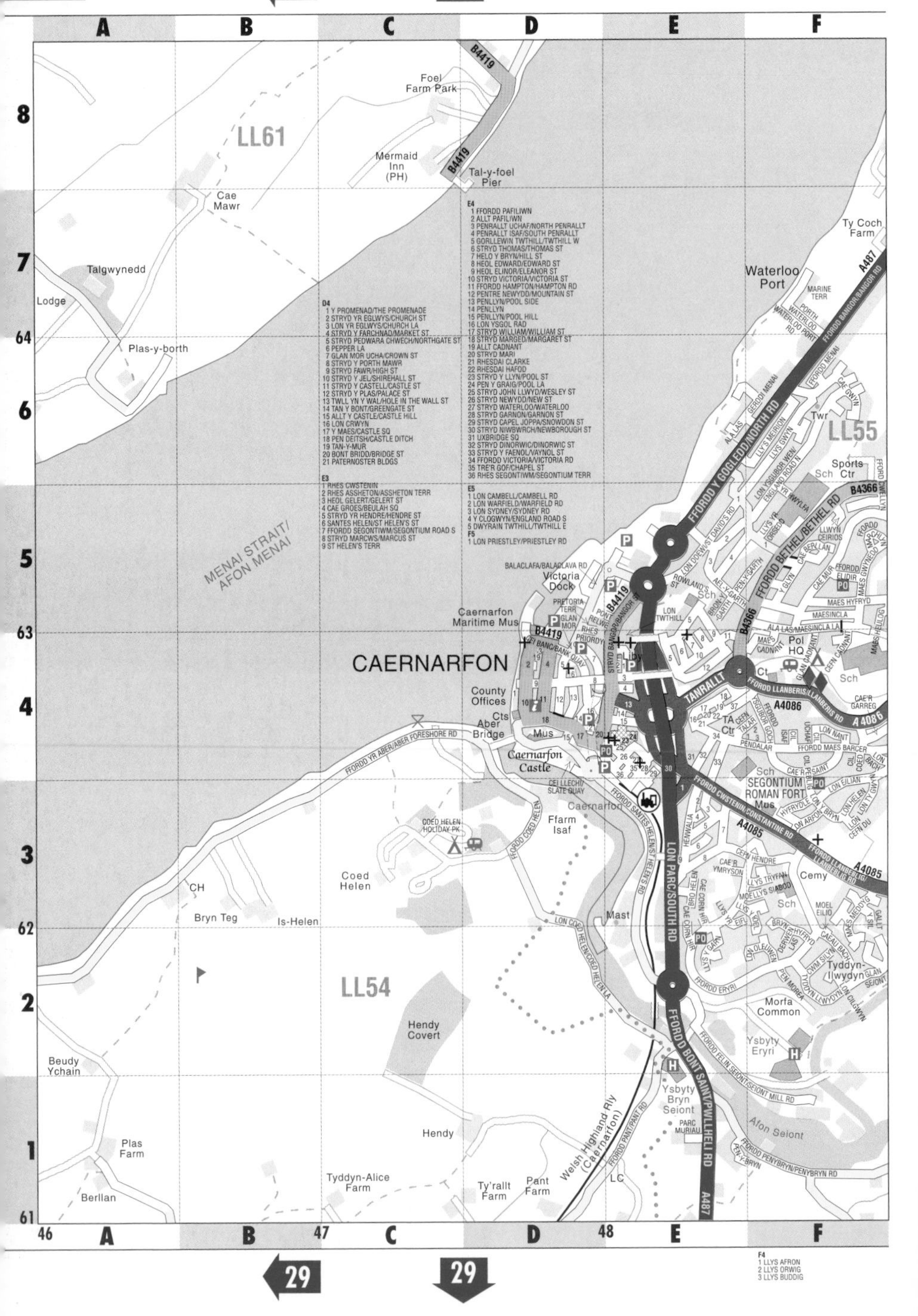

LL61

Foel
Farm Park

Mermaid
Inn
(PH)

Tal-y-foel
Pier

Cae
Mawr

Talgwynedd

Lodge

Plas-y-borth

**MENAI STRAIT/
AFON MENAI**

CH

Bryn Teg

Is-Helen

Beudy
Ychain

Plas
Farm

Berllan

LL54

Hendy
Covert

Hendy

Tyddyn-Alice
Farm

Ty'rallt
Farm

Pant
Farm

Coed Helen
Holiday Pk

Coed
Helen

Ffarm
Isaf

Caernarfon
Castle

Caernarfon
Slate Quay

County
Offices

Aber
Bridge

CAERNARFON

Caernarfon
Maritime Mus

Victoria
Dock

LL55

Waterloo
Port

Ty Coch
Farm

Sports
Ctr

Pol
HQ

SEGONTIUM
ROMAN FORT
Mus

Tyddyn-
Llwydyn

Morfa
Common

Ysbyty
Eryri

Ysbyty
Bryn
Seiont

Parc
Muriau

Welsh Highland Rly
(Caernarfon)

Mast

Afon Seiont

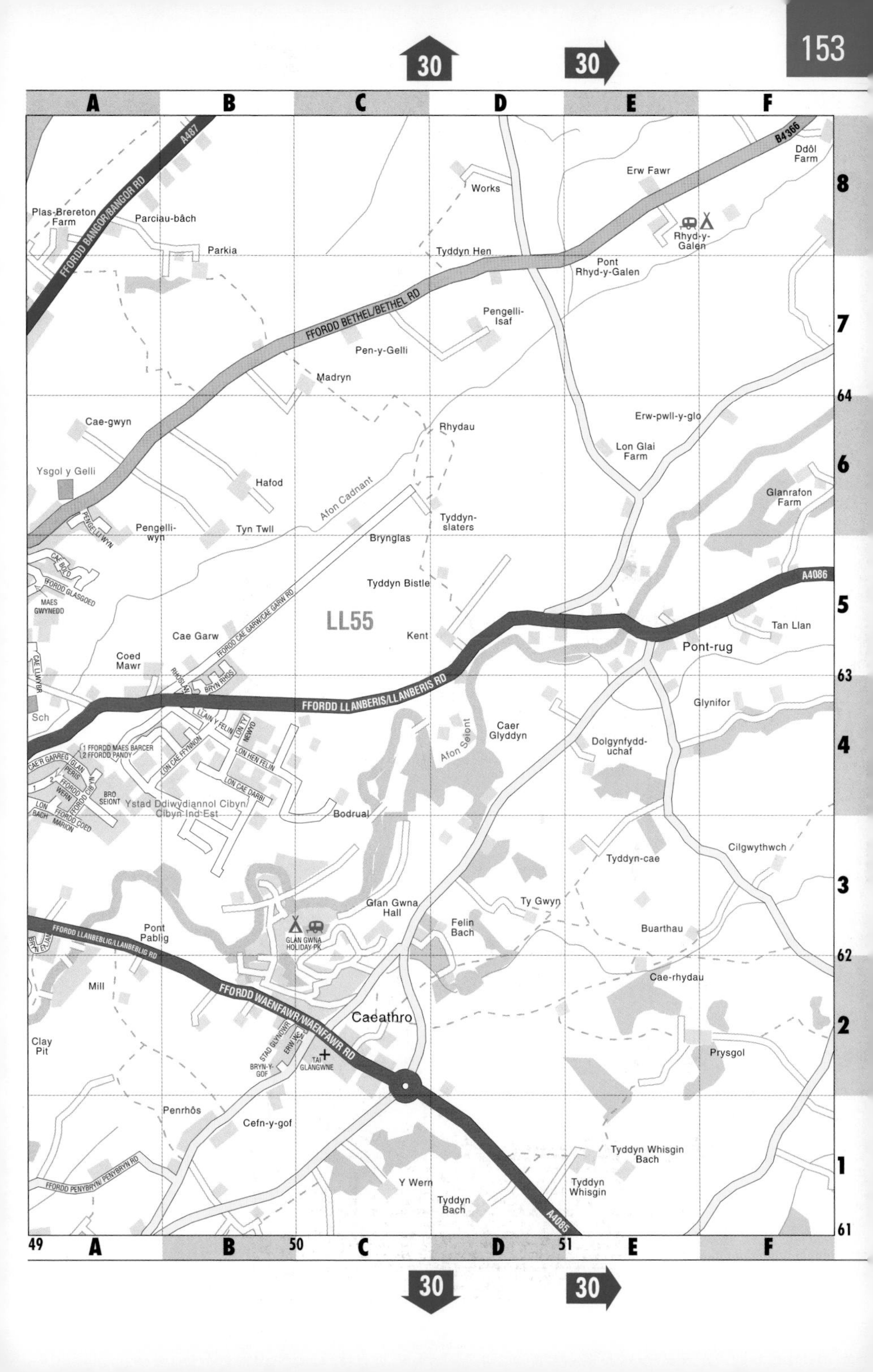
30
30
A
B
C
D
E
F
8
7
64
6
5
63
4
3
62
2
1
61
49
50
51
A487
FFORDD BANGOR/BANGOR RD
B4366
Ddôl Farm
Erw Fawr
Works
Plas-Brereton Farm
Parciau-bâch
Parkia
Tyddyn Hen
Rhyd-y-Galen
Pont Rhyd-y-Galen
FFORDD BETHEL/BETHEL RD
Pengelli-Isaf
Pen-y-Gelli
Madryn
Erw-pwll-y-glo
Cae-gwyn
Rhydau
Lon Glai Farm
Ysgol y Gelli
Hafod
Afon Cadnant
Glanrafon Farm
Pengelli-wyn
Tyn Twll
Bryniglas
Tyddyn-slaters
PENGELLI WYN
CAE BOLD
FFORDD GLASGOED
MAES GWYNEDD
Tyddyn Bistle
A4086
LL55
FFORDD CAE GARW/CAE GARW RD
Cae Garw
Kent
Tan Llan
Pont-rug
Coed Mawr
CAE LLWYDD
RHOSLAN
BRYN RHOS
FFORDD LLANBERIS/LLANBERIS RD
Glynifor
Sch
LLAIN Y FELIN
LON TY NEWYDD
Caer Glyddyn
Afon Seiont
Dolgynfydd-uchaf
1 FFORDD MAES BARCER
2 FFORDD PANDY
CAE'R GARREG
GLAN PERIS
LON CAE FFYNNON
LON HEN FELIN
FFORDD WERN
FFORDD CIBYN
LON CAE DARBI
BRO SEIONT
LON BACH
FFORDD COED MARION
Ystad Ddiwydiannol Cibyn/Cibyn Ind Est
Bodrual
Tyddyn-cae
Cilgwythwch
Glan Gwna Hall
Ty Gwyn
Pont Pablig
FFORDD LLANBEBLIG/LLANBEBLIG RD
GLAN GWNA HOLIDAY PK
Felin Bach
Buarthau
Cae-rhydau
Mill
FFORDD WAENFAWR/WAENFAWR RD
Caeathro
Clay Pit
STAD GLYNDWR
ERW INC
BRYN-Y-GOF
TAI GLANGWNE
Prysgol
Penrhôs
Cefn-y-gof
Tyddyn Whisgin Bach
FFORDD PENYBRYN/PENYBRYN RD
Y Wern
Tyddyn Whisgin
Tyddyn Bach
A4085

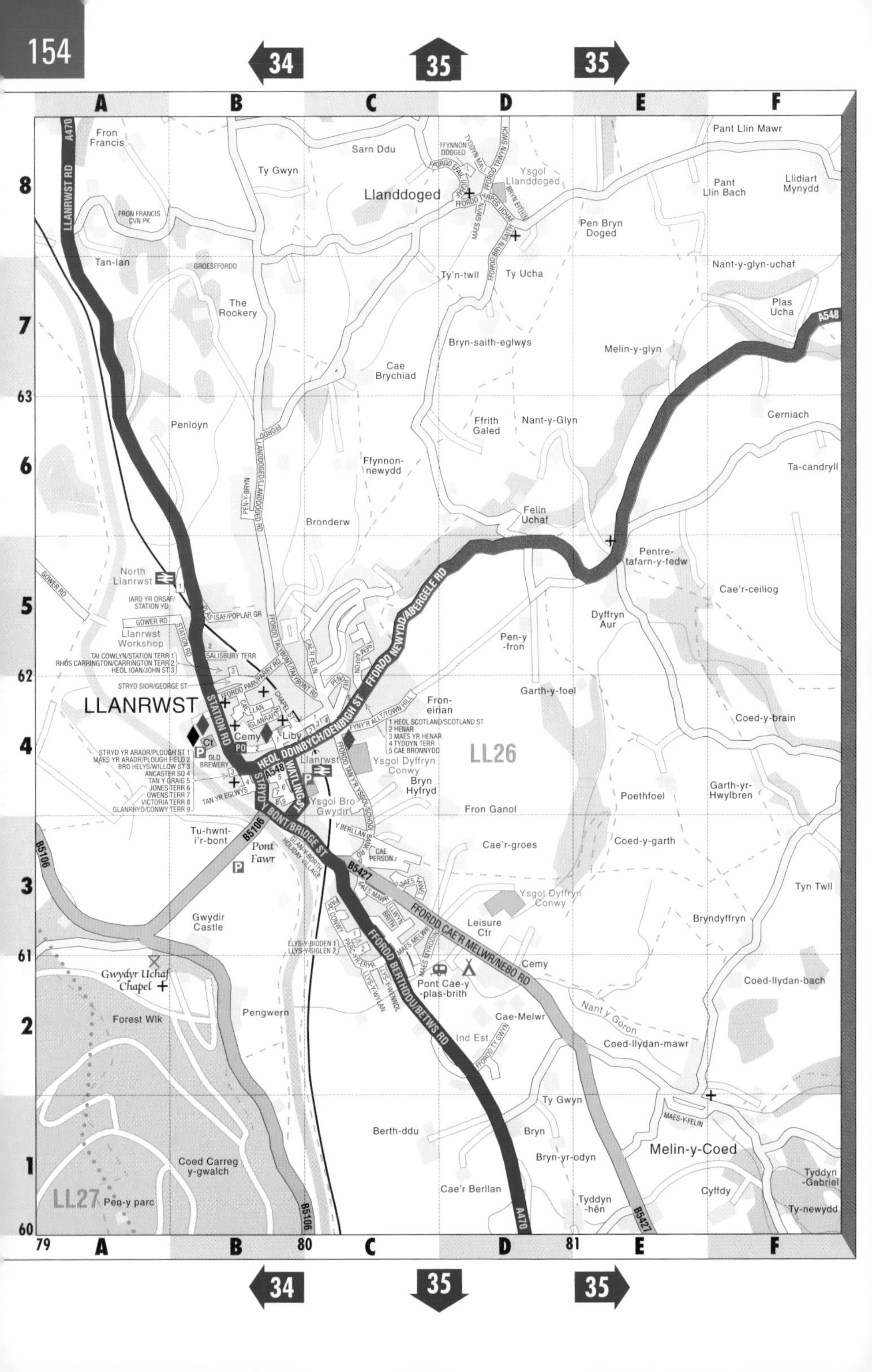
34
35
35
A
B
C
D
E
F
8
7
63
6
5
62
4
3
61
2
1
60
79
80
81
Fron Francis
FRON FRANCIS CVN PK
Ty Gwyn
Sarn Ddu
Llanddoged
Ysgol Llanddoged
Pant Llin Mawr
Pant Llin Bach
Llidiart Mynydd
Pen Bryn Doged
Tan-lan
GROESFFORDD
The Rookery
Ty'n-twll
Ty Ucha
Nant-y-glyn-uchaf
Plas Ucha
A548
A470
LLANRWST RD
Bryn-saith-eglwys
Melin-y-glyn
Cae Brychiad
Penloyn
Ffrith Galed
Nant-y-Glyn
Cerniach
Ffynnon-newydd
Ta-candryll
Bronderw
Felin Uchaf
Pentre-tafarn-y-fedw
North Llanrwst
GOWER RD
IARD YR ORSAF/STATION YD
Llanrwst Workshop
Cae'r-ceiliog
Dyffryn Aur
Pen-y-fron
FFORDD NEWYDD/ABERGELE RD
LLANRWST
Fron-eirian
Garth-y-foel
Coed-y-brain
LL26
Ysgol Dyffryn Conwy
Bryn Hyfryd
Fron Ganol
Poethfoel
Garth-yr-Hwylbren
HEOL DDINBYCH/DENBIGH ST
STATION RD
Tu-hwnt-i'r-bont
Pont Fawr
B5106
B5427
Cae'r-groes
Coed-y-garth
Ysgol Dyffryn Conwy
Tyn Twll
Gwydir Castle
Leisure Ctr
Bryndyffryn
Gwydyr Uchaf Chapel
Pont Cae-y-plas-brith
Cemy
Coed-llydan-bach
FFORDD CAE'R MELWR/NEBO RD
FFORDD BERTHDDU/BETWS RD
Forest Wlk
Pengwern
Cae-Melwr
Nant y Goron
Ind Est
Coed-llydan-mawr
Ty Gwyn
MAES-Y-FELIN
Berth-ddu
Bryn
Melin-y-Coed
Bryn-yr-odyn
Coed Carreg y-gwalch
Tyddyn-Gabriel
LL27
Pen-y parc
Cae'r Berllan
Tyddyn-hên
Cyffdy
Ty-newydd
1 HEOL SCOTLAND/SCOTLAND ST
2 HENAR
3 MAES YR HENAR
4 TYDDYN TERR
5 CAE BRONNYDD
STRYD YR ARADR/PLOUGH ST 1
MAES YR ARADR/PLOUGH FIELD 2
BRO HELYS/WILLOW ST 3
ANCASTER SQ 4
TAN Y GRAIG 5
JONES TERR 6
OWENS TERR 7
VICTORIA TERR 8
GLANRHYD/CONWY TERR 9
TAI COWLYN/STATION TERR 1
RHOS CARRINGTON/CARRINGTON TERR 2
HEOL IOAN/JOHN ST 3
STRYD SIOR/GEORGE ST
SALISBURY TERR
LLYS-Y-BIODEN 1
LLYS-Y-SIGLEN 2

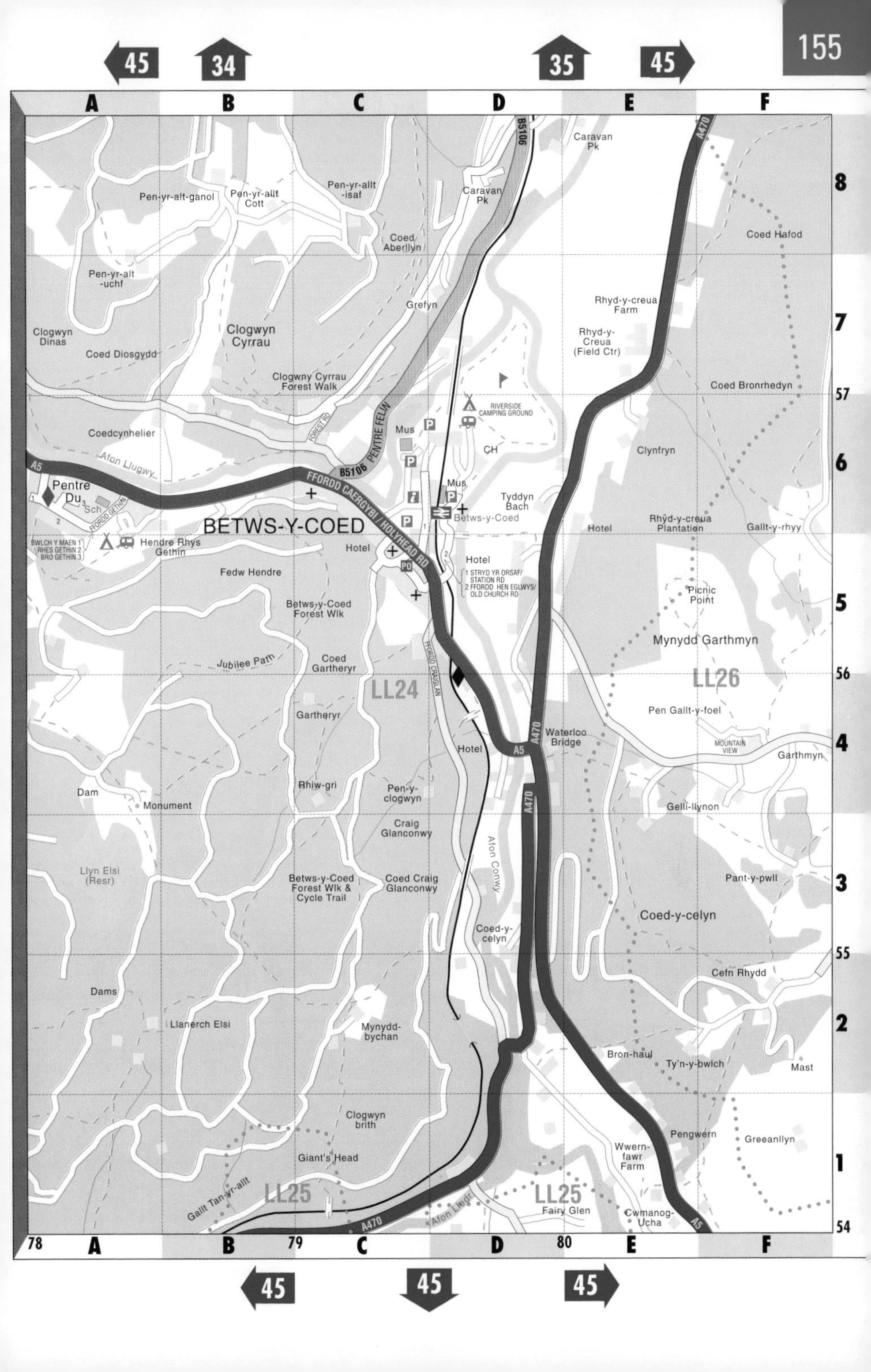

155
45
34
35
45
A
B
C
D
E
F
8
7
57
6
5
56
4
3
55
2
1
54
78
79
80
B5106
A470
Caravan Pk
Pen-yr-alt-ganol
Pen-yr-allt Cott
Pen-yr-allt -isaf
Caravan Pk
Coed Hafod
Coed Aberllyn
Pen-yr-alt -uchf
Grefyn
Rhyd-y-creua Farm
Rhyd-y-Creua (Field Ctr)
Clogwyn Dinas
Clogwyn Cyrrau
Coed Diosgydd
Clogwny Cyrrau Forest Walk
Coed Bronrhedyn
Coedcynhelier
FOREST RD
B5106 PENTRE FELIN
Mus
RIVERSIDE CAMPING GROUND
CH
Clynfryn
Afon Llugwy
A5
Pentre Du
Sch
FFORDD GETHIN
FFORDD CAERGYBI / HOLYHEAD RD
Mus
Tyddyn Bach
Betws-y-Coed
BETWS-Y-COED
Hotel
Rhŷd-y-creua Plantation
Gallt-y-rhyy
BWLCH Y MAEN 1
RHES GETHIN 2
BRO GETHIN 3
Hendre Rhys Gethin
Hotel
PO
Hotel
1 STRYD YR ORSAF/ STATION RD
2 FFORDD HEN EGLWYS/ OLD CHURCH RD
Fedw Hendre
Picnic Point
Betws-y-Coed Forest Wlk
Mynydd Garthmyn
FFORDD CRAIGLAN
Jubilee Path
Coed Gartheryr
LL24
LL26
Pen Gallt-y-foel
Gartheryr
Waterloo Bridge
MOUNTAIN VIEW
Garthmyn
Hotel
A5
Rhiw-gri
Pen-y-clogwyn
Dam
Monument
A470
Gelli-llynon
Craig Glanconwy
Afon Conwy
Llyn Elsi (Resr)
Betws-y-Coed Forest Wlk & Cycle Trail
Coed Craig Glanconwy
Pant-y-pwll
Coed-y-celyn
Coed-y-celyn
Cefn Rhydd
Dams
Llanerch Elsi
Mynydd-bychan
Bron-haul
Ty'n-y-bwlch
Mast
Clogwyn brith
Pengwern
Greeanllyn
Giant's Head
Wwern-fawr Farm
Gallt Tan-yr-allt
LL25
LL25
Afon Lledr
Fairy Glen
Cwmanog-Ucha
A470
A5

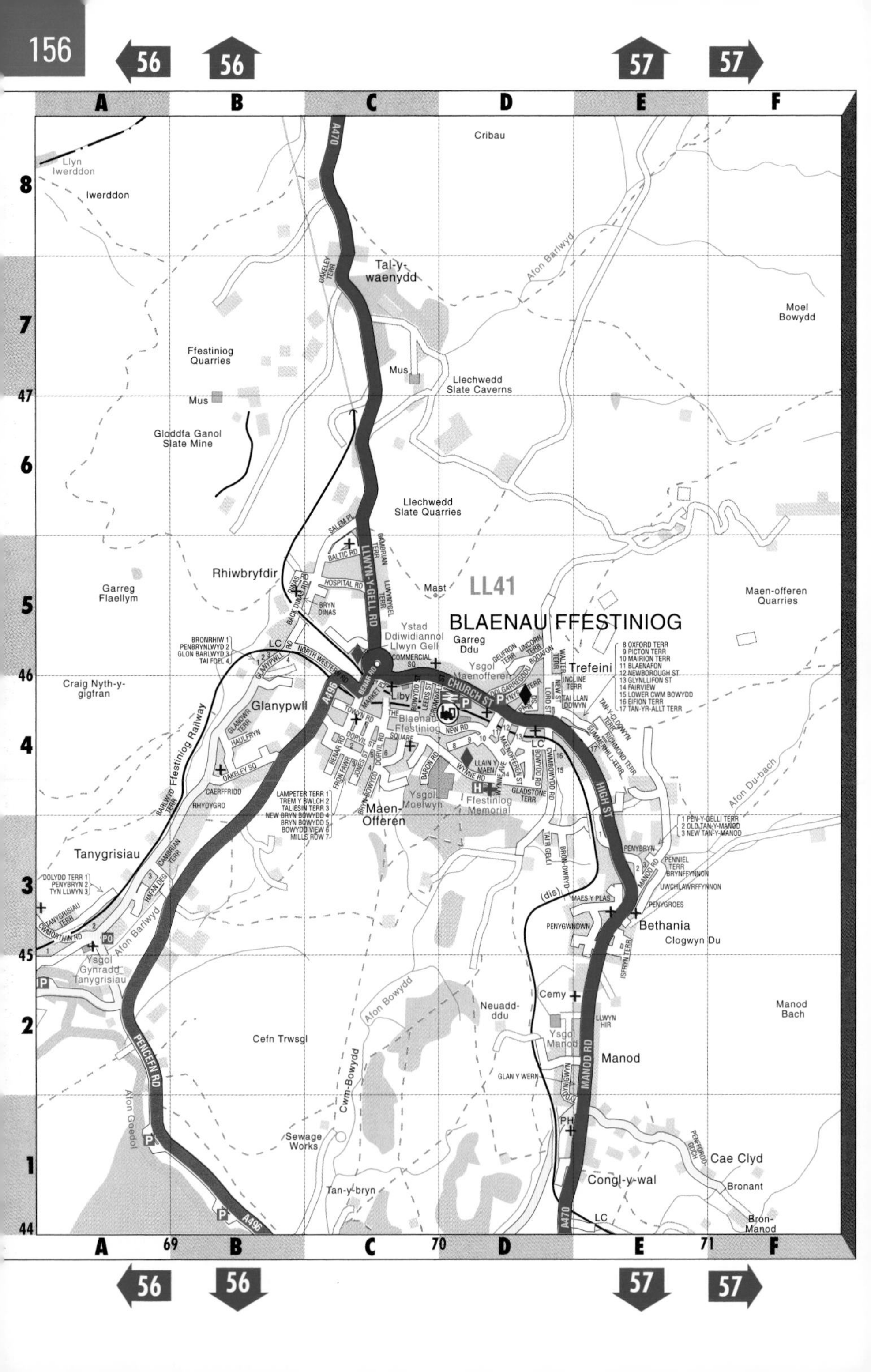

56
56
57
57
Cribau
Llyn Iwerddon
Iwerddon
Tal-y-waenydd
Moel Bowydd
Ffestiniog Quarries
Mus
Llechwedd Slate Caverns
Gloddfa Ganol Slate Mine
Llechwedd Slate Quarries
Rhiwbryfdir
Mast
LL41
Garreg Flaellylm
Maen-offeren Quarries
BLAENAU FFESTINIOG
Ystad Ddiwidiannol Llwyn Gell
Garreg Ddu
Ysgol Maenofferen
Trefeini
Craig Nyth-y-gigfran
Glanypwll
Blaenau Ffestiniog
Ffestiniog Railway
Ysgol Moelwyn
Ffestiniog Memorial
Maen-Offeren
Tanygrisiau
Bethania
Clogwyn Du
Ysgol Gynradd Tanygrisiau
Afon Barlwyd
Cemy
Neuadd-ddu
Manod Bach
Cefn Trwsgl
Ysgol Manod
Manod
Afon Bowydd
Cwm-Bowydd
Afon Goedol
Sewage Works
Cae Clyd
Congl-y-wal
Tan-y-bryn
Bronant
Bron-Manod
Afon Du-bach
A470
A496
LLWYN-Y-GELL RD
CHURCH ST
HIGH ST
MANOD RD
PENCEFN RD
8 OXFORD TERR
9 PICTON TERR
10 MAIRION TERR
11 BLAENAFON
12 NEWBOROUGH ST
13 GLYNLLIFON ST
14 FAIRVIEW
15 LOWER CWM BOWYDD
16 EIFION TERR
17 TAN-YR-ALLT TERR
BRONRHIW 1
PENBRYNLWYD 2
GLON BARLWYD 3
TAI FOEL 4
LAMPETER TERR 1
TREM Y BWLCH 2
TALIESIN TERR 3
NEW BRYN BOWYDD 4
BRYN BOWYDD 5
BOWYDD VIEW 6
MILLS ROW 7
1 PEN-Y-GELLI TERR
2 OLD TAN-Y-MANOD
3 NEW TAN-Y-MANOD
DOLYDD TERR 1
PENYBRYN 2
TYN LLWYN 3
A
B
C
D
E
F
8
7
6
5
4
3
2
1
47
46
45
44
69
70
71

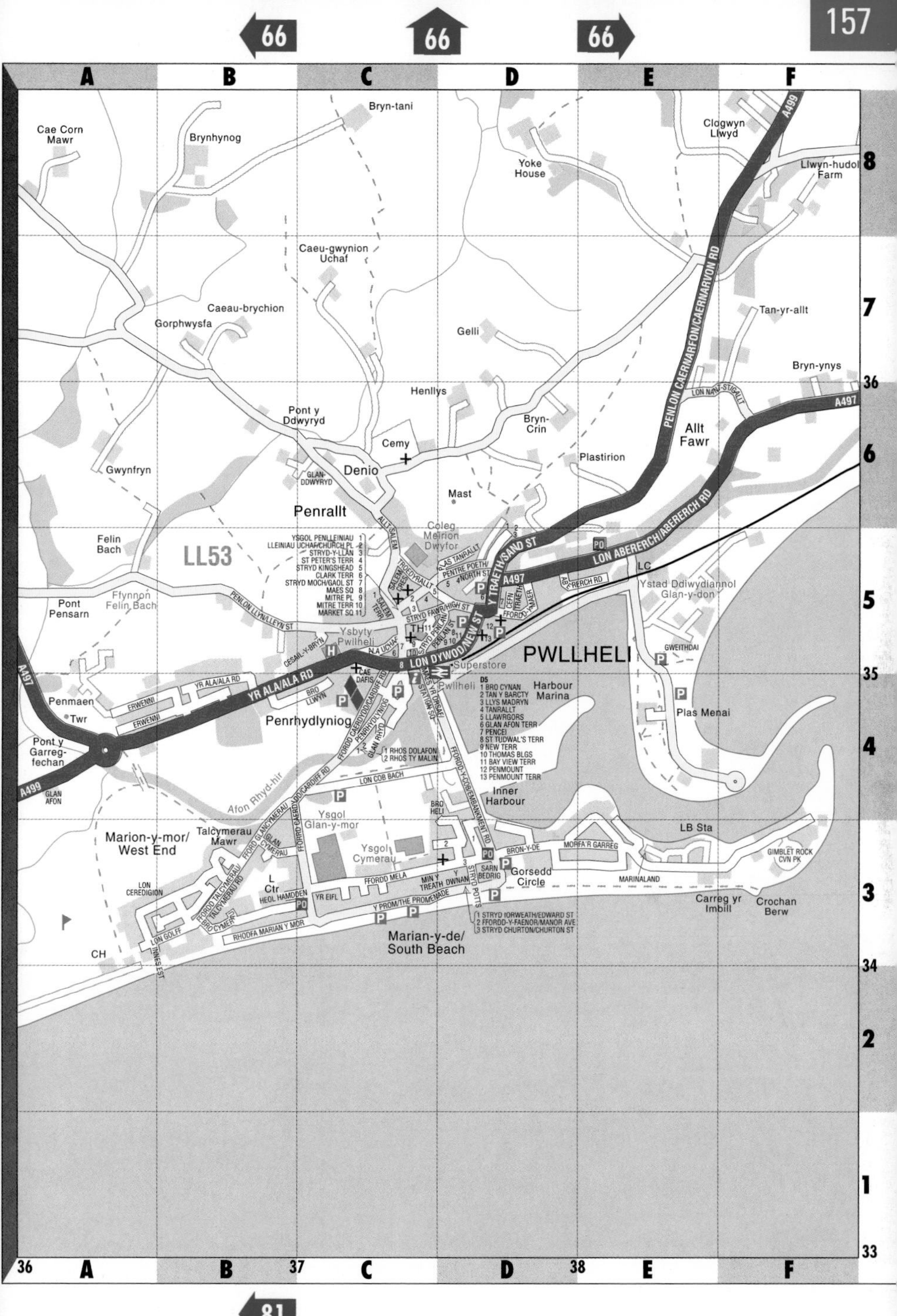

PWLLHELI

LL53

Penrallt

Denio

Marion-y-mor/
West End

Penrhydlyniog

Marian-y-de/
South Beach

Inner
Harbour

Harbour
Marina

Plas Menai

Gorsedd
Circle

Allt
Fawr

Cae Corn
Mawr

Brynhynog

Bryn-tani

Yoke
House

Clogwyn
Llwyd

Llwyn-hudol
Farm

Caeu-gwynion
Uchaf

Caeau-brychion

Gorphwysfa

Gelli

Tan-yr-allt

Bryn-ynys

Henllys

Pont y
Ddwyryd

Cemy

Bryn-
Crin

Plastirion

Gwynfryn

Felin
Bach

Ffynnon
Felin Bach

Pont
Pensarn

Coleg
Meirion
Dwyfor

Mast

Ystad Ddiwydiannol
Glan-y-don

Penmaen

Twr

Pont y
Garreg-fechan

Glan
Afon

Taicymerau
Mawr

Ysgol
Cymerau

Ysgol
Glan-y-mor

Morfa R Garreg

LB Sta

GIMBLET ROCK
CVN PK

Carreg yr
Imbill

Crochan
Berw

MARINALAND

CH

L
Ctr

D5
1 BRO CYNAN
2 TAN Y BARCTY
3 LLYS MADRYN
4 TANRALLT
5 LLAWRGORS
6 GLAN AFON TERR
7 PENCEI
8 ST TUDWAL'S TERR
9 NEW TERR
10 THOMAS BLGS
11 BAY VIEW TERR
12 PENMOUNT
13 PENMOUNT TERR

1 RHOS DOLAFON
2 RHOS TY MALIN

1 STRYD IORWEATH/EDWARD ST
2 FFORDD-Y-FAENOR/MANOR AVE
3 STRYD CHURTON/CHURTON ST

YSGOL PENLLEINIAU 1
LLEINIAU UCHAF/CHURCH PL 2
STRYD-Y-LLAN 3
ST PETER'S TERR 4
STRYD KINGSHEAD 5
CLARK TERR 6
STRYD MOCH/GAOL ST 7
MAES SQ 8
MITRE PL 9
MITRE TERR 10
MARKET SQ 11

Ysbyty
Pwllheli

Superstore

Pwllheli

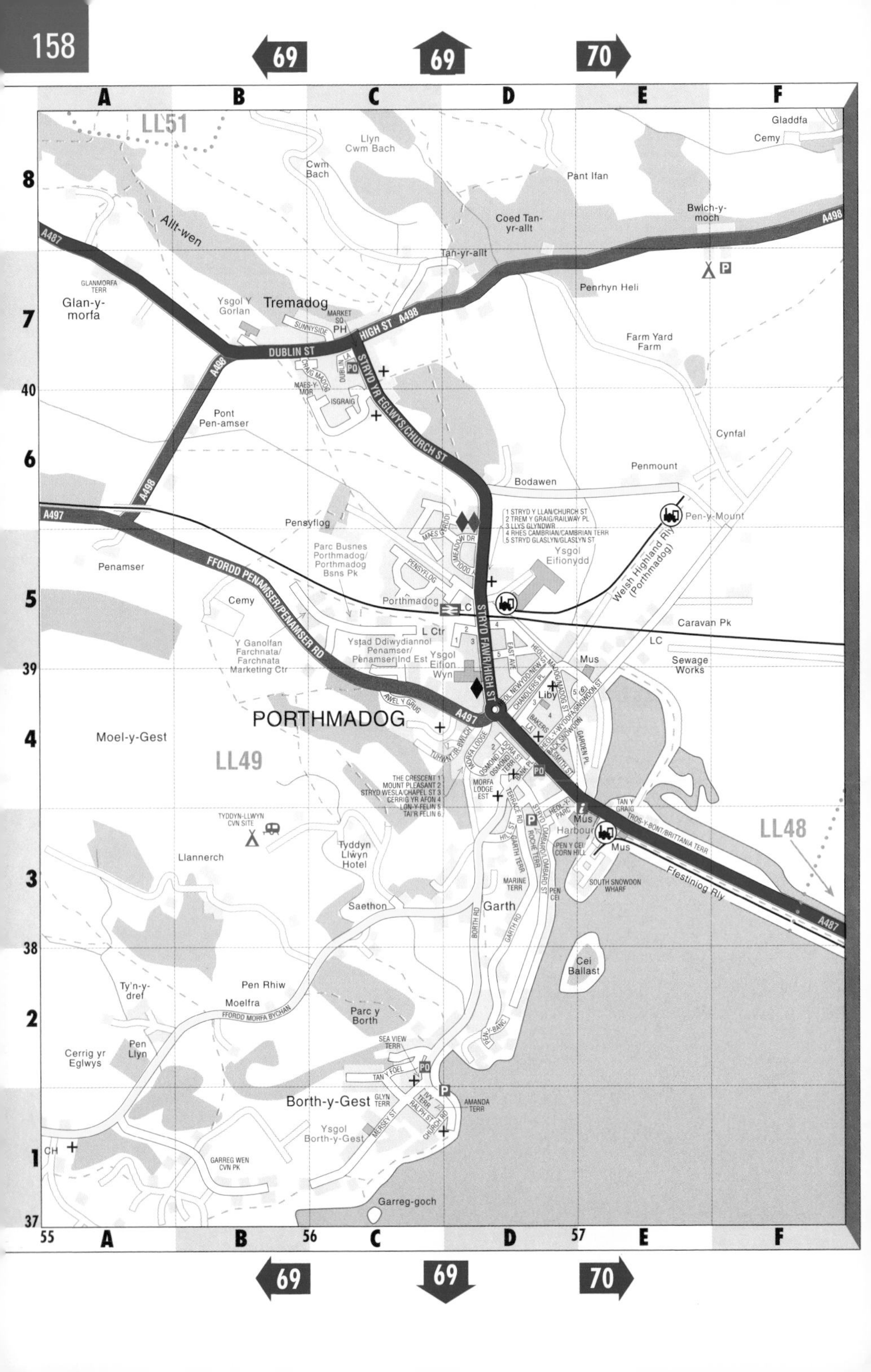
69
69
70
A
B
C
D
E
F
LL51
Llyn Cwm Bach
Cwm Bach
Gladdfa
Cemy
Pant Ifan
Allt-wen
Coed Tan-yr-allt
Bwlch-y-moch
A498
A487
Tan-yr-allt
Penrhyn Heli
Glan-y-morfa
GLANMORFA TERR
Ysgol Y Gorlan
Tremadog
MARKET SQ
PH
SUNNYSIDE
HIGH ST
A498
Farm Yard Farm
DUBLIN ST
A498
STRYD YR EGLWYS/CHURCH ST
CRAIG MADOG
MAES-Y-MOR
ISGRAIG
Pont Pen-amser
Cynfal
Penmount
Bodawen
A498
A497
Pensyflog
1 STRYD Y LLAN/CHURCH ST
2 TREM Y GRAIG/RAILWAY PL
3 LLYS GLYNDWR
4 RHES CAMBRIAN/CAMBRIAN TERR
5 STRYD GLASLYN/GLASLYN ST
Pen-y-Mount
Ysgol Eifionydd
Welsh Highland Rly (Porthmadog)
Penamser
FFORDD PENAMSER/PENAMSER RD
Parc Busnes Porthmadog/ Porthmadog Bsns Pk
MAES GERDDI
MEADOW DR
PENSYFLOG
Cemy
Porthmadog
LC
STRYD FAWR/HIGH ST
Caravan Pk
L Ctr
Y Ganolfan Farchnata/ Farchnata Marketing Ctr
Ystad Ddiwydiannol Penamser/ Penamser Ind Est
Ysgol Eifion Wyn
EAST AVE
LC
Sewage Works
Mus
Liby
AWEL Y GRUG
A497
PORTHMADOG
Moel-y-Gest
LL49
TUHWNT-I'R-BWLCH
MORFA LODGE
OSMOND LA
OSMOND TERR
DORA ST
BANK PL
CHANDLERS PL
BAKERS LA
GARDEN PL
SMITH ST
THE CRESCENT 1
MOUNT PLEASANT 2
STRYD WESLA/CHAPEL ST 3
CERRIG YR AFON 4
LON-Y-FELIN 5
TAI'R FELIN 6
MORFA LODGE EST
TYDDYN-LLWYN CVN SITE
TAN Y GRAIG
TROS-Y-BONT/BRITTANIA TERR
LL48
Mus
Harbour
Mus
PEN Y CEI/ CORN HILL
TERRACE RD
HILL ST
GARTH TERR
ROCHE TERR
STRYD LOMBARD/LOMBARD ST
Llannerch
Tyddyn Llwyn Hotel
SOUTH SNOWDON WHARF
Ffestiniog Rly
MARINE TERR
PEN CEI
Saethon
Garth
BORTH RD
GARTH RD
A487
Cei Ballast
Ty'n-y-dref
Pen Rhiw
Moelfra
FFORDD MORFA BYCHAN
Parc y Borth
PEN-Y-BANC
Cerrig yr Eglwys
Pen Llyn
SEA VIEW TERR
TAN Y FOEL
Borth-y-Gest
GLYN TERR
IVY TERR
RALPH ST
AMANDA TERR
CHURCH RD
MERSEY ST
Ysgol Borth-y-Gest
CH
GARREG WEN CVN PK
Garreg-goch
8
7
40
6
5
39
4
3
38
2
1
37
55
56
57

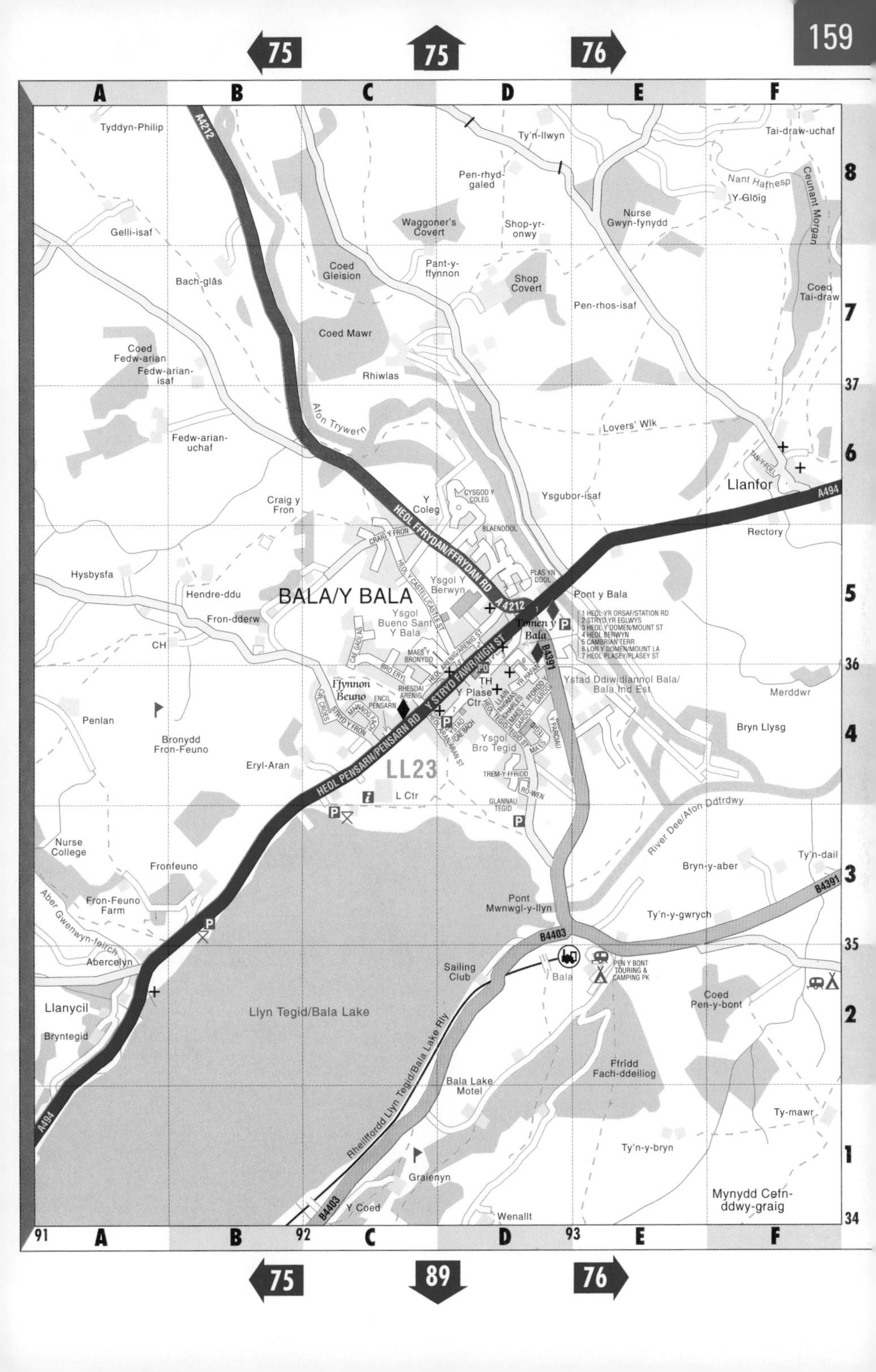
75
75
76
Tyddyn-Philip
Ty'n-llwyn
Tai-draw-uchaf
Pen-rhyd-galed
Nant Hafhesp
Y Gloig
Ceunant Morgan
Waggoner's Covert
Shop-yr-onwy
Nurse Gwyn-fynydd
Gelli-isaf
Coed Gleision
Pant-y-ffynnon
Shop Covert
Bach-glâs
Pen-rhos-isaf
Coed Tai-draw
Coed Mawr
Coed Fedw-arian
Fedw-arian-isaf
Rhiwlas
Afon Trywern
Lovers' Wlk
Fedw-arian-uchaf
Llanfor
TAN-Y-FOEL
A494
Craig y Fron
Y Coleg
CYSGOD Y COLEG
Ysgubor-isaf
HEOL FFRYDAN/FFRYDAN RD
BLAENDDOL
Rectory
CRAIG Y FRON
Hysbysfa
Hendre-ddu
BALA/Y BALA
Ysgol Y Berwyn
PLAS YN DDOL
Pont y Bala
A4212
Fron-dderw
Ysgol Bueno Sant Y Bala
Tomen y Bala
1 HEOL YR ORSAF/STATION RD
2 STRYD YR EGLWYS
3 HEOL Y DOMEN/MOUNT ST
4 HEOL BERWYN
5 CAMBRIAN TERR
6 LON Y DOMEN/MOUNT LA
7 HEOL PLASEY/PLASEY ST
CH
Y STRYD FAWR/HIGH ST
B4391
Ystad Ddiwidiannol Bala/ Bala Ind Est
Merddwr
Ffynnon Beuno
TH
Y Plase Ctr
PO
Penlan
Bronydd Fron-Feuno
Ysgol Bro Tegid
Bryn Llysg
Eryl-Aran
LL23
HEOL PENSARN/PENSARN RD
TREM-Y-FFRIDD
RO-WEN
L Ctr
GLANNAU TEGID
River Dee/Afon Ddfrdwy
Nurse College
Ty'n-dail
Fronfeuno
Bryn-y-aber
Pont Mwnwgl-y-llyn
B4391
Fron-Feuno Farm
Aber Gwenwyn-feirch
Ty'n-y-gwrych
B4403
Abercelyn
Sailing Club
Bala
PEN Y BONT TOURING & CAMPING PK
Coed Pen-y-bont
Llanycil
Llyn Tegid/Bala Lake
Bryntegid
Bala Lake Rly
Ffridd Fach-ddeiliog
Bala Lake Motel
Ty-mawr
Rheilffordd Llyn Tegid
Ty'n-y-bryn
Graienyn
Mynydd Cefn-ddwy-graig
Y Coed
Wenallt
A494
A4212
A B C D E F
8 7 37 6 5 36 4 3 35 2 1 34
91 92 93
75
89
76

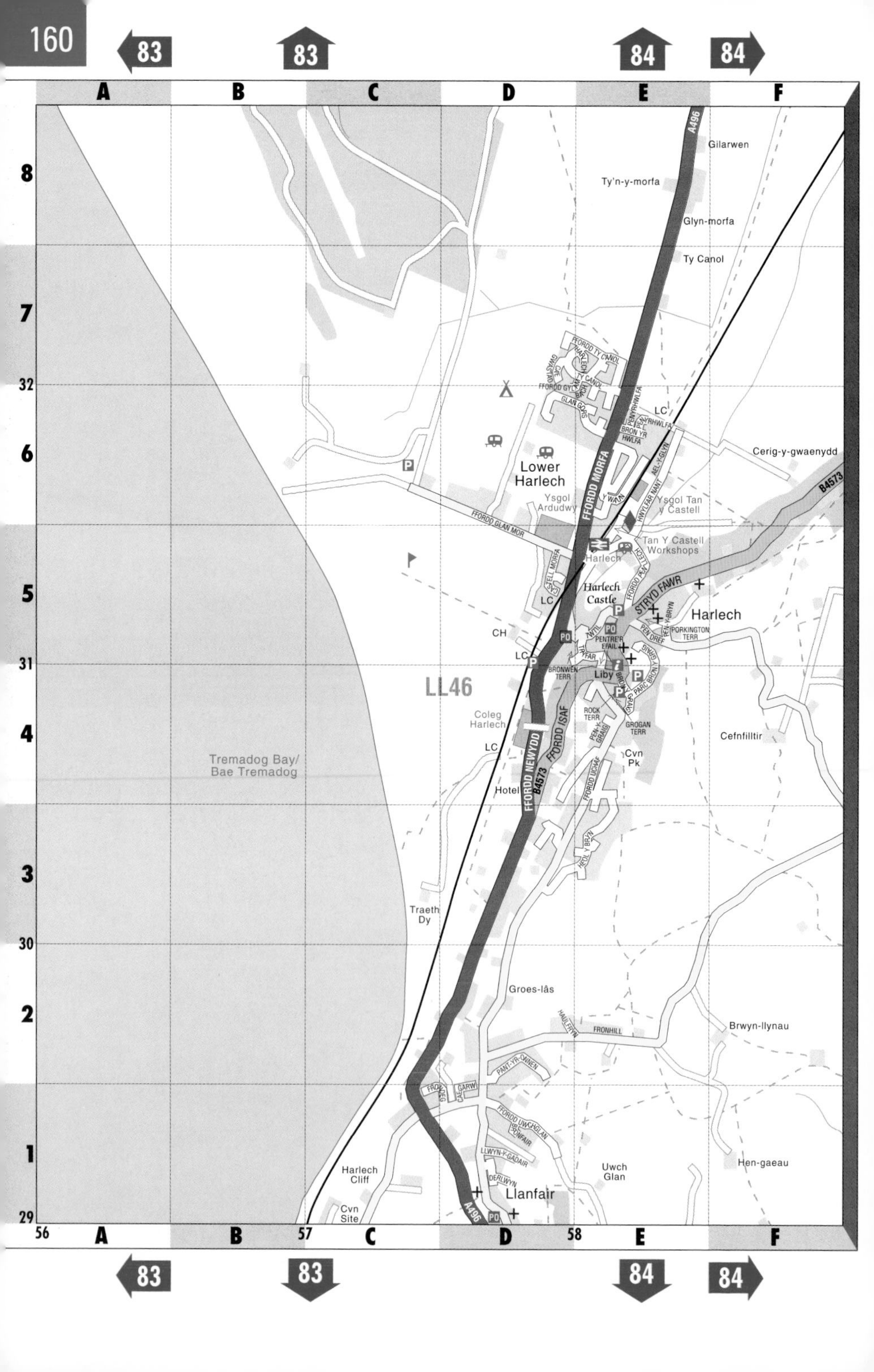
83
83
84
84
A
B
C
D
E
F
8
7
32
6
5
31
4
3
30
2
1
29
56
57
58
A496
Gilarwen
Ty'n-y-morfa
Glyn-morfa
Ty Canol
FFORDD TY CANOL
HARLECH
GWASTAD
CAE
TY CANOL
FFORDD GYLCH
BACH
GLAN GORS
PENYRHWLFA
PEN YRHWLFA
BRON YR HWLFA
LC
Cerig-y-gwaenydd
B4573
Lower Harlech
FFORDD MORFA
Y WAUN
AEL-Y-GLYN
HWYLFAR NANT
Ysgol Ardudwy
Ysgol Tan y Castell
FFORDD GLAN MOR
Harlech
Tan Y Castell Workshops
STELL MORFA
FFORDD PEN LLECH
Harlech Castle
STRYD FAWR
Harlech
LC
PEN-Y-BRYN
PORKINGTON TERR
CH
PO
TWTIL
PENTRE'R EFAIL
PEN DREF
LC
BRONWEN TERR
Liby
LL46
BRON Y GRAIG
PARC BRON Y GRAIG
Coleg Harlech
ROCK TERR
PEN-Y-GRAIG
GROGAN TERR
Cefnfilltir
LC
FFORDD ISAF
Cvn Pk
Tremadog Bay/ Bae Tremadog
FFORDD NEWYDD
B4573
Hotel
FFORDD UCHAF
HEOL Y BRYN
Traeth Dy
Groes-lâs
HAULFRYN
FRONHILL
Brwyn-llynau
PANT-YR-ONNEN
CAE GARW
FFORDD UWCHGLAN
BRONFAIR
LLWYN-Y-GADAIR
Harlech Cliff
DERLWYN
Uwch Glan
Hen-gaeau
Llanfair
A496
PO
Cvn Site
A
B
C
D
E
F
83
83
84
84

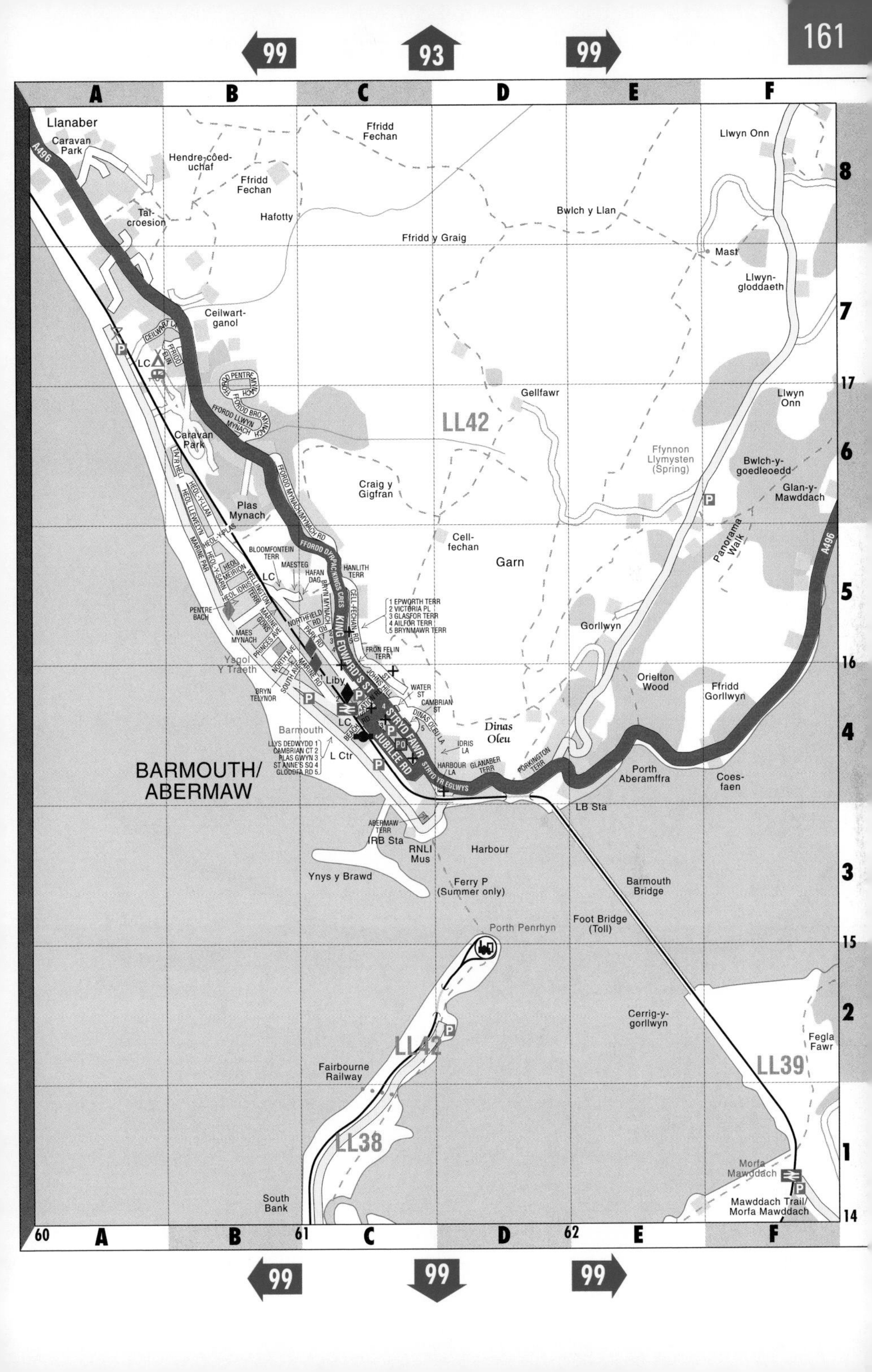
99
93
99
BARMOUTH/
ABERMAW
Llanaber
Caravan Park
Hendre-coed-uchaf
Ffridd Fechan
Hafotty
Tal-croesion
Bwlch y Llan
Ffridd y Graig
Llwyn Onn
Mast
Llwyn-gloddaeth
Ceilwart-ganol
Gellfawr
LL42
Caravan Park
Plas Mynach
Craig y Gigfran
Cell-fechan
Garn
Ffynnon Llymysten (Spring)
Bwlch-y-goedleoedd
Glan-y-Mawddach
Panorama Walk
A496
Gorllwyn
Orielton Wood
Ffridd Gorllwyn
Dinas Oleu
Porth Aberamffra
Coes-faen
LB Sta
KING EDWARD'S ST
STRYD FAWR
JUBILEE RD
Barmouth
L Ctr
Liby
Ysgol Y Traeth
1 EPWORTH TERR
2 VICTORIA PL
3 GLASFOR TERR
4 AILFOR TERR
5 BRYNMAWR TERR
LLYS DEDWYDD 1
CAMBRIAN CT 2
PLAS GWYN 3
ST ANNE'S SQ 4
GLODDFA RD 5
IRB Sta
RNLI Mus
Harbour
Ynys y Brawd
Ferry P (Summer only)
Barmouth Bridge
Porth Penrhyn
Foot Bridge (Toll)
Cerrig-y-gorllwyn
Fegla Fawr
LL39
Fairbourne Railway
LL38
South Bank
Morfa Mawddach
Mawddach Trail/ Morfa Mawddach
99
99
99

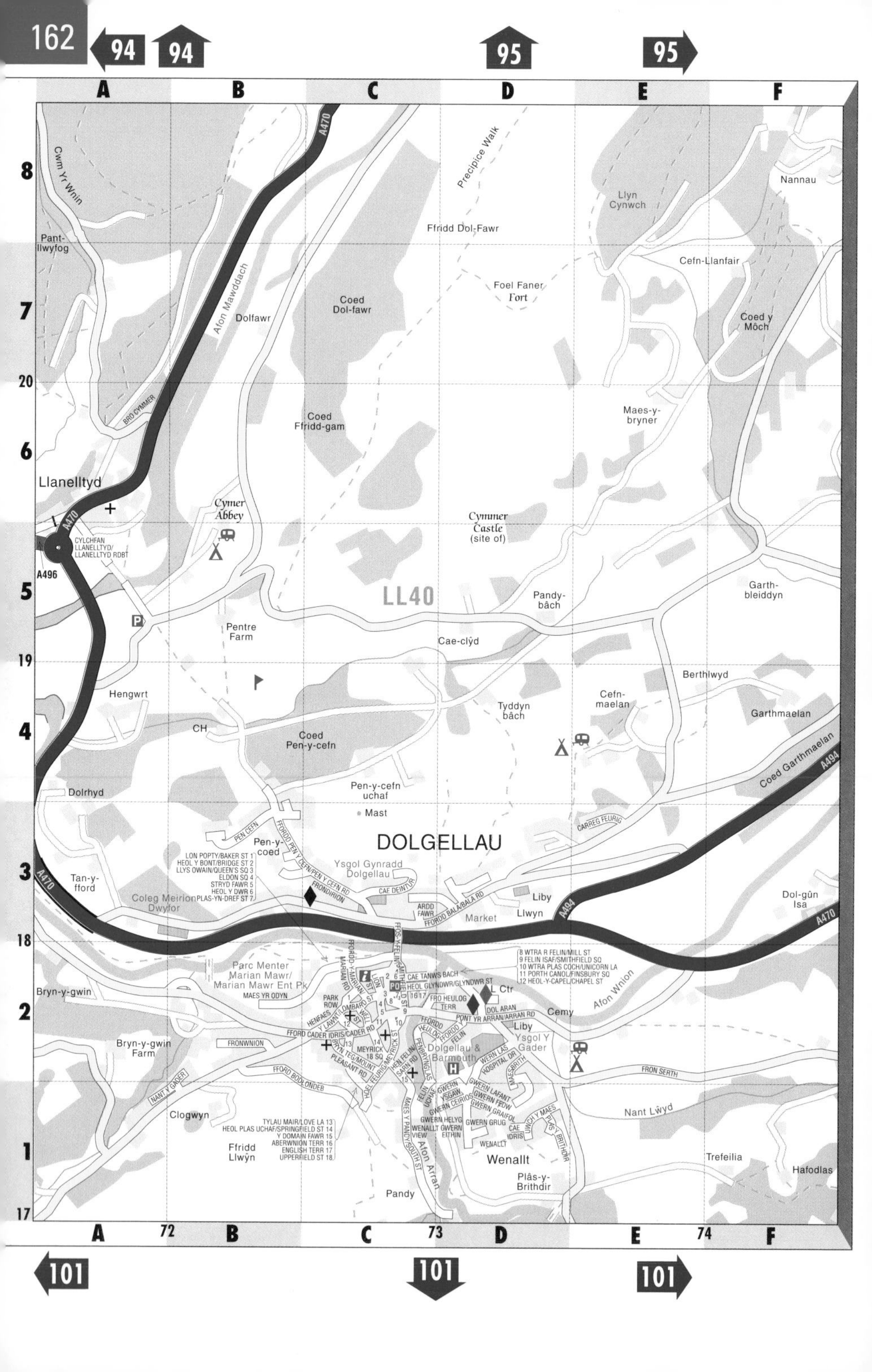

A   B   C   D   E   F

8

Cwm Yr Wnin

Precipice Walk

Llyn Cynwch

Nannau

Ffridd Dol-Fawr

Cefn-Llanfair

Pant-llwyfog

7

Afon Mawddach

Dolfawr

Coed Dol-fawr

Foel Faner Fort

Coed y Môch

20

BRO CYNFER

Coed Ffridd-gam

Maes-y-bryner

6

Llanelltyd

Cymer Abbey

Cymmer Castle (site of)

Garth-bleiddyn

A496

CYLCHFAN LLANELLTYD/ LLANELLTYD RDBT

LL40

Pandy-bâch

5

Pentre Farm

Cae-clŷd

Berthlwyd

19

Hengwrt

Tyddyn bâch

Cefn-maelan

Garthmaelan

4

CH

Dolrhyd

Coed Pen-y-cefn

Coed Garthmaelan

A494

Pen-y-cefn uchaf

Mast

CARREG FELLRIG

DOLGELLAU

Dol-gûn Isa

Tan-y-ffordd

PEN CEFN

Pen-y-coed

Ysgol Gynradd Dolgellau

Liby

3

LÔN POPTY/BAKER ST 1
HEOL Y BONT/BRIDGE ST 2
LLYS OWAIN/QUEEN'S SQ 3
ELDON SQ 4
STRYD FAWR 5
HEOL Y DWR 6
PLAS-YN-DREF ST 7

CAE DEILIOG

FFORDD Y FELIN / PEN Y CEFN RD

FFRIDD FFRYT

ARDD FAWR

FFORDD BALA/BALA RD

Market

Llwyn

A494

A470

Coleg Meirion Dwyfor

18

Bryn-y-gwin

Parc Menter Marian Mawr/ Marian Mawr Ent Pk

MAES YR ODYN

Afon Wnion

8 WTRA R FELIN/MILL ST
9 FELIN ISAF/SMITHFIELD SQ
10 WTRA PLAS COCH/UNICORN LA
11 PORTH CANOL/FINSBURY SQ
12 HEOL Y-CAPEL/CHAPEL ST

2

Bryn-y-gwin Farm

FRONWNION

PARK ROW

HENBLAS

FFORDD CADER IDRIS/CADER RD

MEYRICK

FFORDD YR ARRAN/ARRAN RD

1617

FRO HEULOG TERR

PWNT YR ARRAN

HEOL GLYNOWR/GLYNDWR ST

DOL ARAN

L Ctr

Cemy

Ysgol Y Gader

Liby

Clogwyn

NANT Y ODER

FFORDD BLOCINORDER

MEIRION TERR

ST

FRONWNION

PLEASANT RD

TEGLAN TERR

13 SQ

Dolgellau & Barmouth

H

HOSPITAL DR

NEUADD DR

GWERN LAFANT

GWERN FELIN

GWERN BRUG

GWERN SHAFOL

FRON SERTH

Nant Lŵyd

Trefeilia

Hafodlas

1

Ffridd Llwyn

TYLAU MAIR/LOVE LA 13
HEOL PLAS UCHAF/SPRINGFIELD ST 14
Y DOMAIN FAWR 15
ABERWNION TERR 16
ENGLISH TERR 17
UPPERFIELD ST 18

MAES Y FANC

Pandy

Afon Aran

WENALLT GWERN VIEW

CAE IDRIS

Wenallt

Plâs-y-Brithdir

17

A   72   B   C   73   D   E   74   F

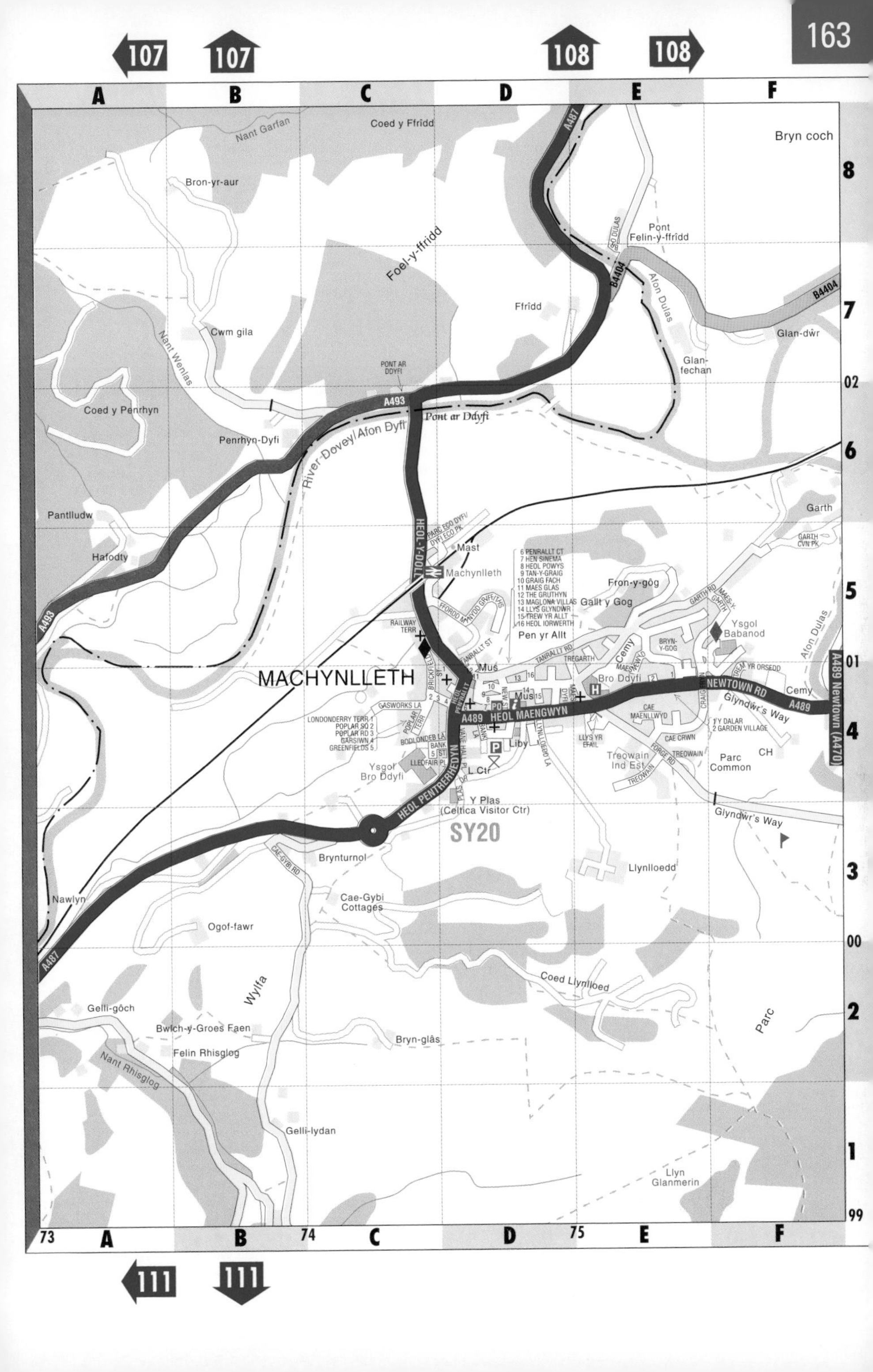
107
107
108
108
A
B
C
D
E
F
8
7
02
6
5
01
4
3
00
2
1
99
73
74
75
111
111
Coed y Ffrîdd
Nant Garfan
Bryn coch
Bron-yr-aur
Pont
Felin-y-ffrîdd
Foel-y-ffridd
Afon Dulas
Ffrîdd
B4404
A487
Cwm gila
Nant Wenlas
Glan-dŵr
Glan-
fechan
PONT AR
DDYFI
A493
Pont ar Ddyfi
Coed y Penrhyn
Penrhyn-Dyfi
River Dovey/Afon Dyfi
Pantlludw
Garth
GARTH
CVN PK
Hafodty
HEOL-Y-DOLL
PARC ECO DYFI/
DYFI ECO PK
Mast
Machynlleth
6 PENRALLT CT
7 HEN SINEMA
8 HEOL POWYS
9 TAN-Y-GRAIG
10 GRAIG FACH
11 MAES GLAS
12 THE GRUTHYN
13 MAGLONA VILLAS
14 LLYS GLYNDWR
15 TREW YR ALLT
16 HEOL IORWERTH
Fron-y-gôg
Gallt y Gog
Pen yr Allt
Ysgol
Babanod
RAILWAY
TERR
MACHYNLLETH
Mus
Cemy
Bro Ddyfi
TREGARTH
NEWTOWN RD
A489 Newtown (A470)
Glyndŵr's Way
GASWORKS LA
LONDONDERRY TERR 1
POPLAR SQ 2
POPLAR RD 3
GARSIWN 4
GREENFIELDS 5
A489
HEOL MAENGWYN
CAE
MAENLLWYD
1 Y DALAR
2 GARDEN VILLAGE
CAE CRWN
Liby
LLYS YR
EFAIL
TREOWAIN
Treowain
Ind Est
Parc
Common
CH
Ysgol
Bro Ddyfi
L Ctr
HEOL PENTRERHEDYN
Y Plas
(Celtica Visitor Ctr)
SY20
Brynturnol
CAE-GYBI RD
Llynlloedd
Nawlyn
Cae-Gybi
Cottages
Ogof-fawr
A487
Coed Llynlloed
Wylfa
Gelli-gôch
Bwlch-y-Groes Faen
Felin Rhisglog
Bryn-glâs
Parc
Nant Rhisglog
Gelli-lydan
Llyn
Glanmerin

Index

Church Rd **6** Beckenham BR2.......... **53** C6

Place name	**Location number**	**Locality, town or village**	**Postcode**	**Page and**
May be abbreviated on the map	Present when a number indicates the place's position in a crowded area of mapping	Shown when more than one place has the same name	**district** District for the indexed place	**grid square** Page number and grid reference for the standard mapping

Public and commercial buildings are highlighted in magenta.   **Places of interest** are highlighted in blue with a star★

Abbreviations used in the index

Acad	**Academy**	Comm	**Common**	Gd	**Ground**	L	**Leisure**	Prom	**Promenade**
App	**Approach**	Cott	**Cottage**	Gdn	**Garden**	La	**Lane**	Rd	**Road**
Arc	**Arcade**	Cres	**Crescent**	Gn	**Green**	Liby	**Library**	Recn	**Recreation**
Ave	**Avenue**	Cswy	**Causeway**	Gr	**Grove**	Mdw	**Meadow**	Ret	**Retail**
Bglw	**Bungalow**	Ct	**Court**	H	**Hall**	Meml	**Memorial**	Sh	**Shopping**
Bldg	**Building**	Ctr	**Centre**	Ho	**House**	Mkt	**Market**	Sq	**Square**
Bsns,Bus	**Business**	Ctry	**Country**	Hospl	**Hospital**	Mus	**Museum**	St	**Street**
Bvd	**Boulevard**	Cty	**County**	HQ	**Headquarters**	Orch	**Orchard**	Sta	**Station**
Cath	**Cathedral**	Dr	**Drive**	Hts	**Heights**	Pal	**Palace**	Terr	**Terrace**
Cir	**Circus**	Dro	**Drove**	Ind	**Industrial**	Par	**Parade**	TH	**Town Hall**
Cl	**Close**	Ed	**Education**	Inst	**Institute**	Pas	**Passage**	Univ	**University**
Cnr	**Corner**	Emb	**Embankment**	Int	**International**	Pk	**Park**	Wk, Wlk	**Walk**
Coll	**College**	Est	**Estate**	Intc	**Interchange**	Pl	**Place**	Wr	**Water**
Com	**Community**	Ex	**Exhibition**	Junc	**Junction**	Prec	**Precinct**	Yd	**Yard**

Translations Welsh – English

Aber	**Estuary, confluence**	Cwm	**Valley**	Lôn	**Lane**	Rhiw	**Hill, incline**
		Cwrt	**Court**	Maes	**Open area, field, square**	Rhodfa	**Avenue**
Afon	**River**	Dinas	**City**			Sgwâr	**Square**
Amgueddfa	**Museum**	Dôl	**Meadow**	Môr	**Sea**	Stryd	**Street**
Bro	**District, area**	Eglwys	**Church**	Mynydd	**Mountain**	Swyddfa post	**Post office**
Bryn	**Hill**	Felin	**Mill**	Oriel	**Gallery**		
Cae	**Field**	Fferm	**Farm**	Parc	**Park**	Tref, Tre	**Town**
Caer	**Fort**	Ffordd	**Road, way**	Parc busnes	**Business park**	Tŷ	**House**
Canolfan	**Centre**	Gelli	**Grove**	Pen	**Top, end**	Uchaf	**Upper**
Capel	**Chapel**	Gerddi	**Gardens**	Pentref	**Village**	Ysbyty	**Hospital**
Castell	**Castle**	Gorsaf	**Station**	Plas	**Mansion, place**	Ysgol	**School**
Cilgant	**Crescent**	Heol	**Road**	Pont	**Bridge**	Ystad, stad	**Estate**
Clòs	**Close**	Isaf	**Lower**	Prifysgol	**University**	Ystad ddiwydiannol	**Industrial estate**
Coed	**Wood**	Llan	**Church, parish**	Rhaeadr	**Waterfall**		
Coleg	**College**	Llyn	**Lake**	Rhes	**Terrace, row**	Ystrad	**Vale**

Translations English – Welsh

Avenue	**Rhodfa**	Estuary	**Aber**	Mansion	**Plas**	Station	**Gorsaf**
Bridge	**Pont**	Farm	**Fferm**	Meadow	**Dôl**	Street	**Stryd**
Business	**Parc busnes**	Field	**Cae**	Mill	**Felin**	Terrace	**Rhes**
Park		Fort	**Caer**	Mountain	**Mynydd**	Top, end	**Pen**
Castle	**Castell**	Gallery	**Oriel**	Museum	**Amgueddfa**	Town	**Tref, tre**
Centre	**Canolfan**	Gardens	**Gerddi**	Parish	**Plwyf eglwys, llan,**	University	**Prifysgol**
Chapel	**Capel**	Grove	**Gelli**			Upper	**Uchaf**
Church	**Eglwys**	Hill	**Bryn, rhiw**	Park	**Parc**	Vale	**Ystrad, glyn, dyffryn**
City	**Dinas**	Hospital	**Ysbyty**	Place	**Plas, maes**		
Close	**Clòs**	House	**Tŷ**	Post office	**Swyddfa post**	Valley	**Cwm**
College	**Coleg**	Industrial estate	**Ystad ddiwydiannol**	River	**Afon**	Village	**Pentref**
Court	**Cwrt**			Road	**Heol, ffordd**	Waterfall	**Rhaeadr**
Crescent	**Cilgant**	Lake	**Llyn**	School	**Ysgol**	Way	**Ffordd**
District	**Bro**	Lane	**Lôn**	Sea	**Môr**	Wood	**Coed**
Estate	**Ystad, stad**	Lower	**Isaf**	Square	**Sgwâr, maes**		

Index of localities, towns and villages

6G Rd / Ffordd 6G LL31 ..118 A2

Bridge St / Heol Y Bont LL40 162 C2
Bridge St / Stryd-y-bont LL77 139 E4
Bridge St / Stryd y Bont Llanrwst LL26 154 B4
Menai Bridge / Porthaethwy LL59 142 B4
Brighton Rd / Fford Brighton LL18 125 C7
Brig-y-Don LL22 121 E3
Brig Y Nant LL77 139 C5
Britannia Sq / Sgwar Britania 10 LL57 142 F5
British Terr LL65 138 C6
Brittania Terr / Tros-y-Bont LL49 158 E3
Broad St LL31 118 A3
Broadway LL28 119 D6
Broadway The LL22 123 A1
Bro Alwen LL21 61 F8
Bro Arfon LL54 40 E5
Bro Arthur LL44 92 E5
Bro Berllan 1 LL18 125 F1
Bro Branwen LL63 19 E3
Bro Cadfan LL54 40 E8
Bro Caerwyn LL77 139 C4
Bro Celyn
Clynnog-fawr LL54 52 B8
Gwalchmai LL65 14 E5
Bro Crafnant LL27 34 E6
Bro Cymerau LL53 157 B3
Bro Cymmer LL40 162 A6
Bro Cynan 1 LL53 157 D5
Bro Cynfil LL53 66 A1
Bro Dawel Bodedern LL65 13 C7
Menai Bridge / Porthaethwy LL59 141 F6
Rhosgoch LL66 4 A2
Bro Ddyfi Com Hospl / Ysbyty Gymuned Bro Ddyfi SY20 163 E4
Bro Deg LL18 125 F6
Bro Deiniol LL55 31 C6
Bro Derfel LL57 149 F4
Bro Dinam LL21 77 D4
Bro Dulas SY20 163 E8
Bro Dwylan LL53 63 H6
Bro Ednyfed LL77 139 F5
Bro Eglwys LL55 30 D1
Bro Einon LL48 70 D5
Bro Elian LL29 132 E6
Bro Elidir LL55 31 D4
Bro Emrys LL57 143 E2
Bro Enddwyn LL44 92 E6
Bro Eryl LL23 159 C4
Bro Geirionydd LL27 34 E6
Bro Gethin LL24 155 A6
Bro Gilbert LL54 40 D8
Bro Glyder LL55 31 F1
Bro Gower LL27 34 F5
Bro Gwerfyl LL21 62 D5
Bro Gwylwyr LL53 65 D7
Bro Hafhesb LL23 76 E4
Bro Helen LL55 152 E3
Bro Heli LL53 157 C4
Bro Helyg LL21 77 D3
Bro Helys / Willow St LL26 154 B4
Bro Hyfryd LL59 142 A5
Bro Hywyn LL53 78 G4
Bro Iarddur LL65 7 B2
Bro Infryn LL57 149 B6
Bro Isaf LL65 13 D4
Bro Islyn LL41 72 A3
Bro Llewelyn LL59 17 B1
Bro Llwyn LL53 157 C4
Bro Llwyndu LL54 40 B4
Bro Madog LL29 120 D1
Brompton Ave LL28 119 D6
Brompton Pk LL28 119 D7
Bro Mynydd LL65 13 E4
Bron Alltwen LL49 69 C7
Bron Arfon LL57 150 C5
Bron Bethel LL57 150 C4
Bron Castell LL57 143 B5
Bron Dinas LL77 139 F4
Bron-dwryd LL41 156 D3
Bronfair LL46 160 D1
Bron Fedw LL59 142 B5
Bron Ffinan LL75 16 D5
Bron Gele LL22 123 D4
Bron Gelli LL41 71 E6
Bron Gwynedd LL55 30 D8
Bronhallt Est LL16 38 D7
Bron Haul
Llandegfan LL59 142 D8
Rhyl / Y Rhyl LL18 125 F7
Bron Hendre LL54 51 B5
Bronheulog Henryd LL32 129 A5
Valley / Y Fali LL65 7 D2
Bronllan LL16 27 F3
Bron Llan LL24 45 D1
Bron Llyn LL22 121 E3
Bronllys LL60 21 F6
Bron-Ogwen LL57 150 A3
Bronrhiw LL41 156 B5
Bron Rhythallt LL55 30 F6
Bron Vardre Ave LL31 117 E4
Bronwen Ave LL18 124 D5
Bronwen Terr LL46 160 D5
Bron Wern LL22 121 E3
Bron Y Berth LL53 65 F1
Bron-y-De Bangor LL57 142 D2
Pwllheli LL53 157 D3
Bron-y-Felin LL59 142 E8
Bron-y-Felin Rd LL77 139 E4
Bron Y Foel LL53 65 E8
Bron y Gader LL36 106 F6
Bron-y-Gaer LL31 117 F5
Bron-y-Garth LL55 152 E5
Bron Y Garth Hospital / Ysbyty Bron Y Garth LL48 70 C5
Bron Y Garth Hospl / Ysbyty Bron Y Garth LL48 70 C5
Bron y Graig
Bodedern LL65 13 C7
Harlech LL46 160 E4
Bron-y-Graig LL77 139 E4
Bron-y-llan LL29 121 C1
Bron-y-Llan Rd LL29 121 C1
Bron-y-Nant Rd LL28 119 B5
Bron-yr-Afon LL32 117 E1
Bron Yr Hwlfa LL46 160 E6
Bron Y Waen LL24 45 D1
Bron Y Waun LL57 148 F1
Bron-y-Wendon Cvn Pk LL22 121 E3
Bro Ogwen LL57 142 B1
Brook Ave / Rhodfa Nant LL22 124 B2
Brookdale Rd LL18 125 D7
Brookes Ave LL18 125 B5
Brookes St LL30 113 E3
Brookfield Dr LL28 119 B7
Brooklands LL29 120 E1
Brookland Terr LL31 117 F4
Brooks LL53 81 A5
Brookside Cl / Clos Y Nant LL34 127 E5
Brook St LL36 109 D7
Brook Terr SY20 103 D4
Bro Pedr Fardd LL51 53 D3
Bro Prysor 7 LL41 72 A2
Bro Rhiwen LL57 31 C8
Bro-rhos LL55 30 D8
Bro Rhythallt LL55 30 F6
Bro'r Ysgol LL65 13 C7
Bro Seiont LL55 153 A4
Bro Seiri 7 LL57 143 B6
Bro Silyn LL54 40 D3
Bro Sion Wyn LL53 67 D5
Bro Syr Ifor LL57 149 E5
Bro Terfyn LL53 65 A7
Bro Trehinon LL68 4 E5
Bro Tudur LL77 139 F5
Bro Waun LL55 30 D2
Browns Holiday Pk LL22 124 A3
Bro Wyled LL54 40 D8
Brun Eisteddfod Terr LL30 113 C4
Brymer Terr LL55 29 F3
Bryn Adda Bangor LL57 142 C2
Benllech LL74 11 E1
Brynafon LL59 142 B4
Bryn Afon Rhuddlan LL18 125 E2
Valley / Y Fali LL65 7 D3
Bryn Ave
Colwyn Bay / Bae Colwyn LL28 119 D8
Kinmel Bay / Bae Cinmel LL18 124 E6
Old Colwyn LL29 120 C2
Rhyl / Y Rhyl LL18 125 E8
Bryn Awel Benllech LL74 11 E1
Conwy LL32 129 C6
Bryn Awel Ave LL22 123 B1
Bryn Awel Cvn Pk LL75 16 C6
Bryn Awelon
Abergele LL22 123 A1
Cyffylliog LL15 49 F8
Dyffryn Ardudwy LL44 92 E6
Llandegfan LL59 142 C7
Bryn Awelon Parc LL29 120 F3
Bryn Awel Sq LL36 109 C7
Bryn Bedw LL22 135 A6
Bryn Benarth LL32 129 E6
Bryn-Bowydd LL41 156 C4
Bryn Bras LL61 141 C4
Bryn-brysgyll LL41 72 A8
Bryn Cadno LL29 119 E2
Bryn Carrog LL29 119 E2
Bryn Caseg LL57 150 D2
Bryn Castell
Abergele LL22 135 A6
Conwy LL32 117 E1
Llanfairfechan LL33 126 C2
Bryn Celyn
Colwyn Bay / Bae Colwyn LL29 119 E2
Conwy LL32 117 D2
Llanddulas LL22 121 E3
Bryncelyn Rd LL54 40 C4
Bryn Ceraint Terr LL57 150 A1
Bryncir Terr LL49 69 C7
Bryn Clwyd LL22 135 A6
Bryncoch LL39 99 E4
Bryn Coch LL22 123 C1
Bryn Coed
Llan Ffestiniog LL41 57 A1
Llangefni LL77 139 E5
Bryn Coed Coch LL29 120 E2
Bryn Coed Pk LL18 125 E6
Bryn Colwyn LL29 121 A4
Bryn Colyn LL64 19 A8
Bryn Cotts LL24 57 F6
Bryn Cregyn LL31 117 E4
Bryn Cres LL18 137 F8
Bryn Cwnin Rd LL18 125 F5
Bryn Cynfal LL24 59 C7
Brynddu Rd LL68 3 D4
Bryn Dedwydd LL18 136 F4
Bryn Defaid LL28 119 C7
Bryn Deiliog LL45 84 A1
Bryn Deiniol LL33 126 D1
Bryn Derw LL31 118 C2
Bryn Derwen LL22 135 B6
Bryn-derwen LL54 40 D4
Bryn-derwen Terr LL32 23 D3
Bryn Difyr Terr / Rhes Bryn Difyr LL57 143 A4
Bryn Dinas LL41 156 C5
Bryndulas Rd LL22 121 F2
Bryn Eglwys
Colwyn Bay / Bae Colwyn LL28 119 D8
Llandudno Junction LL31 118 A3
Penisa'r waun LL55 31 A6
Tregarth LL57 149 F1
Bryn Eilan LL55 153 A3
Bryn Eirias Cl LL29 120 B3
Bryn Eithin
Brynsiencyn LL61 21 F1
Conwy LL32 117 E1
Llanddoged LL26 154 D8
Sarnau LL23 76 D6
Talsarnau LL47 70 E4
Bryn Eithinog LL57 142 D3
Bryn Elian Gr LL18 124 E3
Bryn Erw Rd LL65 138 E4
Bryn Eryr LL29 119 E2
Bryn Est LL53 65 A7
Bryn Ewin LL22 135 B1
Bryn Felin Conwy LL32 129 C6
Llandona LL58 17 C6
Brynffynnon
Blaenau Ffestiniog LL41 156 E3
Nantmor LL55 55 C5
Bryn-ffynnon LL54 51 C4
Bryn Ffynnon LL31 118 C3
Brynffynnon Rd LL56 147 A3
Bryn Ffynnon Terr LL53 79 A7
Bryn Fynnon LL60 140 E5
Bryn Gaer LL60 21 F5
Bryn Gannock LL31 117 D6
Bryn Garan LL29 119 E3
Bryn-garnedd LL57 142 B1
Bryn Glas Groeslon LL54 40 B6
Nefyn LL53 65 D7
Bryn Glas Cl LL65 138 E5
Bryn Glas Rd LL65 138 F5
Brynglas Sta* LL36 106 A2
Brynglas Wlk LL36 109 C7
Bryn Golau LL22 121 E2
Bryn Goleu LL74 11 D1
Bryngoleu Ave LL65 138 C7
Bryngoleu North Ave LL65 138 C7
Bryngosol Gdns LL30 117 E7
Bryngosol Rd LL30 117 E7
Bryn Gwelfor LL22 135 A6
Bryn Gwna LL62 20 C5
Bryn Gwylan LL35 109 F3
Bryn Gwyn LL22 135 A6
Bryn Gwyn Rd LL65 138 C5
Bryn Gwynt La LL30 114 E2
Bryngwynt St / Stryd Bryngwynt LL68 4 F6
Bryn Gynog Cvn Pk LL32 129 C6
Bryn Hadydd Sch LL18 125 E8
Bryn Hafod
Colwyn Bay / Bae Colwyn LL28 119 D4
Rhuddlan LL18 125 F2
Bryn Haulwen 1 LL48 70 D6
Brynhedydd LL57 150 D4
Brynhedydd Rd LL18 125 F8
Bryn Heli LL29 120 F3
Bryn Helyg
Abergele LL22 135 B6
Penmaenmawr LL34 127 E5
Brynheulog LL36 109 C7
Bryn Heulog
Dyffryn Ardudwy LL44 92 E7
Llandudno Junction LL31 118 C3
Old Colwyn LL29 120 E3
Bryn Heulog Terr / Rhes Bryn Heulog LL57 142 E2
Bryn Hwfa LL77 15 A1
Brynhyfryd LL35 109 F3
Bryn Hyfryd
Caernarfon LL55 152 F2
Dwyran LL61 29 B8
Bryn-hyfryd LL33 126 E1
Bryn Hyfryd
Llanfair Talhaiarn LL22 26 B5
Tal-y-Bont LL32 23 D4
Brynhyfryd Ave LL18 125 C7
Brynhyfryd Gr LL22 123 B1
Bryn Hyfryd Pk LL32 117 D1
Brynhyfryd Rd LL36 109 C7
Bryn Hyfryd Terr LL32 117 D2
Bryn-hynod Sta* LL23 89 C7
Bryniau Duon LL59 17 C1
Bryniau-Hendre LL48 70 C5
Bryniau Pl LL30 113 D1
Bryniau Rd LL30 113 D1
Bryniau Terr LL57 149 F1
Bryn Islwyn LL48 70 C6
Bryn Ithel LL22 135 A6
Brynkir LL71 10 B2
Bryn La LL58 17 F2
Bryn Llan Abergele LL22 135 B6
Bryncroes LL53 79 D8
Llandwrog LL54 39 E7
Bryn Llewelyn Est LL48 70 D6
Bryn Llewelyn Terr LL24 45 D1
Bryn-Llwyd Bangor LL57 142 D2
Bryn-Llwyd *continued*
Bangor LL57 142 E2
Bryn Llwyd Llanfaethlu LL65 8 C6
Penygroes LL54 40 A3
Bryn Llwyd Bglws LL57 142 D2
Bryn-Llys 9 LL18 125 F7
Bryn Llywelyn LL61 21 F2
Bryn Lupus Dr LL30 118 A7
Bryn Lupus Rd LL30 117 F6
Bryn Maelgwyn La LL30 117 F6
Bryn Mair Bryncroes LL53 79 D8
Llanfairfechan LL33 126 C1
Bryn Mair Ave LL22 123 B1
Bryn Marchog LL65 138 C7
Bryn Marl LL31 118 A4
Bryn-Marl Rd LL28 119 B4
Brynmawr Terr LL42 161 C5
Bryn Melyn Cvan Pk LL23 76 F3
Bryn Menai LL28 119 D8
Bryn Meurig LL77 139 B5
Bryn Moelyn LL55 30 E6
Brynmor Ave LL18 125 D6
Bryn Mor Ct LL30 114 F2
Bryn Morfa LL18 136 F5
Bryn Morfa Cvn Pk LL32 117 B3
Bryn Morfe LL32 23 E1
Brynmor Terr
Llanfairfechan LL33 126 C2
Penmaenmawr LL34 127 D5
Bryn Mor Terr LL65 138 D6
Bryn Moryd LL65 7 E3
Bryn Mynach Rd LL42 161 C5
Bryn Ogwen LL57 142 B1
Bryn Onnen LL22 135 B6
Bryn Owen St / Stryd Bryn Owen LL57 150 C4
Bryn Owen Uchaf LL57 142 E2
Bryn Pandy LL77 139 C5
Bryn Parc LL22 123 B1
Bryn Paun LL58 17 F6
Bryn Piod LL40 95 D5
Bryn Pistyll LL57 150 C5
Brynpydew Rd LL28 119 A7
Bryn Rd
Llanfairfechan LL33 126 C2
Towyn LL22 124 A4
Bryn Refail Terr LL63 19 D7
Bryn Rhedyn
Llanfairfechan LL33 126 C1
Newborough / Niwbwrch LL61 20 E1
Bryn Rhedyw LL54 40 A2
Bryn Rhos LL55 153 B4
Bryn Rhosyn LL22 135 B6
Bryn Rhyg LL29 119 E2
Bryn-rhys LL28 130 D5
Bryn Saethon LL48 70 D6
Bryn Salem LL61 141 A4
Bryn Seiriol LL30 117 E6
Bryn Seiri Rd LL32 129 D6
Brynsiencyn Rd / Ffordd Brynsiencyn LL61 141 B3
Bryn Siriol Benllech LL74 11 E1
Llanddulas LL22 121 F4
Bryn Sisyllt LL54 40 A2
Bryn St LL47 70 D2
Bryn Tawel LL61 21 F1
Brynteg Bethesda LL57 150 D2
Llanfaelog LL63 19 C7
Llansadwrn LL59 17 B3
Bryn Teg
1 Beaumaris LL58 17 F3
Llandegfan LL59 142 D8
Llanfairfechan LL33 126 C1
Llanfairpwllgwyngyll LL61 141 C5
Towyn LL22 124 B3
Bryn Teg Ave LL29 120 C3
Bryn Teg Dr LL28 119 D6
Brynteg Holiday Pk LL55 30 F5
Bryn Teg La / Lon Bryn Teg LL59 142 E8
Bryn Teg / Mount Pleasant Rd LL40 162 C2
Brynteg St LL57 150 C2
Bryn-teg Terr LL57 31 C8
Bryn Teg Terr / Rhes Bryn Teg 18 LL57 142 F5
Bryn Telynor LL42 161 B4
Bryn Terr LL32 129 D6
Bryntirion Bethesda LL57 150 C2
Bryntirion* LL61 29 C8
Llanfairpwllgwyngyll LL61 141 D4
Bryn Tirion
6 Beaumaris LL58 17 F3
Gwalchmai LL65 14 B3
Henllan LL16 27 F3
Penisa'r waun LL55 31 A6
Bryntirion Ave LL18 125 D8
Bryntirion Pk LL32 129 D6
Bryntirion Terr
Abergele LL22 123 B1
4 Criccieth LL52 68 D5
Bryn Trewan LL65 13 B4
Bryn Twr LL22 135 B6
Bryn Tyddyn LL52 69 A6
Bryn View Rd LL30 115 A1
Bryn-y-Bia Cl LL30 114 D3
Bryn-y-Bia Pl LL30 114 D3
Bryn-y-Bia Rd LL30 114 D3
Bryn-y-Coed LL31 117 F4
Bryn-y-Fedwen LL30 117 E7
Bryn-y-Garn Rd / Ffordd Bryn-y-Garn LL16 27 F3
Bryn Y Goelcerth 16 LL57 142 F5
Bryn-y-Gof LL55 153 B2
Bryn-y-gog SY20 163 E5
Bryn-y-Maen LL77 139 E4
Bryn-y-Mor LL56 146 F2
Brynymor Cvn Site LL36 109 B8
Bryn-y-Mor Rd LL28 119 E6
Bryn Y Mor Rd LL65 7 D1
Bryn-y-neuadd Hospl LL33 126 B2
Bryn-y-Paderau LL36 109 C7
Bryn y waen LL56 147 C4
Buckley Ave LL18 125 A6
Buckley Rd / Ffordd Bwclae 1 LL57 142 F5
Buckley Terr LL33 126 C2
Builder St LL30 113 E2
Builder St W LL30 113 E1
Bulkeley Sq / Maes Bulkeley 8 LL77 139 D4
Bulkeley Terr 9 LL58 17 F2
Bull Bay Rd / Ffordd Porth Llechog LL68 4 D6
Bungalows The
Amlwch LL68 4 D5
Dolgarrog LL32 23 D1
Penysarn LL69 4 F3
Bunker's Hill 7 LL58 17 F3
Burgedin Terr 4 LL18 125 E1
Burlington Cres LL18 125 D6
Burton Way LL58 17 F4
Burwen Rd / Ffordd Burwen LL68 4 C5
Bush Rd / Lon Llwyn LL56 147 B3
Butterton Rd LL18 125 A7
Buxton Ct 2 LL18 125 B6
Bwlch Alltran LL65 138 E5
Bwlch Cvn Pk LL78 16 A8
Bwlch Farm Cvn Pk LL31 117 F5
Bwlch Farm Rd LL31 117 F5
Bwlch Gwynt LL53 65 E8
Bwlch-y-Gwynt Rd LL29 133 B6
Bwlch Y Maen LL24 155 A6
Byrn Berllan LL57 142 D3

C

Cadair Idris National Nature Reserve* LL36 101 C3
Cadeirian Deiniol / Bangor Cathedral* LL57 143 A5
Cader Ave LL18 124 D4
Cader Dinmael LL21 62 A3
Cader Idris LL28 130 C4
Cader Rd / Fford Cader Idris LL40 162 C2
Cader Wlk LL36 109 C7
Cadnant Ct 16 LL58 17 F3
Cadnant Pk LL32 117 D2
Cadnant Rd / Ffordd Cadnant LL59 142 B6
Cadwalader LL18 124 E4
Cadwgan Ave 6 LL29 120 D3
Cadwgan Rd LL29 120 E3
Cae America LL33 126 D1
Cae Argoed LL35 109 F3
Caeau Bach LL55 152 F2
Cae Bach Bangor LL57 143 E1
Llandrillo LL21 77 D4
Llandudno LL30 113 E2
Llannor LL53 66 B4
Llansannan LL16 37 C8
Cae Bach Aur LL77 14 F3
Cae Berllan LL55 152 F5
Cae Blodau LL18 124 D4
Cae Bold LL55 153 A5
Cae Braenar LL65 138 F4
Cae Bronnydd LL26 154 C4
Cae Bryn LL54 40 B6
Cae Cali LL78 11 C1
Cae Capel
Betws-yn-Rhos LL22 25 F8
Chwilog LL53 67 D5
Tudweiliog LL53 63 H6
Cae Capel Bach LL54 40 B4
Cae Capel / Chapelfield LL31 118 A5
Cae Catrin LL54 40 B3
Cae Ceithin Farm Pk* LL46 83 E3
Caechwarel LL57 150 D4
Cae Cilmelyn LL57 142 B1
Cae Cloc LL64 19 A8
Cae Clochydd LL57 150 D3
Cae Clwyd LL21 61 B7
Cae Clyd LL30 114 A2
Cae Cnyciog LL61 141 C4
Cae Coed LL31 118 B3
Cae Corn Hir LL55 152 E3
Cae Croes LL23 159 C4
Cae Crwn SY20 163 E4
Cae Cyd Rd LL34 128 A6
Cae Dafis LL53 157 C4
Cae Dderwen LL22 26 C5
Cae Deintur LL40 162 C3
Cae Derw LL31 118 C3
Cae Du LL53 81 A2
Cae Dwr LL53 81 D6
Cae Eicer Est LL68 5 A5
Cae Eithin LL48 70 B5
Cae Felin LL22 25 F8
Cae Ffynnon LL59 17 C1
Caeffynnon Rd LL33 126 C2
Cae Fron LL54 40 E5
Cae Gadlas LL23 159 C5
Cae Garnedd LL67 3 B5
Cae Garw LL46 160 D1
Cae Garw Rd LL55 153 B5

Fairview *continued*
Menai Bridge / Porthaethwy LL59 .... 142 B5
Fair View LL65 .... 138 D6
Fair View Terr LL61 .... 141 B4
Fairway LL28 .... 119 D8
Fairways LL30 .... 113 D1
Fairy Glen* LL24 .... 45 E4
Fairy Glen* LL25 .... 155 D1
Old Colwyn LL29 .... 120 D3
Fairy Glen Rd LL34 .... 128 C5
Farchnata Marketing Ctr / Y Ganolfan Farchnata LL49 .... 158 B5
Farchynys Woodland Wlk* LL40 .... 94 A1
Fardre Hill LL22 .... 135 F4
Farmer St LL71 .... 10 A3
Farrar Rd / Ffordd Farrar LL57 .... 142 F4
Farrington Ct LL30 .... 114 F1
Fawnog Wen 7 LL48 .... 70 D6
Fedwen Arian LL22 .... 25 C2
Felindre SY20 .... 111 B7
Felin Gerrig LL54 .... 40 B3
Felin Graig LL77 .... 139 F4
Felin Isaf / Smithfield Sq LL40 .... 162 C2
Felin Isaf (Water Mill)* LL28 .... 130 C2
Felin Uchaf LL40 .... 162 C1
Felin Hen Rd LL57 .... 149 C6
Fernbrook Rd LL34 .... 127 E5
Fern Cl 2 LL18 .... 125 F8
Ferndale Rd LL31 .... 118 A3
Fern Hill LL74 .... 11 E1
Fern Way LL18 .... 125 E8
Fern Wlk 1 LL18 .... 125 F8
Ferry Farm Rd LL31 .... 117 F3
Festiniog Rly* LL41 .... 71 B8

Fferm = farm

Fferm Bach Rd LL30 .... 114 B1
Fferm Bwlch Mawr Touring Cvn Pk LL32 .... 129 D4
Fferm Coleg Glynllifon LL54 .... 39 F6
Fferm La LL30 .... 118 B8
Ffestiniog Memorial Hospl LL41 .... 156 D4
Ffestiniog Power Sta Visitor Ctr* LL41 .... 56 E3
Ffestiniog Rly Mus* LL49 .... 158 E3
Fford Bodlondeb LL40 .... 162 B2
Fford Cader Idris / Cader Rd LL40 .... 162 C2
Fford Cae Rhyg LL53 .... 65 C7
Fford Coetmor LL57 .... 150 B4
Fford Cwellyn LL55 .... 152 F5
Fford Cynan / St George's Rd LL59 .... 142 B5

Ffordd = road, way

Ffordd 6G / 6G Rd LL31 .... 118 A2
Ffordd Aber LL18 .... 125 E2
Ffordd Abercaseg / Abercaseg Rd LL57 .... 150 D1
Ffordd Abergele LL22 .... 25 F8
Ffordd Abergele / Abergele Rd LL18 .... 137 B8
Ffordd Ainon / Ainon Rd LL57 .... 142 E3
Ffordd Alban LL36 .... 109 C7
Ffordd Angharad LL61 .... 141 B4
Ffordd Anwyl LL18 .... 125 E8
Ffordd Ashley / Ashley Rd 4 LL57 .... 143 A5
Ffordd Bala / Bala Rd LL40 .... 162 D3
Ffordd Bangor / Bangor Rd
Benllech LL74 .... 11 E1
Bethesda LL57 .... 150 B3
Caernarfon LL55 .... 153 A8
Llanfairfechan LL33,LL34 .... 126 F5
Penmaenmawr LL34 .... 127 C5
Ffordd Barrfield / Barrfield Rd 5 LL18 .... 125 F2
Ffordd Beaumaris / Beaumaris Rd LL58, LL59 .... 142 E7
Ffordd Beibio LL65 .... 138 F5
Ffordd Belmont / Belmont Rd LL57 .... 142 D4
Ffordd Benar LL44 .... 92 E5
Ffordd Berthddu / Betws Rd LL26 .... 154 C2
Ffordd Bethel / Bethel Rd LL55 .... 153 C7
Ffordd Blaenau / Blaenau Rd LL41 .... 57 A1
Ffordd Bodnant / Bodnant Rd LL28 .... 24 B7
Ffordd Bodnant Uchaf / Bodnant Uchaf Rd LL28 .... 24 B7
Ffordd Bont Saint / Pwllheli Rd LL55 .... 152 E1
Ffordd Brighton / Brighton Rd LL18 .... 125 C7
Ffordd Bro Mynach / Monks Vale Rd LL42 .... 161 B6
Ffordd Bronwydd LL57 .... 141 F1
Ffordd Bruton LL18 .... 125 F6
Ffordd Bryn Fran LL28 .... 24 C5
Ffordd Bryngwyn LL55 .... 30 F6
Ffordd Bryn Saith LL26 .... 154 D8
Ffordd Brynsiencyn / Brynsiencyn Rd LL61 .... 141 B3
Ffordd Bryn-y-Garn / Bryn-y-Garn Rd LL16 .... 27 F3
Ffordd Bugail LL29 .... 120 B2
Ffordd Burwen / Burwen Rd LL68 .... 4 C5
Ffordd Bwclae / Buckley Rd 1 LL57 .... 142 F5
Ffordd Cadfan LL36 .... 109 C7
Ffordd Cadnant / Cadnant Rd LL59 .... 142 B6
Ffordd Cae Duon LL54 .... 53 B8
Ffordd Cae Forys LL28 .... 24 C7
Ffordd Cae Glas LL18 .... 125 F2
Ffordd Caerdydd / Cardiff Rd LL53 .... 157 C4
Ffordd Caerdydd Uchaf / Upper Cardiff Rd LL53 .... 157 C4
Ffordd Caergybi LL67 .... 3 C6
Ffordd Caergybi / Holyhead Rd
Bangor LL57 .... 142 D5
Llangefni LL62,LL77 .... 139 B1
Star LL60,LL61 .... 140 C4
Ffordd Caergybi / Holyhead Rd LL24 .... 155 C5
Ffordd Caergybi / Holyhead Road LL61 .... 141 D3
Ffordd Caergygi / Holyhead Rd LL60 .... 21 C8
Ffordd Cae'r Melwr / Nebo Rd LL26 .... 154 D3
Ffordd Caernarfon / Caernarfon Rd
Bangor LL57 .... 142 D2
Caernarfon LL55 .... 30 A8
Y Felinheli LL55,LL56 .... 146 E1
Ffordd Cambria / Cambria Rd LL59 .... 142 B4
Ffordd Cambrian / Cambrian Road LL36 .... 109 C7
Ffordd Capel LL44 .... 92 E6
Ffordd Capel-Coch / Capel-Coch Rd LL55 .... 31 C3
Ffordd Caradoc LL65 .... 7 C1
Ffordd Carnedd LL56 .... 147 B5
Ffordd Carneddi / Carneddi Rd LL57 .... 150 D2
Ffordd Castell / Castle St LL52 .... 68 E4
Ffordd Ceiriog LL57 .... 143 A6
Ffordd Celyn LL29 .... 120 B2
Ffordd Celynin / Celynin Rd LL37 .... 105 D8
Ffordd Cerrig Mawr LL65 .... 13 A4
Ffordd Cibyn LL55 .... 153 A4
Ffordd Cildwrn / Cildwrn Rd LL77 .... 139 B5
Ffordd Clegir LL55 .... 31 C3
Ffordd Clynnog / Clynnog Rd LL54 .... 40 A3
Ffordd Coed Helen / Coed Helen Rd LL54 .... 152 D3
Ffordd Coed Marion LL55 .... 153 A4
Ffordd Coed Mawr LL57 .... 142 D2
Ffordd Coetmor / Coetmor Rd LL57 .... 150 C3
Ffordd Conwy / Conwy Rd LL34 .... 127 E6
Ffordd Corn Hir LL77 .... 139 C5
Ffordd Corsen LL38 .... 99 D3
Ffordd Cors Y Llyn LL54 .... 40 C1
Ffordd Craiglan LL24 .... 155 D5
Ffordd Craiglun LL18 .... 124 F3
Ffordd Craig Y Don / Craig Y Don Rd 6 LL57 .... 142 F5
Ffordd Crawia LL55 .... 30 E7
Ffordd Crigyll / Crigyll Rd LL64 .... 19 B8
Ffordd Crwys LL57 .... 148 A8
Ffordd Cwestenin / Constantine Rd LL55 .... 152 E3
Ffordd Cwm / Cwm Rd LL34 .... 127 D5
Ffordd Cwstenin 2 LL28 .... 119 B4
Ffordd Cwt Glas LL44 .... 92 E7
Ffordd Cynan LL57 .... 148 A8
Ffordd Cynfal LL57 .... 142 E4
Ffordd Cynlas LL74 .... 11 E1
Ffordd Dawel LL29 .... 120 B2
Ffordd Deiniol LL55 .... 31 C6
Ffordd Deiniol / Deiniol Rd LL57 .... 142 F4
Ffordd Denman 1 LL57 .... 142 E3
Ffordd Derwen LL18 .... 125 D5
Ffordd Dewi
Llandudno LL30 .... 113 F2
Rhuddlan LL18 .... 125 F1
Ffordd Dewi Sant LL53 .... 65 C7
Ffordd Dinas LL33 .... 126 D1
Ffordd Dulyn LL30 .... 113 D1
Ffordd Dwyfor LL30 .... 113 F1
Ffordd Dyfed LL36 .... 109 C7
Ffordd Dyffryn LL28 .... 119 B5
Ffordd Dyfrig LL36 .... 109 D7
Ffordd Dyrpac / Kings Cres LL42 .... 161 C5
Ffordd Dyserth / Dyserth Rd LL18 .... 125 F7
Ffordd Efail Uchaf LL26 .... 154 D8
Ffordd Eglwys LL58 .... 17 F4
Ffordd Elan LL18 .... 125 F8
Ffordd Eleth LL72 .... 11 E5
Ffordd Elfed LL57 .... 143 B3
Ffordd Elias LL29 .... 121 A3
Ffordd Elidir LL55 .... 152 F5
Ffordd Elisabeth LL30 .... 113 E1
Ffordd Eithinog LL57 .... 142 C3
Ffordd Emrys LL22 .... 122 F1
Ffordd Eryr LL28 .... 119 B4
Ffordd Eryri LL55 .... 152 E2
Ffordd Euryn LL28 .... 119 B5
Ffordd Euston / Euston Rd LL57 .... 142 E4
Ffordd Farrar / Farrar Rd LL57 .... 142 F4
Ffordd Felin Seiont / Seiont Mill Rd LL55 .... 152 E2
Ffordd Fer 2 LL65 .... 138 D5
Ffordd Feurig LL65 .... 138 E4
Ffordd Fferm Yr Eryr / Eagles Farm Rd LL28 .... 119 A3
Ffordd Ffridd Isa LL44, LL43 .... 93 A5
Ffordd Ffriddoedd / Ffriddoedd Rd LL57 .... 142 E4
Ffordd Ffynnon
Rhuddlan LL18 .... 125 E2
Tywyn LL36 .... 109 C7
Ffordd Fodolydd / Fodolydd La LL56 .... 147 E5
Ffordd Frydlas / Frydlas Rd LL57 .... 150 D2
Ffordd Ganol LL18 .... 125 F2
Ffordd Garth / Garth Rd 12 LL57 .... 143 A5
Ffordd Garth Uchaf / Upper Garth Rd LL57 .... 143 A6
Ffordd Gefin Belgrave / Back Belgrave Rd 10 LL29 .... 120 A4
Ffordd Gelli Morgan LL57 .... 147 E8
Ffordd Gerlan / Gerlan Rd LL57 .... 150 E2
Ffordd Gethin LL24 .... 155 A6
Ffordd Glandwr LL77 .... 139 D4
Ffordd Glanffynnon LL55 .... 30 E6
Ffordd Glanmoelyn LL55 .... 30 E6
Ffordd Glan Mor LL46 .... 160 E5
Ffordd Glan-Mor LL43 .... 92 E4
Ffordd Glasgoed LL55 .... 153 A5
Ffordd Glyder LL56 .... 147 B5
Ffordd Glynne / Glynne Rd LL57 .... 143 A6
Ffordd Gobaith LL28 .... 119 B5
Ffordd Gogor LL16 .... 37 C8
Ffordd Gorad / Gorad Rd LL57 .... 142 F6
Ffordd Gors LL44 .... 92 F5
Ffordd Groes LL22 .... 26 B4
Ffordd Groes / Cross St LL54 .... 40 B4
Ffordd Gwelfryn LL22 .... 123 C4
Ffordd Gwenllian
Llanfairpwllgwyngyll LL61 .... 141 B4
Nefyn LL53 .... 65 C7
Ffordd Gwynan / Gwynan Rd LL34 .... 127 D5
Ffordd Gwyndy LL57 .... 142 B2
Ffordd Gwynedd
11 Bangor LL57 .... 143 A5
Llandudno LL30 .... 113 F2
Tywyn LL36 .... 109 C7
Ffordd Gyffylog LL28 .... 24 B5
Ffordd Gylam Bach LL46 .... 160 E6
Ffordd Haearn Bach / Tram Rd LL54 .... 40 A4
Ffordd Ha Fryn LL29 .... 120 B2
Ffordd Hampton / Hampton Rd 11 LL55 .... 152 E4
Ffordd Hebog LL56 .... 147 B5
Ffordd Helen / Helen Terr LL56 .... 147 A2
Ffordd Helyg / Helyg Rd LL34 .... 127 D5
Ffordd Henbarc / Henbarc Rd LL57 .... 150 C4
Ffordd Hen Conwy / Conwy Old Rd LL34 .... 127 E6
Ffordd Henddol LL38 .... 99 D3
Ffordd Hendre LL57 .... 142 D2
Ffordd Hendrewen / Hendrewen Rd LL57 .... 142 F3
Ffordd Hen Eglwys / Old Church Rd LL24 .... 155 D6
Ffordd Hen Ysgol / Old School Rd LL65 .... 138 A6
Ffordd Heulog LL40 .... 162 C2
Ffordd Heulog / Sun St LL41 .... 72 A8
Ffordd Hirnos LL65 .... 138 E4
Ffordd Hwfa LL77 .... 139 D4
Ffordd Hwfa / Hwfa Rd LL57 .... 142 F5
Ffordd Iago LL54 .... 40 B6
Ffordd Idwal LL22 .... 134 F6
Ffordd Iorwerth LL53 .... 65 C7
Ffordd Isaf
Colwyn Bay / Bae Colwyn LL28 .... 119 C4
Dyffryn Ardudwy LL44 .... 92 E6
Harlech LL46 .... 160 D4
Ffordd Islwyn LL57 .... 143 A6
Ffordd Jasper LL65 .... 138 E4
Ffordd Las
Llandudno LL30 .... 113 F2
Rhyl / Y Rhyl LL18 .... 125 C6
Ffordd Llanbeblig / Llanbeblig Rd LL55 .... 153 A3
Ffordd Llanberis / Llanberis Rd LL55 .... 153 C4
Ffordd Llanddoged / Llanddoged Rd LL26 .... 154 B6
Ffordd Llandegai / Llandegai Rd LL57 .... 143 C4
Ffordd Llaneilian / Llaneilian Rd LL68 .... 4 F5
Ffordd Llanelwy LL22 .... 25 F8
Ffordd Llanllechid / Llanllechid Rd LL57 .... 150 C5
Ffordd Llechi LL64 .... 19 A8
Ffordd Llewelyn LL65 .... 7 E2
Ffordd Llifon LL77 .... 139 D4
Ffordd Lligwy LL72 .... 11 E5
Ffordd Llundain / London Rd LL65 .... 13 C7
Ffordd Llwyndu / Llwyndu Rd LL54 .... 40 B4
Ffordd Llwyn Du / Llwyn Du Rd LL28 .... 24 C4
Ffordd Llwyn Mynach LL42 .... 161 B6
Ffordd Madyn LL68 .... 4 E5
Ffordd Maelgwyn LL31 .... 118 C1
Ffordd Maelog LL64 .... 19 B7
Ffordd Maes Barcer LL55 .... 152 F4
Ffordd Maeshyfryd / Maeshyfryd Rd LL77 .... 139 E5
Ffordd Marchlyn LL55 .... 152 F5
Ffordd Meifod / Meifod Rd LL16 .... 27 F3
Ffordd Meigan 2 LL58 .... 17 F3
Ffordd Meirion / Meirion Rd LL57 .... 142 F6
Ffordd Meirion Rd LL38 .... 99 D3
Ffordd Mela LL53 .... 157 C3
Ffordd Menai LL55 .... 152 F6
Ffordd Menai / Menai Rd LL57 .... 142 F6
Ffordd Minffordd LL55 .... 30 E6
Ffordd Morfa
Harlech LL46 .... 160 E6
Llandudno LL30 .... 113 F2
Ffordd Morfa Bychan LL49 .... 158 B2
Ffordd Morley / Morley Rd LL18 .... 125 C7
Ffordd Morris LL18 .... 125 F1
Ffordd Mynach LL28 .... 119 A4
Ffordd Mynach / Mynach Rd LL42 .... 161 B6
Ffordd Mynydd Griffiths SY20 .... 163 D5
Ffordd Naddyn LL28 .... 130 C4
Ffordd Nant
Kinmel Bay / Bae Cinmel LL18 .... 124 F3
Llangefni LL77 .... 139 D4
Rhuddlan LL18 .... 125 F2
Ffordd Nasareth LL54 .... 40 B1
Ffordd Nebo LL54 .... 40 B1
Ffordd Neifion / Neptune Road LL36 .... 109 C7
Ffordd Newydd LL46 .... 160 D4
Ffordd Newydd / Abergele Rd LL26 .... 154 C4
Ffordd Newydd / New Rd
Llanddulas LL22 .... 122 A2
Llandudno Junction LL31 .... 118 A3
9 Rhuddlan LL18 .... 125 F1
Ffordd Offa LL18 .... 125 F6
Fford Dolafon LL77 .... 139 E5
Ffordd Padarn / Padarn Rd 20 LL55 .... 31 C3
Ffordd Pafiliwn 1 LL55 .... 152 E4
Ffordd Pandy
Caernarfon LL55 .... 153 A4
Colwyn Bay / Bae Colwyn LL29 .... 120 B3
Ffordd Panteinion
Dyffryn Ardudwy LL44 .... 92 E7
Fairbourne LL38 .... 99 D3
Ffordd Pant / Pant Rd
Bethesda LL57 .... 150 D2
Caernarfon LL54 .... 152 E1
Ffordd Parc Castell LL18 .... 136 F4
Ffordd Pari / Parry Rd LL26 .... 154 B4
Ffordd Pedrog
Llanbedrog LL53 .... 81 B6
Mynytho LL53 .... 81 A5
Ffordd Penamser / Penamser Rd LL49 .... 158 B5
Ffordd Penchwintan / Penchwintan Rd LL57 .... 142 E3
Ffordd Penclip / Druid Rd LL59 .... 142 B6
Ffordd Pendinas LL57 .... 149 F5
Ffordd Pendyferyn LL65 .... 7 E2
Ffordd Penlan
Bangor LL57 .... 147 E8
11 Llangefni LL77 .... 139 D4
Ffordd Pen Llech LL46 .... 160 E5
Ffordd Penmynydd
Llanfairpwllgwyngyll LL61 .... 141 C5
Menai Bridge / Porthaethwy LL59 .... 141 E7
Ffordd Pennant / Pennant Rd LL28 .... 24 B4
Ffordd Penrhos / Penrhos Rd LL57 .... 142 C2
Ffordd Penrhyd LL28 .... 23 F6
Ffordd Penrhyd / Penrhyd Rd LL28 .... 24 A6
Ffordd Penrhyn LL30 .... 113 F2
Ffordd Pentraeth / Pentraeth Rd
Menai Bridge / Porthaethwy LL59 .... 141 F6
Pentraeth LL79 .... 16 F2
Ffordd Pentre Mynach LL42 .... 161 B7
Ffordd Penybonc / Penybonc Rd LL68 .... 4 E6
Ffordd Penybryn / Penybryn Rd LL55 .... 152 F1
Ffordd Pen Y Bryn / Penybryn Rd LL57 .... 143 C5
Ffordd Pen Y Cefn / Pen Y Cefn Rd LL40 .... 162 C3
Ffordd Pen Y Ffridd / Pen Y Ffridd Rd LL57 .... 142 C2
Ffordd Pont Lloc LL54 .... 40 C1
Ffordd Porth Llechog / Bull Bay Rd LL68 .... 4 D6
Ffordd Porthmadog / Porthmadog Rd LL52 .... 68 F5
Ffordd Rhedyw / Rhedyw Rd LL54 .... 40 A2
Ffordd Rhiannon LL61 .... 141 B4
Ffordd Rhiwlas / Rhiwlas Rd LL28 .... 24 B4
Ffordd Richard Davies LL17 .... 27 E8
Ffordd Russell / Russell Rd LL18 .... 125 C8
Ffordd Sackville / Sackville Rd 3 LL57 .... 142 F4
Ffordd Sam Pari LL32 .... 117 B3
Ffordd Santes Helen / St Helen's Rd LL55 .... 152 E3
Ffordd Segontiwm / Segontium Rd S 7 LL55 .... 152 E3
Ffordd Seion 4 LL57 .... 143 B6
Ffordd Seiriol LL72 .... 11 E5
Ffordd Seiriol / Seiriol Rd LL34 .... 127 D5
Ffordd Siabod LL56 .... 147 B4
Ffordd Siglen LL29 .... 120 B3
Ffordd Siliwen / Siliwen Rd LL57 .... 143 A7
Ffordd Talcymerau / Talcymerau Rd LL53 .... 157 B3
Ffordd Talwrn LL75 .... 16 D5
Ffordd Talybont / Talybont Rd LL26 .... 154 B4
Ffordd Tanlan LL21 .... 61 B7
Ffordd Tan'r Allt LL22 .... 122 F1
Ffordd Tanrhiw LL57 .... 149 E5
Ffordd Tan Y Bryn LL57 .... 143 B5
Ffordd Tanybryn / Tanybryn Rd LL68 .... 4 D5
Ffordd Tan Y Bwlch / Tanybwlch Rd LL57 .... 150 D5
Ffordd Tan Y'r Ysgol / School Bank Rd LL26 .... 154 C3
Ffordd Tegai LL57 .... 143 B4
Ffordd Tegid LL57 .... 143 A6
Ffordd Teifion LL61 .... 141 C5
Ffordd Telford / Telford Rd LL59 .... 142 B4
Ffordd Terfyn LL18 .... 136 C5
Ffordd Terr LL76 .... 16 C7
Ffordd Tirionfa LL29 .... 120 E3
Ffordd Treborth / Treborth Rd LL57 .... 142 A2
Ffordd Triban LL28 .... 119 D3
Ffordd Trwyn Swch LL26 .... 154 D8
Ffordd Tudno LL30 .... 113 F2
Ffordd Tudur LL65 .... 138 E5
Ffordd Ty Canol LL46 .... 160 E7
Ffordd Ty Cerrig LL54 .... 40 B1
Ffordd Tyddyn-y-Felin LL43 .... 92 F4
Ffordd Ty Du / Ty Du Rd LL55 .... 31 C3
Ffordd Ty Gwyn LL26 .... 154 D2
Ffordd Ty Gwyn / Ty Gwyn Rd LL28 .... 24 A6
Ffordd Tyn Clwt LL57 .... 142 B1
Ffordd Tyrpeg Uchaf LL26 .... 154 D8
Ffordd Tysilio LL59 .... 142 A5
Ffordd Uchaf
Colwyn Bay / Bae Colwyn LL28 .... 119 C4
Harlech LL46 .... 160 E4
Ffordd Uwchglan LL46 .... 160 D1
Ffordd Victoria / Victoria Rd 34 LL55 .... 152 E4
Ffordd Wellington / Wellington Rd LL18 .... 125 A7
Ffordd Wern LL55 .... 153 A4
Ffordd Wern Ddu / Blackmarsh Road LL28 .... 119 A4
Ffordd Wiga LL31 .... 118 F7
Ffordd William Morgan LL17 .... 137 D1
Ffordd Wynfa LL65 .... 138 C5
Ffordd-y-Berllan LL22 .... 124 B2
Ffordd-y-Berth LL22 .... 135 C6
Ffordd-y-Brenin / King's Rd LL54 .... 40 B4
Ffordd Y Briws LL44 .... 92 E6
Ffordd Y Bryn LL38 .... 99 D3
Ffordd-y-Bryn LL28 .... 119 B5
Ffordd Y Bryniau LL22 .... 135 B3
Ffordd Y Castell LL57 .... 143 B4

Ffordd-y-Cob / Embankment Rd LL53 157 D4
Ffordd Y Coleg LL37 105 D8
Ffordd Y Coleg / Askew St LL59 142 B5
Ffordd Y Coleg / College Rd LL57 142 F5
Ffordd-y-Fedwen LL29 120 B2
Ffordd-y-Felin LL36 105 E2
Ffordd Y Felin LL40 162 D2
Ffordd Y Ffair / Wood St LL59 142 B5
Ffordd Y Ffynnon / Well St 6 LL57 143 A5
Ffordd Y Garddi LL23 159 D4
Ffordd-y-Glyn LL53 81 D6
Ffordd y Glyn / Valley Rd LL29 120 A2
Ffordd Y Gogledd / North Rd LL55 152 E6
Ffordd-y-Graig
Llanddulas LL22 121 E3
Old Colwyn LL29 121 A3
Ffordd Y Llan LL44 92 E6
Ffordd-y-Llan LL29 121 B2
Ffordd Y Llyn
Bangor LL57 147 E8
Nebo LL54 40 C1
Ffordd-y-Maer
Colwyn Bay / Bae Colwyn LL28 119 B4
Pwllheli LL53 157 D5
Ffordd-y-Marian / Marian Rd LL40 162 C2
Ffordd y Mor 1 LL67 3 D6
Ffordd Y Morfa LL22 123 B2
Ffordd-y-Morfa LL22 123 B3
Ffordd Y Mynydd LL22 25 F8
Ffordd Y Mynydd / Mountain Rd LL57 150 D5
Ffordd Y Mynydd / Mount St LL57 143 B5
Ffordd Y Neuadd LL44 92 E6
Ffordd Y Paced / Water St LL59 142 B4
Ffordd Y Parc
Bangor LL57 147 E8
Nebo LL54 53 A8
Treborth LL57 141 E1
Ffordd y Pier / Pier Road LL36 109 C7
Ffordd Yr Aber / Aber Foreshore Rd LL54 152 C4
Ffordd Yr Alarch / Swan Rd LL28 119 A3
Ffordd-yr-Drsaf / Station Rd LL54 40 A4
Ffordd Yr Efail
Dyffryn Ardudwy LL44 92 E6
6 Llangefni LL77 139 D4
Ffordd Yr Elen LL57 150 D3
Ffordd Yr Hafod / Hafod La LL57 148 A6
Ffordd Yr Orsaf / Station Rd
Bangor LL57 142 F4
Dyffryn Ardudwy LL44 92 E6
Llanrug LL55 30 E6
Ffordd Yr Orsedd LL30 113 E1
Ffordd-yr-Ucheldir / Highland's Rd LL18 125 E2
Ffordd Yr Wyddfa LL29 119 F2
Ffordd yr Ysgol / School La LL76 16 C7
Ffordd Ysbyty / Hospital Rd LL30 113 E1
Ffordd Ysgethin LL4,LL43 92 E5
Ffordd Ysgubor Goch LL55 152 F4
Ffordd-y-Sir / County Rd LL54 40 B4
Ffordd Y Stesion / Station Rd LL57 150 B2
Ffordd y Traeth LL67 3 C6
Ffordd Y Traeth / Strand St 14 LL57 143 B6
Ffordd Y Tywysog / Prince's Rd 5 LL57 142 F5
Ffordd y Wylan 6 LL67 3 D6
Ffordd-y-Wylan LL64 19 B8
Fford Glancymerau LL53 157 B3
Fford Mona / Mona Rd LL59 142 A4
Fford-y-Castell / Castle St LL18 125 E1
Fford-y-Faenor / Manor Ave LL53 157 D3
Fford Y Felin LL37 105 D8
Fford-y-Pentre LL31 118 D5
Fford Y Wendon / Wendon Dr LL68 4 E6
Fforrd y Felin LL67 3 C5
Ffos-y-Felin / Smithfield St LL40 162 C2
Ffridd Elin LL42 161 B7
Ffriddoedd Rd / Ffordd Ffriddoedd LL57 142 E4
Ffrith Rd LL31 118 D4
Ffrwd Galed LL57 149 F4
Ffrydan Rd / Heol Ffrydan LL23 159 D5
Ffynnon Arian LL36 109 C7
Ffynnon Ddoged LL26 154 D8
Ffynnongroew Rd LL18 125 B7
Ffynnon Nefydd LL16 27 B5
Ffynnon Sadwrn La LL30 114 D3
Field St Brynsiencyn LL61 21 F2
Valley / Y Fali LL65 7 E2
Field St / Stryd Cae LL57 142 E5
Field St / Stryd-y-cae 5 LL77 139 D4
Finsbury Sq / Porth Canol LL40 162 C2
First Ave LL28 119 C8
Fish Dock LL65 138 E6
Fodolydd La / Ffordd Fodolydd LL56 147 E5
Foelas Terr LL26 45 F6
Foel Farm Pk* LL61 152 C8
Foel View Rd LL18 125 E6
Foreshore Pk LL28 115 D1
Foreshore Rd / Ffordd Yr Aber LL54 152 C4
Forest Garden Arboretum* LL40 95 C5
Forest Rd LL24 155 C6
Forge Hill LL65 138 D6
Forge Rd SY20 163 E4
Foryd Rd LL18 124 D5
Fountain St / Stryd Y Pistyll 12 LL57 143 B6
Four Crosses
Bangor LL57 141 F1
Menai Bridge / Porthaethwy LL59 141 F6
Foxhall Cl / Clos Foxhall LL29 120 A2
Frances Ave LL18 125 D5
Francis Ave
Fairbourne LL38 99 D4
Rhos On S LL28 119 E6
Frank Villas LL30 113 D1
Frankwell Cl LL36 109 D7
Frankwell St LL36 109 C7
Frederick St LL18 125 A5
Friars Ave / Rhodfa's Brodyr 5 LL57 143 B6
Friars Cotts LL57 143 B5
Friars' Rd LL57 143 B5
Friar's Wlk / Lon Y Brodyr 7 LL57 143 A6
Friog Terr LL38 99 D3
Froheulog 4 LL48 70 D6
Fro Heulog Terr LL40 162 D2
Fron LL67 3 C6
Fron Bant LL57 150 E2
Fron Cres LL33 126 D1
Frondeg Llanfair LL46 160 D1
Penmachno LL24 45 D1
Fron-deg LL54 40 B6
Fron Deg
Llandegfan LL59 142 D8
Llanfairpwllgwyngyll LL61 141 C5
Rhostryfan LL54 40 D8
Fron-Deg Rd LL30 114 E1
Frondeg St LL57 150 C4
Frondeg St / Lon Frondeg 3 LL57 143 A5
Frondirion LL40 162 C3
Fron Eithin LL62 20 D3
Fron Fair LL41 71 C7
Fron Farm / Y Fron LL59 141 F6
Fron Fawr LL41 156 C4
Fronfelen Terr LL44 92 E6
Fron Felin Terr LL42 161 C5
Fron Francis Cvn Pk LL26 154 A8
Frongain LL23 88 F5
Fron-galed LL41 72 A3
Fron Goch 24 LL55 31 C3
Fron-goch LL41 71 C7
Frongoed LL16 38 D5
Fronheulog LL77 14 F3
Fron Heulog LL59 141 F6
Fron Heulog Terr 14 LL57 142 F5
Fronhill LL46 160 E2
Fron Hyfryd LL53 50 F2
Fron Pk Ave LL33 126 C2
Fron Rd LL29 120 C3
Fron Rd / Lon Fron LL77 139 D3
Fron Serth LL40 162 E2
Fron Terr 5 LL29 120 D3
Fron Uchaf LL29 119 E2
Fronwnion LL40 162 B2
Fronwynion St LL41 72 A2
Fronwynion Terr 6 LL41 72 A2
Fryars Bay LL58 18 A4
Frydlas Rd / Ffordd Frydlas LL57 150 D2
Fyny'r Allt / Town Hill LL26 154 C4

G

Gadlas Rd LL29 121 D1
Gadlys Cvn Site LL70 11 C5
Gadlys La 7 LL58 17 F2
Gaerwen Ind Est LL60 21 E6
Gaerwen Uchaf LL60 21 F6
Gaingc Rd LL22 123 F5
Gallt Ednyfed / Ednyfed Hill LL68 4 F6
Gallt Y Sil LL55 152 F3
Gamar Rd LL29 121 D2
Gambier Terr 6 LL57 143 A6
Gamlin St LL18 125 B7
Ganllwyd Prim Sch / Ysgol Gynradd Y Ganllwyd LL40 95 A7
Gannock Pk LL31 117 E5
Gannock Pk W LL31 117 D6
Gannock Rd LL31 117 D5
Gaol St LL58 17 F3
Gaol St / Stryd Moch LL53 157 C5
Garage St LL30 113 F2
Gardd Denman LL57 142 E3
Gardd Eryri LL34 116 B2
Gardd Y Mor / Marine Gdns LL31 117 D6
Garden Dr LL30 115 A1
Garden La / Y Gerddi LL65 13 C7
Garden Pl
Holyhead / Caergybi LL65 138 E4
Porthmadog LL49 158 E4
Garden St 2 LL30 113 E3
Garden Terr LL63 19 E3
Garden Village SY20 163 E4
Gareth Cl LL18 125 D6
Garfield Terr 8 LL57 143 A6
Garneddwen SY20 108 C7
Garneddwen Rd LL57 150 D2
Garnett Ave LL18 125 B6
Garnon St / Stryd Garnon 28 LL55 152 E4
Garreg Domas LL65 138 D6
Garreg Frech LL48 70 D8
Garreglwyd LL74 11 E1
Garreg Lwyd LL36 109 D7
Garreglwyd Pk LL65 138 B5
Garreglwyd Rd LL65 138 C5
Garreg Terr LL48 70 D8
Garreg Wen Cvn Pk LL49 158 B1
Garreg Wen Est LL68 10 B6
Garsiwn SY20 163 D4
Garth Clarendon LL18 124 E3
Garth Cvn Pk SY20 163 F5
Garth Dr / Rhodfa'r Garth LL60 21 F6
Garth Gopa LL22 121 F3
Garth Hill / Allt Y Garth 2 LL57 143 A6
Garth Morea LL18 124 E3
Garth Rd
Aberdovey / Aberdyfi LL35 109 F3
Colwyn Bay / Bae Colwyn LL29 120 B3
Holyhead / Caergybi LL65 138 C7
Llansanffraid Glan Conwy LL28 130 C3
Llansanffraid Glan Conwy,Pentrefelin LL28 130 C2
Machynlleth SY20 163 E5
Porthmadog LL49 158 D3
Garth Rd / Ffordd Garth 12 LL57 143 A5
Garth Rd N 5 LL28 119 B4
Garth Rd S 6 LL28 119 B4
Garth Terr LL49 158 D3
Garthwen LL33 126 C3
Garth Wen LL58 17 F5
Garth Y Felin LL65 7 D2
Garth-yr-Esgob LL52 68 D4
Gar-y-Graig LL77 139 E4
Gas La / Tan Y Fynwent LL68 4 E5
Gasworks La SY20 163 C4
Gefnan LL57 31 F8
Geinionydd Lodge LL27 34 F6
Gele Ave LL22 123 B1
Gelert's Grave* LL55 55 B6
Gelert St / Heol Gelert 3 LL55 152 E3
Gelli For LL18 125 F6
Gellilyden Terr LL41 71 E6
George St
Holyhead / Caergybi LL65 138 D6
Llandudno LL30 113 E3
George St / Stryd Sior LL26 154 B4
Gerafon LL67 3 B5
Ger Afon LL53 81 C6
Geraint Rd / Lon Geraint LL52 68 E5
Gerddi LL53 64 F6
Gerddi Benar LL54 29 F1
Gerddi Hafod Lon LL59 142 E8
Gerddi Menai LL55 152 E6
Gerddi Penlon / Penlon Gdns LL57 143 B5
Gerddi'r Morfa LL32 117 C3
Gerddi Stanley 3 LL58 17 F3
Gerddi Victoria / Victoria Gdns LL29 119 F3
Gerlan Est LL65 7 F1
Gerlan New Rd LL57 150 D2
Gerlan Rd / Ffordd Gerlan LL57 150 E2
Gerlan Terr LL57 150 E1
Gernant LL57 150 D1
Ger Nant LL57 142 E3
Ger-y-Bont LL53 67 A3
Ger-y-Felin LL61 29 B8
Ger-y-Glyn LL34 128 C6
Ger-y-Mor LL22 123 B4
Ger Y Mor LL64 19 A7
Ger Y Mynydd LL57 143 A5
Ger-y-nant LL53 81 C7
Ger Y Winllan LL77 139 F4
Gethin Sq LL24 45 C1
Geufron LL18 125 C7
Geufron Terr LL41 156 D5
Geulan Rd LL29 121 B1
Gewlfor LL54 40 E8
Gilbert St LL65 138 E4
Gilfach Ddu Sta* LL55 31 D3
Gilfach Goch LL59 142 A6
Gilfach Nant-y-Glyn LL31 118 C3
Gilfach Rd
Llandudno Junction LL31 118 E6
Penmaenmawr LL34 127 D5
Gilfach Wen LL59 142 A6
Gillian Cl LL18 125 E5
Gillian Dr LL18 125 E5
Gimblet Rock Cvn Pk LL53 157 F3
Gipsy La LL18 125 A1
Gladstone Terr
Blaenau Ffestiniog LL41 156 D4
Groeslon LL54 40 B6
Llanerchymedd LL71 10 A3
Gladys Gr 3 LL29 120 A4
Glan Aber LL28 24 B6
Glanaber Terr
Barmouth / Abermaw LL42 161 D4
Cwm Penmachno LL24 57 F6
Glanaber Trad Est LL18 125 D7
Glan Afon LL53 157 A4
Glanafon St LL57 150 C2
Glanafon Terr LL32 129 D6
Glan Afon Terr 6 LL53 157 D5
Glan Cadnant LL55 152 F4
Glan Cefni 3 LL77 139 D4
Glan Collen LL22 25 C2
Glan Conwy Sta LL28 130 C5
Glan Cymerau LL53 157 B3
Glan Ddwyryd LL53 157 C6
Glan Dovey Terr LL35 109 F2
Glan Dulyn LL32 23 D3
Glan Dwr Belgrano LL22 123 C4
Dwyran LL61 29 B8
Glandwr Cres LL18 124 E4
Glandwr Rd / Lon Glandwr LL57 143 B7
Glandwr Terr
Blaenau Ffestiniog LL41 156 B4
Deiniolen LL55 31 C5
Glan-dwr Terr LL57 143 B7
Glan Erch LL53 66 F3
Glan Ewly LL22 26 C5
Glanf Arw LL28 23 F6
Glan Ffrydlas LL57 150 D1
Glanffynnon 5 LL55 30 E6
Glanglasfor 4 LL18 125 B7
Glan Gors LL46 160 E6
Glan Gwna Holiday Pk LL55 153 C3
Glanhwfa Rd / Lon Glanhwfa LL77 139 D3
Glanlliw LL23 88 D5
Glan Llyfnwy LL54 40 E4
Glan Llyn Llanfachraeth LL65 8 C1
Llanfairpwllgwyngyll LL61 141 A4
Glan Menai LL57 141 F1
Glan Moelyn 7 LL55 30 E6
Glan Mor LL55 152 D4
Glanmor Rd LL33 126 C3
Glan Mor Ucha / Crown St 7 LL55 152 D4
Glannau Tegid LL23 159 D4
Glan Ogwen LL57 150 D1
Glan Peris LL55 153 A4
Glan Pwll LL53 65 C7
Glanrafan Est LL55 29 F3
Glanrafon Abergele LL22 123 B1
Bangor LL57 143 A5
Bethesda LL57 150 E2
23 Llanberis LL55 31 C3
Llanrwst LL26 154 B4
Glanrafon Ave LL30 114 D3
Glanrafon Bach LL68 3 C3
Glanrafon / Glanrafon Terr LL55 31 F1
Glanrafon Hill / Allt Glanrafon LL57 142 F5
Glanrafon Terr LL31 117 F4
Glan'r-afon Terr LL24 33 E1
Glanrafon Terr / Glanrafon LL55 31 F1
Glan Rd LL28 119 B4
Glan Rhonwy LL54 40 E4
Glanrhos LL44 92 E6
Glanrhos Terr LL44 92 E6
Glan Rhyd LL53 157 C4
Glanrhyd / Conwy Terr LL26 154 B4
Glan Seiont LL55 152 F2
Glan Tryweryn LL23 75 C6
Glan Wendon LL36 109 B8
Glanwern Terr LL53 67 D5
Glanwydden Rd LL31 118 F7
Glan-y-Borth Holiday Village LL26 154 C3
Glan Y Don Parc LL68 4 C7
Glan-y-Fedw LL22 25 F8
Glan-y-Mor
Aberffraw LL63 19 E3
Abergele LL22 123 A3
Glan Y Mor
Caernarfon LL55 152 D4
Fairbourne LL38 99 D4
Glan-y-Mor LL28 130 C4
Glan Y Mor / Beach Rd LL56 147 A3
Glan Y Morfa Ind Est LL18 125 A5
Glan-y-Mor Rd
Llandudno Junction LL31 117 F4
Glan-y-Mor Rd *continued*
Llandudno LL30 115 B2
Old Colwyn LL29 120 F4
Rhosneigr LL64 19 A8
Glanypwll Rd LL41 156 B5
Glan-Yr-Afon Amlwch LL68 4 E5
Cwm Penmachno LL24 57 F6
Glan-yr-Afon Rd
Dwygyfylchi LL34 116 B2
Llanfairfechan LL33 126 F2
Glan Yr Afon Terr LL41 56 E3
Glan Ysgethin LL43 92 F4
Glan Y Wern LL41 156 D2
Glan-y-Wern
Talsarnau LL47 70 C1
Tyn-y-groes LL32 23 E6
Glan-y-Wern Rd LL28 119 B5
Glas Coed LL29 121 A2
Glascoed Ave LL18 124 C5
Glascoed Rd LL17 27 E8
Glasdir Copper Trail* LL40 95 B5
Glasffordd LL73 11 D3
Glasfor Terr LL42 161 C5
Glasfryn LL16 27 F3
Glasfryn Terr
Fairbourne LL39 99 F4
Pencaenewydd LL53 67 A8
Glasgoed LL62 20 B3
Glas Goed LL31 118 B4
Glasgoed Rd 7 LL67 3 D6
Glasgwm Rd LL24 45 C1
Glaslyn St / Stryd Glaslyn LL49 158 D5
Glassblobbery The* LL21 62 C1
Glendower Ct 1 LL18 125 C8
Glendower Cvn Pk SY10 91 F1
Glenfor LL22 123 A1
Glen Morfa LL22 124 B3
Glen Morfa Cvn Pk LL31 118 B2
Glenmorfa Terr LL49 158 A7
Glen Traeth LL57 143 C5
Glen View LL22 134 A6
Glen Wnion LL40 96 D5
Glen-y-gors Terr LL63 19 D7
Gloddaeth Ave LL30 113 D3
Gloddaeth Cres LL30 113 D3
Gloddaeth La LL31 118 D7
Gloddaeth St LL30 113 D3
Gloddaith View LL30 114 F1
Gloddfa Ganol Slate Mine* LL41 156 B6
Gloddfa Rd LL42 161 C4
Glon Barlwyd LL41 156 B5
Glydar LL28 130 C3
Glyn Afon Terr LL55 31 C5
Glyn Afon Terr / Tai Glyn Afon LL55 30 D2
Glyn Ave Abergele LL22 123 B2
Colwyn Bay / Bae Colwyn LL29 120 B2
Rhyl / Y Rhyl LL18 125 E6
Glyn Ave / Rhodfa Glyn 3 LL18 125 F2
Glyn Circ LL18 124 E4
Glynderwen SY20 111 E6
Glyndwr Rd LL29 121 D1
Glyndwr St / Heol Glyndwr LL40 162 C2
Glyn Garth Ct LL59 142 E8
Glyn Garth Mews LL59 142 E8
Glyn Isaf LL31 118 B3
Glynllifon St LL41 156 D4
Glynllifon Terr / Rhes Glynllifon LL54 40 B6
Glynne Rd / Ffordd Glynne LL57 143 A6
Glyn Rhonwy LL55 31 C3
Glyn Terr
Borth-y-Gest LL49 158 C1
Dwygyfylchi LL34 128 C6
Glyn-y-Marian LL53 81 D6
Glyn-y-marl Gdns LL31 118 B3
Glyn-y-Marl Rd LL31 118 B3
Glyn-y-Mor LL53 81 C6
Gnat Wlk LL65 13 A3
Godre Meurig LL38 99 D3
Godre'r Coed LL21 77 F8
Godre'r Gaer LL37 105 D8
Godre'r Garn LL16 27 F3
Godre'r Graig LL16 27 B5
Godre'r Parc LL57 149 E3
Godrer Twr LL65 138 B5
Goedlodd La LL31 118 D5
Goedwig St LL71 10 A3
Gofer LL22 136 A7
Gogarth Ave LL34 116 A1
Gogarth Rd LL30 113 C3
Golden Gate Holiday Ctr LL22 123 F5
Golden Gr LL18 125 D5
Golden Sands Holiday Camp LL18 124 C5
Golden Sunset Cvn Pk LL74 11 F1
Goleufryn LL57 142 B1
Golygfa Sychnant / Sychnant View LL34 116 B1
Gongl Rhedyn 9 LL67 3 D6
Goodman St / Stryd Goodman 10 LL55 31 C3
Gorad Rd LL65 7 E3
Gorad Rd / Ffordd Gorad LL57 142 F6
Gorddinog Cres LL58 17 F6

Gordon Ave
Colwyn Bay / Bae Colwyn LL28 119 D8
Rhyl / Y Rhyl LL18 125 A7
Gordon Terr
9 Bangor LL57 143 A6
Bethesda LL57 150 B2
Gorffwyfa LL61 29 B8
Gorlan LL32 117 C1
Gorllewin Twthill / Twthill W 5 LL55 152 E4
Goronwy Gdns LL30 115 A1
Goronwy St / Stryd Goronwy LL57 150 E1
Gors Ave LL65 138 B5
Gorsefield Rd LL35 117 C3
Gorse Hill Cvn Pk LL32 129 E3
Gors Goch LL59 142 A5
Gors Las LL59 142 A5
Gors Rd LL22 124 B2
Gorwel Abergele LL22 123 B3
Amlwch LL68 4 E5
Llanfairfechan LL33 126 D2
Gorwel Deg LL77 15 A1
Gorwelion LL65 7 D3
Gower Rd Llanrwst LL26 154 A5
Mochdre LL28 119 B5
Trefriw LL26,LL27 34 F5
Graham Dr LL18 125 D8
Graham Rd LL32 23 E1
Graig Fach SY20 163 D4
Graig Las LL77 139 B4
Graiglwyd Cl LL34 127 E5
Graiglwyd Rd LL34 127 E4
Graiglwyd Terr LL34 127 D4
Grange Ave LL18 125 D7
Grange Ct LL18 125 E7
Grange Rd
Colwyn Bay / Bae Colwyn LL29 120 A3
Llanrhos LL30 118 A7
Rhyl / Y Rhyl LL18 125 D7
Gray St / Stryd Gray LL57 150 C3
Great Orme Cable Car* LL30 113 D5
Great Orme Country Pk* LL30 113 A6
Great Orme Mines* LL30 113 C5
Great Ormes Rd LL30 113 C3
Great Orme Tramway* LL30 113 B5
Green Ave LL18 124 F4
Green Bank LL21 61 B7
Green Edge 17 LL58 17 F3
Greenfield Ave / Dol Werdd LL77 139 D4
Greenfield Pl LL18 125 C7
Greenfield Rd LL29 120 A4
Greenfields SY20 163 C4
Greenfield St LL18 125 C7
Greenfield Terr
Corris SY20 108 B6
Holyhead / Caergybi LL65 138 D4
Menai Bridge / Porthaethwy LL59 142 B5
Greengate St / Tan Y Bont 14 LL55 152 D4
Green Hill LL29 120 D3
Green Pastures Cvn Pk LL53 81 A1
Green Rd LL28 119 E7
Green Terr Llangaffo LL60 21 B3
Trefor LL54 51 B5
Greenway LL28 115 D1
Greenwood Ave / Rhodfa Greenwood LL57 143 B4
Greenwood Centre The* LL56 147 C3
Gregory Ave LL29 119 D5
Gregory Cl LL29 119 D5
Gregory Cres LL29 119 D5
Grenville Ave / Rhodfa Grenville 5 LL18 125 F1
Grenville Lo LL18 136 F4
Grey Mare's Tail The* LL27 34 F4
Greystone Est LL65 7 E1
Griffin Ind Est LL48 70 D6
Griffin Terr 12 LL48 70 D6
Groesffordd LL53 67 D5
Groesffordd
Bryncrug LL36 105 E1
Dwygyfylchi LL34 116 A1
Llanddoged LL26 154 B7
Groesffordd La LL34 127 E5
Groesffordd Nant-y-ci LL16 38 E4
Groes Lwyd LL22 123 A2
Groes Rd LL29 120 B2
Grogan Terr LL46 160 E4
Gronant St LL18 125 A7
Groome Ave LL18 125 D5
Grosslon LL76 16 C7
Grosvenor Ave LL18 125 E7
Grosvenor Rd LL29 119 E5
Grove Park Ave LL18 125 D8
Grove Pas LL30 113 E4
Grove Pk LL29 120 A4
Grove Pk W 5 LL29 119 F4
Grove Rd LL29 120 A4
Grove Terr 3 LL18 125 F1
Grove The LL18 125 C8
Grugan Wen LL54 40 B6
Gruthyn The SY20 163 D4
Gurnard Pl LL18 125 E4
Gwalia Ave LL18 125 C6
Gwalia Ind Est LL36 109 C8
Gwalia Rd LL36 109 C8
Gwalin Ganol LL52 68 D4
Gwastadgoed Isaf LL37 99 B1
Gwastadnant LL55 42 D8
Gweithdai LL53 157 E5
Gweithdai Felin Fawr Workshops LL57 150 A1
Gweithdai Rhosyr (Workshops) LL61 20 F1
Gwel Eryri LL59 17 B1
Gwel Fenai LL61 28 F8
Gwelfor LL28 119 D7
Gwelfor Ave LL65 138 C7
Gwelfor Est LL67 3 D6
Gwelfor Rd LL35 109 F3
Gwelfryn LL28 119 B3
Gwel Fynydd 4 LL55 30 E6
Gwellyn Ave LL18 124 E2
Gwel-y-Don LL75 16 D6
Gwel-y-Mynydd LL65 138 B6
Gwel Yr Wyddfa LL59 142 A6
Gwel Y Wynydd 17 LL55 31 C3
Gwenarth Dr LL18 125 E4
Gwern Ceirios LL40 162 D1
Gwern Eithin LL40 162 D1
Gwern Fedw LL40 162 D1
Gwern Graifol LL40 162 D1
Gwern Grug LL40 162 D1
Gwern Gwalia LL21 62 C1
Gwern Helyg LL40 162 D1
Gwern Lafant LL40 162 D1
Gwern Las LL57 143 B3
Gwernydd LL57 150 E1
Gwern y Lon LL23 89 A6
Gwern Ysgaw LL40 162 D1
Gwilym 3 LL48 70 D6
Gwindy St LL18 125 E1
Gwydir Uchaf Chapel* LL26 154 A2
Gwydryn Dr LL53 81 A3
Gwydyr Castle* LL26 154 B3
Gwydyr Gdns 11 LL30 114 A1
Gwydyr Rd Dolgarrog LL32 23 E2
Llandudno LL30 113 F1
Gwylan Uchaf LL56 147 B3
Gwylfa Est / Ystad Gwylfa LL68 4 E6
Gwyllt Cotts LL33 22 A8
Gwyllt Rd
Abergwyngregyn LL33 145 E7
Llanfairfechan LL33 22 A8
Gwynan Pk LL34 116 A1
Gwynan Rd / Ffordd Gwynan LL34 127 D5
Gwynant Ct LL30 113 F1
Gwyndy Terr 2 LL18 125 E1
Gwynedd Cvn Site LL36 109 C6
Gwynedd Rd LL30 114 A3
Gwynfa Hill LL65 138 C5
Gwynfa La LL65 138 C5
Gwynfryn Ave LL18 125 B6
Gwynt Y Mor LL32 117 C4
Gwyrfai Terr LL55 31 C6
Gwytherin Ave LL22 124 B4
Gyrfa Seymour / Seymour Dr 6 LL18 125 F1

H

Hadden Ct LL28 119 E8
Haddon Cl 5 LL18 125 B6
Hadley Cres LL18 125 D8
Hafan Dag LL42 161 C5
Hafan Deg
Blaenau Ffestiniog LL41 156 A3
St George / Llansan-Sior LL22 135 F5
Hafan Elan LL55 30 E6
Hafan y Mor Holiday Pk LL53 67 D3
Hafan Yr Ewyn LL18 124 E4
Hafan Yr Heli LL18 124 F4
Hafod Ave LL18 124 F2
Hafod La / Ffordd Yr Hafod LL57 148 A6
Hafod Lon LL57 31 C8
Hafod Oleu LL55 31 C6
Hafod Rd E LL30 115 A2
Hafod Rd W LL30 115 A2
Hafodty La LL28 119 D2
Hafod-y-Mor LL22 123 B3
Hafon Dirion LL18 125 A7
Halfway Sta* LL55 42 B8
Hall Farm Pk* LL18 137 D6
Hall Rd LL30 114 F1
Hammond Ct LL18 125 E5
Hampton Rd / Ffordd Hampton 11 LL55 152 E4
Hampton Way LL58 17 F4
Handsworth Cres LL18 125 E6
Hanlith Terr LL42 161 C5
Hanover Ct
Colwyn Bay / Bae Colwyn LL28 119 C7
Llandudno LL30 114 A2
Happy Days Holiday Camp LL22 124 B4
Happy Valley* LL30 113 E5
Happy Valley Rd LL30 113 E4
Harbour La LL42 161 D4
Harbour View LL65 138 E5
Harcourt Rd LL30 114 A1
Harding Ave LL18 137 F8
Harlech LL46 160 E7
Harlech Castle* LL46 160 E5
Harlech Rd LL30 113 F1
Harlech Sta LL46 160 E5
Harp Ct LL22 123 A1
Harrison Dr
Kinmel Bay / Bae Cinmel LL18 124 D5
Rhosneigr LL64 19 A8
Hartsville Ave LL30 115 A1
Haulfre Gdns* LL30 113 C4
Haulfryn
Blaenau Ffestiniog LL41 156 B4
Llanfair LL46 160 D2
Haven Villas 4 LL32 117 E2
Hawarden Rd LL29 119 F5
Hawes Dr LL31 117 D6
Hawk Ave LL65 13 A3
Hawthorn Ave LL28 119 D8
Hawthorn Terr LL65 138 C5
Hayden Cl LL29 120 E2
Haydn Cl LL18 124 E5
Hazel Ct LL18 125 E8
Hazlewood Cl LL28 119 B4
Heather Cl LL29 120 F3
Heaton Pl LL28 119 D6
Hebron Sta* LL55 31 D1
Hedre Cvn Pk LL53 66 B2
Hedsor St 8 LL65 138 D5
Heenan Rd LL29 120 E3
Helen Terr / Ffordd Helen LL56 147 A2
Helo Y Bryn / Hill St 7 LL55 152 E4
Helyg Rd / Ffordd Helyg LL34 127 D5
Hen-Afon Rd LL18 125 E6
Henar LL26 154 C4
Henbarc LL57 150 C3
Henbarc Rd / Ffordd Henbarc LL57 150 C4
Henblas Country Pk* LL62 20 F7
Henbont Rd / Heol Henbont LL52 68 D4
Hen Capel Lligwy* LL72 11 C5
Henddu Terr LL65 138 D4
Hendre LL59 142 A5
Hendre Cl LL18 125 F1
Hendre Cotts LL32 129 C5
Hendre Horse Magic* LL57 144 C3
Hendre Hywel LL75 16 C5
Hendre Rd LL32 129 C5
Hendre St / Stryd Yr Hendre 5 LL55 152 E3
Hendrewen Rd / Ffordd Hendrewen LL57 142 F3
Hen Durnpike LL59,LL61 141 C8
Hen-Durnpike LL57 150 A4
Hendwr La LL30 114 E1
Hendy LL32 23 D3
Henfaes LL40 162 C2
Hen Felin LL21 77 D3
Hen Felin / Sarn Rd LL40 162 C2
Hen Ffordd LL49 69 C7
Hen Ffordd Conwy / Conwy Old Rd LL34 128 B6
Hen Ffordd Gonwy / Old Conway Rd LL28 119 A3
Hen Gei Llechi LL56 147 B4
Hen Lon Henllan LL16 27 F3
Penygroes LL54 40 B4
Henryd Rd LL32 129 C4
Henry's Ave LL18 136 E4
Henry St LL65 138 E4
Hen Sinema SY20 163 D4
Henwalia LL55 152 E3
Heol Aled LL22 122 F3
Heol Aran / Aran St LL23 159 D4
Heol Arenig / Arenig St LL23 159 D5
Heol Awel LL22 123 A3
Heol Belmont / Belmont Dr LL57 142 D4
Heol Berwyn LL23 159 D5
Heol Bodran LL22 122 F3
Heol Bradwen LL65 7 C1
Heol Buddug / Victoria Rd LL54 40 B4
Heol Carrog LL28 24 B5
Heol Clwyd / Clwyd St 9 LL18 125 B7
Heol Colwyn LL22 123 A3
Heol Conwy LL22 122 F3
Heol Ddinbych / Denbigh St LL26 154 B4
Heol Dewi Bangor LL57 142 E3
Pensarn LL22 123 C3
Heol Dirion LL29 120 B2
Heol Edward / Edward St 8 LL55 152 E4
Heol Elinor / Eleanor St 9 LL55 152 E4
Heol Elwy LL22 122 F3
Heol Eryri LL48 70 C5
Heol Esgob LL17 137 F1
Heol Ffrydan / Ffrydan Rd LL23 159 D5
Heol Ffynnon Asa LL28 24 B5
Heol Fryn LL28 119 B3
Heol Gelert / Gelert St 3 LL55 152 E3
Heol Glyndwr / Glyndwr St LL40 162 C2
Heol Gomer LL22 123 A2
Heol Gwynfa / Paradise St 11 LL18 125 B7
Heol Hamdden LL53 157 B3
Heol Heddwch LL22 123 A2
Heol Henbont / Henbont Rd LL52 68 D4
Heol Hendre LL18 125 F1
Heol Hir LL22 123 A2
Heol Hiraethlyn LL28 24 B5
Heol Idris LL42 161 B5
Heol Ioan / John St LL26 154 B5
Heol Iorwerth SY20 163 D4
Heol Llewelyn LL42 161 B6
Heol Llugwy / Llugwy Rd LL18 124 D4
Heol Madog / Madog St LL49 158 D4
Heol Maengwyn SY20 163 D4
Heol Martin LL28 24 B5
Heol Meirion LL42 161 B5
Heol Newydd / New St LL49 158 D4
Heol Pen'rallt SY20 163 D4
Heol Penrhos / Penrhos Dr LL57 142 D3
Heol Pensarn / Pensarn Rd LL23 159 C4
Heol Pentrerhedyn SY20 163 C4
Heol Plasey / Plasey St LL23 159 D4
Heol Plas Uchaf / Springfield St LL40 162 C2
Heol Powys SY20 163 D4
Heol Rowen LL38 99 D3
Heol Sant Iago / St James Dr 1 LL57 142 F4
Heol Scotland / Scotland St LL26 154 C4
Heol Seithendre LL38 99 D3
Heol Sussex / Sussex St 17 LL18 125 B7
Heol Tegid / Tegid St LL23 159 D4
Heol Victoria / Victoria Dr LL57 142 E5
Heol-y-Bedyddwyr / Baptist St 2 LL54 40 A4
Heol-y-Berwyn / Berwyn St LL21 77 D4
Heol Y Bont / Bridge St LL40 162 C2
Heol Y Bryn LL46 160 E3
Heol-y-Capel / Chapel St LL40 162 C2
Heol Y Castell / Castle St LL23 159 C5
Heol-y-Coed LL22 123 A3
Heol-y-Doll SY20 163 C5
Heol Y Domen / Mount St LL23 159 D5
Heol Y Dwr LL40 162 C2
Heol y Dwr / Water St LL54 40 B4
Heol-y-Fedwen LL22 123 D4
Heol Y Frenhines / Queen St LL18 125 B7
Heol Y Gader LL38 99 D3
Heol-y-Llan LL42 161 B6
Heol-y-Llys 10 LL18 125 F7
Heol-y-Plas LL42 161 B5
Heol Yr Orsaf / Station Rd
Bala / Y Bala LL23 159 D5
Llan Ffestiniog LL41 72 A8
Heol-y-Sarn LL42 161 B5
Heol-y-Wyddfa / Snowdon St LL49 158 D4
Herbert St 7 LL65 138 D5
Herkomer Cres LL30 113 D2
Herkomer Rd LL30 113 D2
Hermon Rd LL57 31 F8
Heron Way LL31 117 D5
Hesketh Rd LL29 120 C3
Heulfryn Aberangell SY20 103 C1
Deganwy LL31 117 F4
Esgairgeiliog Ceinws SY20 108 B5
Hewitt Cl LL30 114 E1
Hibarnia Row LL65 138 D7
Highfield Pk
Abergele LL22 123 B1
Rhyl / Y Rhyl LL18 125 D8
Highfield Rd LL29 120 A4
Highgate 4 LL41 57 A1
High La LL28 119 D7
Highlands Cl / Clos Yr Ucheldir 6 LL18 125 F2
Highlands Rd LL29 121 A3
Highland's Rd / Ffordd-Yr-Ucheldir LL18 125 E2
High St Abergele LL22 123 B1
Bethesda LL57 150 C2
Blaenau Ffestiniog LL41 156 E4
Bodffordd LL77 14 F3
Cemaes LL67 3 D6
Conwy LL32 117 E2
Glasinfryn LL57 149 B6
Llandrillo LL21 77 D4
Llanerchymedd LL71 10 A3
Malltraeth LL62 20 D3
Penmachno LL24 45 C1
Rhiwlas LL57 31 C8
Rhosneigr LL64 19 A7
Rhuddlan LL18 125 E1
Talsarnau LL47 70 D2
Tremadog LL49 158 C7
Tywyn LL36 109 C7
Ysbyty Ifan LL24 59 C7
High Street / Stryd Fawr
Deiniolen LL55 31 C6
High Street / Stryd Fawr
continued
Llanberis LL55 31 C3
High St / Stryd Fawr
Bangor LL57 143 A5
Bangor,West End LL57 142 F4
Barmouth / Abermaw LL42 161 C4
Bryngwran LL65 13 D4
Brynsiencyn LL61 21 F2
9 Caernarfon LL55 152 D4
Criccieth LL52 68 D5
Llangefni LL77 139 D4
Menai Bridge / Porthaethwy LL59 142 B5
Penmaenmawr LL34 127 B5
Penrhyndeudraeth LL48 70 D6
Penygroes LL54 40 B4
Porthmadog LL49 158 D5
Pwllheli LL53 157 D5
Rachub LL57 150 C5
High St / Y Stryd Fawr
Bala / Y Bala LL23 159 D4
1 Rhyl / Y Rhyl LL18 125 B8
High Terr LL65 138 C5
Hillcrest Ct LL18 136 F2
Hillcrest Rd LL31 117 F4
Hillgrove Sch LL57 142 E4
Hillsborough Terr SY20 108 A7
Hillside / Ael Y Bryn LL30 114 D3
Hillside Ave LL29 120 C3
Hillside Cotts LL32 23 D2
Hillside Rd LL29 119 F4
Hillside Terr LL30 113 D4
Hill St
Holyhead / Caergybi LL65 138 D6
Porthmadog LL49 158 D3
Hill St / Helo Y Bryn 7 LL55 152 E4
Hill St / Lon Pen Nebo LL59 142 B5
Hill St / Rallt Isaf LL57 150 E2
Hill St / Stryd Yr Allt LL57 142 E5
Hill Terr LL30 113 E4
Hilltop Rd LL18 125 E5
Hill View Cl LL30 118 A7
Hill View Ct LL30 117 F7
Hill View Rd LL30 118 A7
Hirfron LL65 6 D5
Hoel Aran LL23 88 F4
Hoel Feurig / Meyrick St LL40 162 C2
Hoel Victoria / Victoria Pl 3 LL65 138 D5
Hoel-y-Parc LL49 158 D3
Holbeck Rd LL28 119 E6
Holborn Pl LL65 138 D5
Holborn Rd LL65 138 D5
Hole In The Wall St / Twll Yn Y Wal 13 LL55 152 D4
Holiday Bglws LL65 6 F2
Holland Dr LL22 123 D4
Holland Park Dr LL18 125 E6
Holland Pk LL65 138 E4
Holly Cl LL18 125 E8
Holyhead Maritime Mus* LL65 138 D7
Holyhead Rd
Bryngwran LL65 13 C5
Caergeiliog LL65 13 A5
Gwalchmai LL65 14 D2
Llanerchymedd LL71 10 A3
Valley / Y Fali LL65 7 D2
Holyhead Rd / Ffordd Caergybi
Bangor LL57 142 D5
Gaerwen LL60 21 C8
Llanfairpwllgwyngyll LL61 141 D3
Llangefni LL62,LL77 139 B1
Star LL60,LL61 140 C4
Holyhead Rd / Ffordd Caergybi LL24 155 C5
Holyhead Sta LL65 138 D5
Holyrood Ave LL29 120 C3
Holyrood Ct LL30 113 C2
Holywell Cres LL18 124 E3
Holywell Terr 5 LL52 68 D5
Home Front Experience Mus* LL30 113 E3
Honeysuckle La LL28 119 E2
Hopeland Rd LL35 109 F3
Hope Pl LL18 125 B7
Horton Dr LL28 119 C6
Hospital Rd LL41 156 C5
Hospital Rd / Ffordd Ysbyty LL30 113 E1
Howard Pl LL30 113 E2
Howard Rd LL30 113 E2
Howell Ave / Rhodfa Hywel 4 LL18 125 F2
Howell Dr LL18 125 F6
Howe St LL57 149 B6
HTM Bsns Pk LL18 137 D8
Hunters Chase LL65 7 A2
Hunters Hamlet Cvn Pk LL22 26 C8
Hunter's Rise LL65 13 A3
Hwfa Rd / Ffordd Hwfa LL57 142 F5
Hwylfa Lydan LL44 92 E7
Hwylfar Nant LL46 160 E6
Hwylfa Terr LL29 133 C6
Hyfrydle Caernarfon LL55 152 F3

Prifysgol = university

Tan Y Bryn Terr / Tan Y Bryn LL57 143 A4
Tan-y-Buarth LL55 30 D8
Tan-Y-Bwlch LL57 31 F8
Tanybwlch Rd / Ffordd Tan Y Bwlch LL57 150 D5
Tan-y-Bwlch Sta* LL41 71 B8
Tan-y-Cae LL55 30 D8
Tan-y-Capel LL60 140 A1
Tan Y Castell Workshops LL46 160 E5
Tan-y-cefn LL54 40 B8
Tan y Clogwyn LL16 38 D7
Tan-y-clogwyn Terr LL41 156 E4
Tan Y Coed Bangor LL57 142 B1
Llandudno LL30 114 E1
Maesgeirchen LL57 143 B4
Tan Y Craig 8 LL57 142 E3
Tan y Fedw LL36 106 F6
Tan-y-Felin LL32 117 E1
Tan Y Felin LL65 2 F1
Tan-y-Ffordd LL55 30 D8
Tan Y Ffordd LL59 17 B3
Tanyfoel SY20 111 A2
Tan-y-Foel LL57 150 E3
Tan Y Foel LL49 158 C2
Tan-y-foel Dinorwig LL55 31 D5
Llanerchymedd LL71 10 B3
Llanfor LL23 159 F6
Rhyd-y-foel LL22 134 A6
Tan y Fron LL29 120 B2
Tan-y-Fron LL31 117 F5
Tan Y Fron Rd LL22 135 D4
Tan-Y-Fron Rd LL22 135 D5
Tan-y-Fynwent LL57 143 A5
Tan Y Fynwent / Gas La LL68 4 E5
Tan-y-Gaer LL22 122 F1
Tan Y Gaer LL53 81 A3
Tan-y-Gaer
Bethesda LL57 150 D3
Deganwy LL31 118 A5
Tan-y-Garth LL57 150 D5
Tan-y-Gopa Rd LL22 122 F1
Tan Y Graig LL26 154 B4
Tan-Y-Graig SY20 163 D4
Tan Y Graig LL49 158 E3
Tan-y-graig LL54 41 F3
Tan-y-Graig Farm Cotts LL75 16 C5
Tan-y-Graig Rd LL29 121 B1
Tanygrisiau Sta LL41 56 E3
Tanygrisiau Terr
Blaenau Ffestiniog LL41 156 A3
Criccieth LL52 68 E4
Tan-y-Lan Rd LL29 120 F4
Tan-y-lon LL57 144 B3
Tan-y-Maes Bangor LL57 142 F3
Llandudno Junction LL31 118 C3
Llansanffraid Glan Conwy LL28 130 D4
Y Felinheli LL56 147 A2
Tan-y-Marian LL22 121 F3
Tan-y-mur 19 LL55 152 D4
Tan-y-Mynydd LL57 143 B4
Tan-y-mynydd (L Pk) LL22 135 C1
Tanyrallt LL54 40 C3
Tan-yr-Allt Corris SY20 108 B7
Penysarn LL69 5 A3
Tan Yr Allt LL54 40 D8
Tan-Yr-Allt Ave LL28 119 B4
Tan-yr-Allt Rd LL22 121 E3
Tanyrallt St LL28 119 B3
Tan-yr-allt Terr LL41 156 E4
Tan-yr-Efail LL65 138 D4
Tan Yr Eglwys LL26 154 B4
Tan-Yr-Eglwys LL18 125 E1
Tan-Yr-Eglwys Rd LL18 125 E1
Tan-y-rhiw Hen LL55 55 B7
Tan-yr-Ogof Rd LL30 113 D4
Tan-yr-ogo Terr LL30 113 D4
Tan-yr-Wylfa LL22 122 F1
Tan-yr-Ywan LL32 23 D4
Tanysgafell LL57 150 A2
Tan-y-Wal LL29 120 F3
Tara St LL65 138 C4
Tarleton St LL18 125 C8
Tarquin Dr LL18 125 F5
Taverners Ct LL30 113 D2
Tawel-Fan LL58 17 F6
Tayler Ave LL32 23 D2
Tegfan Terr LL59 17 C1
Tegid St / Heol Tegid LL23 159 D4
Telford Cl LL32 117 C4
Telford Rd / Ffordd Telford LL59 142 B4
Tel-y-Bont LL53 67 C3
Temple Rd / Lon Temple 2 LL57 142 F5
Terence Ave LL18 125 B6
Terfyn Cotts LL18 136 C5
Terfynfa LL53 65 A7
Terfyn Terr LL56 147 B4
Terrace Rd
Aberdovey / Aberdyfi LL35 109 F3
Porthmadog LL49 158 D4
Terrace Wlk LL33 126 D1
Thelford Cl LL64 19 B7
Tholl Sq 3 LL67 3 D6
Thomas Blgs 10 LL53 157 D5
Thomas Cl LL58 17 E3
Thomas Rd LL30 113 F3
Thomas St LL65 138 D6
Thomas St / Stryd Thomas 6 LL55 152 E4
Thornley Ave LL18 125 E6
Thornton Cl 3 LL18 125 B6
Thorpe St LL18 125 C7
Thorp St LL30 113 E2
Tir Estyn LL31 118 A4
Tir Llwyd Ent Pk LL18 124 D2
Tir Llwyd Ind Est LL18 124 D1
Tom White Ct LL30 114 E1
Tonfanau Sta LL36 105 A2
Top Llan Rd LL28 130 C4
Toronnen LL57 142 D2
Torrent Wlk* LL40 95 D1
Totten Rd / Lon Totten 1 LL57 143 B6
Tower Ct LL18 125 D5
Tower Gdns
Holyhead / Caergybi LL65 138 D6
Rhyl / Y Rhyl LL18 125 D5
Tower Rd SY20 111 B7
Towers The 7 LL30 113 E3
Town Ditch Rd LL32 117 E2
Town Hill / Fyny'r Allt LL26 154 C4
Townsend 3 LL58 17 F2
Towyn Jun Sch LL18 124 C4
Towyn Rd Belgrano LL22 123 D5
Blaenau Ffestiniog LL41 156 C4
Towyn Way E LL22 124 C2
Towyn Way W LL22 124 A2
Traeth Atsain LL65 6 F2
Traeth Coch Uchaf LL75 16 D7
Traeth Lafan / Lavan Sands* LL58 18 C2
Traeth Lafan National Nature Reserve* LL33 145 E2
Traeth Melyn LL31 117 D6
Traeth Penrhyn LL30 115 A3
Trafalgar St LL23 76 E4
Trafford Pk LL30 114 F1
Traffwll Rd LL65 13 B4
Tram Rd / Ffordd Haearn Bach LL54 40 A4
Trawscoed Rd LL29 133 D6
Trawsfynydd Holiday Village LL41 86 B6
Tre Ambrose LL65 138 A6
Trearddur Ct LL65 7 A2
Trearddur House Mews LL65 7 A2
Trearddur Mews LL65 7 A2
Trearddur Rd LL65 7 A2
Trearddur Sq LL65 138 D6
Treborth Bsns Pk LL57 142 B3
Treborth Hall Residential Sch LL57 142 A2
Treborth Rd / Ffordd Treborth LL57 142 A2
Trecastell Pk LL68 4 C6
Trecastell Terr LL32 128 F2
Tredaffydd LL54 40 B4
Treetops Ct LL18 125 F1
Trefeddian Terr LL35 109 D3
Tref Eilian LL55 30 D2
Tre Fenai LL61 21 F1
Treffos Sch LL79 16 F2
Treflan
Aberdovey / Aberdyfi LL35 109 F3
Bangor LL57 142 F4
Y Ffor LL53 66 F6
Treflys St / Tan Treflys LL57 150 D2
Trefnant Ave LL18 124 E4
Trefonnen LL65 138 A6
Trefonwys LL57 142 D4
Trefor Ave LL18 124 C5
Treforris Rd LL34 116 A1
Trefor Terr LL55 30 E5
Trefriw Terr LL26 34 F7
Trefriw Wells Spa* LL27 34 E8
Trefriw Woollen Mill* LL27 34 E6
Tregaean LL57 142 B2
Tre Garn LL53 67 A8
Tregarth SY20 163 E5
Tre Gof LL60 140 B2
Tregof Terr LL67 3 C6
Trehearn Dr LL18 125 D8
Trehwfa LL57 142 D2
Trehwfa Cres LL65 138 B6
Trehwfa Rd LL65 138 B5
Tre Ifan Est LL65 7 F1
Trellewelyn Cl LL18 125 E6
Trellewelyn Rd LL18 125 E6
Trem Afon LL28 130 C4
Trem Arfon
Llandegfan LL59 17 B1
Llanrwst LL26 154 C5
Trem Berwyn LL23 76 E4
Trem Cinmel LL22 124 B3
Trem Cymyran LL65 13 A4
Trem Eilian LL55 31 A6
Trem Eirias / Eirias View LL29 120 A2
Trem Elidir LL57 142 E3
Trem Elldir LL57 142 E4
Trem Elwy LL18 124 E5
Trem Eryri
Llanfairpwllgwyngyll LL61 141 B4
Menai Bridge / Porthaethwy LL59 142 A5
Tremfathew LL36 105 E2
Trem Hyfryd / Belle View 5 LL41 57 A1
Trem Nant Eirias / Dingle View LL29 120 A2
Tremorfa Rd LL38 99 D4
Trem-y-Bont LL18 124 E5
Trem Y Bwlch LL41 156 C4
Trem Y Castell 1 LL57 143 A6
Trem-y-Castell LL22 124 A2
Trem-y-coed LL32 23 E6
Trem-y-Don LL29 121 D2
Trem-y-Dyffryn LL18 124 F3
Trem-y-Ffair LL18 124 D5
Trem-y-Ffridd LL23 159 D4
Trem Y Foel Cynwyd LL21 77 F8
Llangwm LL21 61 C3
Y Felinheli LL56 147 A3
Trem-y-Foryd LL18 124 E5
Trem-y-Garnedd LL57 143 B3
Trem Y Garnedd / Mountain View LL59 142 B5
Trem-y-Garth LL47 70 E4
Trem-y-Geulan LL18 124 E5
Trem Y Graig / Railway Pl LL49 158 D5
Trem y Leri LL35 109 F3
Trem Y Moelwyn LL48 70 C5
Trem-y-Mor LL22 122 F1
Trem y Mor Benllech LL74 11 E1
Rhosneigr LL64 19 B8
Trem-y-Mynydd LL22 123 D4
Trem-y-Nant LL57 142 E4
Trem-yr-Afon LL18 124 E5
Trem Yr Afon LL31 118 C2
Trem yr Allt SY20 163 D4
Trem-yr-Harbwr LL18 124 E5
Trem-y-Rhosyn / Roseview Cres LL18 124 E5
Trem yr Orsedd SY20 163 F4
Trem-yr-Wyddfa
Minffordd LL48 70 C5
Penygroes LL54 40 A3
Trem Yr Wyddfa / Snowdon View 11 LL57 142 F5
Trem-y-Wylfa LL71 9 D1
Treowain SY20 163 E4
Treowain Ind Est SY20 163 E4
Tre'r Ddol LL53 79 F8
Tre'r Ddol LL52 69 A6
Tre'r Ddul LL53 65 E1
Tre'r-Felin LL57 143 E2
Tre'r Gof / Chapel St 35 LL55 152 E4
Tre Rhosyr LL61 28 F8
Tresaethon LL48 55 F3
Treseifion Est LL65 138 D4
Treseifion Rd LL65 138 C4
Trevelyan Terr LL57 143 B5
Trevor Ave LL18 125 F2
Trevor Rd LL29 120 B4
Trevor St LL30 113 E4
Tre Wen LL54 40 B6
Trewerin LL53 80 C6
Treweryn LL54 51 B5
Trigfa LL72 11 E5
Trillo Ave LL28 119 E8
Trinity Ave LL30 113 D2
Trinity Cres LL30 113 D1
Trinity Ct Llandudno LL30 113 D2
10 Rhyl / Y Rhyl LL18 125 B7
Trinity Sq LL30 113 E3
Troed-y-Bwlch LL31 117 F5
Troed Y Garn
Llanfairynghornwy LL65 2 G4
Llangybi LL53 67 C7
Troedyrallt LL53 157 C5
Troon Cl LL29 119 E3
Troon Way Abergele LL22 122 F2
Colwyn Bay / Bae Colwyn LL29 119 E3
Tros-y-Bont / Brittania Terr LL49 158 E3
Tros-yr-afon 1 LL58 17 F2
Tros yr Afon LL58 18 A6
Tryfan LL28 130 C4
Tryfan Junction Sta* LL54 30 B2
Tryfar LL46 160 E5
Tudno St LL30 113 D4
Tudor Ave LL18 125 D6
Tudor Cres / Cylch Tudor LL30 113 F2
Tudor Ct Caergeiliog LL65 13 A4
Deganwy LL31 117 E4
Llandudno LL30 113 F3
Tudor Gr LL18 124 D5
Tudor Park / Parc Tudur LL18 124 F3
Tudor Rd LL30 113 F3
Tudor Royal Est 5 LL67 3 D6
Tudor St LL71 10 A2
Tuhwnt-Ir-Bwlch LL49 158 D4
Turkey Shore Est LL65 138 E5
Turkey Shore Rd LL65 138 E5
Turnberry Dr LL22 123 A2
Twll Yn Y Wal / Hole In The Wall St 13 LL55 152 D4
Twr Cuhelyn St LL71 10 A3
Twthill E / Dwyrain Twthill 5 LL55 152 E5
Twthill W / Gorllewin Twthill 5 LL55 152 E4
Twtil LL46 160 E5
Ty Ardudwy LL35 109 E3
Ty Canol LL46 160 E7
Ty-Coch Rd LL30 113 D4
Ty-Coch St LL16 27 F3
Ty Croes LL60 21 F6
Ty Croes Circuit (Motoring Racing)* LL63 19 C3
Ty Croes Sta LL63 19 D7
Tyddyn Adi LL49 69 B4
Tyddyn Canol LL57 150 C4
Tyddyn Ddeici LL61 141 C4
Tyddyn Drycin LL33 126 D4
Tyddyn Fadog LL74 11 E1
Tyddyn Gwladys Forest Trail* LL40 86 D1
Tyddyn Gwyn LL41 156 D2
Tyddyn Gyrfa LL67 3 C6
Tyddyn Isaf
Aberdovey / Aberdyfi LL35 109 F3
Menai Bridge / Porthaethwy LL59 142 A6
Tyddyn Isaf Cvn Site LL70 11 C5
Tyddyn Llwydyn LL55 152 F2
Tyddyn-Llwyn Cvn Site LL49 158 B3
Tyddyn Llwyn Terr LL48 70 B5
Tyddyn Mali LL26 154 D8
Tyddyn Mostyn LL59 142 A5
Tyddyn Nicholas LL59 142 A6
Tyddyn Sander Cvn Site LL53 63 G6
Tyddyn Terr
Cerrigydrudion LL21 61 B7
Llanrwst LL26 154 C4
Tyddyn To LL59 142 A5

Ty = house

Ty Du Rd LL28 130 D4
Ty Du Rd / Ffordd Ty Du LL55 31 C3
Ty Golau LL37 105 D8
Ty Gwyn Gdns LL32 117 D1
Ty Gwyn Jones LL22 123 B1
Ty Gwyn Llan LL21 61 C3
Ty-Gwyn Rd LL30 113 D4
Ty Gwyn Rd / Ffordd Ty Gwyn LL28 24 A6
Tygwyn Sta LL47 70 C1
Ty Gwyn Terr LL47 70 B2
Ty Gwyrdd Terr 10 LL32 117 E2
Ty Hen LL77 139 B4
Ty-Hen Rd / Lon Ty-Hen LL65 13 E4
Ty-hyll* LL24 44 F8
Ty-Isa Rd LL30 113 E3
Tylau Mair / Love La LL40 162 C2
Ty Llewelyn 1 LL29 119 F4
Ty-Mawr LL65 138 E5
Ty Mawr LL59 142 A5
Ty Mawr Holiday Pk LL22 123 F5
Ty Mawr Rd LL31 117 E4
Ty Mawr Wybrant* LL25 45 A3
Tyn Cae LL61 141 B4
Ty'n Caeau LL61 141 B4
Ty N Coed LL77 139 E5
Ty'n Coed Uchaf LL77 139 E5
Ty'n Cwrt Est / Stad Ty'n Cwrt LL61 21 F2
Tynddol LL23 88 F4
Ty'n Dwr LL51 53 D3
Ty Newydd Burial Chamber* LL63 19 D8
Ty Newydd Cvn Pk LL76 16 B8
Tynewydd Cvn Site LL53 80 F1
Tynewydd Rd LL18 125 E8
Ty-newydd Terr LL18 125 E7
Ty'n Ffordd LL65 13 C7
Ty N Llan LL54 29 E1
Ty'n Llan LL54 39 E7
Ty'n Llan Farm Mus* LL49 69 C7
Tyn Llwyn LL41 156 A3
Tynllwyn Forest Wlks* LL24 34 D1
Tyn Lon LL56 147 C5
Ty'n Lon LL65 2 G1
Tyn Pistyll 1 LL41 72 A2
Ty'n Pwll LL53 81 B7
Tyn Pwll Rd LL65 138 D3
Tyn Rhos Caergeiliog LL65 7 F1
Penysarn LL69 5 A3
Ty'n-Rhos LL53 67 D5
Ty'n Rhos Criccieth LL52 68 D5
Gaerwen LL60 21 F6
Llanfairpwllgwyngyll LL61 141 B4
Tyn Rhos Cvn Pk LL65 12 B4
Ty'n-Rhos Cvn Site LL72 11 C5
Ty'n-twr LL57 150 D1
Tyn Weirglodd LL54 40 B6
Tyn-y-Afridd LL54 51 C3
Ty'n-y-Bryn Est LL61 21 F1
Tyn-y-Cae LL61 28 F8
Tyn-y-Caeau Dr / Lon Tyn-y-Caeau LL59 141 F5
Tyn Y Celyn LL28 130 C3
Tyn-y-Coed LL57 150 D3
Ty'n-y-Coed Rd LL30 113 C4
Ty'n-Y-Ddol Rd LL24 45 C1
Ty'n Y Ffrith Rd LL30 114 A3
Tyn-y-Ffrwd Terr LL48 70 C6
Ty'n-y-Fron Rd LL31 118 B2
Ty'n y Groes Nature Trail* LL40 95 B6
Tynymaes LL41 56 F1
Ty'n-y-maes LL29 121 D2
Ty'n-y-Maes Hill LL30 113 D4
Tyn Y Mur LL53 65 A7
Ty'n-y-weirglodd LL54 40 B3
Tywyn and District Com Meml Hospl LL36 109 D7
Tywyn Pendre Sta* LL36 109 D7
Tywyn Pottery* LL36 109 D8
Tywyn Sta LL36 109 C7
Tywyn Wharf Sta* LL36 109 C7

U

Ucheldre Llangefni LL77 139 F4
Newborough / Niwbwrch LL61 28 F8
Ucheldre Ave LL65 138 C6
Uncorn Terr LL41 156 D5
Unicorn La / Wtra Plas Coch LL40 162 C2
Univ of Wales, Bangor
Bangor LL57 142 F4
Bangor LL57 142 F5
Univ of Wales, Bangor, Pen-y-ffridd LL57 142 C1
Univ of Wales Bangor / Prifysgol Cymru
Bangor LL57 142 C4
Bangor LL57 143 A5
Upland Rd LL29 120 A3
Upper Baptist St LL65 138 C5
Upper Cardiff Rd / Ffordd Caerdydd Uchaf LL53 157 C4
Upperfield St LL40 162 C2
Upper Garth Rd / Ffordd Garth Uchaf LL57 143 A6
Upper Gate St LL32 117 D2
Upper Hill St LL57 150 E2
Upper Maenen LL34 127 C5
Upper Mill Rd LL33 126 D1
Upper Park St LL65 138 D6
Upper Prom LL28 119 E6
Upper Quay St / Pen Cei LL68 4 F6
Upper Water St LL34 127 B5
Uwch Afon LL53 66 B4
Uwchlawrffynnon LL41 156 E3
Uwch Menai / Augusta Pl LL56 147 A3
Uwch-y-Don Ave LL29 120 F3
Uwch-y-llan LL21 61 B7
Uwch Y Maes LL40 162 D1
Uxbridge Ct 2 LL57 142 F4
Uxbridge Sq 31 LL55 152 E4
Uxbridge Sq / Y Sgwar LL59 142 B5

V

Vale Pk LL18 125 C6
Vale Rd
Llandudno Junction LL31 118 A2
Rhyl / Y Rhyl LL18 125 C6
Vale Road Bridge LL18 125 C7
Vale View Terr
Llandudno Junction LL31 118 B2
Rhyl / Y Rhyl LL18 125 C7
Valley Mews LL65 7 E2
Valley Rd
Llanfairfechan LL33 126 D1
Llanfairfechan LL33 22 C8
Valley Rd / Ffordd y Glyn LL29 120 A2
Valley Sh Ctr LL65 7 E2
Valley Sta LL65 7 E2
Vane Hall Pl SY20 163 D4
Vardre Ave LL31 117 E4
Vardre Cl LL31 117 F5
Vardre La LL31 113 E4
Vardre View Terr LL31 117 F4
Vaughan St
Llandudno LL30 113 F3
3 Rhyl / Y Rhyl LL18 125 B7
Vaynol Cotts / Rhes y Faenol LL55 31 D2
Vaynol St / Stryd Y Faenol 33 LL55 152 E4
Vezey St LL18 125 C7
Vicarage Ave LL30 118 A8
Vicarage Cl
Bodelwyddan LL18 137 A4
Llandudno LL30 118 A8
Vicarage Gdns LL30 118 A8
Vicarage La LL65 138 D7
Vicarage La / Coetiau Postol LL18 125 E1
Vicarage Rd LL30 118 A8
Victoria Ave
Colwyn Bay / Bae Colwyn LL29 120 A5
Llandudno LL30 114 B3
Rhyl / Y Rhyl LL18 125 A6
Victoria Ave / Rhodfa Fictoria 12 LL57 142 F5
Victoria Bsns Pk LL18 125 C6
Victoria Cres LL31 118 B3
Victoria Ct
Llandudno LL30 114 A2
Rhosneigr LL64 19 A8
Victoria Dr LL31 118 A3
Victoria Dr / Heol Victoria LL57 142 E5
Victoria Gdns / Gerddi Victoria LL29 119 F3
Victoria Pk LL29 119 D5
Victoria Pk / Parc Victoria LL57 142 E5
Victoria Pl
Barmouth / Abermaw LL42 161 C5
Bethesda LL57 150 C2
Victoria Pl / Hoel Victoria 3 LL65 138 D5

Victoria Rd 8 Cemaes LL67 3 D6
Holyhead / Caergybi LL65 138 D5
Old Colwyn LL29 120 D3
Rhyl / Y Rhyl LL18 125 C6
Victoria Rd / Ffordd Victoria 34 LL55 152 E4
Victoria Rd / Heol Buddug LL54 40 B4
Victoria Sq / Sgwar Victoria 6 LL57 142 E3
Victoria St LL30 114 A3
Victoria St / Stryd Victoria
8 Bangor LL57 142 F5
10 Caernarfon LL55 152 E4
Victoria Terr
18 Beaumaris LL58 17 F3
2 Criccieth LL52 68 D5
Deiniolen LL55 31 C6
Holyhead / Caergybi LL65 138 D5
Llanrwst LL26 154 B4
Trefriw LL27 34 F6
Victoria Terr / Rhes Fictoria LL55 31 D2
Victoria Terr / Tai Victoria LL54 40 F4
Victor Rd LL29 120 A4
Victor Wilde Dr LL28 119 D8
Village Rd LL33 126 C2
Village The LL18 137 A4
Vincent Ave LL30 114 A1
Vincent Cl LL18 125 C8
Viola Ave LL18 125 D5
Violet Gr LL18 125 F6
Voel Rd LL34 127 E5
Voryn Ave LL29 120 F4
Vron Sq / Sgwar Y Fron 19 LL57 142 F5
Vulcan St LL65 138 C5

W

Waen Fawr LL65 138 B6
Waenfawr Est LL65 138 B6
Waenfawr Sta* LL54 30 D1
Waen Helyg LL52 68 D5
Waen Terr LL32 117 D3
Waen-wen LL57 148 F6
Waen Y Pandy LL57 149 D3
Walford Ave LL18 125 C6
Walnut Cres LL18 125 F8
Walshaw Ave LL29 119 E5
Walter St / Stryd Walter LL57 150 D4
Walter Terr LL41 156 D5
Walthew Ave LL65 138 C6
Walthew La LL65 138 C6
Walton Cres LL31 118 B3
Walton Rd LL31 118 B3
Ward Cl LL30 114 E1
Warden St / Stryd Warden 7 LL55 31 C3
Warehouse St LL30 113 E2
Warfield Rd / Lon Warfield 2 LL55 152 E5
War Memorial Ct LL18 125 D7
Warren Dr LL31 117 F3
Warren Rd Deganwy LL31 117 F4
Rhosneigr LL64 19 B8
Rhyl / Y Rhyl LL18 125 A6
Warwick Pl LL36 109 C7
Washington Ct LL18 125 E5
Waterloo Port Rd / Porth Waterloo LL55 152 F7
Waterloo / Stryd Waterloo 27 LL55 152 E4
Waterloo St / Stryd Waterloo 13 LL57 143 A5
Waterside LL65 138 D6
Water St Abergele LL22 123 B2
Abergynolwyn LL36 106 F6
Barmouth / Abermaw LL42 161 C4
Holyhead / Caergybi LL65 138 D6
Llandudno LL30 113 D4
Llanerchymedd LL71 10 A3
Llanfair Talhaiarn LL22 26 B5
Penmaenmawr LL34 127 B5
Water St / Ffordd Y Paced LL59 142 B4
Water St / Heol y Dwr LL54 40 B4
Water St / Lon Ddwr LL57 150 D3
Water St / Lon Groes LL57 150 C5
Water St / Lon Y Dwr 3 LL57 143 B6
Water St / Stryd Y Dwr LL18 125 B7
Watkin Ave LL29 120 E3
Watkin St LL32 117 D2
Watling St LL26 154 B4
Waun Dirion LL74 11 E1
Waun Rd LL31 118 F7
Waverley Rd LL38 99 D4
Weaver Ave LL18 125 E6
Weaverton Dr LL18 125 E5
Weirglodd-Newydd LL54 40 C4
Wellington Ct LL65 7 A2
Wellington Rd LL29 120 D3
Wellington Rd / Ffordd Wellington LL18 125 A7
Wellington St LL71 10 A3
Wellington Terr
Barmouth / Abermaw LL42 161 B5
4 Criccieth LL52 68 E5
8 Rhyl / Y Rhyl LL18 125 A6
Well St Dolgellau LL40 162 C2
Rachub LL57 150 D4
Well St / Ffordd Y Ffynnon 6 LL57 143 A5
Well St / Lon Ffynnon LL65 13 D4
Well St / Lon Wen LL68 4 F6
Well St / Stryd Y Ffynnon
Bethesda LL57 150 E1
Menai Bridge / Porthaethwy LL59 142 B5
Welsh Highland Rly (Caernarfon)* LL54, LL55 152 D1
Welsh Highland Rly (Porthmadog)* LL49 158 E5
Welsh Mountain Zoo* LL28 119 D4
Welsh Slate Mus* LL55 31 D3
Wenallt LL40 162 D1
Wenallt View LL40 162 C1
Wendon Dr / Ffordd Y Wendon LL68 4 E6
Wendover Ave LL22 124 A3
Wenfro LL22 123 B1
Wentworth Ave
Abergele LL22 123 A2
Colwyn Bay / Bae Colwyn LL29 119 E3
Wern Cres 3 LL28 119 B4
Wernfach LL44 92 E5
Wernlas LL22 123 D4
Wern Las Hospital Dr LL40 162 D2
Wernol Cvn Site LL53 67 E5
Wern Rd LL22 121 E3
Wern Y Wylan
Criccieth LL52 68 E5
Llanddona LL58 17 B6
Llandudno LL30 113 E2
Morfa Nefyn LL53 65 A7
Wesleyan Terr LL39 100 A5
Wesley St LL57 31 C8
Wesley St / Stryd John Llwyd 25 LL55 152 E4
Wesley St / Stryd Wesle LL65 13 C7
Wesley St / Stryd Wesley LL68 4 E6
Wesley Terr
Cwm Penmachno LL24 57 F6
Holyhead / Caergybi LL65 138 D6
Westbourne Ave LL18 125 A6
Westbourne Ctr 5 LL18 125 A6
Westbury LL28 119 F6
Westdale Ct LL18 125 F1
West End Bangor LL57 142 E3
6 Beaumaris LL58 17 F2
Blaenau Ffestiniog LL41 56 E4
West End Hill LL30 113 D3
West End / Maes-y-Mor LL54 40 A4
Westfield Rd LL18 125 D7
West Kinmel St LL18 125 B7
West Mains Ct LL28 115 E1
Westminster Ave LL18 125 E6
Weston Rd LL18 125 B6
West Par LL30 113 C2
West Par / Maes Aberiestedd LL52 68 D4
West Par / Rhodfa Gorllewin LL18 125 A7
West Point Cvn Site LL54 39 D3
West Prom LL28 119 E6
West Rd LL29 120 E3
West Shore LL33 126 B3
West St LL18 125 A6
Westwood Cvn Pk LL29 121 C2
Wexham St LL58 17 F3
Whinacres LL32 117 C3
Whiston Pas LL30 113 D3
Whitehall Rd LL28 119 E7
Whitehouse Dr / Lon Ty Gwyn LL53 81 B3
White Rose Sh Ctr The LL18 125 B8
White St LL24 45 C1
White Tower Cvn Pk LL54 29 C1
Wian St LL65 138 E5
Williams St
Holyhead / Caergybi LL65 138 D6
Rhyl / Y Rhyl LL18 125 C7
Williams Terr LL57 150 C2
William's Terr LL61 141 B4
William St / Stryd William
Bangor LL57 143 B5
17 Caernarfon LL55 152 E4
Willoughby Rd LL28 119 D6
Willowbrook / Nant Helygen LL29 120 E1
Willow Cl LL29 120 E1
Willow Ct LL18 125 E8
Willow St / Bro Helys LL26 154 B4
Winchester Cl LL28 119 C8
Windsor Ct Conwy LL32 117 C1
1 Rhyl / Y Rhyl LL18 125 B7
Windsor Dr LL29 120 C3
Windsor Gr LL18 124 D5
Windsor Ho LL28 130 C4
Windsor Pas LL30 113 E3
Windsor St 6 LL18 125 B7
Windsor Villas LL65 138 E5
Wind St / Stryd-y-Gwynt LL32 117 D2
Winkup's Camp LL22 124 B4
Winllan Ave LL30 113 D2
Winnard Ave LL18 125 A6
Winston Cl LL29 120 F3
Withington Ave LL29 120 D3
Woodbine Terr LL30 114 E1
Woodend Dr LL29 120 E3
Woodfield Ave LL29 120 A3
Woodhill Rd LL29 119 F4
Woodland Ave LL29 120 E3
Woodland Ct 3 LL29 119 F4
Woodland Pk LL29 119 F4
Woodland Pk W LL29 119 F4
Woodland Rd E LL29 119 F4
Woodland Rd W LL29 119 F4
Woodlands LL31 118 A5
Woodlands Ave LL28 119 E7
Woodlands Holiday Pk LL36 105 F2
Woodlea Gdns LL28 119 D6
Wood Rd LL18 125 A6
Woodside Ave LL18 124 C5
Woodside Gdns LL18 125 D5
Wood St / Ffordd Y Ffair LL59 142 B5
Wormhout Way LL30 118 A7
Wtra Plas Coch / Unicorn La LL40 162 C2
Wtra R Felin / Mill St LL40 162 C2
Wyddfa LL28 130 C4
Wyddfid Cotts LL30 113 C5
Wyddfyd Rd LL30 113 D4
Wylecop St SY20 103 D5
Wylfa Power Sta Visitor Ctr* LL67 3 B6
Wylfa Terr LL65 14 B3
Wynn Ave LL29 120 E3
Wynn Ave N LL29 120 E4
Wynn Cres LL29 120 E3
Wynn Dr LL29 120 E3
Wynne Ave LL41 156 D4
Wynne Cl LL18 137 F8
Wynne Rd LL41 156 D4
Wynn Gdns LL29 120 E3
Wynnstay Rd
Colwyn Bay / Bae Colwyn LL29 119 F5
Old Colwyn LL29 120 E3

Y

Y Berllan Llanrwst LL26 154 C3
Penmaenmawr LL34 127 D5
Eglwysbach LL28 24 B5
Y Brif Heol LL44 92 E6
Y Bryn Bontnewydd LL55 29 F3
Llanfaethlu LL65 8 C5
Llansanffraid Glan Conwy LL28 130 C5
Y Cilgant / The Crescent 17 LL57 142 F5
Y Clawstrau / The Cloisters LL28 115 D1
Y Clogwyn / England Road S 4 LL55 152 E5
Y Dalar SY20 163 E4
Y Ddol Belgrano LL22 123 D4
Bethel LL55 30 D8
Y-Ddol LL53 64 F6
Y Ddol / Meadow Dr LL49 158 D5
Y Domen Fawr LL40 162 C2
Y Dref / Castle Sq LL52 68 D4
Y Dreflan LL54 40 E8
Y Dwnan LL53 157 D3
Yerburgh Ave LL29 119 D5
Y Felin LL32 117 E1
Y Ffrith LL18 125 D8
Y Ffridd LL49 69 C4
Y Fron Aberffraw LL63 19 E3
Nefyn LL53 65 C7
Pandy Tudur LL22 36 A7
Y Fron / Fron Farm LL59 141 F6
Y Ganolfan Farchnata / Farchnata Marketing Ctr LL49 158 B5
Y Garnedd LL61 141 B5
Y Garreg LL54 40 B6
Y Garth Amlwch LL68 4 C7
Llanerchymedd LL71 10 A3
Y Gelli LL22 121 F3
Y Gerddi / Garden La LL65 13 C7
Y Gilan LL29 121 D2
Y Glyn Caernarfon LL55 152 F5
Llandudno Junction LL31 118 B4
Y Glynnor LL41 71 E6
Y Golff LL49 69 C4
Y Gorlan
Maesgeirchen LL57 143 B3
Rhyl / Y Rhyl LL18 125 C8
Y Gors LL65 138 B5
Y Groes LL53 65 C7
Y Grugan LL54 40 B6
Y Gwyngyll LL61 141 B4
Y Lawnt / Lombard St LL40 162 C2
Y Links / Links The LL68 4 D6
Y Lon Gam LL53 65 C7
Y Maes LL53 65 C7
Y Maes / Castle Sq 17 LL55 152 D4
Ynys Fawr LL53 81 A2
Ynys-hir Nature Reserve* SY20 111 A3
Ynys Lawd / South Stack* LL65 6 B5
Ynysmaengwyn Cvn Pk LL36 105 E1
Ynys Terr LL41 156 D4
Ynys-y-Pandy Slate Mill* LL51 54 D2
York Pl Bangor LL57 143 A5
7 Conwy LL32 117 E2
York Rd
Colwyn Bay / Bae Colwyn LL29 119 F4
Degan
Y Plase Ctr* LL23 159 D4
Y Promenad / The Promenade 1 LL55 152 D4
Y Prom / The Promenade LL53 157 C3
Yr Ala / Ala Rd LL53 157 B4
Yr Angorfa LL32 117 C4
Yr Ardd Fawr LL53 81 A5
Yr Ardd Wair 4 LL77 139 D4
Yr Eifl LL53 157 C3
Yr Encil LL22 123 C3
Yr Hafan LL23 159 D4
Yr Harbwr LL53 81 B3
Yr Hen Ysgol
Rachub LL57 150 C4
Trefor LL54 51 B5
Y Rhos LL57 142 B1
Yr Hwylfa LL55 152 F5
Yr Ogof LL65 138 D3
Yr Wyddfa National Nature Reserve* LL55 42 E4
Yr Ynys LL57 150 C4
Yr Ysgol LL38 99 E3

Ysbyty = hospital

Ysbyty Abergele (Hospl) LL22 135 B4
Ysbyty Bron Y Garth / Bron Y Garth Hospital LL48 70 C5
Ysbyty Bron Y Garth / Bron Y Garth Hospl LL48 70 C5
Ysbyty Bryn Beryl (Hospl) LL53 66 F4
Ysbyty Bryn Seiont (Hospl) LL55 152 E1
Ysbyty Conwy / Conwy Hospl LL32 117 C3
Ysbyty Dolgellau Y Bermo a'r Cylch / Dolgellau & Barmouth District Hospl LL40 162 D2
Ysbyty Eryri (Hospl) LL55 152 F2
Ysbyty Glan Clwyd (Hospl) LL18 137 A5
Ysbyty Gwynedd (Hospl) LL57 142 B1
Ysbyty Gymuned Bro Ddyfi / Bro Ddyfi Com Hospl SY20 163 E4
Ysbyty Llandudno / Llandudno Hospl LL30 117 E8
Ysbyty Minffordd (Hospl) LL57 142 F3
Ysbyty Penrhos Stanley / Penrhos Stanley Hospl LL65 138 F4
Ysbyty Pwllheli (Hospl) LL53 157 C5
Ysgethin Mus* LL43 92 F4

Ysgol = school

Ysgol Abercaseg LL57 150 D1
Ysgol Aberconwy LL32 117 D3
Ysgol Ardudwy LL46 160 D6
Ysgol Babanod SY20 163 F5
Ysgol Babanod Coed Mawr LL57 142 D2
Ysgol Babanod Llanfairfechan LL33 126 C2
Ysgol Baladeulyn LL54 40 F4
Ysgol Betws-y-Coed LL24 155 A6
Ysgol Bodafon LL30 114 D2
Ysgol Bod Alaw LL29 120 B3
Ysgol Bodfeurig LL57 149 E2
Ysgol Borth-y-Gest LL49 158 C1
Ysgol Botwnnog LL53 80 C6
Ysgol Bro Aled Llansannan LL16 37 C8
Ysgol Bro Cernyw LL22 25 C2
Ysgol Bro Ddyfi SY20 163 C4
Ysgol Bro Gwydir LL26 154 C4
Ysgol Bro Hedd Wyn LL41 72 A2
Ysgol Bro Lieu LL54 40 B4
Ysgol Bronyfoel LL54 40 E5
Ysgol Bro Plennydd LL53 66 F6
Ysgol Bro Tegid LL23 159 D4
Ysgol Bro Tryweryn LL23 75 C6
Ysgol Brynaerau LL54 39 E2
Ysgol Bryn Elian LL29 120 C2
Ysgol Brynrefail LL55 30 E6
Ysgol Bueno Sant Y Bala LL23 159 D5
Ysgol Capel Garmon LL26 45 F6
Ysgol Capelulo LL34 116 A1
Ysgol Cefn Meiriadog LL22 27 D8
Ysgol Coedmenai LL57 141 E1
Ysgol Craig Y Don LL30 114 A2
Ysgol Crud y Werin LL53 78 G3
Ysgol Cymerau LL53 157 C3
Ysgol Cystennin LL28 119 B4
Ysgol David Hughes LL59 141 F5
Ysgol Deganwy LL31 117 F4
Ysgol Dewi Sant LL18 125 E5
Ysgol Dinas Mawddwy SY20 103 D5
Ysgol Dinmael LL21 62 A3
Ysgol Dolbadarn LL55 31 C2
Ysgol Dolgarrog LL32 23 D2
Ysgol Dyffryn Conwy
Llanrwst LL26 154 C4
Llanrwst LL26 154 D3
Ysgol Dyffryn Nantlle LL54 40 B4
Ysgol Dyffryn Ogwen LL57 150 C3
Ysgoldy Terr LL57 147 F8
Ysgol Edmwnd Prys LL41 71 E6
Ysgol Eifion Wyn LL49 158 D4
Ysgol Eifionydd LL49 158 D5
Ysgol Ein Harglwyddes LL57 142 F4
Ysgol Emmanuel LL18 125 C6
Ysgol Emrys Ap Iwan LL22 123 B2
Ysgol Emrys Ap Iwan (Dinorben Block) LL22 123 C2
Ysgol Esceifiog Gaerwen LL60 21 E6
Ysgol Feithrin LL59 142 A5
Ysgol Ffordd Dyffryn LL30 113 D2
Ysgol Ffridd y Llyn LL23 76 C5
Ysgol Ffrwd Win LL65 8 B4
Ysgol Foel Gron LL53 81 A5
Ysgol Friars LL57 142 C3
Ysgol Glanadda LL57 142 E2
Ysgol Glancegin LL57 143 B4
Ysgol Glan Gele LL22 123 C2
Ysgol Glan Morfa LL22 123 C2
Ysgol Glanwydden LL30 118 F8
Ysgol Glan-y-mor LL53 157 C3
Ysgol Gogarth LL30 114 C2
Ysgol Goronwy Owen LL74 11 E1
Ysgol Gwaun Gynfi LL55 31 C6
Ysgol Gyfun LL77 139 C4
Ysgol Gymraeg Morswyn LL65 138 E3
Ysgol Gymuned Bodorgan LL62 20 C4
Ysgol Gymuned Bryngwran LL65 13 D4
Ysgol Gymuned Carreglefn LL68 3 E1
Ysgol Gymuned Cylch Y Garn LL65 2 G1
Ysgol Gymuned Dwyran LL61 29 B8
Ysgol Gymuned Llanerchymedd LL71 10 A3
Ysgol Gymuned Llanfechell LL68 3 C4
Ysgol Gymuned Moelfre LL72 11 D5
Ysgol Gymuned Penisa'waun LL55 31 A6
Ysgol Gymuned Pentraeth LL75 16 D5
Ysgol Gymuned Rhosybol LL68 4 C1
Ysgol Gymuned Y Dyffryn LL65 7 D2
Ysgol Gynradd Aberdyfi LL35 109 E3
Ysgol Gynradd Aberech LL53 66 F3
Ysgol Gynradd Aberffraw LL63 19 E3
Ysgol Gynradd Abergynolwyn LL36 106 F5
Ysgol Gynradd Amlwch LL68 4 E6
Ysgol Gynradd Beaumaris LL58 17 E3
Ysgol Gynradd Beddgelert LL55 55 A7
Ysgol Gynradd Bethel LL55 30 D8
Ysgol Gynradd Bodffordd LL77 14 F3
Ysgol Gynradd Bontnewydd LL55 29 F2
Ysgol Gynradd Brithdir LL40 95 E1
Ysgol Gynradd Bryncrug LL36 105 F2
Ysgol Gynradd Brynsiencyn LL61 21 F1
Ysgol Gynradd Caergeiliog LL65 13 A5
Ysgol Gynradd Cae Top LL57 142 E5
Ysgol Gynradd Camaes LL67 3 C5
Ysgol Gynradd Carmel LL54 40 D6
Ysgol Gynradd Cerrigydrudion LL21 61 B7